Mon dernier rêve sera pour vous

Sur simple envoi de votre carte nous vous
tiendrons
régulièrement au courant de nos publications.
Éditions Jean-Claude Lattès
B.P. 85 – 75006 Paris

JEAN D'ORMESSON
DE L'ACADÉMIE FRANÇAISE

Mon dernier rêve sera pour vous

une biographie sentimentale de Chateaubriand

ŒUVRES DE JEAN D'ORMESSON

L'Amour est un plaisir
Le livre de Poche

Un amour pour rien
Folio

Du côté de chez Jean
Folio

Au revoir et merci
N.R.F.

Les Illusions de la mer
Le Livre de Poche

La Gloire de l'Empire
N.R.F.

Au plaisir de Dieu
N.R.F.

Le Vagabond qui passe sous une ombrelle trouée
N.R.F.

Dieu, sa vie, son œuvre
N.R.F.

Pour vous.

SOMMAIRE

AVEC, DANS LES RÔLES PRINCIPAUX,

par ordre d'entrée en scène

FRANÇOIS-RENÉ DE CHATEAUBRIAND
ambassadeur, ministre des Affaires étrangères, pair de France, écrivain

LE PRÉSIDENT DE MALESHERBES
directeur de la librairie, ministre de la maison du roi, défenseur de Louis XVI

JEAN-JACQUES ROUSSEAU
écrivain

L'ONCLE BEDÉE L'ARTICHAUT

FRANÇOIS-JOSEPH HINGANT DE LA TREMBLAIS

LE COMTE DE LA BOUËTARDAIS
cousin de François-René

JEAN-GABRIEL PELTIER
aventurier

LA FAMILLE IVES
LE RÉVÉREND JOHN IVES
MRS IVES, SON ÉPOUSE
CHARLOTTE IVES, LEUR FILLE

LUCILE DE CHATEAUBRIAND
sœur de François-René

RENÉ-AUGUSTE DE CHATEAUBRIAND
père de François-René

LA SYLPHIDE

CÉLESTE BUISSON DE LA VIGNE
femme de François-René

PAULINE DE BEAUMONT

LOUIS DE FONTANES
président du Corps législatif, grand maître de l'Université

NAPOLÉON BONAPARTE
général, Premier consul, empereur

JOSEPH JOUBERT
moraliste

LA FAMILLE MONTMORIN SAINT-HEREM
décimée

CHÊNEDOLLÉ
poète

GERMAINE DE STAËL
écrivain

DELPHINE DE SABRAN, MARQUISE DE CUSTINE

CHARLES-MAURICE DE TALLEYRAND-PÉRIGORD
évêque, ministre des Affaires étrangères, prince d'Empire, président du Conseil

SAINTE-BEUVE
critique

LE DUC D'ENGHIEN

CLAIRE DE KERSAINT, DUCHESSE DE DURAS

LA COMTESSE DE BOIGNE

MATHIEU MOLÉ
ministre des Affaires étrangères, président du Conseil

NATALIE DE LABORDE
vicomtesse de Noailles, duchesse de Mouchy

PIERRE-SIMON BALLANCHE
philosophe

JULIEN POTELIN
valet de chambre

HYACINTHE PILORGE
secrétaire

HYDE DE NEUVILLE
monarchiste

JULIETTE RÉCAMIER

AMÉLIE CYVOCT
sa nièce

BENJAMIN CONSTANT
écrivain

ADRIEN DE MONTMORENCY
ambassadeur de France

MATHIEU DE MONTMORENCY
ministre des Affaires étrangères, son cousin

LE PRINCE AUGUSTE DE PRUSSE

LOUIS XVIII
roi de France

ÉTIENNE PASQUIER
garde des Sceaux, ministre des Affaires étrangères

LE DUC DE RICHELIEU
président du Conseil

ÉLIE, COMTE, puis DUC DECAZES
ministre de l'Intérieur, président du Conseil

LE COMTE DE VILLÈLE
président du Conseil

MONTMIREL
cuisinier

FERDINAND VII
roi d'Espagne

CORDÉLIA GREFFULHE, COMTESSE DE CASTELLANE

JEAN-JACQUES AMPÈRE

HORTENSE DE BEAUHARNAIS
reine de Hollande, duchesse de Saint-Leu

M. LE MOINE
homme d'affaires

CHARLES X
roi de France

LE COMTE OTHENIN D'HAUSSONVILLE

HORTENSE ALLART

LA MARQUISE DE VICHET

LÉONTINE DE VILLENEUVE

LAMARTINE
poète

BÉRANGER
chansonnier

LOUIS-PHILIPPE Ier
roi des Français

MARIE-CAROLINE DES DEUX-SICILES, DUCHESSE DE BERRY
belle-fille de Charles X

BAPTISTE
valet de chambre

LA DUCHESSE D'ANGOULÊME
fille de Louis XVI, belle-fille de Charles X

LORD BYRON
poète

L'ABBÉ SÉGUIN

ARMAND-JEAN LE BOUTHILLIER DE RANCÉ
trappiste

VICTOR HUGO
poète

LA RÉPUBLIQUE

Papes, fous, négresses, ministres, peintres, banquiers, serviteurs, militaires, courtisanes, etc.

Le décor représente successivement une rue de Paris sous Louis-Philippe, une forêt en Amérique, un champ de bataille en Allemagne ou aux Pays-Bas, la campagne anglaise, un salon parisien sous la Révolution, l'Empire, la Restauration et la monarchie de Juillet, un temple grec, le tombeau du Christ à Jérusalem, une tempête sur la mer, les côtes de l'Afrique, la mosquée de Cordoue, l'Alhambra de Grenade, une cellule dans un couvent, un bureau de ministre, une assemblée parlementaire, des vues du Champs-de-Mars ou du Trocadéro à Paris, du Grand Canal et du Lido à Venise, de la place d'Espagne, du Colisée, de Saint-Pierre et de la Villa Médicis à Rome, une route de Bohême sous la lune, le Hradschin à Prague, enfin une chambre presque nue avec un lit de fer, une boîte en bois blanc et un crucifix.

Prologue

FRANÇOIS-RENÉ
OU LA CONTRADICTION

Dans les dernières années du règne de Louis-Philippe...

Dans les dernières années du règne de Louis-Philippe, roi des Français, les Parisiens que leurs habitudes ou leurs occupations amenaient aux abords de la rue du Bac, du côté où elle se perdait dans les jardins de Babylone, puis, plus loin encore, vers le faubourg Montparnasse, voyaient passer assez souvent, d'un pas ralenti par l'âge, un vieillard reconnu et salué par beaucoup. C'était un homme de petite taille, aux yeux remplis de tristesse, à la bouche désabusée, et dont les cheveux blancs en désordre semblaient soulevés encore par quelque tempête invisible. Habillé avec une recherche un peu vieillotte dans des vêtements élimés, il pouvait avoir soixante-dix ou peut-être quatre-vingts ans. Il portait des gants, des guêtres, souvent une fleur à la boutonnière de sa redingote à l'ancienne mode. Sous l'étoffe usée et luisante, une de ses épaules était un peu plus haute que l'autre : jaloux de ses succès, qui avaient pris, au fil des ans, des allures de légende, ses ennemis assuraient que le séducteur n'était rien d'autre qu'un bossu. Il marchait avec difficulté, le corps un peu tordu par les ans, par les rhumatismes, par un accident de voiture qui venait de lui casser la clavicule. Quand il ne se sentait pas observé, il tenait de sa main valide l'autre bras paralysé. Par l'indifférence et le mépris dont elle giflait le monde, la mince carcasse déjetée en imposait encore.

Cette statue tombée qui s'avançait lentement, cette image du désespoir, ce reste des temps évanouis avait été un poète. Il avait connu une renommée qui l'égalait aux plus grands. Les autres l'avaient oublié. Lui ne cessait de s'en souvenir. Il écrivait des Mémoires d'une vie, d'une gaieté, d'une imagination merveilleuses, et il y mettait tous ses espoirs de terrestre éternité. Un polémiste de l'époque lui avait suggéré, avec justesse et cruauté, une épigraphe à cet ouvrage : « *Quotidie morior* - Je meurs chaque jour ». Rien n'était plus exact. Il se voyait lui-même comme un spectre, un fantôme, un survivant qui n'en finissait plus d'abandonner au temps qui passe un peu de sa force et de sa gloire et de tout ce qu'il avait été. Il n'y avait pas d'heure où il ne se demandait ce qu'il faisait encore dans ce vacarme vulgaire où, à force de grandeur expirée, il n'avait plus sa place. « C'est sans doute par erreur, Monsieur, écrivait-il, vers cette époque, dans une lettre mélancolique et comme toujours admirable, qu'on vous a dit que j'habitais la terre. » Il n'était plus de nulle part. Il était parti pour ailleurs. Il vivait à jamais dans les rêves qui avaient été, depuis toujours, ses plus fidèles compagnons.

Il s'appelait René, ou François, ou Auguste - est-ce qu'il savait ! Il était né au siècle dernier, en septembre ou en octobre, en 68 peut-être, ou peut-être en 69, pour mieux imiter l'empereur, admiré et haï, dont la courbe, au pouvoir, se devait d'être parallèle à la sienne dans les lettres et dans la pensée. Lui était royaliste. Non pas un partisan de ce pot-au-feu domestique, né d'un croisement trop raisonnable et pourtant contre nature entre la tradition et la révolution, et qui, depuis une quinzaine d'années déjà, mijotait à petit feu au milieu du jardin des Tuileries. Son cœur était plus fidèle. Républicain d'instinct, démocrate de tendance, anarchiste de tempérament, farouchement attaché à l'amour de la liberté, il s'était donné une fois pour toutes à la religion catholique et à la monarchie légitime. Il allait parfois jusqu'à se demander si ce n'étaient pas leurs malheurs qui l'avaient attaché à jamais à ces deux causes battues par les tempêtes de l'époque formidable où il avait vécu.

Il aimait le malheur. Toujours, il avait aimé le malheur. Le bonheur l'ennuyait. Le succès aussi. La victoire l'enivrait, et il la haïssait. Il ne pensait qu'à la gloire, et il la méprisait. Il s'était jeté dans la passion comme dans un brasier ardent où il se laissait dévorer. Au moins lui apportait-elle des choses nouvelles et souvent affreuses - mais qui ne l'ennuyaient pas. Il avait beaucoup craint l'ennui. Dès sa jeunesse, il avait souffert à la fois d'une exaltation fiévreuse et d'une espèce de lassitude, d'indifférence à tout, qu'il s'était efforcé de noyer dans le tourbillon des jours et sous la splendeur des mots. Il y avait réussi avec éclat. Quand il se retournait sur sa vie, ce qu'il faisait de plus en plus souvent depuis qu'il écrivait ses souvenirs et que l'âge accablait, elle lui apparaissait comme un chef-d'œuvre d'illusions rattrapé par les mots, sauvé par le langage et tout fait de songes et de malheurs qui ne se distinguaient plus guère les uns des autres.

Ce matin même, trois événements distincts, qui s'étaient succédé coup sur coup, l'emportaient à nouveau vers ces temps évanouis dont il finissait par se demander s'ils avaient vraiment existé. Le courrier lui avait apporté une lettre d'un Anglais dont il se souvenait vaguement comme d'un enfant ou d'un jeune homme, mais qui devait être maintenant dans toute la force de l'âge : il s'appelait Samuel Sutton. Sutton !... Que de noms auraient pesé sur lui, tout au long des années !... Celui-là était le premier d'une liste interminable qu'il se récitait parfois, avec désespoir et délices. Une heure ou une heure et demie plus tard, il avait reçu la visite d'un couple encore jeune qui était entré dans la pièce où il se tenait immobile, perdu dans ses pensées, se réchauffant tout ensemble à la flamme d'un maigre feu et à celle d'un rayon de soleil. A la jeune femme, un peu émue, ou peut-être vaguement gênée, il avait tendu les deux mains en murmurant : « C'est vous ! » Et à voix très basse - l'avait-elle même entendu ? - il avait ajouté : « Je vous ai bien aimée. » Et, plus bas encore, comme pour soi : « Je vous aime encore. » C'était un autre nom de la liste magique qui composait sa vie. Et puis, un peu plus tard, à nouveau, un de ses petits-neveux, intimidé et hardi, avait chanté, assez mal, quelques vers d'une romance qu'il avait jadis écrite et où dansait à jamais tout un cortège éclatant d'images de bonheur et de chagrins mêlés :

Ma sœur, te souvient-il encore
Du château que baignait la Dore,
Et de cette tant vieille tour
Du Maure,
Où l'airain sonnait le retour
Du jour ?

La voix de l'enfant était si fausse que le vieux poète en avait ri aux larmes et que, secoué par des sanglots dont il n'était plus maître, il avait laissé tomber sur le sol, où elle s'était cassée, la tasse de porcelaine bleu et rose qu'il tenait à la main.

Souvenirs..., souvenirs... Sa vie entière n'était plus qu'un souvenir. La vie, l'histoire, le temps ne sont rien d'autre qu'une machine à fabriquer des souvenirs. Il marchait à petits pas. En quittant la rue du Bac pour tourner à gauche dans la direction de Saint-Sulpice ou de la rue du Cherche-Midi, le vieil homme, plus que jamais, semblable à un foyer étouffé par les cendres, était enfoui dans son passé.

Son imagination affaiblie était encore si forte qu'il lui semblait se mouvoir moins dans l'espace que dans le temps. Il ne marchait pas dans Paris éclairé d'un pâle soleil en train de lutter contre le brouillard, il traversait le siècle qu'il avait illustré et qui se confondait avec lui. Une douzaine d'hommes y brillaient d'un éclat violent. Il les voyait autour de lui comme il avait revu tout à l'heure, à travers la brume des âges, des visages de femmes et de jeunes filles. Mon Dieu !... oh ! mon Dieu !... Quel bruit ! quel vacarme ! Il mourait tous les jours - et pourtant, il ne mourrait pas. Quelque chose d'invisible s'attachait à son désespoir et à ses pas mal assurés : c'était la gloire. Depuis vingt ans, depuis trente ans, îlots de fidélité au milieu de l'oubli, des jeunes gens rêvaient de lui comme ils rêvaient de l'empereur. Et sur leurs cahiers d'écoliers ils écrivaient des mots de feu : « Être lui - ou n'être rien. » Et, pendant des siècles encore, il serait pour quelques-uns ce qu'avaient été Virgile pour Dante et Socrate pour Platon : un guide, un maître, un modèle, et des livres entiers se construiraient autour de lui. Personne, plus jamais, ne pourrait parler de son époque sans le situer au centre du monde qu'il avait animé. Une bouffée d'orgueil le traversa. Un éclair fugitif passa dans les yeux du vieillard.

Tout au début, à la fin de l'autre siècle qui avait été si affreux et si doux, il y avait l'ancêtre : Rousseau. Il avait connu Jean-Jacques Rousseau à travers un personnage un peu vulgaire, naturel avant tout, simple, sensé, vif jusqu'à la brusquerie, les yeux un peu enfoncés sous de gros sourcils grisonnants, la perruque mise de travers et peignée en dépit du bon sens, le jabot barbouillé de tabac sur un habit marron à grandes poches avec des boutons d'or et des manchettes de mousseline, et qui s'appelait M. de Malesherbes. Au tout jeune homme qu'il était alors, le président de Malesherbes, avec ses soixante-cinq ans et son absence de dents, était apparu comme un vieillard. Mais un vieillard plein de fougue, de courage, d'énergie : un feu au milieu des neiges et des glaces de l'hiver.

Malesherbes appartenait à la race maudite et bénie qui est le sel de la terre et qui attire le feu de l'histoire avec autant de sûreté que les paratonnerres de M. de Franklin attiraient celui du ciel : il était libéral. Il ne défendait pas les doctrines révolutionnaires qui tenaient alors le haut du pavé. Il était attaché aux principes réformateurs. Directeur de la librairie, adversaire du chancelier de Maupeou qui réclamait la mort pour les écrivains séditieux, le président de Malesherbes, au lieu d'asservir la pensée, avait tâché plutôt de développer la tolérance et d'adoucir autant que possible les rigueurs de la censure : elle dépendait de lui. L'*Encyclopédie* était parue sous son administration. « M. de Malesherbes, écrivait un orfèvre, bon juge en la matière, n'avait pas laissé de rendre service à l'esprit humain en donnant à la presse plus de liberté qu'elle n'en a jamais eu : nous étions déjà presque à moitié chemin des Anglais. » L'auteur de ces lignes était Voltaire. « Il y a quarante ans que j'ai soutenu cette maxime, écrivait Malesherbes lui-même à la veille de la Révolution, à peu près à l'époque de sa rencontre avec notre héros, que la liberté de la presse porte son remède en lui-même ; l'erreur triomphe quelquefois pour un temps, par la supériorité des talents du défenseur de la mauvaise cause. Mais, en définitive, la victoire reste à la vérité. »

Le vieux président avait joué à l'égard du jeune Breton le rôle très classique du précepteur. Les liens de l'esprit doublaient les liens du sang : le frère aîné de René, Jean-Baptiste, avait épousé la petite-fille de M. de Malesherbes. François-René écoutait pendant des heures le grand-père de sa belle-sœur. Le père de François-René, qui avait mené une vie très éloignée de toutes les vertus chrétiennes, avait enseigné à son fils la fidélité et l'honneur. M. de Malesherbes lui apprit la liberté.

Selon les lois immuables de la transmission du savoir, le plus vieux avait expliqué au plus jeune le monde où ils vivaient. Il lui avait faire lire Linné, les philosophes, les poètes, ils avaient parlé ensemble botanique et géographie, ils s'étaient penchés tous les deux sur des cartes d'Amérique, et des rêves de voyages avaient éclos lentement dans la jeune âme exaltée du Breton de Paris. « Si j'étais plus jeune, soupirait le vieux président, je partirais avec vous, je m'épargnerais le spectacle que m'offrent ici tant de crimes, de lâchetés et de folies. Mais, à mon âge, il faut mourir où l'on est. »

Le président de Malesherbes avait été l'ami et le protecteur de Rousseau. Il dévoila à son disciple les beautés bouleversantes et vaguement inquiétantes de l'*Émile* et du *Contrat social.* Le jeune homme prenait feu. Il n'était pas le seul : chez lui, pendant ce temps-là, à Rennes, les états de Bretagne se réunissaient dans la fièvre. On discutait des impôts, de la faiblesse du roi et des mœurs de la reine, de l'affaire du collier, du *Mariage de Figaro.* La noblesse bretonne sentait frémir en elle des tentations de fronde annonciatrices lointaines de bien d'autres révoltes. Les privilégiés s'amusaient, sans se douter le moins du monde qu'ils creusaient déjà les pièges et les fosses où ils tomberaient en même temps que ceux qu'ils attaquaient.

Ce qu'il y a de merveilleux dans le passé, c'est qu'on en sait déjà l'avenir. En se traînant dans la rue du Paris orléaniste où quelques-uns encore le saluaient au passage, le vieux poète breton, monarchiste, libéral et chrétien, songeait à la fortune et aux malheurs du président de Malesherbes. Ministre de la maison du roi, chargé en fait de l'Intérieur et le la Police générale, Malesherbes avait suivi Turgot dans sa disgrâce. En 1792, il sortit de sa retraite pour demander à la Convention d'assister le roi déchu qui, en dépit de tout, avait été son ami. « J'ignore, écrivait-il, si la Convention nationale donnera à Louis XVI un conseil pour le défendre et si elle lui en laissera le choix. Dans ce cas-là, je désire que Louis XVI sache que s'il me choisit pour cette fonction je suis prêt à m'y dévouer. » La demande fut acceptée. Le roi choisit Malesherbes. A plus de soixante-dix ans, le vieux parlementaire se joignit à Tronchet et à Desèze pour servir d'avocat au souverain en accusation. Rien ne put l'empêcher, lorsqu'il parlait de l'inculpé, de dire encore « le roi » ni de se servir du mot « Sire » lorsqu'il s'adressait à lui.

– Qu'est-ce donc, gronda un conventionnel, qui vous rend si hardi ?

– Le mépris de vous, monsieur, répondit M. de Malesherbes. Et le mépris de la vie.

Lorsque, quelques mois à peine après l'exécution du roi, il fut traduit lui-même devant le tribunal révolutionnaire, il refusa de se défendre. Il avait défendu le roi : c'était assez. L'indépendance, le courage, l'amour de la liberté n'ont pas besoin d'avocats. Il fut guillotiné à l'âge de soixante-douze ans, en même temps que sa fille, la présidente Le Peletier de Rosanbo, et ses petits-enfants. En marchant au supplice, les mains liées derrière le dos, son pied heurta une pierre dans la cour du Palais : il trébucha et faillit tomber. Se tournant vers son voisin, il lui dit en souriant : « Voilà un mauvais présage. Un Romain, à ma place, serait rentré chez lui. »

Le paysage changeait. La Convention nationale, le Paris de la Terreur et de la monarchie de Juillet s'évanouissaient d'un seul coup. Notre promeneur de la rue du Bac se retrouvait brusquement dans les forêts d'Amérique. Beaucoup, en ce temps-là, restaient aveugles à l'avenir : « Quoi de plus frivole, disait Necker, que les craintes conçues à raison de l'organisation des états généraux ? » René était plus lucide : « Le roi est perdu et vous n'aurez pas de contre-révolution. » Le scepticisme s'unissait en lui à la clairvoyance. Il était persuadé que tous les gouvernements se ressemblent et il préférait le nouveau monde et son parfum d'aventure aux vieilles rancœurs de Coblence, rendez-vous des émigrés. Il s'embarqua à Saint-Malo sur le *Saint-Pierre* du capitaine Dujardin-Pintedevin.

« La terrible majesté des spectacles océaniques » berça ses rêves et ses désirs. A peine débarquait-il dans la baie de Chesapeake qu'une « négresse de treize à quatorze ans, presque nue et d'une beauté singulière » lui apparut « comme une jeune Nuit ». Elle effaçait le souvenir de son père négrier. Les héros d'Homère se muaient en Indiens. Dans les grandes forêts primitives, au bord des fleuves géants, entre ses chères Iroquoises qui le changeaient des galanteries à la mode de Paris et les gracieux carcajous dont le nom seul l'enchantait, il s'imaginait jouir enfin « du bonheur royal d'Adam glorieux et souverain dans l'Eden ». Son goût d'une liberté aux bords de l'anarchie pouvait se donner libre cours : « Ici, plus de chemins, plus de villes, plus de monarchie, plus de république, plus de présidents, plus de rois, plus d'hommes... » Son sort passé et à venir lui faisait pitié et horreur : « Courez vous enfermer dans vos cités ; allez vous soumettre à vos petites lois, gagner votre pain à la sueur de votre corps ou dévorer le pain du pauvre, égorgez-vous pour un mot, pour un maître, doutez de l'existence de Dieu ou adorez-le sous des formes superstitieuses ! Moi, j'irai errant dans mes solitudes. Pas un seul battement de mon cœur ne sera comprimé ; pas une seule de mes pensées ne sera enchaînée ; je serai libre comme la Nature ! » Célèbre, comme il était triste, avec sa vie derrière lui ! Sauvage, comme il avait été heureux, avec sa vie devant lui ! Dans les forêts d'Amérique, se souvenant des leçons de M. de Malesherbes, il redevenait le disciple de Jean-Jacques Rousseau et il s'écriait avec un bonheur à peine mêlé de comédie et de grandiloquence : « Liberté primitive, je te retrouve enfin ! »

Un soir, dans une ferme isolée où il se reposait de ses exubérances et de ses ambulations, il rêvait, comme d'habitude, près de la cheminée où crépitait un feu aux senteurs exotiques, lorsqu'un titre en anglais, à la première page d'un journal qui traînait sur le sol, attira son regard : *Flight of the King.* C'était l'annonce, parvenue par miracle jusqu'aux rivages des Floridiennes, de l'évasion du roi et de la fuite à Varennes. Dans cette âme exaltée, mille sentiments contradictoires éclatèrent d'un seul coup. Tout prenait feu en même temps. La curiosité, l'ennui, le goût du changement, l'ambition politique et littéraire conspirèrent avec le sens de l'honneur brutalement réveillé : il fallait rentrer dans le monde. La période fauve était terminée. Le disciple de Rousseau exilé dans les forêts de Floride partait se battre pour un roi en qui il ne croyait guère. La fidélité ne prend sa grandeur qu'en se passant de la foi. Et puis le sauvage pensait à lui-même, à la gloire qui le guettait, à la société civilisée qu'il se préparait en silence à vaincre et à conquérir. Il repartait pour la France.

Il n'y rentrait que pour la quitter presque aussitôt et pour rejoindre dans l'émigration l'armée de la fidélité et de ces princes qu'il méprisait. Le sceptique s'engageait. Le sauvage devenait soldat. Il allait se battre pour son roi malheureux, qui lui était indifférent, contre les disciples de Rousseau, parmi lesquels il se comptait. Bientôt, blessé à la cuisse en tirant sur les siens qui tiraient sur les siens, frappé de la petite vérole, fiévreux, à moitié mourant, il ne pensait plus qu'à fuir ceux qu'il appelait joliment « les héros de la domesticité » et à rejoindre sa famille.

Comme une vie est brève et longue ! Comme elle part dans tous les sens ! Comme elle s'étend et prolifère ! Comme elle est dévorée par les contradictions ! Après avoir quitté la rue du Bac, en obliquant sur sa gauche, le vieillard revoyait toutes les figures, amicales et sévères, qui se penchaient sur son enfance. Il y avait la grand-mère Bedée, la grand-tante Boisteilleul, le cousin La Bouëtardais, il y avait aussi l'oncle Bedée, seigneur de Plancoët et d'autres lieux, qui habitait là-bas, sur la route de Lamballe, au château de Monchoix, et à qui sa taille épaisse sous des épaules étroites avait valu le surnom de Bedée l'Artichaut. La Révolution avait jeté toute la famille dans l'île anglaise de Jersey. Épuisé, blessé, frissonnant, avec sa plaie à la cuisse, son uniforme en loques, sa dysenterie, sa petite vérole, sa barbe qui lui dévorait le visage, le jeune guerrier déçu s'embarqua à Ostende. Le mal de mer l'acheva. C'était sa seconde tempête en un an : la première, plus violente encore, il l'avait essuyée à son retour d'Amérique ; mais il était alors en bonne santé. Cette fois, il crut mourir à bord. Il débarqua à Jersey dans un état pitoyable. Quelques jours plus tard, il vit l'oncle Bedée l'Artichaut entrer, tout de noir vêtu, plus triste et plus gros que jamais, dans sa chambre d'où la mer, au loin, se laissait deviner. L'oncle agitait un journal. Ce qu'annonçait ce journal-ci, brandi par une main tremblante, ne le surprit pas trop : c'était l'exécution du roi, le 21 janvier 1793. La Terreur prenait son vol, avec ses discours sans fin, ses rêves d'épopée, ses références antiques et sa faux pleine de sang. Quelques semaines plus tard, le jeune François-René s'embarquait à nouveau. Destination : Southampton. La Bretagne et l'enfance, les forêts d'Amérique, l'armée des princes s'enfonçaient dans le passé. L'exil politique commençait.

Toute sa jeunesse évanouie revenait ainsi, par bribes, dans les tourbillons du souvenir, à l'esprit du vieillard. Le long du trajet si court qui le menait, jour après jour, du 112 de la rue du Bac jusqu'à l'Abbaye-aux-Bois – tout au bout de l'impasse qui s'appelle aujourd'hui rue Récamier –, il ressassait sans fin les aventures de sa vie. Les images jaillissaient les unes après les autres. Elles ressuscitaient la période peut-être la plus agitée de toute l'histoire des hommes. Il y avait tenu sa place et joué son grand rôle. Il lui avait donné une bonne partie de sa musique et de ses rêves. Sans le voyage d'Amérique et sans l'exil à Londres, sans la vieille Bretagne de l'oncle Bedée l'Artichaut, sans le Paris d'avant la Révolution où brillait le souvenir calme et grave de M. de Malesherbes, sans la famille guillotinée sur les bords de la Seine et le passage désespéré dans l'armée des émigrés, la fin du XVIIIe siècle et le début du XIXe siècle n'auraient pas été ce qu'ils sont. Ceux qui viendraient plus tard les verraient par ses yeux. L'histoire de l'époque serait son œuvre. Il serait à lui seul la couleur de son temps.

Il était si absorbé dans ses pensées qu'il ne vit pas un groupe d'une douzaine d'étudiants, peut-être un peu trop bien habillés, en train de le suivre en donnant des signes d'agitation. L'agitation, en quelques instants, se transforma en enthousiasme. Il était entouré maintenant de jeunes gens exaltés auxquels se mêlaient deux ou trois jeunes filles, dont l'une au moins lui parut jolie. Mon Dieu ! comme la vie était belle ! Les jeunes gens dansaient autour de lui et criaient les seuls mots qui pouvaient arracher un sourire à ses lèvres amincies par l'âge et par le chagrin : « Vive M. de Chateaubriand ! Vive Chateaubriand ! Vive notre grand Chateaubriand ! »

1

CHARLOTTE OU LE MALHEUR

Sur le pont du navire qui le mène vers l'exil...

—

Bientôt M. de Combourg fut de toutes les parties...

—

Il partit à pied, éperdu, sans rentrer dans sa chambre...

Sur le pont du navire qui le mène vers l'exil, le chevalier de Chateaubriand est en train de rêver. Il rêve. Il va mourir. En ce printemps de 93, à moins de vingt-cinq ans, après avoir couru les forêts et les mers, les salons et les camps, il se sent le jouet de mille passions opposées. La première est l'orgueil. Il lui semble, obscurément, qu'un grand destin l'attend. Il se sent les forces, le caractère, les capacités nécessaires pour l'affronter victorieusement. Dans sa fierté de caste, le passé de sa famille lui semble garant de son propre avenir. Il met de l'âme à tout et le monde n'est que le théâtre où exercer ses talents. Sur les landes bretonnes, dans les salons de Paris, au fond des forêts d'Amérique, sur l'océan déchaîné où, attaché au mât, il contemplait les étoiles, une foudre intérieure le frappait tout à coup : il laisserait un nom dans l'histoire des hommes. Et puis les houles du chagrin et du découragement le roulaient à nouveau. Sujet plus que personne à toutes les contradictions de l'esprit et de l'âme, tantôt il se croit de taille à conquérir l'univers et tantôt il s'imagine rejeté par un destin qui s'obstine contre lui. Parade peut-être d'un orgueil menacé par l'échec, l'indifférence le mine. On dirait qu'il bâille sa vie. Faute de pouvoir d'un seul coup atteindre à tout ce qu'il désire, il renonce très vite à tout ce qui peut s'obtenir. La maladie aidant, la vie lui semble insupportable. Il tousse. Il souffre de la poitrine. Souvent, il crache du sang. Il pense avec résignation et avec gravité qu'il n'en a plus pour longtemps. L'idée de Dieu le hante et il doute de presque tout. Il ne sait plus ce qu'il pense ni même ce qu'il ressent. Dans ce monde sans limites, sans formes, sans signification, plein de fureur et de bruit, il est une passion inutile.

A bord du même bateau, deux ou trois autres Bretons sont en train de fuir, comme lui, leur patrie ravagée. Il y a un de ses camarades d'enfance, un nommé Gesril, avec qui, du haut des balcons de Saint-Malo, il lançait jadis des brocs d'eau sur les jeunes filles de bonne famille qui passaient dans la rue et sur les duègnes bretonnes qui les accompagnaient. Il y a aussi un jeune conseiller au parlement de Rennes : il s'appelle François-Joseph Hingant de La Tremblais. C'est un homme d'un caractère entier et un peu sombre, mais avec qui on peut causer. Ils discutent, pendant des heures, des écrits de Rousseau et de la Révolution, des responsabilités du roi et de l'avenir de la France. Ils débarquent tous à Southampton. Les voilà sur le pavé de l'Angleterre en guerre contre leur patrie. Ils sont des réfugiés, des exilés, des émigrés. Ils flottent dans un état d'apesanteur morale. Il fait beau. C'est sinistre.

Les voyez-vous, ces jeunes gens, éprouvés par le voyage, hâves, un peu égarés, presque déguenillés, en train de s'efforcer, dans un anglais approximatif, de se faire indiquer le chemin de la mairie de Southampton ? Dans l'épuisement et le désarroi, les choses ne se passent pas trop mal. Au milieu des lenteurs administratives et de la foule indifférente, à l'accent nasillard, un employé de mairie finit par tendre à notre voyageur une espèce de laissez-passer. Le document porte en anglais quelques mots très banals : « François de Chateaubriand, officier français à l'armée des émigrés. Taille : cinq pieds, quatre pouces. Signes particuliers : mince, favoris et cheveux bruns. Marques de petite vérole. » Les pieds n'étaient pas des pieds français, comme le laissera entendre plus tard Chateaubriand, mais des pieds anglais. Ils ramènent la taille de René de 1,73 m à 1,62 m.

Londres, 1793. La guerre faisait rage contre la France. D'abord partisan de la neutralité, le second Pitt avait lancé l'Angleterre dans la première coalition contre la Révolution. Deux événements l'avaient décidé : d'abord, l'exécution de Louis XVI, troisième coup de tonnerre formidable dans le ciel de la monarchie britannique, déjà successivement assombri, à un siècle de distance, par la révolution de Cromwell et par l'indépendance de l'Amérique ; ensuite, et peut-être surtout, l'occupation par les Français des bouches de l'Escaut, d'Anvers et des Pays-Bas autrichiens. Le doigt de la Révolution sur le pistolet chargé au cœur de l'Angleterre ne permettait plus de temporiser.

La Terreur en France a expédié à Londres des émigrés par milliers. Ils oscillent entre une fidélité hargneuse à la monarchie écroulée, une stupide inconscience et un optimisme béat. La vie est rude, très rude. Le soir, pour faire revivre les bals des beaux jours évanouis, ils se réunissent pour danser. On voit des aristocrates, convertis en cochers, en charbonniers, en artisans maladroits, en répétiteurs incultes, se déguiser en fantômes et redevenir ce qu'ils étaient avant de devenir ce qu'ils ne sont pas. On cherche des compatriotes pour parler français entre soi, on se dispute, on chante, on se grise de folles espérances, on continue de s'aimer dans une sorte de désespoir, on s'efforce d'oublier et, en même temps, de se souvenir. C'est grotesque et touchant. Tout émigré qui loue à Londres un appartement ou une chambre pour plus d'une semaine est déconsidéré. Dans le parc de Saint-James, deux ombres tombées de la lune causent avec componction. Ce sont deux évêques exilés.

– Monseigneur, demande le premier, croyez-vous que nous soyons en France au mois de juin ?

– Monseigneur, répond le second après une profonde réflexion, je n'y vois aucun inconvénient.

Voilà le monde fantomatique, funambulesque, où est jeté François-René. C'est la période la plus dure de sa longue existence. Les choses pour lui sont plus sombres encore que pour les autres. Sa santé est ruinée. Il s'est très mal remis de ses blessures à l'armée des princes, de sa dysenterie, de sa petite vérole. Il est pâle et maigre. Et il crache toujours le sang. Vous vous rappelez Bedée, l'oncle Bedée, le gros Bedée l'Artichaut, qui agitait son journal régicide ? Son fils, le comte de La Bouëtardais - c'est un monde où les enfants ont, à défaut d'écus, d'autres noms en réserve que celui de leur père - est heureusement à Londres. Il a fait ce qu'il a pu : il a logé son cousin dans un infâme grenier. Inquiet de sa mine et de sa toux irrépressible, il le mène chez un médecin. Le grave docteur Godwin – mine sévère, besicles, favoris blancs, chaîne de montre sur un ventre rebondi sous une redingote noire : une sorte de grand-père, avant la lettre, d'un personnage de Dickens – n'abuse pas des ménagements : il constate tout de go que le patient est au bout du rouleau. Il lui accorde quelques mois avant la fin inéluctable :

– Jeune homme, affirme cet ennemi déclaré des circonlocutions, ne comptez pas sur une longue carrière.

La mort, avant même l'amour, fait son entrée dans la vie de René.

Elle lui était, la mort, depuis longtemps familière. Dès l'enfance, avec sa sœur, il caressait des rêves où la mort se mêlait à l'amour. Les deux grands siècles classiques - le XVIIe et le XVIIIe - ne s'occupent guère de la mort. Ils l'ensevelissent sous les fleurs, sous les fêtes, paradoxalement sous les guerres, sous tous les aspects les plus divers de la grandeur et du plaisir. Une dame du XVIIIe commençait son testament par ces mots surprenants : « Si, par hasard, je meurs... » On ne parlait pas plus de la mort que de la misère des pauvres ou de ses propres disgrâces. La mort était une tare, un ennui, une inconvenance. On l'oubliait. La mort fait son entrée, à la veille de la Révolution, au bras de la nature, de la société raisonnée et de l'amour sauvage. Allemand ou anglais, le romantisme, fait de la mort la plus formidable aventure de la vie. Voilà qu'elle prenait place, cette mort, dans ce qu'il avait de plus proche et de plus simplement évident : son corps. Il allait mourir en exil, dans la misère matérielle et morale, loin des siens, sans avoir presque rien fait et sans avoir connu l'amour.

Il parla beaucoup de sa mort prochaine avec son compagnon de traversée, le conseiller breton. Ils s'étaient retrouvés à Londres. Ils avaient uni leurs misères. Ils étaient aussi pauvres l'un que l'autre. Et ils avaient les habitudes et les plaisirs des pauvres. Ils promenaient longuement leur chagrin et leurs souvenirs dans les rues animées de la capitale bourdonnante de richesses et d'activité. De temps en temps, ils partaient pour les faubourgs et, au-delà des petites maisons qui les constituaient, ils allaient s'étendre, dans les champs, au bord de quelque ruisseau, et ils parlaient de leur enfance et de la Bretagne évanouies. On ne déjeunait guère. On soupait pour quelques sous, pour un demi-shilling, dans des gargotes détestables. On lisait beaucoup, on se livrait, pour survivre, à des traductions mal payées, on écrivait surtout, chacun pour soi : François-René, plongé dans une « compilation passionnée » où il se jetait avec désespoir et bonheur, un essai d'actualité, ambitieux et savant, sur l'histoire comparée et la philosophie des révolutions ; François-Joseph, plus primesautier, un roman, dont il attendait la fortune.

La fortune ne venait pas. Les nouvelles de France étaient détestables. Les deux jeunes gens manquaient de tout. Le désespoir s'emparait d'eux. La pauvreté, le chagrin sont de terribles maîtres d'école. Au début d'une vie, ils marquent à jamais ceux qui ont été soumis à leurs cruelles disciplines. Ce n'était pas seulement la pauvreté, c'était la misère. Hingant et lui n'avaient plus de quoi vivre. Aucune aide n'arrivait de Bretagne ni de Paris où triomphait la Terreur. Ils survivaient dans Londres comme dans une ville assiégée qui regorgeait de richesses. Pendant près d'une semaine, François-René et François-Joseph ne burent que de l'eau chaude avec un peu de sucre et quelques miettes de pain. La faim les dévorait. La fièvre les brûlait. Ils ne parvenaient plus à dormir. Ils suçaient des morceaux de linge trempés dans leur eau sucrée. Ils mâchaient de l'herbe cueillie dans les champs et un peu du papier de leurs chefs-d'œuvre inutiles, menacés par la mort. Au bord du délire et de l'évanouissement, ils ne se parlaient plus guère. Ils passaient ensemble, immobiles, muets, la plupart de leurs jours. Et ils se séparaient, la nuit, pour aller se jeter sur leurs grabats et dans leurs rêves éveillés. Un matin, plus sinistre encore que les autres, Hingant ne parut pas dans le grenier de François-René. Alors, le futur ministre, le futur ambassadeur se traîna jusqu'au taudis de son ami. Là, un spectacle atroce l'attendait : étendu dans son sang, vêtu de sa robe rouge de conseiller au parlement de Bretagne, François-Joseph Hingant de La Tremblais s'était enfoncé un poignard dans la poitrine.

Un autre drame, bientôt, frappait l'exilé de Londres. Le gros La Bouëtardais, à son tour, était à bout de ressources. Lui aussi souffrait de la faim. Il ne se suicidait pas, non. Mais une chose affreuse l'accablait pendant que, tout nu sur son matelas défoncé, il chantait, pour oublier, des romances de son pays ou des airs italiens : tout le monde, autour de lui – et lui-même pour se réconforter – assurait un peu trop fort que c'était « un vent coulis ». Mais c'était une attaque. Elle le laissa infirme et la bouche déformée avant de l'abattre à jamais. Dans Londres, capitale de la guerre, de la prospérité, des affaires et du commerce, le désastre était total.

Alors apparaît un personnage surprenant. Dans la vie comme dans les livres, surtout au temps de la jeunesse où le manque d'expérience s'unit à l'impatience et à l'appétit du nouveau, on se demande parfois comment les choses avancent et comment se forge un destin. Par le temps qui passe, par les rencontres, par le hasard bien sûr. Et ils prennent souvent l'apparence du bizarre et de l'improbable. La chance – ou peut-être la malchance – adopta pour François-René la figure pittoresque et un peu inquiétante de Jean-Gabriel Pelletier - ou Peltier. Grand, maigre, escalabreux, selon un mot de l'époque qui dit bien ce qu'il veut dire, même si le sens exact en reste obscur, les cheveux poudrés, le front chauve, toujours criant et rigolant, un chapeau rond sur l'oreille, Jean-Gabriel Peltier était un polémiste d'extrême droite qui avait publié, au début de la Révolution, des pamphlets assez violents contre la Constituante et le duc d'Orléans : *Sauvez-vous ou sauvez-nous* et *Domine salvum fac regem,* puis un journal hebdomadaire de combat, qui eut son heure de gloire : *Les Actes des Apôtres.* Émigré à Londres après le 10 août, il devait y créer un autre journal, *l'Ambigu,* où il allait prêcher ouvertement, un peu plus tard, l'assassinat de Napoléon, avant de devenir, déçu par les Bourbons et payé en pains de sucre, l'ambassadeur à Londres du roi Christophe, le potentat noir d'Haïti. Haut en couleur jusqu'à la caricature, mélange de Figaro, de Gil Blas, de Turcaret, du neveu de Rameau, personnage de Balzac revu par La Bruyère, toujours à l'affût de mille combinaisons qui frisaient l'escroquerie, buvant d'avance en vin de Champagne les appointements fabuleux versés par un nègre fou, jonglant avec la légitimité, les princes, les intrigues, les décorations, le luxe le plus effréné et la misère la plus noire, libertin de talent et homme aux ressources innombrables, plus louches les unes que les autres, Peltier, non content de trouver à François-René une chambre au plus bas prix et un imprimeur pour ses ouvrages encore à venir, lui déniche une situation.

Il avait lu dans un journal qu'une société d'érudits lançait une histoire du comté de Suffolk et cherchait un étudiant capable à la fois de déchiffrer des manuscrits normands du XIIe siècle et de donner des leçons de français. Le pasteur de la petite ville de Beccles, dans le Suffolk, était à la tête de l'entreprise. C'était cet homme-là qu'il fallait aller voir.

– Voilà votre affaire, dit Peltier en se tordant de rire. Partez, déchiffrez ces vieilles paperasses. Vous continuerez à écrire, je forcerai l'imprimeur à reprendre son travail, votre livre sera un immense succès et vous reviendrez à Londres fortune faite et en triomphateur !

La prudence, la raison, l'orgueil firent balbutier à François-René quelques minces objections. Pour l'explorateur de l'Amérique, pour le soldat de l'armée des princes, devenir un rat de bibliothèque, un érudit, une sorte de pion de province, quelle déchéance ! Il se rappelait tout à coup qu'à une offre du même ordre un de ses ancêtres avait répondu : « Un Chateaubriand a des précepteurs ; il ne devient pas celui des autres. » Peltier, plié en deux, se tenant les genoux à force de rire, balayait tout d'un revers de la main :

– Eh ! que diable ! voulez-vous donc mourir de faim avec votre gros cousin apoplectique ? Ha, ha, ha ! pouf ! pouf !... Ha, ha !

Il tira de son lit de douleur le gros La Bouëtardais à la veille de mourir et il les emmena tous les deux faire un gueuleton formidable où ils manquèrent de crever à coups de roastbeef et de plumpudding arrosés de porto.

– Comment, monsieur le comte, disait l'hurluberlu au malheureux La Bouëtardais réduit à l'état de loque, comment avez-vous ainsi votre gueule de travers ?

La pauvre épave en guenilles, rassasiée et choquée, prenait la chose de son mieux et essayait d'expliquer, en bredouillant, qu'il avait été tout à coup frappé de son vent coulis en chantant ces deux mots de l'*Hymne à Vénus* de Métastase : *O bella Venere !* Et le pauvre paralysé avait un air si mort, si transi, si râpé, en bredouillant sa *bella Venere* que le fou rire s'emparait de plus belle de Peltier et que le futur ambassadeur du roi Christophe faillit renverser la table où ils dînaient tous les trois en la frappant à coups redoublés de ses deux pieds frénétiquement agités.

Trois jours plus tard, habillé de neuf par le tailleur du généreux intrigant, François-René partait pour Beccles. Il avait renoncé à son nom, imprononçable par des Anglais qui transformaient Chateaubriand en *shatter brain* - l'esprit fêlé, le cerveau dérangé. Gentilhomme ruiné, navigateur échoué, émigré sans avenir, il se présenta au pasteur de Beccles comme le chevalier de Combourg.

Bientôt M. de Combourg fut de toutes les parties, organisées dans la plus franche gaieté, malgré la guerre, par la gentry du Suffolk. Les jeunes femmes de la province anglaise étaient charmées de rencontrer un Français de bonne mine pour se familiariser avec la langue de Racine et de Voltaire. Le chevalier mélancolique se répétait que Cicéron avait raison de recommander le commerce des lettres dans les chagrins de la vie. L'Angleterre de cette fin de siècle lui paraissait triste, mais plutôt plaisante : elle lui rappelait sa Bretagne. Il se promenait dans les vallons et dans les chemins étroits et sablés, il lisait, il écrivait.

Pour gagner sa vie, l'érudit amateur devenait répétiteur dans les châteaux et les manoirs. Il remplaçait les traductions de Londres par d'interminables conversations en français avec des filles de chasseurs, de commerçants et de fermiers fortunés. Il donnait des cours à la Fauconberge Grammar School et à la Brightley School. A Londres, avec Hingant et La Bouëtardais, il avait connu la misère. Dans la province anglaise, parmi les squires et les pasteurs, il faisait lentement l'apprentissage de la pauvreté supportable et de l'humiliation. Personne ne le traitait mal. On ne l'ignorait même pas. Mais il était, au milieu des riches, dans une position subalterne. Et il en souffrait. C'étaient ses élèves – miss Sparrow et Mrs. Scott – qui lui témoignaient le plus d'affection. Il leur donnait des leçons, non seulement d'histoire, de latin, de français, d'italien, mais encore de danse. Pendant que les siens, à Paris, montaient sur l'échafaud, il dansait, à Beccles, le désespoir au cœur. De temps en temps, ses jeunes élèves lui soumettaient quelques lignes manuscrites et il jouait au graphologue :

> M. de Combourg présente ses respects à miss Sparrow et à Mrs. Scott. Il saisit le premier moment de repos qu'il ait eu depuis jeudi pour examiner les écritures que ces dames lui ont données. Il compte sur leur indulgence dans les jugements qu'il va porter, en les priant de se rappeler que cet art est sujet à mille erreurs ; que M. de Combourg ne l'a jamais étudié ; que le caractère national de ces écritures est un obstacle presque insurmontable et qu'enfin M. de C. cherche bien plus à amuser ces dames qu'à se faire un nom dans l'art de Lavater *(sic)*.
>
> N° 1
>
> Personne raisonnable. Un caractère délicat et sensible. De la grâce et de la facilité dans les idées. Elle n'a pas toujours été heureuse ? Je la soupçonne d'un peu de mélancolie. Du reste, instruite.
>
> N° 2
>
> Jeune femme très jolie. Quelque chose de la légèreté et de l'élégance de la nymphe. Spirituelle. Aimant le plaisir ; mais le

plaisir à sa mode. Un peu de caprices ; même un peu boudeuse. N'aimant pas surtout les gens qui l'ennuient. Capable de haine et d'amour. Bonne et généreuse. Parlant peu.

N° 3

Rien.

N° 4

Je suis très embarrassé ici. Il y a beaucoup à dire sur cette écriture et cependant il n'y a rien de très décidé. Certainement, c'est un caractère double.

J'espère que miss Sparrow, ou Mrs. Scott, voudra bien m'envoyer les noms pour que je puisse rire de ma bêtise, ou m'applaudir de ma *pénétration.*

Miss Mary Sparrow avait dix-huit ans. Elle était la nièce du révérend Bence Sparrow, le pasteur de Beccles dont la petite annonce dans le journal avait attiré l'attention du pétulant Peltier. Elle était la fille de Robert Sparrow, un gentleman cultivé et humaniste, qui était le seigneur du lieu et qui avait mis à la disposition du jeune Français la bibliothèque bien fournie de son manoir de Worlingham. Un peu plus âgée, déjà mariée, Mrs. Scott habitait, à quatre lieues de Beccles, une petite ville qui allait jouer un grand rôle dans la vie de François-René : Bungay.

Un été, un hiver, encore un été et encore un hiver se passèrent ainsi à Beccles entre les nouvelles sinistres de la Terreur en train de s'éteindre et les jeunes filles en fleurs, entre l'enseignement du français et des promenades à pied ou à cheval dans la campagne du Suffolk. François-René traînait parmi parcs et moutons sa mélancolie inguérissable, les remords qu'il éprouvait à l'idée que sa condition d'émigré compromettait un peu plus sa famille emprisonnée à Paris et son rousseauisme impénitent qu'il avait bien du mal à concilier avec son horreur pour Robespierre. Et puis, à la fin d'un nouveau printemps, au moment même où sa santé durement atteinte par la vie des camps, par la maladie, par l'angoisse et par la faim commençait à se rétablir, il se produisit un minuscule incident qui devait avoir, comme souvent, d'imprévisibles conséquences : il tomba de son poney blanc et se blessa sérieusement.

Si la famille Sparrow – le vieux Robert, le pasteur Bence et la jeune Mary – avait retenu François-René à Beccles en l'attirant à Worlingham Hall, Mrs. Scott l'avait introduit dans les salons de Bungay. Personne à Bungay ne l'avait reçu aussi bien que la charmante famille Ives. Elle habitait, dans Bridge Street, à côté du pont sur la Waveney, un vieux moulin modernisé du début du XVIIe siècle, que les gens du pays appelaient Gardener's House. Une pièce d'angle, au premier étage, servait de salon. Au second, deux fois par semaine, venant à cheval de Beccles, François-René tenait école dans une grande pièce très claire, juste au-dessus du salon. Une douzaine d'élèves assistaient aux cours. Mrs. Scott venait en voisine.

Comme Bence Sparrow, le chef de la famille Ives était lui aussi un pasteur. Et un personnage. Le révérend John Ives avait étudié le grec et les mathématiques jusqu'à acquérir, dans l'un et l'autre domaine, une réputation qui dépassait les limites du comté. Grand helléniste et grand mathématicien, il possédait encore deux caractéristiques remarquables : il avait voyagé et il buvait. Il avait poussé dans sa jeunesse jusqu'à l'Amérique et, dès sa première rencontre avec François-René, ils avaient parlé tous les deux, avec une complicité d'aventuriers et de spécialistes, des Siminoles, des Muscogulges, des Chikasas, de l'œnothère pyramidale, des dionées gobe-mouches, des forêts de Floride et des rives du Meschacébé. Plus tard, après les repas, les femmes une fois disparues, ils discutaient pendant des heures de la Constitution américaine, des théories de Newton et des traductions d'Homère. Le tout était sérieusement arrosé de formidables lampées de porto.

Autant que l'Amérique, les mathématiques et le grec, la boisson avait joué et jouait encore un rôle considérable dans l'existence du révérend. Elle était à l'origine, sinon de sa vocation et de sa fortune, du moins de sa cure de St. Margaret, petit village près de Bungay. À la fin du XVIIIe siècle, l'Angleterre ressemblait aux gravures de Hogarth et aux films de Tony Richardson et de Stanley Kubrick sur Tom Jones ou Barry Lindon. D'interminables beuveries rassemblaient et parfois divisaient, sans trop tenir compte des classes sociales, les hommes d'un même village ou d'une même région. Un célèbre duel de bouteilles avait ainsi opposé le tout jeune et modeste John Ives au plus grand seigneur du cru - le duc de Bedford en personne. La renommée du duc en matière de saoulerie était presque internationale. A l'admiration d'un public de connaisseurs passionnés et enthousiastes, le jeune Ives l'emporta pourtant sur Sa Seigneurie. Beau joueur, élégant vaincu à travers les vapeurs de l'ivresse, le duc accorda au pasteur la petite cure de St. Margaret à laquelle destinaient, de toute évidence, d'aussi remarquables performances. Vicaire de St. Margaret, aux portes de Bungay où il habitait avec sa famille, le révérend John Ives n'avait que peu de paroissiens et très peu de travail : ainsi pouvait-il continuer à poursuivre en paix ses occupations favorites et à boire tout son saoul.

La famille du savant ivrogne se composait d'une femme et d'une fille unique. La femme était jeune encore, et charmante. La fille s'appelait Charlotte, comme la fille du bailli de Wetzlar qui - vingt-cinq ans plus tôt - avait inspiré à Gœthe *les Souffrances du jeune Werther*. Elle avait quinze ans.

Dans ce paysage de paix, à peine troublé par les nouvelles de la bataille de Fleurus, de la chute de Robespierre ou de la campagne victorieuse menée en Italie par un général corse inconnu, dans ce décor si calme, Charlotte était belle. Elle avait la taille haute, fine et déliée, le teint pâle, les cheveux très noirs, le cou et les bras très blancs. Pour plaire à son père qu'elle adorait, elle avait fait des études de latin et de grec et elle était devenue excellente musicienne. A l'heure du thé, après avoir disparu avec sa mère pour laisser le pasteur et son hôte évoquer en paix leurs souvenirs d'Amérique copieusement arrosés et les héros d'Homère confits dans le porto, elle reparaissait en souriant et elle se mettait à chanter des romances italiennes en s'accompagnant au piano. Abruti par l'alcool, son pasteur de père s'assoupissait lentement. Appuyé au bout du piano, François-René écoutait en silence.

Le vieillard s'arrêtait. Il était presque arrivé au bout de sa courte promenade. Déjà, au bout de la rue, il apercevait l'Abbaye-aux-Bois. Mais rien ne pouvait le distraire de la violence du souvenir. Il ne distinguait rien de ce Paris orléaniste qui le pressait de toutes parts. Il n'entendait pas la rumeur des voitures et des passants qui, sur la fin de ce demi-siècle si plein de bouleversements, se rendaient à leurs affaires, à leurs plaisirs et à leurs amours. De tous ses yeux intérieurs, il contemplait encore le paisible salon de Gardener's House à Bungay. Il regardait Charlotte. Il l'écoutait chanter.

Après tant de malheurs, au sein de cette famille accueillante et chaleureuse, il se sentait presque heureux. Il reprenait souffle. Il oubliait les drames qui avaient marqué sa jeunesse. Il se sentait bien. Il retrouvait dans sa conversation la verve et la fantaisie qui enchantaient ses interlocuteurs. La surabondance de vie qui le caractérisait l'emportait à nouveau, peu à peu, sur sa mélancolie. C'était plutôt dans les yeux de Charlotte que passait soudain comme une brume de tristesse. Quelque chose de souffrant et de rêveur se mêlait à ses grâces presque enfantines. Sous le sourire de l'aurore flottait le regard de la nuit. La longue jeune fille brune qui chantait au piano n'était pas une femme malheureuse. Mais, sous le calme et la paix, quelques signes imperceptibles inclinaient à penser qu'elle pourrait un jour le devenir.

C'est ici que le destin tourne sur ses gonds de rêve. A Beccles, François-René était descendu d'abord dans la petite auberge de King's Head ; il s'était installé ensuite dans une maison de Saltgate Street où la vue sur le cimetière s'accordait à merveille avec ses sentiments. Quand Mr Brightley, le propriétaire de la Brightley School, où il enseignait en même temps qu'à la Fauconberge Grammar Scool du révérend Bence Sparrow, décida de quitter la direction de son établissement, François-René entreprit de louer, au moins pour quelque temps, une chambre dans la délicieuse maison de Bungay où il se sentait si heureux. C'est sur ces entrefaites que sa chute de cheval l'immobilisa pour plusieurs semaines dans son nouvel asile de Gardener's House.

Les femmes aiment la force des hommes et elles adorent leurs faiblesses. Mrs. Ives vint s'asseoir souvent au chevet du blessé. Charlotte y passa son temps. De quoi parlaient-ils, le navigateur émigré et la fille du pasteur ? De musique, de littérature, de la France et de l'Italie, de *la Divine Comédie* et de *la Jérusalem délivrée,* du Tasse, plein de mélancolie, et de Dante, le géant. Et puis ils se taisaient. Le charme timide d'un attachement de l'âme commençait ses ravages.

Le Français ne souffrait pas seulement de ses contusions et de sa jambe. Il souffrait de sa famille et de sa patrie, emportées l'une et l'autre dans les désastres de la guerre civile. Il racontait à la jeune fille ce que vous savez déjà, ses voyages, l'Amérique, ses malheurs dans l'armée des princes, l'affreuse misère de Londres, et un sinistre dîner, quelques mois avant Bungay, dans l'auberge de King's Head, à Beccles. Un soir où, comme d'habitude, après avoir travaillé dans sa minuscule chambre sur des livres latins et grecs empruntés à la bibliothèque des Sparrow, il soupait tristement dans l'auberge où il avait pris pension, la foudre était tombée sur lui. Un Anglais, à côté de lui, parcourait distraitement le journal et lisait à haute voix les nouvelles de la semaine. Elles étaient sinistres, comme toujours. La guerre faisait rage sur l'Europe, la France surtout pliait sous la tempête, la Terreur faisait tomber les têtes comme des tuiles par grand vent. Celles des Girondins, celles des Cordeliers, celles d'Hébert et de Danton succédaient à celle du roi dans le panier à son tendu par Robespierre et par Fouquier-Tinville. L'Anglais marmonnait avec indifférence et avec un accent qui aurait pu être comique si le sang n'avait coulé à flots les noms des victimes qui venaient d'être exécutées à Paris. Tout à coup, François-René entendit tomber de la bouche inconsciente du greffier de la mort le nom de M. de Malesherbes. Il était suivi immédiatement de celui de sa fille, la présidente de Rosanbo, et de ceux de ses petits-enfants – la fille de la présidente et Jean-Baptiste, son mari, le frère de François-René. Ils étaient tous descendus ensemble de la même charrette et ils étaient montés ensemble sur le même échafaud.

Les deux jeunes gens se regardent. Des larmes de compassion viennent aux beaux yeux de Charlotte. Un vers de Virgile vient aux lèvres du jeune homme : « *Forsan et haec olim meminisse juvabit* - Un jour viendra sans doute où vous aurez plaisir à vous rappeler ces souffrances. » Une sorte de bonheur triste envahit le blessé.

Tout le monde savait maintenant à Beccles et à Bungay que

M. de Combourg s'appelait en réalité Chateaubriand. Avec ses boucles brunes, ses yeux sombres et changeants, son visage grave et pur souvent illuminé par un sourire rêveur, il était beau, il était jeune, il était charmant, il était malheureux, et il portait un grand nom, emporté par les tourmentes. Auprès de trente familles riches du Suffolk, le prestige du jeune professeur atteignait des sommets. Il parlait à Charlotte de la jolie Thérèse de Moëlien, si vive, si élancée, la première femme qui, à Combourg, avait fait battre son cœur : guillotinée. Il parlait de Julie et de Lucile, ses sœurs : arrêtées. Il parlait surtout de sa mère : elle avait été emprisonnée parce qu'elle était « parente d'émigré ». Alors, il versait des larmes amères. Et Charlotte, pâle et pensive, se mettait à pleurer avec lui.

Un demi-siècle plus tard, immobile et rêveur dans les rues de Paris, l'illustre promeneur songeait aussi. Et les larmes du jeune homme revenaient à ses yeux de vieillard. Il y avait quelques années à peine, sous le règne déjà de Louis-Philippe, qu'un ami, M. de Contencin, avait retrouvé dans les archives du tribunal révolutionnaire un document qui s'était gravé dans sa mémoire infaillible :

Exécuteur des Jugements Criminels

TRIBUNAL RÉVOLUTIONNAIRE

L'exécuteur des jugements criminels ne fera faute de se rendre à la maison de justice de la Conciergerie pour y mettre à exécution le jugement qui condamne Mousset, d'Espréménil, Chapelier, Thouret, Hell, Lamoignon Malsherbes, la femme Lepelletier Rosambo, Chateau Brian et sa femme (le nom propre effacé, illisible), la veuve Duchatelet, la femme de Grammont, ci-devant duc, la femme Rochechuart et Parmentier : – 14, à la peine de mort. L'exécution aura lieu aujourd'hui, à cinq heures précises, sur la place de la Révolution de cette ville.

L'accusateur public,
A.-Q. FOUQUIER.

Fait au Tribunal, le trois floréal,
l'an second de la République française.

Deux voitures.

Après tant d'années, le vieillard s'indignait encore dans son cœur de la légèreté de ces arrêts : des noms étaient mal orthographiés, d'autres étaient effacés à la main, le compte des condamnés n'était pas bon. Ces défauts de forme qui auraient dû suffire à casser la plus simple sentence n'arrêtaient pas les bourreaux : ils ne tenaient avec rigueur qu'au nombre des voitures chargées du transport funèbre et à l'heure exacte de la mort.

Le 9 thermidor avait sauvé la mère de François-René. On l'oublia un peu à la Conciergerie. Un commissaire de la, Convention la découvrit et lui demanda : « Que fais-tu là, citoyenne ? Qui es-tu ? Pourquoi restes-tu ici ? » La prisonnière répondit qu'ayant perdu son fils Jean-Baptiste elle ne s'informait plus de ce qui se passait et qu'il lui était indifférent de mourir en prison ou ailleurs. Il fallut la mettre de force à la porte de sa prison. Charlotte et René pleuraient. Ils ne savaient pas encore ce qu'apprendrait plus tard le vieillard de Paris : l'anneau de mariage de la femme de Jean-Baptiste – la petite-fille de Malesherbes – fut ramassé un beau jour, sous la Restauration, dans le ruisseau de la rue Cassette ; il était brisé ; les noms des deux époux s'y lisaient distinctement gravés. Où et quand la bague avait-elle été perdue ? Comment l'avait-on retrouvée ? La victime, emprisonnée au Luxembourg, était-elle passée par la rue Cassette en allant au supplice ? Avait-elle laissé tomber la bague du haut de son tombereau ? Ou l'alliance avait-elle été arrachée de son doigt après l'exécution ? Bien des détails tragiques des événements de France restaient encore ignorés des deux jeunes gens de Bungay. Ce qu'ils savaient déjà suffisait largement à les émouvoir et à les unir.

Il n'y a pas de sentiment qui puisse rester immobile à travers le temps qui passe. Les attitudes de Charlotte et de René se modifiaient insensiblement. Elle devenait plus lointaine, plus silencieuse, plus réservée. Elle ne lui déposait plus de fleurs, en rougissant, avec un léger sourire, sur le bord de son lit. Elle ne le taquinait plus. Elle riait beaucoup moins. Elle ne voulait plus chanter. Un témoin superficiel aurait pu, à l'observer, la croire triste ou indifférente. C'étaient les grands silences, les troubles, les angoisses de la passion qui étaient en train de l'envahir. Lui vivait dans un songe, fuyait la réalité et trouvait le bonheur dans un excès de chagrin. Il n'ignorait rien de son destin misérable d'exilé, coupé de tout son passé. Il n'osait même pas imaginer un avenir. Si on lui avait dit qu'il passerait le reste de sa vie inconnu au sein de cette nouvelle famille paisible et solitaire, il serait mort de plaisir.

Quand il fut tout à fait remis de sa chute de cheval, ils allèrent souvent se promener tous les deux dans la campagne anglaise. Elle était calme, modeste, pleine de pudeur et rayonnante. Une espèce d'exaltation s'emparait de lui. Il parlait inlassablement. Il se grisait de mots. On aurait pu croire qu'ils le protégeaient d'une cruelle vérité. Elle le regardait. Elle l'écoutait. Il lui parlait des forêts d'Amérique et des belles Floridiennes qui faisaient l'essentiel des conversations du soir avec le pasteur ivre, de sa campagne contre la Révolution aux côtés des Allemands et de sa sœur Lucile.

Lucile était la première femme que René eût aimée. Elle avait été une petite fille maigre, dégingandée, trop grande pour son âge, les bras trop longs, l'air timide, qui parlait avec difficulté et ne pouvait rien apprendre. Cendrillon de Bretagne, elle jouait un peu le rôle de souffre-douleur de la famille. On lui refilait volontiers les robes un peu démodées que ses trois sœurs aînées – Marie-Anne, Bénigne et Julie – ne voulaient plus porter. Elles n'étaient pas à sa taille et lui donnaient l'allure d'une clocharde très comme il faut. La poitrine comprimée par un corset en piqué qui la blessait aux côtés, le cou soutenu par un collier de fer garni de velours brun, les cheveux ramenés sur le haut de la tête et attachés n'importe comment avec un mince ruban noir, elle avait quelque chose d'humilié et de minable. De quatre ans plus jeune qu'elle, François-René décida très vite de la prendre sous sa protection. Elle le fascinait par son caractère tourmenté, par une violence rentrée, par son indifférence au monde réel. Il avait compris aussitôt tout ce qu'il y avait de passion contenue dans ce corps écorché. C'était une semi-idiote de génie.

Les années passaient. Comme elles allaient passer entre l'explorateur de l'Amérique et l'exilé de Beccles, comme elles allaient passer entre le précepteur de Bungay et l'ambassadeur à Londres, comme elles allaient passer entre la gloire de l'écrivain légitimiste et catholique et l'accablement du vieillard dans les rues d'un Paris louis-philippard et bourgeois, elles étaient passées aussi entre l'enfance et l'adolescence. Quatre ans au collège de Dol, après les jeux turbulents avec ce vaurien de Gesril, chef des gamins de Saint-Malo sur la chaussée du Sillon, deux ans chez les jésuites de Rennes, un an au collège de Dinan pour achever ses humanités : c'est un jeune homme de seize ans qui, à cinq ans à peine de la grande Révolution, rentre, l'âme exaltée, au château paternel de Combourg dont la beauté triste et sévère répandait dans son cœur une sorte de joie effrayée. Il ne sait toujours pas ce qu'il veut devenir dans la vie : prêtre, peut-être ? ou marin ? Le père, triste, orgueilleux, violent et avare, enrichi par la traite des nègres, ancien commandant de l'*Apollon* qui transportait des esclaves depuis les côtes de Guinée jusqu'aux îles françaises de l'Amérique, menacé depuis peu par une paralysie qui fait trembler son bras, passe le plus clair de son temps à contempler en silence l'arbre généalogique de sa famille accroché à la cheminée. La mère, élégante de manières, mais noire, petite et laide, non dénuée d'ailleurs de pétulance et d'esprit, lit Fénelon, Racine, Mme de Sévigné et ne pense qu'à la religion. Les trois filles aînées vivent à Fougères, mariées. La surprise, c'est Lucile : la chrysalide efflanquée est devenue papillon, l'enfant ingrate est devenue belle.

Lucile ! Rien n'est plus décisif que ces images de l'enfance et ces passions de jeunesse, à jamais inoubliables. Dans les prés de Bungay où paissent les moutons sous le soleil de mai, le jeune homme la revoit, à vingt ans, avec sa beauté étrange et un peu inquiétante, très pâle sous ses longs cheveux noirs, le regard un peu égaré, plein de tristesse et de feu. Et il la décrit à Charlotte, assise sagement près de lui.

Chaque soir d'automne ou d'hiver, dans le vieux château magnifique et sinistre, la même mécanique se déroule, en présence de la mère, silencieuse et presque absente, entre les trois marionnettes figées dans leur rôle immuable et glacé. Le repas du soir est fini. Les premières étoiles apparaissent dans le ciel, au-dessus des sombres bois. On se tient dans la grande salle, Lucile et René regardent sans un mot le feu en train de brûler dans l'immense cheminée. Sous les tableaux de famille, sous les portraits de Turenne et du prince de Condé, sous les vieilles croûtes mythologiques où Hector, inlassablement, se fait tuer par Achille, la mère est étendue sur son vieux canapé de siamoise flambée. Devant elle, lugubre, une vieille bougie, une seule, brûle sur un guéridon. C'est alors que, grand et sec, le nez aquilin, les lèvres minces et pâles, les yeux enfoncés, petits et glauques, dont la prunelle étincelante semblait se détacher quand il se mettait en colère et venir frapper comme une balle son interlocuteur interdit, le vieux capitaine, le négrier à peine repenti, le hobereau qui parlait de Dieu comme du « premier des gentilshommes » ou du « grand terrien d'en haut », commençait sa promenade à travers le château. Elle ne devait cesser qu'à l'heure de son coucher.

Charlotte écoute René comme elle n'a jamais écouté personne. Ses grands yeux tristes sous ses cheveux noirs et dans son visage pâle en font une sorte de réplique pacifiée de Lucile.

– Oh ! racontez ! dit-elle à René. Racontez encore !

Et elle pose sa tête sur l'épaule du conteur qui reprend son récit :

– Il était vêtu d'une robe de ratine blanche, ou plutôt d'une espèce de manteau que je n'ai jamais vue qu'à lui. Sa tête, demi-chauve, était couverte d'un grand bonnet blanc qui se tenait tout droit. Lorsqu'en se promenant il s'éloignait du foyer, la vaste salle était si peu éclairée par une seule bougie qu'on ne le voyait plus ; on l'entendait seulement encore marcher dans les ténèbres ; puis il revenait lentement vers la lumière et émergeait peu à peu de l'obscurité, comme un spectre, avec sa robe blanche, son bonnet blanc, sa figure longue et pâle. Lucile et moi, nous échangions quelques mots à voix basse quand il était à l'autre bout de la salle ; nous nous taisions quand il se rapprochait de nous. Il nous disait en passant : « De quoi parliez-vous ? » Saisis de terreur, nous ne répondions rien ; il continuait sa marche. Le reste de la soirée, l'oreille n'était plus frappée que du bruit mesuré de ses pas, des soupirs de ma mère et du murmure du vent.

Charlotte retient son souffle. Elle s'écarte un peu de René pour mieux le regarder. Il lui sourit. Il tend la main. Elle la prend. La paix du soir descend déjà sur les prés de Bungay. Il poursuit :

– Dix heures sonnaient à l'horloge du château : mon père s'arrêtait ; le même ressort qui avait soulevé le marteau de l'horloge semblait avoir suspendu ses pas. Il tirait sa montre, la montait, prenait un grand flambeau d'argent surmonté d'une grande bougie, entrait un moment dans la petite tour de l'ouest, puis revenait, son flambeau à la main, et s'avançait vers sa chambre à coucher, dépendante de la tour de l'est. Lucile et moi, nous nous tenions sur son passage ; nous l'embrassions en lui souhaitant une bonne nuit. Il penchait vers nous sa joue rêche et creuse sans nous répondre, continuait sa route et se retirait au fond de la tour dont nous entendions les portes se refermer sur lui.

Bientôt, la nuit va tomber sur la campagne anglaise Charlotte se tait. René, pour faire bonne mesure, ajoute encore l'histoire d'un certain comte de Combourg, son très lointain ancêtre, mort depuis trois siècles et qui avait une jambe de bois : on le voyait apparaître, de temps en temps, dans les couloirs du château. Lui-même, René, l'avait croisé, une nuit d'insomnie, dans le grand escalier de la tourelle. Lucile assurait que sa jambe de bois se promenait aussi quelquefois toute seule, accompagnée d'un chat noir.

La jambe de bois, le chat noir, le vieux gentilhomme avec son bonnet blanc émerveillaient Charlotte. Mais ce qui l'intéressait surtout, peut-être parce que, en quelque façon, à travers tant de différences et même d'oppositions, elle se reconnaissait en elle, c'était Lucile. Sur Lucile, sans fin, Charlotte interrogeait René. Une question lui brûlait les lèvres, elle ne la formulait pas tout à fait, mais elle ne cessait de tourner autour d'elle avec une curiosité brûlante et une espèce d'horreur : est-ce qu'il l'aimait vraiment, est-ce qu'il l'avait aimée, est-ce qu'il l'aimait encore ? Et elle, Lucile, est-ce qu'elle aimait René ? René n'en finissait pas d'expliquer Lucile à Charlotte. Il la dépeignait aussi égarée que Charlotte était paisible, aussi violente que Charlotte était douce. Tout lui était souci, chagrin, blessure. L'exaltation la brûlait. Elle croyait que le monde était conjuré contre elle. Elle faisait vivre son frère dans une sorte de délire mi-sensuel, mi-dévot qui agissait et sur lui et sur elle comme une drogue violente.

C'est que le frère et la sœur, séparément et ensemble, vivaient avec passion tous les détails de l'existence. La tiédeur et la médiocrité leur étaient étrangères. Tout, jusqu'à l'indifférence, les bouleversait de fond en comble. René s'adonnait à la chasse avec une telle ardeur qu'il fallut un jour le ramener, épuisé, au bord de la crise de nerfs, sur un lit improvisé fait de fusils et de branches d'arbres. Dans la forêt de Combourg, toute pleine des sortilèges de la légende bretonne et des fantômes de Mélusine et de Merlin l'Enchanteur, ils se promenaient tous les deux, éperdus, enlacés, le frère déjà génial et la sœur humiliée.

Le secret, le mystère, le désespoir, la mort accompagnaient leur amour inexprimé et chaste. Ils étaient l'un à l'autre toutes les merveilles du monde rassemblées sur eux-mêmes. Le frère admirait la sœur, la sœur admirait le frère ; et, en s'admirant l'un l'autre, ils s'admiraient eux-mêmes. Une formidable exaltation se comprimait en eux et, ne parvenant pas à s'échapper vers les objets du monde réel, elle se répandait en tristesse, en fantômes et en rêves.

Un jour, ivre de chagrin sans motif et sans remède, René voulut se suicider. Il chargea son fusil de chasse, l'arma, introduisit le bout du canon dans sa bouche et frappa à plusieurs reprises la crosse contre la terre : le coup ne partit pas. Plus d'une fois, il pensa à se jeter dans la Rance du haut d'un de ces rochers où il avait couru enfant et la main dans la main aux côtés de Lucile. Lucile, malheureuse, éperdue, aux bords de la folie, avait des songes prophétiques. Elle semblait lire dans l'avenir et dans le présent lointain. Quelques jours avant le 10 août, elle avait vu la mort dans la glace dorée du salon. Souvent, dans ses insomnies, elle allait s'asseoir, sur un palier de l'escalier de la grande tour, en face de la vieille pendule qui sonnait le temps au silence. Elle regardait le cadran à la lueur de sa lampe posée par terre. Lorsque les deux aiguilles, unies à minuit, enfantaient dans leur conjonction terrifiante l'heure des désordres et des crimes, elle entendait les bruits que fait la mort qui vient. Seule, désespérée et belle, attachée à son frère par une passion muette, Lucile était l'image romantique du génie et du malheur.

La statue du père, naturellement, jouait dans le drame secret un rôle lointain, mais capital. Sa rigueur intraitable bridait les sentiments et les faisait éclater. Elle s'opposait aux désirs, elle les détournait vers les songes. Si la jeunesse de René avait pu se dérouler dans un milieu plus facile, elle aurait ignoré à jamais la violence contenue des passions. Comme un fleuve que rien ne retient, elle aurait coulé dans les molles prairies du plaisir au lieu de déferler sur les âpres rochers du rêve et du génie. René ne pensait qu'à l'amour et il ne le savait même pas. A l'ombre des haies de Bungay, il racontait à Charlotte qu'un voisin de campagne était venu un jour à Combourg, accompagné de sa femme, qui était très jolie. Il se passa tout à coup quelque chose, dont il ne se souvenait même plus, le long des murs du château. Tout le monde, pour regarder, se précipite aux fenêtres. La jeune femme et René arrivent en même temps à une croisée. Il veut lui céder la place, il se retourne et se retire, mais elle, dans son élan, lui barre sans le vouloir le chemin et il se sent pressé entre la fenêtre et le corps ferme et rond de la jeune visiteuse. Déjà ils s'éloignent l'un de l'autre, mais pendant une seconde, image de l'éternité, ils se sont regardés et ils se sont touchés. Il crut qu'il allait s'évanouir de plaisir et d'angoisse.

Ce délire d'amour qui n'osait pas dire son nom dura plus de deux ans. Il y avait d'autres femmes, lointaines, et Lucile, trop proche. Pourtant, aimer et être aimé apparaissait déjà comme la félicité et comme le seul bonheur au solitaire de Combourg. Il ne parlait plus. Il ne lisait plus. Il ne dormait plus. Il maigrissait. Aux côtés de Lucile, farouche, ses jours s'écoulaient d'une manière sauvage, bizarre, insensée, et pourtant pleins de délices. Coincé entre les amours impossibles et les amours interdites, muré dans le secret et dans la solitude à deux, incapable de voir une femme sans rougir et sans être troublé, René se composa une femme de toutes les femmes qu'il avait vues. Elle avait la taille et les seins de l'étrangère à la fenêtre, le visage des vierges de la chapelle du château, les longs cheveux, le sourire triste, le teint pâle, toutes les passions contenues de Lucile. Il l'appela sa Sylphide. Il l'évoquait sur les landes semées de pierres druidiques qui s'étendaient au loin tout autour du château, du haut de la tour de l'ouest, du sommet des saules où il grimpait le soir. Il lui parlait, il la prenait dans ses bras, il mêlait son souffle à cette Ève née de ses songes. Il devenait le nuage, le vent, le bruit, il était un pur esprit, il se dépouillait de sa nature pour se fondre avec la fille de ses désirs, pour se transformer en elle, pour toucher plus étroitement la beauté, pour être à la fois la passion reçue et donnée, l'amour et l'objet de l'amour.

Charlotte écoutait avec passion ces récits de délices et de néant. Ils faisaient souffler sur la vie paisible de Bungay comme un vent de folie auquel elle s'abandonnait. Quelque chose de lumineux et d'obscur ne cessait de la transporter. Quand le jeune Français exalté se laissait aller à décrire les nuits brûlantes de la Floride ou ses délires de Combourg et qu'il finissait sur des tirades presque trop bien balancées que Charlotte apprenait par cœur sur les chemins du retour pour les recopier le soir, dans sa chambre, sur ses cahiers d'écolière, à titre de souvenir sentimental et d'exercice de français – « La lune répandait sur les bois ce grand secret de mélancolie qu'elle aime à confier, le soir, aux vieux chênes et aux antiques rivages des mers » ou « Levez-vous vite, orages désirés, qui devez emporter René dans les espaces d'une autre vie » –, elle ouvrait de grands yeux émerveillés et ravis. De temps en temps, le bon sens anglo-saxon, le goût du ménage bien fait et de la simplicité d'âme se mettaient à résister, en Charlotte, aux séductions d'un malheur sublimé par le langage. Alors, elle lui disait : « François-René, pourquoi ne cessez-vous jamais de porter votre cœur en écharpe ? » Il lui fermait la bouche avec des mots brûlants qui se transformaient en baisers.

La grande affaire de Charlotte était de découvrir quelles avaient été, en France, en Amérique, en Allemagne, dans toute cette vie souterraine qui lui restait mystérieuse, les amours passées de François-René. Il y avait eu des fanfaronnades mi-larmoyantes, mi-libertines dans des lettres où se mêlaient le ton des *Liaisons dangereuses* et l'influence des bergeries. Il y avait eu à Paris une Mme de Chastenay qui tendait de son lit des bras nus aux jeunes gens. Il y avait eu une marinière à la jupe retroussée sur les rochers de Saint-Pierre et les négresses à moitié nues dans la baie de Chesapeake ou les belles Floridiennes dans les forêts primitives. Il y avait eu Lucile, bien sûr, et son image mystérieuse qui faisait longtemps rêver Charlotte, la nuit, quand elle contemplait les étoiles au-dessus des calmes prairies de Bungay. Il y avait eu Thérèse de Moëlien, aux allures d'Amazone. Il y avait eu la visiteuse à la fenêtre de Combourg, avec sa poitrine ferme et ronde qui irritait Charlotte. Il y avait eu Mme Rose, femme d'un mercier de Rennes, une charmante marchande de modes, leste et désinvolte, qui passait son temps à rire : à la veille de la Révolution, François-René avait voyagé avec elle en chaise de poste depuis Rennes jusqu'à Paris et, mort de timidité, au lieu de profiter de ses avances, il s'était collé dans un coin de la voiture de peur d'effleurer sa robe. A l'arrivée de la diligence, Rose s'était levée prestement, lui avait tiré en riant une révérence ironique - « Votre servante, monsieur » - et s'en était allée à jamais. A vingt-cinq ans largement passés, avec une âme ardente et une imagination débordante, le jeune Français en exil, au corps trop court pour la tête, aux yeux et aux cheveux ravissants, n'avait jamais aimé personne avec son cœur et son corps. « La jeunesse est une chose charmante. Elle part, au commencement de la vie, couronnée de fleurs comme la flotte athénienne pour aller conquérir la Sicile et les délicieuses campagnes d'Enna. » Naïve, inexpérimentée, déjà fascinée par l'impossible, à beaucoup d'égards misérable, et pourtant passionnée, la jeunesse de René était en train de conquérir, dans les campagnes riantes et austères d'une Angleterre au seuil du romantisme, le cœur tout neuf de Charlotte.

Il se laissait aller à la griserie, qu'il ne saurait jamais combattre, de se laisser aimer. Une sorte de pitié l'emportait. Il y trouvait un bonheur d'une violence extrême : il avait tout perdu, sa patrie, sa fortune, sa famille et presque jusqu'à son nom, et c'était lui, pourtant, qui faisait encore à d'autres l'aumône de sa présence. De temps en temps, obscurément, lui revenait à l'esprit une absurde chanson de la grand-tante Boisteilleul : « Un épervier aimait une fauvette... »

La force de l'amour joué, et puis à peine joué à force d'être joué, se mêlait à l'orgueil, au besoin de revanche, aux passions sans emploi qu'il sentait bouillonner au plus profond de lui-même, à la tendresse aussi qu'il éprouvait pour cette jeune fille pâle et brune, déjà faite pour le malheur et dont il était tout le bonheur. Il se penchait vers Charlotte. Il lui prenait la main. Et il murmurait à voix basse :

– Vous aurez, à jamais, été mon premier rêve.

– Mais non ! répondait Charlotte avec un pincement au cœur. Votre premier rêve, c'était la Sylphide, votre premier rêve, c'était Lucile.

– Ah ! disait René d'un ton brusque, et une ombre passait dans ses yeux, je n'aurais jamais eu que des amours interdites. J'aurai porté malheur à tout ce qui m'entoure.

Alors il se dégageait avec un geste brusque des bras qui l'enserraient, et ils marchaient en silence, dans le soir qui se mettait à tomber, vers le salon de Gardener's House.

Il faut imaginer ici les rapports d'une mère et de sa fille dans l'Angleterre rurale de la fin du XVIIIe siècle. Impossible à la femme du pasteur de ne pas remarquer les silences et les rêveries de sa fille. Elle l'avait interrogée. Charlotte ne voulait guère répondre. Qu'aurait-elle répondu ? François-René n'avait rien dit qui aurait pu lui permettre de parler d'un avenir commun. Mais la mélancolie, le mystère, la passion, le malheur, le secret, tous les sortilèges de la parole – le silence aussi – avaient fait leur office : la fille du révérend John Ives était tombée amoureuse de l'exilé français. Et sa mère l'avait deviné.

François-René, naturellement, savait et ne voulait pas savoir les sentiments tumultueux qui agitaient la jeune fille. Il comprenait tout. Il ne voulait rien comprendre. Il avait trouvé à Bungay le bonheur que sa jeunesse avait longtemps espéré et attendu en vain. Ce bonheur était fait de calme, de paix, d'estime ; il était fait d'amour. Mais quelque chose d'inquiet se mêlait à l'amour. Charlotte en venait à se demander si Lucile n'avait pas marqué à jamais du sceau de l'interdiction les amours de René. Il semblait n'y avoir pas d'issue à ces amours anglaises. René, désespéré, déchiré, fasciné par le malheur, et pourtant résolu, décida de quitter le Suffolk et de retourner à Londres.

C'est alors que se situe, comme au dernier acte d'une

tragédie bien ficelée, une crise très violente et très brève où culmine et s'achève tout ce qui s'est noué au fil du temps. C'est la première tempête sentimentale de la vie de René. C'est aussi une des plus cruelles.

La veille du jour fixé par René pour son départ, le dîner à Gardener's House fut affreusement morne et pesant. Charlotte, enfermée dans sa chambre, n'avait pas apparu de tout l'après-midi. Elle avait les yeux rouges à force d'avoir pleuré. René n'ouvrait pas la bouche. Le révérend buvait encore plus que de coutume et sa femme, d'une nervosité extrême, renversait le sel et le vin et s'efforçait de meubler les silences de réflexions insipides. Toute la journée, et la veille déjà, le pasteur et Mrs Ives avaient tourné et retourné en tous sens la situation étrange où se trouvait Charlotte. L'inclination, l'amour, la passion des deux jeunes gens l'un pour l'autre ne pouvaient échapper à personne. Et eux, les parents de Charlotte, n'y étaient pas hostiles. François-René était français : pour un ménage anglais de la bourgeoisie religieuse et rurale de la fin du XVIIIe siècle, ce n'était pas l'idéal. Il était ruiné par la Révolution, et ce n'était pas gai non plus. Il n'avait plus de patrie, ni de famille, ni rien. Mais, justement, pour un Français, cette situation sinistre et ces inconvénients pouvaient, aux yeux d'Anglais, se retourner en avantage. Le jeune homme appartenait à la vieille noblesse bretonne. Il cesserait d'être français et on en ferait un bon Anglais, établi à jamais sur les terres du Suffolk. Peut-être d'ailleurs les révolutionnaires français finiraient-ils par être vaincus par les forces du bien. Alors, François-René pourrait rester anglais, mais il retrouverait sa fortune. Les Ives, d'ailleurs, n'étaient ni avides ni avares. S'il fallait faire vivre le jeune couple à Bungay, à Beccles, ou même peut-être à Londres, les ressources ne manquaient pas. Allons, tout se serait présenté assez bien si une sorte de malaise, et presque de mystère, ne flottait autour de René. Le symptôme le plus évident en était le silence : à aucun moment, ni auprès des parents, comme il se doit, ni même auprès de la fille, l'amoureux de Charlotte ne s'était déclaré. On pouvait mettre cette discrétion, qui devenait exagérée, sur le compte de la timidité, d'un orgueil mal placé, d'une humiliation née des circonstances, d'une incapacité à s'exprimer qui pouvait être dans le caractère de cet étrange jeune homme qui avait, comme on dit, des côtés de poète – mais de poète muet. Il n'y avait plus d'autre solution que de prendre le taureau par les cornes.

A la fin de ce dernier et languissant dîner, qui était peut-être le premier d'une longue série légitime, familiale et bourgeoise, il se passa une chose inouïe : au lieu de voir les femmes quitter la pièce pour laisser le champ libre aux conversations des hommes sur la constitution des nations et la géographie de l'Amérique, ce fut le pasteur qui se retira, emmenant Charlotte avec lui. François-René resta seul en face de Mrs Ives. Il se fit un silence qui à l'un et à l'autre parut interminable. Mrs Ives était visiblement dans un extrême embarras. Elle regardait René, baissait les yeux, rougissait. Le trouble où elle se trouvait accentuait son charme. Un instant, une idée folle traversa l'esprit de René : la mère, comme la fille, méritait tous les sentiments que peut faire naître la séduction. Peut-être était-elle, sans qu'il le sût, tombée amoureuse de lui ? Un tourbillon de sentiments obscurs envahissait le jeune Français. Enfin, la femme du pasteur prit la parole comme on se jette à l'eau. Revenu à une réalité où le rêve avait moins de part, René crut qu'elle allait lui reprocher une inclination mutuelle dont il n'avait jamais rien dit, mais qu'elle avait pu découvrir.

– Monsieur, dit-elle en anglais et à voix presque basse, vous avez vu ma confusion. Je ne sais si Charlotte vous plaît, mais il est impossible de tromper une mère. Ma fille a certainement conçu de l'attachement pour vous. Mr Ives et moi, nous nous sommes consultés. Vous nous convenez sous tous les rapports. Nous croyons que vous rendrez notre fille heureuse. Vous n'avez plus de patrie ; vous venez de perdre vos parents ; vos biens sont vendus ; qui pourrait donc vous rappeler en France ? En attendant votre héritage, vous vivrez avec nous.

La foudre tombait sur René. Il comprenait tout à coup jusqu'où l'avait entraîné, après tant de malheurs, le goût du bonheur retrouvé. De toutes les peines qu'il avait endurées tout au long de ces années de chagrin et d'exil, celle-là, née de la confiance, de l'affection, de la tendresse, était la plus cruelle. Sa faiblesse l'accablait. La honte le submergeait. Il se faisait horreur à lui-même. Il se jeta aux genoux de Mrs Ives ; il couvrait les mains de la jeune femme du pasteur, semblable à un portrait de Greuze, de ses baisers et de ses larmes. Mais il ne parvenait pas à sortir du mythe qui s'était forgé autour de lui : l'imposture sentimentale s'attachait à ses gestes et à son silence coupable. Elle crut qu'il pleurait de bonheur. Elle se mit à sangloter de joie. Elle étendit le bras pour tirer le cordon de la sonnette et pour appeler auprès d'eux son mari et sa fille.

– Arrêtez ! cria René. Je suis marié !

Mrs Ives tomba évanouie.

René la reçut dans ses bras.

Il partit à pied, éperdu, sans rentrer dans sa chambre et sans prendre ses affaires. Il était comme fou. Plusieurs personnes qui le rencontrèrent sur le chemin restèrent stupéfaites de son comportement. Il parlait tout seul à haute voix. Il maudissait son destin, son caractère, son existence sinistre. Arrivé à Beccles, il s'arrêta à l'auberge pour écrire une lettre à Mrs Ives. Et il prit la poste pour Londres.

Tout le long de sa route, à pied, puis en voiture, il revoyait un passé dont il était prisonnier et qu'il avait oublié. Dans les rues de Paris, à quelques pas maintenant de la maison où il se rendait – vieillard cette fois-ci écrasé par les ans –, il parlait à nouveau tout seul et les passants le regardaient et il était étranger à sa propre existence. Une ombre lointaine y flottait, absente et pourtant présente : c'était sa femme. Un jour, à vingt-trois ans, au retour d'Amérique, à la veille de son départ pour l'armée de Coblence, indifférent à sa vie, il s'était laissé marier par distraction, par convenance et par erreur. Et jamais, d'un bout à l'autre de sa carrière interminable et superbe, il ne parviendrait à s'en souvenir.

Elle était là encore, vive, spirituelle, avec son visage de belette, au rez-de-chaussée de la rue du Bac. C'était une chose affreuse : il ne l'avait jamais aimée. Ses pires souvenirs, l'Allemagne, l'armée des princes, l'exil à Londres, la misère, étaient comme illuminés par l'absence de ce fardeau obligatoire et sacré. Aux portes de l'Abbaye-aux-Bois comme sur le chemin interminable et bref, entre Bungay et Beccles il serrait encore les poings et se demandait avec fureur par quelle aberration il était tombé dans le piège où gisait sa liberté.

En vérité, ce n'était pas l'amour, c'était la politique qui avait tout décidé. Peut-être vous souvenez-vous encore que François-René s'était décidé à quitter l'Amérique pour avoir aperçu à la première page d'un journal imprimé en anglais les mots : *Flight of the King ?* Après avoir essuyé une formidable tempête, il était tombé dans un pays où la révolution faisait rage. Tout de suite, l'émigration, qui lui faisait horreur, lui parut la seule solution. Il sentait qu'émigrer était une sottise et une folie, mais comment s'y refuser quand au despotisme désarmé et désuet de la monarchie écroulée succédait la tyrannie des clubs, des Jacobins, des masses et que le peuple souverain prenait le masque de Tibère, de Caligula et de Néron ? Chez sa mère, chez l'oncle Bedée l'Artichaut sur le point de partir pour Jersey, et même chez l'orgueilleuse et violente Lucile, la joie devant le retour de l'enfant prodigue revenant d'Amérique était balancée par le regret de voir ce retour tomber si mal. Sur la question si grave de savoir s'il fallait quitter la patrie et peut-être se battre contre elle, François-René voulut consulter l'homme en qui il avait le plus de confiance : M. de Malesherbes lui-même. A sa grande surprise, il trouva l'ami de Rousseau d'une violence extrême contre la Révolution. Rien de plus intraitable qu'un libéral déçu. Malesherbes avait lutté contre l'intolérance quand elle se confondait avec le roi, il luttait contre la tyrannie quand elle se dissimulait derrière le peuple. « Tout gouvernement, dit-il à François-René, qui, au lieu d'offrir des garanties aux lois fondamentales de la société, transgresse lui-même les lois de l'équité, les règles de la justice, n'existe plus et rend l'homme à l'état de nature. Il est licite alors de se défendre comme on peut, de recourir aux moyens qui semblent les plus propres à renverser la tyrannie, à rétablir les droits de chacun et de tous. » Pour se prouver à lui-même que son premier souci était la liberté, François-René, après Malesherbes, alla rendre visite à Rousseau : il se rendit en pèlerinage à l'Ermitage de Montmorency, où avait vécut l'auteur de la *Nouvelle Héloïse* et du *Contrat social*. Il y rencontra quelques futurs conventionnels venus rêver sur la Terreur comme lui rêvait sur l'émigration : la liberté a beaucoup de visages.

Aux contradictions de François-René répondaient, en sens inverse, les contradictions de l'époque. L'amour de la liberté amenait la dictature ; l'abolition de la peine de mort entraînait des flots de sang ; les sentiments les plus bénins, les plus doux, les plus élevés aboutissaient à des massacres. Pendant que la tragédie rougissait les rues, la bergerie fleurissait au théâtre et dans les mœurs. Il n'était question partout que d'innocents pasteurs et de virginales pastourelles : champs, ruisseaux, prairies, moutons, colombes, âge d'or sous le chaume revivaient aux soupirs du pipeau devant les roucoulants Tircis et les naïves tricoteuses qui sortaient du spectacle de la guillotine. Les bourreaux emmenaient promener les petits enfants dans les jardins publics et ils leur servaient de nourrices. Ils chantaient la nature, la paix, la pitié, la bienfaisance, la candeur, les vertus domestiques et faisaient couper le cou à leurs voisins avec une extrême sensibilité, pour le plus grand bonheur du genre humain. François-René n'était pas aveugle aux excès et aux injustices de la défunte monarchie. Mais il renvoyait dos à dos l'ancien régime et le nouveau. A la façon des libéraux et de son cher Malesherbes, il rêvait d'une société où, dans le respect de chacun, l'individu serait libre ; « Personne ne le persécute, il peut se promener où il veut sans crainte d'être insulté, même assassiné, on n'incendie point sa demeure, on ne le chasse point comme une bête féroce, le tout parce qu'il s'appelle Jacques et non pas Pierre, et que son grand-père, qui mourut il y a quarante ans, avait le droit de s'asseoir dans tel banc d'une église, avec deux ou trois arlequins en livrée derrière lui. » Les images idylliques étaient chaque jour étouffées sous le sang par des Caligula de carrefour. Allons ! l'honneur, l'intérêt, la liberté commandaient d'émigrer. Mais le zèle, en François-René, l'emportait de loin sur la foi.

Restait à trouver les moyens de rejoindre l'armée des

princes. Émigrer coûtait cher. Servir – même contre les siens – coûtait encore plus cher. Où trouver de l'argent ? Dans ces circonstances révolutionnaires, les sœurs de René – et surtout Lucile – eurent recours à l'expédient le plus classique et le plus contestable des familles de tradition : le mariage. Pauvre René ! Faible René ! On le maria pour lui procurer le moyen d'aller se faire tuer au service d'une cause qu'il n'aimait pas.

Lucile emballa toute l'affaire de main de maître. Quand il repensait - et il y repensait très souvent - à l'aventure de son mariage, de tendres doutes lui venaient. Lucile avait-elle choisi pour son frère bien-aimé quelqu'un pour qui elle avait estime et affection ? Bien sûr que oui ! Mais, jalouse, exaltée, possessive, aurait-elle choisi quelqu'un que René aurait pu aimer ? Peut-être que non. La fortune de Céleste Buisson de La Vigne, orpheline de père et de mère, était estimée à quelque six cent mille francs.

Céleste, à dix-sept ans, était petite, mince, délicate, blanche de peau, plutôt plaisante. Elle avait le nez un peu long, un menton fuyant, une bouche trop grande. Elle laissait pendre, comme un enfant, de beaux cheveux blonds naturellement bouclés. Elle ne manquait ni d'esprit ni de drôlerie. Et surtout, surtout, elle avait pour Lucile un sentiment exalté qui ressemblait à de l'adoration. René ne l'aimait pas et ne pouvait pas l'aimer : il ne lui avait jamais parlé, il ne l'avait vue que de loin. Lucile la lui avait montrée sur la chaussée du Sillon, à Saint-Malo. Elle portait, sous ses cheveux blonds, une pelisse rose sur une robe blanche. Un siècle et quart avant Proust, c'était une apparition tirée de *A l'ombre des jeunes filles en fleurs*. La sœur passionnée poursuivait son siège avec acharnement. Autant l'homme public, en René, était inébranlable, autant l'homme privé était à la merci de quiconque voulait s'emparer de lui. Il savait que l'émigration était une folie, il savait que, pour lui, le mariage était une folie : il se jeta dans l'une et dans l'autre. Pour éviter une tracasserie d'une heure, il était décidé à se rendre esclave pour la vie. Aux sollicitations qui l'accablaient, il répondit : « Faites donc. »

Le comble est qu'il fallut presque enlever la jeune mariée dont un oncle républicain contestait l'inclination pour un prétendu aristocrate - qui ne l'était guère de cœur, de sentiment, de raison. Le comble est aussi qu'on découvrit assez vite une vérité un peu rude : Céleste était beaucoup moins riche que ne l'espéraient les sœurs du disciple de Rousseau. Elle disposait d'un peu moins de cent cinquante mille francs : la somme n'était pas seulement placée en biens du clergé confisqués, elle était encore indivise avec une sœur mariée qui avait émigré. René s'était marié sans amour, il se retrouvait sans fortune. Et le pire est que très vite sa femme se mit à l'aimer. Il perdait sur tous les tableaux.

C'est à quoi pensait le jeune homme tout au long du chemin de Bungay à Beccles, tout au long de la route interminable qui mène de Beccles à Londres ; c'est à quoi pensait le vieillard sur le point de pousser la porte de l'Abbaye-aux-Bois. Et pourtant... Bien sûr, indifférente et même hostile à la littérature, Céleste n'a jamais lu – ou prétend n'avoir jamais lu – une seule ligne de René ; bien sûr, elle ne tire aucun orgueil d'être la femme du plus grand poète de cette époque agitée ; bien sûr, surtout, il ne l'aime pas. Mais si elle n'avait pas été là, encombrante, revêche, acariâtre, souvent odieuse, que se serait-il passé ? René aurait trouvé le bonheur avec Charlotte – et, tôt ou tard, il en aurait été malheureux. Pour lui, sauvage, bizarre, à jamais fou de liberté, mieux valait une union qui le laissait au moins indépendant qu'un mariage d'amour dont il aurait été prisonnier. Sur les terres du Suffolk, il serait devenu, comme les autres, un gentleman chasseur. Pas une ligne ne serait tombée de sa plume. Il aurait oublié sa langue. Il aurait vieilli dans une paix qu'il n'aurait pas tardé à maudire. Il n'aurait pas pu dire, comme le fait Virgile à Dante : « *Poeta fui e cantai* - Je fus poète et je chantai. » Le malheur, décidément, valait mieux que le bonheur.

En 1822, à peu près à mi-chemin entre Bungay et Paris – un quart de siècle avant le vieillard, et un quart de siècle après le jeune homme –, le vicomte de Chateaubriand est ambassadeur à Londres. Un valet empanaché en habit à la française vient lui annoncer qu'une voiture est arrêtée à la porte et qu'une dame anglaise demande à être reçue. La curiosité, le goût du secret, l'attrait du mystère agissent très fort sur l'ambassadeur. Il ordonne que la visiteuse soit introduite auprès de lui. Elle se fait annoncer sous le nom de lady Sutton. Elle entre. C'est Charlotte.

Elle a vingt-cinq ans de plus que du temps de Bungay. Elle est accompagnée de deux fils. Tous les trois sont en deuil : le pasteur est mort depuis plusieurs années, Mrs Ives vient de mourir.

– *Milord, do you remember me ?*

La question est posée d'une voix à peine perceptible. Et celle qui la pose est si émue qu'elle tremble de tous ses membres. S'il la reconnaît ! Lui non plus ne peut pas parler. Ses yeux sont pleins de larmes. Et, à travers ces larmes, il la regarde en silence, la main de Charlotte entre les mains de René.

Après la disparition du chevalier de Combourg, Charlotte était tombée malade. Pendant des années, elle avait vécu à Bungay, entre le pasteur et Mrs Ives, refusant de se marier. Et puis elle avait fini par épouser un marin qui était devenu amiral. Et elle, Charlotte, était devenue lady Sutton. Elle appelait René *Milord,* Votre Excellence, Votre Seigneurie. Elle répétait, haletante : « Vous souvenez-vous ?... Vous souvenez-vous ?... » Et elle se mettait à pleurer en lui disant cet adieu qu'il ne lui avait pas accordé un quart de siècle plus tôt dans la paix de Bungay ravagée par son passage. Voilà comment se nouent et se dénouent et se renouent à nouveau les pauvres destins des hommes.

Le vieux poète pénétrait dans l'Abbaye-aux-Bois, déposait sa canne et ses gants, s'avançait vers la pièce où il était attendu. Le matin même, il avait reçu une lettre de Samuel Sutton, le fils de l'amiral et de lady Sutton. C'était Céleste, sa femme depuis plus de cinquante ans, qui la lui avait remise. Elle était toute pleine du souvenir de Charlotte

– Est-ce vous, mon ami ?

– Oui, mon amie : c'est moi. Comment allez-vous depuis hier ?

– Bien, puisque vous m'avez écrit ce matin. Bien, puisque vous êtes là.

René, devenu vieux, s'inclina tendrement devant une femme, déjà âgée, mais toujours belle, étendue sur une chaise longue. Elle était aveugle, et il l'aimait.

2

PAULINE OU LA GLOIRE

Mme de Beaumont ouvre la marche funèbre...

—

Le Directoire à peine renversé, Bonaparte eut une formule étonnante...

—

Rien n'est plus beau que les rencontres entre les hommes...

—

Une petite société se constituait autour des amants...

—

« Tout me réussit. La place que j'occupe est charmante »...

—

« Un malheur me vint enfin occuper »...

—

Les obsèques furent belles et fort bien ordonnées...

« Mme de Beaumont ouvre la marche funèbre de ces femmes qui ont passé devant moi. Mes souvenirs les plus éloignés reposent sur des cendres, et ils ont continué de tomber de cercueil en cercueil. Comme le pandit indien, je récite les prières des morts jusqu'à ce que les fleurs de mon chapelet soient fanées. » La voix du vieux poète s'élevait avec régularité dans le salon de l'Abbaye-aux-Bois. L'aveugle écoutait avec ravissement. Toute sa vie, René avait eu la manie de lire aux femmes qu'il aimait les pages qu'il avait écrites sur les femmes qu'il avait aimées. Mme Récamier luttait sans trop de peine contre la jalousie. D'abord, elle avait l'habitude ; ensuite, Mme de Beaumont était morte depuis près d'un demi-siècle ; enfin, René se gardait bien de tout dire, et il en dissimulait beaucoup plus qu'il n'en racontait. A mesure qu'il lisait, pourtant, la vraie image de Pauline revivait sous les mots ; et derrière ce qu'il avouait surgissait, mélancolique et délicieux, presque honteux, irrésistible, mais pour lui seul, l'inavouable.

L'histoire de Pauline de Beaumont, pour sinistre qu'elle fût, se confondait pour lui avec toute une période enchanteresse de sa vie. Il en connaîtrait d'autres sans doute encore plus brillantes, plus fécondes ou plus gaies. Mais celle-ci avait à jamais un charme incomparable : elle marquait la fin de l'obscurité et l'entrée dans la gloire.

L'affaire commence en Angleterre, deux ou trois ans après la fuite de Bungay. La Révolution se termine, la Convention se sépare, le Consulat déjà perce derrière le Directoire. Les coups d'État se succèdent : c'est Vendémiaire après Thermidor et Brumaire après Fructidor. René est toujours à Londres. Il attend. Il travaille. Il n'habite plus du côté de Marylebone Street : il s'est installé Rathbone Place, non loin d'Oxford Street et de Tottenham Court Road, puis Hampstead Road, enfin Upper Cleveland Street. Un vague cousin, du nom de Feron, ou Ferron, est allé le remplacer à Beccles et loge dans son appartement. En France, après avoir caressé l'idée de finir dans un couvent, Lucile, la passionnée, s'est mariée, sans amour, avec un quasi-vieillard : le chevalier de Caud, gouverneur de la forteresse de Fougères. C'est une habitude de famille : les trois aînées déjà - Marie-Anne, Bénigne et Julie, la plus belle - ont épousé des gentilshommes de Fougères. Quelques jours à peine après la cérémonie, Lucile s'est enfuie du domicile conjugal. Tout dans sa vie n'est que passion et échec. Il n'est pas tout à fait impossible qu'elle ait eu du génie. Il est tout à fait certain que la folie la guette.

A Londres, chez son imprimeur, dans des bibliothèques publiques, dans des salles de tavernes, enfumées et bruyantes, René écrit. Un *Essai sur les révolutions*, où il a fourré pêle-mêle ses rêveries rousseauistes, son érudition hâtive, ses lectures, ses souvenirs, et dont Sieyès dira plus tard : « Quel charlatan ! Est-ce que vous avez pu le lire jusqu'au bout ? » Pas de chance : odieux aux républicains parce qu'il a émigré, il déplaît aussi aux royalistes parce qu'il baigne dans l'esprit du temps. Le bon Bedée l'Artichaut, qui aimait pourtant René de tout son large cœur dans sa poitrine étroite, parle au prince de Bouillon de son « neveu philosophe moderne ». Et le prince répond, comme on pouvait s'y attendre : « Il n'y en a que trop de cette espèce. » Chateaubriand lui-même, relisant l'*Essai* trente ans plus tard, n'est pas plus indulgent : « Un chaos où se rencontrent les Jacobins et les Spartiates, la *Marseillaise* et les chants de Tyrtée, un voyage aux Açores et le périple d'Hannon, l'éloge de Jésus-Christ et la critique des moines, les vers dorés de Pythagore et les fables de M. de Nivernais, Louis XIV, Charles Ier, des promenades solitaires, des vues de la nature, du malheur, de la mélancolie, du suicide, de la politique, un petit commencement d'*Atala*, Robespierre, la Convention, des discussions sur Zénon, Épicure et Aristote ; le tout en style sauvage et boursouflé, plein de fautes de langue, d'idiotismes étrangers et de barbarismes. »

Il n'y a pas seulement l'*Essai*. Il y a aussi un roman d'aventures américaines qui s'appellera peut-être *les Sauvages*, qui passera dans *les Natchez*, qui nourrira le *Génie du christianisme* et où apparaissent toute une série de personnages destinés à un grand avenir : Chactas, Celuta, Atala et le fameux René qui traîne derrière lui un secret ineffable - non pas une épouse qu'il cacherait à la façon de Céleste, mais une sœur qu'il a aimée avec passion, à la façon de Lucile, et qui s'appelle Amélie.

Deux créatures réelles jouent un rôle essentiel au milieu de tant de fictions : l'une entre dans la vie de François-René à peu près au moment où l'autre en sort. La figure qui disparaît, c'est sa mère ; la figure qui arrive, c'est Fontanes.

Jean-Pierre-Louis marquis de Fontanes est un personnage de première grandeur. Il mériterait à lui seul une biographie importante qui, autant que je sache, n'existe pas encore. Pour dire les choses d'un seul mot, peut-être trop dur, Fontanes était un opportuniste. Honnête, éclairé, ambitieux avec beaucoup de décence – mais, enfin, un opportuniste. Dans une époque tourmentée, il changea beaucoup d'opinions, parfois à contretemps, le plus souvent dans le sens de l'histoire. Voltairien, janséniste, ami des Lumières, partisan, comme Malesherbes ou Chateaubriand lui-même, des principes philosophiques de la Révolution, il finit dans la peau d'un dignitaire de Napoléon et régna, en bas de soie et en uniforme chamarré, sur l'Université impériale. Il y avait eu un drame dans son enfance : le père de Fontanes avait eu le malheur de tuer en duel son beau-frère. Élevé par un frère aîné, le jeune homme monte à Paris, il écrit des poèmes dans le style le plus classique, il devient l'amant d'une actrice qui avait eu son heure de notoriété et l'ami d'un homme remarquable et malheureux qui joue un grand rôle dans notre histoire. La maîtresse s'appelait Mlle Desgarcins. L'ami était Joseph Joubert.

La Révolution arrivée, Fontanes s'engage dans un de ces partis du Marais qui meurent toujours déchirés par les partis de gauche qui les tirent en avant et les partis de droite qui les tirent en arrière. Alors qu'un Peltier se jette dans l'extrême droite avec *les Actes des Apôtres*, Fontanes publie un journal qui porte un titre presque trop beau, éloquent jusqu'au ridicule : *le Modérateur.* Une merveilleuse discrétion, qui va jusqu'à la disparition, le fait survivre à la Terreur. Il se réveille juste à temps pour devenir un des plus jeunes des membres du nouvel Institut. Déjà, sa carrière s'annonce bien. Peut-être un peu trop bien. Le génie, à ses débuts, préfère souvent l'insuccès.

Jugeant, selon une jolie formule, que Paris valait, suivant les temps, ou une messe ou qu'on s'abstînt d'y assister, il avait attendu la réaction thermidorienne pour afficher son goût pour l'ordre et la tradition. Coup d'État de gauche, le 18 fructidor l'expédia à Londres en vitesse : il y rejoignit des royalistes ultra qui s'y étaient réfugiés quelque six ou huit ans plus tôt. « De temps en temps, chantait aux oreilles de l'aveugle la voix qu'elle reconnaissait et préférait entre toutes, la Révolution nous envoyait des émigrés d'une espèce et d'une opinion nouvelles ; il se formait diverses couches d'exilés : la terre renferme des lits de sable ou d'argile, déposés par les flots du déluge. »

A mi-chemin, à peu près, entre la fin de Robespierre et les débuts de Bonaparte, Fontanes avait quarante ans. C'était un gros homme, à l'appétit formidable, carré comme un de ces Limousins parmi lesquels il se comptait. Comme Malesherbes naguère, il stupéfia François-René par l'évolution, abrupte et violente, de ses opinions politiques. Les crimes de la Convention, les atrocités de la Terreur lui avaient donné l'horreur de la liberté même. Ce voltairien s'était mis à détester jusqu'à la philosophie.

René refaisait à Londres, avec Fontanes, les promenades qu'il avait faites naguère avec son cousin La Bouëtardais, avant qu'il fût frappé de son vent coulis, ou avec le pauvre Hingant, avant le coup de poignard. Ils s'arrêtaient pour causer sous les larges ormes des environs de la capitale ; ils dînaient, sur la Tamise, dans les tavernes de Chelsea, en se récitant tour à tour des vers de Milton ou de Shakespeare ; ils rentraient de nuit à Londres, aux rayons défaillants des étoiles, submergées l'une après l'autre dans le brouillard de la ville ; ils regagnaient leur demeure guidés par d'incertaines lueurs qui leur traçaient à peine la route à travers la fumée de charbon rougissant autour de chaque réverbère. « Ainsi, disait la voix de René un demi-siècle plus tard, ainsi s'écoule la vie du poète. » Ainsi se forgeait aussi une forte et longue amitié qui, toujours accrue par la mauvaise fortune, ne sera jamais – ou si peu – diminuée par la bonne.

Si quelque chose au monde devait être antipathique à Fontanes, c'était la manière d'écrire de René. Fontanes était un des derniers écrivains de l'école classique ; René était le premier de l'école romantique. Fontanes, pourtant, ne vit pas seulement tout ce qu'il y avait de neuf et d'admirable dans les écrits de René, il lui prodigua encore les conseils les plus précieux, il lui apprit à respecter l'oreille, il l'empêcha de tomber dans l'extravagance d'invention et le rocailleux d'exécution qui était un des écueils de la nouvelle école. Il l'encouragea surtout avec force. « Laissez, messieurs, laissez, disait-il aux moqueurs de l'émigration conservatrice ; il nous dépassera tous. » Quand, six mois après son arrivée, Fontanes, vaguement rassuré par l'évolution du Directoire, décida de rentrer en France, en passant par l'Allemagne, il écrivit à René, de Hambourg, une lettre comme chaque écrivain désirerait en recevoir d'un critique et d'un ami : « Travaillez, travaillez, mon cher ami, devenez illustre. Vous le pouvez : l'avenir est à vous. Ne doutez pas que, lorsque je pourrai me promener librement dans ma patrie, je ne vous y prépare une ruche et des fleurs à côté des miennes. Mon attachement est inaltérable. Je serai seul tant que je ne serai point auprès de vous. Adieu, je vous embrasse tendrement, et je suis votre ami. »

Quelques jours avant, ou peut-être après – les érudits en discutent – le départ de Fontanes pour la France, René avait reçu une lettre de sa sœur, Julie de Farcy – qui devait mourir elle-même un an plus tard. Elle annonçait à René la mort de sa mère. Ce fut un coup terrible. Il pensait déjà que son exil et ses idées avaient contribué à rendre amères et cruelles les dernières années de la morte. Julie, naguère ravissante et très gaie, mais devenue austère et presque mystique, accusait ouvertement son frère de l'avoir désespérée : « Si tu savais combien de pleurs tes erreurs ont fait répandre à notre respectable mère, si tu le savais, peut-être cela contribuerait-il à t'ouvrir les yeux, à te faire renoncer à écrire. » Au moment même où Fontanes l'invitait à travailler et à devenir illustre, sa sœur l'engageait à renoncer à écrire et à rentrer dans l'obscurité pour expier ses erreurs. Le chagrin du deuil était rendu plus cruel encore par l'incertitude et l'angoisse qui en naissaient. Il n'y avait qu'un moyen d'en sortir : c'était de faire succéder au scepticisme de l'*Essai* la certitude de la foi. Ce sera la tâche du *Génie du christianisme*.

Il n'est pas interdit de constater ici que la conversion de René s'inscrit un peu trop bien dans le cours de l'histoire. Fontanes tourne casaque ; Chateaubriand aussi. Il cherche seulement la cause, ou peut-être le prétexte, de ce changement de direction dans la mort de sa mère. Mais qui lit dans les coeurs, sinon celui à qui il se donnait dans ce grand ébranlement ? Un des privilèges du génie, c'est de faire feu de tout bois et de se servir du hasard pour en faire du destin. Il faut laisser au malheur le privilège éclatant d'éclairer les grandes âmes. Mme de Chateaubriand douairière n'aurait été que trop heureuse de servir de prétexte, ou peut-être même d'alibi, à la fois à la gloire et à la conversion de son fils. « Je suis devenu chrétien. Je n'ai point cédé, j'en conviens, à de grandes lumières surnaturelles : ma conviction est sortie du cœur ; j'ai pleuré et j'ai cru. » Mais il fallait encore, par un nouveau renversement, que le chemin qui menait de la mort de sa mère et de sa sœur jusqu'à Dieu passât par Pauline de Beaumont.

Le Directoire à peine renversé, Bonaparte eut une formule étonnante : « Depuis Clovis jusqu'au Comité de Salut public, je me tiens solidaire de tout. » C'était achever la Révolution dans tous les sens du mot *achever :* lui donner le coup de grâce, y mettre fin et poursuivre jusqu'au terme ce qu'elle avait entrepris. Beaucoup s'imaginèrent, parmi les royalistes, que le général Bonaparte serait une version française du fameux général Monk et qu'il n'aurait rien de plus pressé que de remettre sur le trône la dynastie tombée. C'était une tragique erreur. Napoléon Bonaparte avait d'autres ambitions que de devenir grand connétable. Il y aurait bien des choses évanouies qui seraient ressuscitées et des choses écroulées qui seraient rétablies : ce serait au bénéfice, non des maîtres passés, mais du maître nouveau. Une de ces choses à restaurer au service du régime en train de naître était la religion catholique.

A Londres déjà, René avait été frappé par l'accueil réservé à un poème érotique, antichrétien et médiocre : *la Guerre des dieux,* de Parny. On y voyait le débarquement dans l'Olympe du Père, du Fils et du Saint-Esprit, la résistance de Jupiter et d'Odin, les amours des saints chrétiens et des bacchantes païennes. Cette méchante satire fit scandale. Elle provoqua l'indignation. Beaucoup et même des libraires firent jeter au feu les exemplaires dont ils disposaient. Quelques années plus tôt, un tel navet aurait connu les seules critiques que méritait avec évidence son absence de talent. C'était l'époque où Voltaire régnait encore, où la Révolution triomphait, où, moitié déiste, moitié athée, René lui-même écrivait : « Les religions naissent de nos craintes et de nos faiblesses, s'agrandissent dans le fanatisme et meurent dans l'indifférence. Les prêtres de la Perse et de l'Égypte ressemblaient parfaitement aux nôtres. Leur esprit se composait également de fanatisme et d'intolérance. » L'époque aussi où il griffonnait secrètement, à propos du problème du mal, en marge de son *Essai* – à l'insu, heureusement, de Bedée l'Artichaut et du duc de Bouillon : « Cette objection est insoluble et renverse de fond en comble le système chrétien. Au reste personne n'y croit plus. » Ou à propos de l'existence de Dieu : « Comment croire qu'un Dieu intelligent nous conduit ? Il y a peut-être un Dieu, mais c'est le Dieu d'Épicure. » Le temps avait passé. La Terreur était terminée ; Fontanes, comme Malesherbes, avait changé d'opinions ; la mère et la sœur de René étaient mortes coup sur coup ; le malheur avait transformé l'auteur sceptique de l'*Essai*. Et Bonaparte arrivait.

Avec lui s'installait, non pas le règne de la tolérance, mais un régime nouveau où l'élan révolutionnaire enfin canalisé allait emprunter, pour survivre et durer, les formes de la tradition. Fontanes, toujours à l'affût de tout ce qui pouvait servir son ambition et ses réels talents d'administrateur et d'homme public, sauta dans le train en marche. Il écrivit à Bonaparte : « La voix publique m'apprend que vous n'aimez point les éloges. Les miens auraient l'air trop intéressés en ce moment pour qu'ils fussent dignes de vous et de moi. J'ai constamment parlé de vous comme la renommée et vos soldats ; je n'en dirai pas plus. L'histoire vous a suffisamment appris que les grands capitaines ont toujours défendu contre l'oppression et l'infortune les amis des arts, et surtout les poètes, dont le cœur est sensible et la voix reconnaissante. »

Quelques semaines plus tard, le grand capitaine chargeait le cœur sensible et la voix reconnaissante de prononcer - de préférence à Talleyrand et à Marie-Joseph Chénier, le frère d'André - l'éloge de Washington qui venait de mourir. L'exilé de la veille devint, du jour au lendemain, la coqueluche des salons du Paris consulaire et un nouveau Bossuet.

Du coup, le destin de René changeait de visage à son tour. L'ordre à peine rétabli en France par le despotisme bonapartiste, la haute émigration s'empressait de rentrer pour tâcher de recueillir les débris de sa fortune. La fidélité, comme toujours, périssait par la tête. Fontanes restait silencieux, mais sa fortune soudaine semblait faire signe à René. René le relançait, de Londres, avec une sorte d'impatience : « Est-ce, mon cher ami, que les joies de la prospérité vous auraient fait oublier un malheureux ? Je ne puis croire qu'avec vos beaux talents vous soyez fait comme un autre homme. Tâchez donc de vous donner un peu de mouvement. J'espère que nous nous connaîtrons encore un jour davantage et que vous vous repentirez de m'avoir traité si froidement. Mille et mille bénédictions, mon cher et admirable ami. Souvenez-vous que vous m'avez écrit que vous ne seriez heureux que lorsque vous m'auriez préparé une ruche et des fleurs à côté des vôtres. » Et encore, et toujours : « M'avez-vous donc oublié, mon cher ami ? Vous m'aviez promis de me procurer une ruche et des fleurs auprès des vôtres. Je ne sais si vos derniéres prospérités ont changé vos sentiments, mais moi, qui n'ai point cessé d'être malheureux, je n'ai point cessé de vous aimer. Les moyens de m'être utile ne peuvent guère vous manquer à présent et j'attends tout de vous. J'ai lu votre éloge de W. J'y ai reconnu la noblesse de vos pensées, la simplicité de leurs expressions et ces choses merveilleuses de l'âme que vous mêlez à tout ce que vous faites. Je vous embrasse, les larmes aux yeux, mon cher et admirable ami, et je prie Dieu qu'il vous accorde la paix, la santé, la fortune et un ami plus heureux que moi. » Le cher et admirable ami se faisait un peu tirer l'oreille. Et l'ami malheureux était bien insistant.

Enfin, le ministre de Prusse à Londres procura à l'émigré soudain impatient de rentrer un passeport au nom de Jean-David de Lassagne, né en Suisse, à Boveresse, près de Neuchâtel, qui appartenait alors à la Prusse. Ayant déposé dans une malle destinée à rester à Londres la masse énorme de ses manuscrits, emportant avec lui *Atala, René*, le début du *Génie du christianisme*, à l'abri d'un nom étranger, caché doublement dans l'obscurité du Suisse Lassagne et dans la sienne propre qui le faisait tant souffrir, René aborda la France avec le siècle. Une ère nouvelle commençait : elle allait déboucher sur l'Empire et sur le romantisme ; elle serait dominée par deux rivaux associés : Napoléon Bonaparte et son ennemi le plus intime, le vicomte de Chateaubriand.

Dès le début, les futurs adversaires, le sceptique d'hier et le despote de demain, sont unis par un même souci : la restauration de la religion. Ils s'y attachent pour des motifs différents et, en vérité, opposés : l'un parce qu'il s'est mis à croire et qu'il tire son inspiration de la splendeur de l'œuvre de Dieu ; l'autre parce qu'il veut gouverner et que l'appareil catholique légué par l'ancien régime est un fantastique instrument de domination des esprits et des cœurs.

Bonaparte ne croit à rien : il ne croit qu'à lui-même, à son étoile, à son destin. Catholique à Paris, musulman en Égypte, il aurait été bouddhiste en Inde, protestant à Berlin ou orthodoxe à Moscou. Il pense que la religion, vaccin de l'imagination, ancre et boussole du navire de l'État, est nécessaire à la société. Un mois après le retour de René à Paris, au lendemain de Marengo, il écrit aux deux consuls, ses collègues : « Aujourd'hui, malgré ce que pourront dire vos athées de Paris, je vais en grande cérémonie au *Te Deum* que l'on chante à la cathédrale de Milan. » A des royalistes qui nourrissent obstinément des illusions inutiles, il met les points sur les *i* avec une brutale franchise : « La religion, je la rétablirai, non pas pour vous, mais pour moi. » Tout est prêt pour le lancement du *Génie du christianisme*. Le décor est dressé. Les trois coups peuvent être frappés. Mais l'accord apparent entre les restaurateurs de la religion repose naturellement sur un malentendu.

Rien n'est plus beau que les rencontres entre les hommes et ces chaînes d'amitié, d'affection, d'intérêt, parfois de haine, qui les nouent les uns aux autres. Chateaubriand était l'ami de Fontanes ; Fontanes était l'ami de Joubert ; Joubert était l'ami de Mme de Beaumont : c'est ainsi que René devint l'amant de Pauline.

Fontanes était un homme remarquable destiné à jouer un grand rôle dans l'administration et dans l'État. Joubert était un être lunaire et délicieux. Plein de manies et d'originalité, il avait une extraordinaire capacité de s'imposer aux esprits et aux cœurs et, une fois qu'il s'était emparé de vous, son image était là comme un fait, comme une pensée fixe, comme une obsession qu'on ne pouvait plus chasser. Ses amis l'adoraient. Et il leur était attaché avec une force, avec une violence qu'il ne reconnaissait pas volontiers : sa grande prétention était au calme et personne n'était aussi troublé que lui. Il se surveillait pour arrêter ces émotions de l'âme qu'il croyait nuisibles à sa santé, et toujours ses amis venaient déranger les précautions qu'il avait prises pour bien se porter, car il ne pouvait s'empêcher d'être ému de leur tristesse ou de leur joie : c'était un égoïste qui ne s'occupait que des autres.

Sa santé était détestable. Il la croyait pire encore qu'elle ne l'était. Pour essayer de l'améliorer, il changeait à chaque moment de diète et de régime, vivant un jour de lait, un autre jour de viande hachée, se faisant cahoter au grand trot sur les chemins les plus rudes ou traîner au petit pas dans les allées les plus unies. Les forces manquaient souvent - en esprit ? ou physiquement ? - à ce malade imaginaire. Il se croyait alors obligé, afin de les retrouver, de fermer les yeux et de se taire pendant des heures entières. Dieu seul sait quel bruit et quel mouvement se passaient intérieurement chez lui pendant ce silence et ce repos qu'il s'ordonnait. Peut-être des chefs-d'œuvre à jamais inconnus défilaient-ils sous son crâne ? Peut-être des pensées éclatantes et perdues tombaient-elles en même temps dans ce monde spirituel et dans le néant ? Il disait de ces pensées qu'elles étaient les rêves d'une ombre. Lettré d'un goût exquis, il ne publiait rien parce qu'il s'était fait l'idée d'une perfection qui l'empêchait de rien achever. L'esprit critique le possédait tout entier, le ligotait, le détruisait. Quand il se mettait par hasard à écrire, il s'arrêtait aussitôt, ayant trop de subtilité pour ne pas tomber dans la préciosité, et trop de finesse pour ne pas s'en apercevoir. « Je suis, disait-il de lui-même, comme une harpe éolienne, qui rend quelques beaux sons et qui n'exécute aucun air. »

Vers le début du siècle, à l'époque de sa rencontre avec Chateaubriand, Joseph Joubert avait quarante-six ans. Il était riche. Il passait plusieurs mois de chaque année dans sa propriété de Villeneuve-sur-Yonne où il aimait à se livrer à une de ses extravagances favorites : quand il lisait, il arrachait de ses livres, au fur et à mesure de sa lecture, les pages sans intérêt pour ne garder que celles qui lui plaisaient vraiment et qu'il se mettait aussitôt à couvrir fiévreusement d'annotations innombrables et de signes mystérieux. Il avait fini par se constituer ainsi toute une bibliothèque à son usage composée d'ouvrages évidés, renfermés dans des couvertures trop larges. Il passait son temps à se promener lentement dans les allées de sa propriété en caressant avec volupté le cuir de ces reliures qui ne contenaient que quelques pages affreusement gribouillées.

Profond, délicat, charmant, malheureux, d'un esprit fin et tourmenté, traînant derrière lui un physique délabré, Joseph Joubert, selon une formule célèbre, due à une de ces femmes spirituelles qui font le lien entre le romantisme et le XVIIIe siècle, avait l'air d'une âme qui a rencontré un corps par hasard, et qui s'en tire comme elle peut.

Joubert, après Fontanes et avec lui, aida René à s'habituer à son propre pays, qui lui était devenu étranger et qu'il reconnaissait à peine. Dès son arrivée à Calais, des gendarmes et des douaniers avaient sauté sur le pont du bateau, visité les bagages, inspecté les passeports. « En France, écrit Chateaubriand, un homme est toujours suspect. » Sur la route de Paris, les châteaux étaient abattus ; les forêts rasées ; les villages misérables et à moitié détruits, pleins de boue et de décombres ; les églises abandonnées ; les clochers sans cloches ; les cimetières sans croix ; et les saints sans tête et lapidés dans leurs niches. Sur les murailles étaient barbouillées de vieilles inscriptions, rendues déjà caduques par l'ombre du nouveau régime : LIBERTÉ, ÉGALITÉ, FRATERNITÉ OU LA MORT. Ici ou là, on avait essayé d'effacer le mot MORT, mais les lettres noires ou rouges reparaissaient sous une couche de chaux. René, rentrant chez lui, ne voyait plus de cette Révolution, dont il avait si ardemment approuvé les principes, que les ruines et les deuils.

A Paris, à la charnière de deux siècles, le XVIIIe et le XIXe, le spectacle était prodigieux : il fascinait René qui avait déjà assisté, une dizaine d'années plus tôt, à un premier chambardement et à l'envahissement de l'ancienne société par la nouvelle. Celle-ci, après avoir remplacé celle-là, était remplacée à son tour. Elle l'était dans un pêle-mêle qui faisait tourner les têtes. Beaucoup portaient des noms de guerre ou d'emprunt. L'un se prétendait italien, l'autre espagnol ou hollandais. René était suisse ou prussien. La mère se faisait passer pour la tante de son fils, le père pour l'oncle de sa fille ; le propriétaire d'une terre n'en était que le régisseur. Tout le monde essayait de se dissimuler le plus possible et de se masquer aux yeux des autres. Les événements et leurs acteurs se succédaient à toute allure. Rien n'était ferme, rien ne durait. Ce formidable kaléidoscope, ce carrousel emballé commençait pourtant à se stabiliser sous la poigne de fer du général venu de Corse.

Dès le lendemain du 18 brumaire, les cafés et les rues, épuisés d'agitation, à bout de souffle après tant de fureurs et d'angoisses, avaient commencé à se vider et les maisons à se remplir. Les familles se reconstituaient. On recomposait son héritage en en rassemblant les débris, comme, après une bataille, on bat le rappel et on fait le compte de ce que l'on a perdu. Les vieilles générations républicaines se retiraient devant la montée des générations consulaires, puis impériales. Des généraux de la Convention, pauvres, au langage rude, à la mine sévère, aux habits en lambeaux, croisaient les officiers brillants et dorés sur tranche de l'armée de Bonaparte. L'émigré rentré causait tranquillement avec les assassins de quelques-uns de ses proches. Les septembriseurs, ayant changé de nom et de quartier, s'étaient faits marchands de pommes cuites au coin des rues. On lisait encore sur des pancartes, accrochées aux loges des concierges : *Ici on s'honore du titre de citoyen et on se tutoie. Ferme la porte, s'il vous plaît.* Mais les révolutionnaires enrichis se mettaient à emménager dans les grands hôtels vendus du faubourg Saint-Germain. En train de devenir barons et comtes, les jacobins ne parlaient que des horreurs de 1793, de la nécessité de châtier les prolétaires et de réprimer les excès de la populace. Bonaparte se préparait à les barioler de rubans, à les salir de titres, selon la formule de Chateaubriand, à les forcer de trahir leurs opinions et de déshonorer leurs crimes. De jour en jour s'accomplissait la métamorphose des républicains en impérialistes et de la tyrannie de tous dans le despotisme d'un seul.

Fontanes d'abord, puis Joubert furent les guides de René dans cette jungle en effervescence. Ils le menèrent dans les salons du nouveau régime. Ils le présentèrent aux hommes en place et aussi, et peut-être surtout, aux femmes dont tout dépendait. L'ambition toujours décente et mesurée de Fontanes avait encore accompli des progrès et monté quelques-unes des marches qui la séparaient du pouvoir. Il avait été libéral, voltairien, réformiste ; il s'était réveillé royaliste quand la Terreur s'était déchaînée et il avait reçu des subventions des princes ; il s'était rapproché du Premier consul en prononçant l'éloge de Washington. Voilà qu'il entre presque dans la famille de Napoléon en devenant, coup sur coup, l'ami de son frère Lucien et l'amant de sa sœur, Elisa Bacciochi. Joli doublé qui lui vaut aussitôt un poste dont le seul titre a quelque chose de vaguement compromettant : réviseur extraordinaire des pièces de théâtre et de littérature. Plus que jamais, René compte sur lui, sur Lucien Bonaparte, sur Elisa Bacciochi, pour intercéder auprès du Premier consul et obtenir sa radiation de la liste des émigrés. Pour parvenir à cette fin ardemment désirée, René, à son tour, n'hésite pas à écrire des platitudes à la maîtresse de son ami : « Fontanes a pu vous dire, Madame, quels sont mes sentiments... La sœur du Consul peut tout, et j'ai bien lieu de tout espérer puisqu'elle veut bien prendre quelque intérêt à moi. » Sous sa plume louangeuse, la sœur maigrichonne et noiraude de la belle Pauline Borghèse devient simple, spirituelle, noble, douce, généreuse, compatissante et elle gagne au consul, béni soit son saint nom, un nombre incalculable de cœurs.

Fontanes, côté cour, avait introduit René auprès d'Elisa Bacciochi ; Joubert, côté jardin, fait beaucoup plus et mieux : avec une générosité aux limites de l'imprudence, il entraîne le poète de la Floride et du Mississippi rue Neuve-du-Luxembourg, chez la plus chère de ses amies. Elle s'appelle Pauline de Beaumont.

Dès leurs premières rencontres, Pauline fit à René le récit de ses malheurs et de ceux de sa famille. En lisant à Juliette les pages consacrées à Pauline, René croyait entendre toujours la voix vivante de Pauline lui parler de la mort qui, dans un grand vacarme tragique, avait emporté tous les siens et qui, deux ans plus tard – mais l'avenir, grâce à Dieu, est un secret bien gardé –, après une grande passion encore tapie dans le futur, allait s'emparer d'elle à son tour.

Née le même jour que Napoléon, Pauline de Beaumont était la fille du comte de Montmorin Saint-Hérem. Ménin des enfants royaux, ambassadeur à Madrid, ministre des Affaires étrangères de Louis XVI, M. de Montmorin avait signé le passeport du roi avant la fuite à Varennes. Attaqué, poursuivi, décrété d'arrestation, il s'était caché chez une blanchisseuse avant d'être enfermé à la prison de la Force. Acquitté et relâché, il avait été massacré par la foule à la sortie du tribunal révolutionnaire. Tous les membres de sa famille avaient péri successivement. Sa femme et son fils Calixte avaient été chargés sur la même charrette et guillotinés le même jour. On exécuta dix-neuf personnes. Chaque fois que le couperet tombait, Calixte criait : « Vive le roi ! » A la vingtième fois, il se tut : on guillotinait sa mère. Il fut le vingt et unième. Une fille était morte en prison, la veille de son exécution. Un autre fils n'avait pu monter sur l'échafaud : il avait péri noyé en mer avant la Révolution. Seule Pauline, qui crachait le sang, avait été, pour cette raison ou pour une autre, épargnée par les exécuteurs.

Pauline de Montmorin avait été mariée à dix-huit ans à un imbécile qui s'appelait le comte de Beaumont. Elle l'avait quitté en hâte pour revenir travailler avec son père pour qui elle nourrissait une passion peut-être aussi inquiétante que celle de Lucile pour son frère. Restée seule de tous les siens, accablée de douleur, déjà frappée à mort, Pauline de Beaumont n'était pas vraiment belle. Chateaubriand lui-même la dépeint dans ses *Mémoires* plutôt mal que bien de figure. Mais le charme et le courage transfiguraient ces traits aigus, ce visage amaigri et trop pâle. Les yeux, longs et minces, coupés en amande, brillaient avec langueur et vivacité en même temps. « Que deviendraient les poètes sans les poitrinaires ? » s'écriait un chroniqueur de la Belle Époque. Fragile, fiévreuse, les poumons déjà atteints, indifférente à son sort où elle voyait un sursis qu'elle méritait à peine, elle profitait avec nonchalance et ardeur, avec une sorte, aussi, de sensualité paniquée, du temps qui lui était laissé. Passionnée de plaisirs, indulgente jusqu'au système, elle se promenait le soir, au bord des étangs, vêtue de voiles légers. A qui – peut-être était-ce Joubert ? – lui disait avec inquiétude : « Vous jouez à vous tuer », elle répondait seulement, avec légèreté et superbe : « Qu'importe ! » Impavide et blessée, à peine enveloppée d'un corps, composée de souvenirs bien plus que d'espérances, elle aurait pu reprendre la devise d'une reine infortunée : « Fi de la vie ! » Elle avait adopté celle qu'un de ses admirateurs – était-ce encore Joubert ? – lui avait proposée : « Un rien m'agite ; rien ne m'ébranle. » Pauline de Beaumont inaugure, avec le siècle, la galerie inépuisable des poitrinaires romantiques. Elle ouvre le cortège des phtisiques de légende qui mènera, cinquante ans plus tard, jusqu'à *la Dame aux Camélias* d'Alexandre Dumas fils et à *la Traviata* de Verdi.

Joubert était fou d'elle. Elle devint assez vite la maîtresse de René. Dans les derniers jours du mois de mars 1801, René connaît déjà Pauline, mais ils sont très loin d'être intimes : « Je suis une gaupe, un cochon, un animal, écrit-il à Joubert. Je crois que je me suis promené une heure l'autre jour auprès de Mme de Beaumont sans la reconnaître, ni la saluer. C'est par réflexion que je me suis rappelé, depuis, mon impertinence. Veuillez m'excuser auprès de cette dame. *Atala ou les Amours de deux Sauvages dans le désert* paraîtront dans quelques jours. C'est ce que j'ai fait de mieux : ce n'est pas dire grand-chose. Un million de compliments et de choses tendres. » Quelques semaines plus tard, René et Pauline vivaient ensemble. *Atala* avait vu le jour entre-temps.

La liaison naquit d'abord d'une admiration littéraire : « Le style de M. de Chateaubriand me fait éprouver une espèce de frémissement d'amour ; il joue du clavecin sur toutes mes fibres. » Mais la tendresse, la jalousie, la passion prenaient bientôt le relais. C'est qu'avec sa petite taille, ses épaules trop hautes, sa tête assez belle, mais disproportionnée et faite de toute évidence pour un autre corps que le sien, René devenait irrésistible : la gloire, avec la publication d'*Atala*, l'avait touché de son aile. Comme Fontanes naguère, il cessait - enfin ! - d'être un inconnu. Les femmes aiment pêle-mêle, chez les hommes, le malheur, la faiblesse, le pouvoir, la beauté, le succès. René entrait, comme presque tout le monde à cette époque, et surtout comme Pauline, dans la première catégorie. Voici qu'il pénétrait dans la dernière : *Atala* était un triomphe. Mme de Beaumont succombait.

Critique merveilleusement subtil, le bon Joubert avait tout prévu au premier coup d'œil qu'il avait jeté sur les brouillons de René : « Ce sauvage me charme, disait-il du nouveau venu. Il faut le débarbouiller de Rousseau, d'Ossian, des vapeurs de la Tamise, des révolutions anciennes et modernes, et lui laisser la croix, les missions, les couchers de soleil en plein océan et les savanes de l'Amérique ; et vous verrez quel poète nous allons voir pour nous purifier des restes du Directoire, comme Épiménide avec ses rites et ses vers purifia jadis Athènes de la peste. » A la veille de la parution d'*Atala*, Pauline, à peine éprise, mais déjà pleine de cette admiration qui allait mener à la passion, était aussi inquiète que René. Joubert l'encouragea en lui donnant une de ces leçons de sagesse littéraire dont il était familier et en prononçant un mot qui devait faire fortune : « Je ne partage pas vos craintes, car ce qui est beau ne peut manquer de plaire. Le livre est fait, et, par conséquent, le moment critique est passé. Il réussira parce qu'il est de l'enchanteur. » L'Enchanteur ! Joubert l'avait réchauffé dans son sein. Il resterait au pauvre moraliste à prodiguer à Pauline et à René des conseils de littérature – et, en fin de compte, à lui-même des conseils de sérénité – pendant que, brillant de mille feux, l'Enchanteur cueillerait les roses et les lauriers qui échappaient au conseiller.

Atala ne marquait pas seulement le triomphe sentimental de René, mais déjà l'amorce de son triomphe politique. Depuis son retour de Londres, il se battait pour obtenir sa fameuse radiation. Il avait écrit non seulement à Elisa, mais à Fouché, ministre de la Police générale, et au Premier consul lui-même. Fontanes continuait à se démener comme un beau diable, toujours en vain. Enfin, Elisa présenta à son frère un exemplaire d'*Atala*. L'accueil ne fut pas enthousiaste. Le mot de « niaiseries » fut même prononcé. Mais la radiation de la liste funeste fut arrachée de haute lutte. Les voies de l'amour et de l'ambition se dégageaient en même temps.

A l'Abbaye-aux-Bois, quelques années, quelques mois avant la chute de Louis-Philippe, Juliette écoutait, avec les mêmes délices que Pauline à l'aube du Consulat, l'écho des trompettes de la gloire naissante de René. « C'est de la publication d'*Atala* que date le bruit que j'ai fait dans ce monde : je cessai de vivre de moi-même et ma carrière publique commença. Après tant de succès militaires, un succès littéraire paraissait un prodige ; on en était affamé. Je devins à la mode. La tête me tourna : j'ignorais les jouissances de l'amour-propre, et j'en fus enivré. J'ai aimé la gloire comme une femme, comme un premier amour. » Les jours sombres étaient loin : René se mettait à crouler sous les billets parfumés, sous les invitations de créatures plus ravissantes les unes que les autres, sous les longues chevelures déployées comme autant de séductions sous le nez du poète. Mais déjà Pauline occupait tout son cœur – presque autant, mais un peu moins, que lui-même, triomphant, occupait le corps, l'esprit et l'âme de Mme de Beaumont.

Une petite société se constituait autour des amants : la gloire, l'amour, l'esprit en étaient les ciments. La plupart de ses éléments étaient antérieurs à l'arrivée de René et à sa liaison avec Pauline : Mme de Beaumont suffisait largement, à elle seule, à attirer les talents. Mais, très vite, la passion de Pauline et la gloire de René en constituèrent le centre en se mêlant l'une à l'autre. Autour de René, de Pauline, de Fontanes, de Joubert, aux côtés de femmes d'esprit telles que Mme Hocquart, Mme de Saussure ou Mme de Vintimille, en qui se perpétuaient les grands salons du XVIIe et du XVIIIe siècle, on voyait des hommes appelés à un grand avenir, tels que Mathieu Molé ou Pasquier, que nous retrouverons bien souvent sur nos chemins sinueux, ou encore Bonald, le théoricien du traditionalisme. On rencontrait aussi un autre personnage étonnant : le poète Chênedollé. Il était d'un caractère si triste et d'une humeur si sombre que ses amis s'inquiétaient dès qu'il se trouvait dans une pièce située un peu haut : ils craignaient toujours de le voir se jeter par la fenêtre. Les amis de la petite société se décernaient volontiers des surnoms d'animaux : Pauline était l'Hirondelle et Chateaubriand le Chat – ce qui définissait peut-être assez bien, et sans doute involontairement, leurs relations mutuelles. Parce qu'il était sinistre et qu'il était né à Vire, on appela Chênedollé le Corbeau de Vire.

Autour de Chênedollé et de Chateaubriand devait se nouer une aventure comique et triste. Lucile, la sœur de René, après avoir été intime de Céleste, la femme qu'elle avait imposée à son frère résigné, s'était plus ou moins brouillée avec elle. A l'époque de l'exil de René en Angleterre, elle avait, vous vous en souvenez, épousé un vieillard qui s'appelait M. de Caud. Tout de suite après le mariage, elle s'était enfuie. Peu de temps après, elle s'était retrouvée libre, grâce à Dieu qui avait rappelé à lui le vieillard abandonné. A l'époque du retour de René à Paris, elle s'était, tout naturellement, liée avec Mme de Beaumont : quand elle ne fournissait pas de femme à son frère, il fallait au moins que les maîtresses de son frère puissent devenir ses amies. Autour de Pauline et de René, Lucile tomba sur le Corbeau de Vire. Comme autant de drogues qu'on partage avec une passion délicieuse et amère, le chagrin, l'exaltation, le désespoir les jetèrent dans les bras l'un de l'autre. Les choses auraient été trop simples si elles étaient allées jusqu'au bout : Lucile refusa de se donner à lui, mais en lui promettant de ne pas se donner à un autre. Les refus de chasteté ne sont jamais très mal accueillis. Et Lucile savait y faire : « L'engagement que j'ai pris de ne point me marier a pour moi du charme parce que je le regarde presque comme un lien, comme une espèce de manière de vous appartenir. »

Le Corbeau de Vire, cependant, ne se contentait guère de cette appartenance morale et restreinte ni de ce lien d'exclusivité négative, à son gré trop ténu. A la ville et à la campagne, à Paris, à Fougères chez une autre sœur de René, à Savigny-sur-Orge chez Mme de Beaumont, il poursuivait

Lucile de ses sombres assiduités et de ses promesses lugubres. Il la suppliait : « Dites oui ! dites oui ! » Du bout des lèvres, désespérée, elle murmurait : « Je ne dis pas non. »

Le plus stupéfiant était qu'elle aurait mieux fait de dire non et qu'elle n'avait pas tort de se barricader derrière son pessimisme exalté. Un beau jour, le Corbeau de Vire ne reçut même plus de réponse élusive à ses missives enflammées. La famille de Lucile avait découvert le pot aux roses. Il y avait un double motif à l'humeur noire de Chênedollé : non seulement il n'arrivait pas à épouser Lucile, mais il avait déjà épousé quelqu'un d'autre. Comme le Chat à Bungay, le Corbeau de Vire était déjà marié. Et il n'en avait pas soufflé mot. A la différence de René, il était prêt à sauter le pas et à entrer, l'air sinistre mais avec détermination, dans l'état de bigamie.

Le pauvre Chênedollé avait suivi un itinéraire parallèle et opposé à celui de René. René s'était marié en France et avait rencontré Charlotte en émigration. Chênedollé, émigré en Allemagne, s'était marié à Hambourg devant un prêtre catholique, avec une fille d'imprimeur. Il s'était séparé d'elle assez vite et, dès son retour à Vire, un étonnant conseil de famille, où trônaient, autour de l'époux désolé et coupable, le vieux père et le notaire normand de la famille, s'était prononcé pour la nullité de l'union déjà brisée. Le motif invoqué brillait par la subtilité : les émigrés étant frappés de mort civile aux yeux de la loi française, tous les actes juridiques intervenus en émigration pouvaient, à l'extrême rigueur, être considérés comme nuls et non avenus. Peut-être le remords contribuait-il à la mélancolie du Corbeau de Vire ? Maintenant, au moins, les motifs de chagrin très réels ne lui faisaient plus défaut : Lucile ne voulait plus le voir. Le pire est que Lucile elle-même sombrait dans une affliction qui allait glisser peu à peu à l'hallucination et à la folie.

L'amour des autres ni les siennes propres ne suffisaient à absorber l'activité de René. Il travaillait. A quoi ? Au chef-d'œuvre qui, après l'effraction d'*Atala* allait lui ouvrir toutes grandes les portes du temple de la gloire. Il ne lui avait pas échappé que Napoléon Bonaparte avait marqué à plusieurs reprises sa volonté de restauration religieuse. Fatigués de dix ans de propagande antichrétienne, les Français, dans leur majorité, aspiraient à la liberté religieuse. Et la politique du Premier consul était de gouverner les hommes comme le grand nombre voulait l'être : c'était sa façon à lui de reconnaître la démocratie et les droits légitimes d'une majorité populaire, héritière bâtarde de Rousseau. L'opposition à ce reflux ne restait pas inactive. Elle avait ses centres à l'Institut, chez les intellectuels, dans les grands corps de l'État. Les membres de l'Institut enrageaient de voir leur confrère Bonaparte – membre de la section des sciences – « mener la République à confesse ».

Du coup – je bouge ma tour – ils mettaient au concours l'éloge de la Réforme. Du coup – j'avance mon roi – le Premier consul élargissait aux Églises protestantes le bénéfice des mesures qu'il était en train de préparer. Les femmes jouaient un grand rôle dans la bataille : les veuves des philosophes Helvetius et Condorcet recevaient le renfort de Mme de Staël, qui sonnait le tocsin : « Vous n'avez qu'un moment, demain le tyran aura quarante mille prêtres à son service. » Devant la contre-offensive du parti intellectuel, le poète des sauvages et de Dieu, qui était très loin d'avoir perdu tout sens des réalités, se découragea plus d'une fois. Il envisagea, selon sa propre formule, « d'aller mourir en terre étrangère ». Et puis il choisit une solution un peu plus raisonnable : il décida d'aller vivre pour quelque temps aux portes de Paris. Il partit pour Savigny-sur-Orge, là où se forment aujourd'hui, sur l'autoroute du Sud, les bouchons des retours de week-end : Mme de Beaumont y avait loué une maison.

Et voici, à nouveau, un spectacle étonnant : un disciple de Rousseau, converti au catholicisme par les malheurs du temps et par la mort de sa mère, s'installe chez sa maîtresse pour mettre la dernière main à un ouvrage très chrétien où il jette des fleurs aux yeux des dévots et voit dans le mariage le sacrement par excellence et le « pivot de l'économie sociale ». Il distribue avec naïveté des verges pour se faire fouetter. Mais c'est surtout Pauline qui fait preuve de courage. A la fin du XVIIIe siècle et au début du XIXe - nous en recueillerons les preuves à plusieurs reprises –, les mœurs étaient à peu près aussi libres qu'aujourd'hui. N'importe : afficher une liaison avec un poète catholique et marié constituait un joli témoignage d'indépendance d'esprit. Pauline, il est vrai, n'a pas beaucoup de mérite à jouer son va-tout : elle se sait déjà condamnée. Au moins veut-elle, avant de mourir, arracher à la vie, qui a été si dure pour elle, un peu de bonheur et de paix. A Savigny-sur-Orge, elle a l'Enchanteur pour elle seule. Elle le soustrait à Paris, aux disputes des intellectuels, aux admiratrices éperdues. « J'entendrai le son de sa voix chaque matin, écrit-elle à une amie, et je le verrai travailler. »

La maison est située à l'entrée du village, du côté de Paris, près d'un vieux grand chemin, qu'on appelle dans le pays le *Chemin de Henri IV.* Elle est adossée à un coteau de vignes. Au loin, un rideau de bois, la rivière de l'Orge, des fontaines et des vallées. Ils se promènent, tous les deux, enlacés, dans les allées sablées des jardins, à travers les vignes et les bois, le long du bassin où dorment un chien et une chatte, sur les chemins de campagne, le soir, sous les étoiles dont elle lui apprend les noms. Plus tard, bien plus tard, quand il naviguera, la nuit, sur la Méditerranée hantée de tant de souvenirs, il regardera vers le ciel en pensant à Pauline. Il travaille beaucoup ; elle l'aide avec ivresse ; ils font l'amour avec cette triple ardeur que donnent les interdits, le travail partagé et la présence au loin de la mort. Cette amoureuse condamnée, ce catholique dans le péché sont étonnamment gais. C'est le premier amour – au moins charnel – de René ; c'est le dernier amour de Pauline. On verra que le dernier amour sera plus fort que le premier.

Tiens ! où est donc passée Mme de Chateaubriand ? Elle est restée sagement en Bretagne. Son mari lui explique que sa situation financière l'empêche encore de la faire venir à Paris. Elle attend avec patience des temps meilleurs, qui ne viendront guère. Tiens ! où est donc passé Joubert ? Le pauvre Joseph a un sort plus cruel que Céleste : il est le plus souvent auprès de la femme qu'il aime et, avec un bonheur mêlé de désespoir, il la voit heureuse aux côtés de son amant. Ce cœur à toute épreuve ne se contente pas d'accepter une situation qui le fait affreusement souffrir. Il aide encore de toutes ses forces et de ses avis éclairés le jeune génie en train d'éclore qui lui a volé son amour.

« Quarante-sept ans. *Fiat voluntas tua !* » C'est la seule plainte que lui arrache, le jour de son anniversaire, la liaison de Pauline. Le reste du temps, il prodigue au poète affolé d'érudition et qui pille les ouvrages pieux, arrachés de sa bibliothèque de Villeneuve par les supplications de Pauline, des conseils d'une force et d'une finesse remarquables : « Dites-lui qu'il en fait trop ; que le public se souciera fort peu de ses citations, mais beaucoup de ses pensées ; que c'est plus de son génie que de son savoir qu'on est curieux ; que c'est de la beauté, et non pas de la vérité, qu'on cherchera dans son ouvrage ; que son esprit seul, et non pas sa doctrine, en pourra faire la fortune ; qu'enfin il compte sur Chateaubriand pour faire aimer le christianisme, et non pas sur le christianisme pour faire aimer Chateaubriand. Une règle trop négligée est celle-ci : Cache ton savoir. L'art est de cacher l'art. On se fâchait autrefois de ce qu'à l'Opéra on entendait le bruit du bâton qui battait les mesures. Que serait-ce si on interrompait la musique pour lire quelque pièce justificative à l'appui de chaque air ? Écrivain en prose, M. de Chateaubriand ne ressemble point aux autres prosateurs ; par la puissance de sa pensée et de ses mots, sa prose est de la musique et des vers. Qu'il fasse son métier : qu'il nous enchante. »

Il enchantait. Il lisait en public, dans le salon de Pauline, visiblement angoissée, les pages qu'il venait d'écrire. Ému à sa propre pensée, il lui arrivait de fondre en larmes. Alors Mme de Beaumont s'écriait : « L'Enchanteur s'enchante lui-même. » Le succès du *Génie du christianisme,* œuvre massive et un peu lourde, égala et dépassa celui de la petite *Atala*, « ballon d'essai » lancé, selon la formule d'un journaliste de l'époque, pour tâter le temps et les vents et pour préparer l'accueil à ce que Chateaubriand appelait, avec un rien de désinvolture, la grande œuvre du Seigneur. Il n'avait pas manqué d'oiseaux de mauvais augure pour annoncer un échec. Un abbé qui avait jeté un coup d'œil sur les épreuves chuchota à l'éditeur : « Si vous voulez vous ruiner, imprimez cela. » Aussitôt le succès assuré, il écrivit d'ailleurs plusieurs pages d'éloge enthousiaste. Pour des motifs opposés, deux femmes, l'une parce qu'elle aimait trop l'auteur, l'autre parce qu'elle l'aimait moins qu'elle ne le lui disait, avaient redouté ou espéré le pire : Pauline de Beaumont et Germaine de Staël.

Le livre fut remis à Mme de Staël avec ses pages non encore coupées. Elle le feuilleta distraitement, passa ses doigts entre les feuillets, tomba par hasard sur le chapitre *De la virginité*, qui se termine par ces mots en effet surprenants : « Dieu lui-même est le grand Solitaire de l'Univers, l'éternel Célibataire des Mondes. » « Ah ! mon Dieu ! notre pauvre Chateaubriand ! dit Mme de Staël à Adrien de Montmorency qui se trouvait auprès d'elle. Cela va tomber à plat ! » Et elle avait du mal à dissimuler sa satisfaction sous une feinte inquiétude.

Pauline craignait, de son côté, que l'ouvrage ne fût pas assez achevé. Elle aurait volontiers poursuivi sans fin des recherches qui lui permettaient de tenir René sous sa coupe, à l'abri des tentations et des admirations. Elle avait aussi tort de se tourmenter par tendresse que Germaine de se désoler - ou plutôt de se réjouir - avec hypocrisie. « Je voulais un grand bruit afin qu'il montât jusqu'au séjour de ma mère » : le vœu de François-René devait être exaucé au-delà de toute attente et de toute espérance. La parution du *Génie du christianisme* fut un coup de théâtre et d'autel.

Pour le Premier consul et pour le poète chrétien, associés dans le même projet avant de s'affronter, une série de jours éclatants résonnent comme une fanfare : les derniers bandits qui infestaient la France sont arrêtés en Provence ; pour la première fois depuis des années, la rente se met à monter ; le bruit court qu'un ordre nouveau – qui sera la Légion d'honneur – est sur le point d'être créé ; le 26 mars, le traité d'Amiens met fin à la guerre avec l'Angleterre qui, sous une forme ou sous une autre, dure depuis près de dix ans ; le 8 avril, le Concordat marque la réconciliation officielle de la France et de l'Église ; le 14 avril paraît le *Génie du christianisme* ; le dimanche 18 avril, jour de Pâques, une stupéfiante cérémonie réunit à Notre-Dame, pour un *Te Deum* solennel, tous les dignitaires du régime.

Entouré de ses généraux, parmi lesquels figurent la plupart des futurs maréchaux d'Empire, et même quelques rois en puissance, le Premier consul, tout en rouge, à peine descendu du carrosse qu'entourent Roustan et ses mameluks, est conduit sous un dais jusqu'à son fauteuil dans le chœur. Il y a là le légat du pape, il y a le nouvel archevêque de Paris, Mgr de Belloy, né sous Louis XIV, il y a l'archevêque de Tours, Mgr de Boisgelin, qui prononcera le prône, et, autour de ces vedettes dans leurs robes rutilantes, trente évêques-fonctionnaires. Silencieux depuis longtemps, le bourdon et les cloches sonnent à toute volée. De pudiques tentures dissimulent les statues des souverains décapités. Au premier rang de l'assistance trônent Talleyrand et Fouché. Parmi tant de révolutionnaires convertis et de vieux soldats de la Convention à qui la tête tourne un peu, ils sont presque les seuls – le séminariste et l'évêque – à être capables de suivre l'office.

Le parti intellectuel qui inquiétait René et qui combattait les efforts de Bonaparte pour rouvrir les églises a trouvé des renforts jusque dans le Conseil d'État, de création toute récente, jusqu'au sein de l'armée où le général corse ne manque ni de partisans fanatiques ni d'adversaires résolus. En route vers Notre-Dame, les généraux Augereau, Lannes, Macdonald et Bernadotte, entassés dans le même carrosse, ont failli l'arrêter pour faire demi-tour et rentrer chez eux, ou, pis, les esprits s'échauffant, pour en descendre parmi la foule et tenter de la soulever contre la mascarade cléricale. La raison l'a emporté. Ils sont là tous les quatre. Mais Augereau, ouvertement, n'arrête pas de ronchonner. Le général Moreau, lui, brille par son absence. Très beau, très élégant, il fait ostensiblement les cent pas aux Tuileries, en fumant un cigare. D'une intelligence assez redoutable, il éprouve pour Bonaparte la même antipathie qu'Augereau. Il y a quelques jours, pour se moquer de la Légion d'honneur chère au Premier consul, il a décerné en grande pompe une casserole d'or à son cuisinier. Ce n'est pas pour venir s'associer à ce qu'il appelle la grande momerie ou la capucinade. Le général Delmas résume assez bien l'opinion des opposants sur le *Te Deum* de Notre-Dame : « Il n'y manque que les cent mille hommes qui se sont fait tuer pour supprimer tout cela. »

L'opposition ne fait pas le poids en face de l'enthousiasme populaire. La suppression du décadi, le rétablissement du dimanche ont une première conséquence : on se reposera un jour sur sept au lieu d'un jour sur dix. Le progrès est sensible. La foule autour de la cathédrale chante :

Le dimanche l'on fêtera !
Alleluia !

Sous le porche de Notre-Dame, en attendant le Premier consul, puis à la sortie du cortège, on parle de la paix d'Amiens, de la mort de Bichat, qui vient de disparaître, de Moreau et de Bonaparte, du superbe Murat et de sa femme Caroline, la sœur du Premier consul, de Louis Bonaparte et de sa femme

Hortense, la fille de Joséphine, de Désirée Clary, qui a fini par épouser Bernadotte après avoir longtemps fait rêver Bonaparte. On parle aussi du livre de M. de Chateaubriand, publié il y a quatre jours, et dont M. de Fontanes a déjà dit le plus grand bien dans plusieurs articles qui font du bruit : ils ont paru, il y a quelques jours, dans le *Mercure de France* et, un autre, ce matin même, dans *le Moniteur,* où il accompagne une proclamation de Bonaparte. Voici que, d'un seul coup, sous les projecteurs de la restauration religieuse, l'exilé misérable se hausse aux dimensions du vainqueur d'Égypte et d'Italie. C'est de cette semaine d'avril que date l'association entre les deux rivaux solidaires, entre les ennemis associés du couple antithétique : Bonaparte et Chateaubriand.

Peut-être parce que la date de publication bénéficiait de tant de circonstances favorables, peu de livres, dans l'histoire du monde, auront joué un rôle aussi considérable que le *Génie du christianisme*. Comme *Don Quichotte* ou *le Capital* qui marquent la fin d'une époque et le début d'une autre, le *Génie du christianisme* se situe à un tournant et constitue une origine : Chateaubriand devenait le poète des temps nouveaux. Il avait déjà marché dans les chemins de Rousseau en exaltant les sauvages et en chantant la nature et la liberté. Il avait, comme le Gœthe de *Werther*, incarné toute la mélancolie du monde et inventé à nouveau tous les chagrins du cœur. Voici qu'il rouvrait, en même temps que Bonaparte, les vieilles cathédrales longtemps fermées. De Benjamin Constant à Hugo, de Vigny à Musset et à Lamartine, tout le romantisme français s'abreuvera à cette source. Jusqu'à Théophile Gautier et au-delà, jusqu'à Augustin Thierry, Michelet, Géricault, Delacroix et Berlioz. Par un merveilleux paradoxe, ce conservateur réactionnaire, peut-être parce qu'il était un libéral et qu'il avait souffert, sûrement parce qu'il avait du génie, était un précurseur.

Pauline chavirait d'amour. René savourait sa gloire. « La littérature se teignit des couleurs de mes tableaux religieux. L'athéisme et le matérialisme ne furent plus la base de la croyance ou de l'incroyance des jeunes esprits ; l'idée de Dieu et de l'immortalité de l'âme reprit son empire : dès lors, altération dans la chaîne des idées qui se lient les unes aux autres. On ne fut plus cloué dans sa place par un préjugé antireligieux ; on ne se crut plus obligé de rester momie du néant, entourée de bandelettes philosophiques ; on se permit d'examiner tout système, si absurde qu'on le trouvât, *fût-il très chrétien.* »

Des notations d'une extraordinaire intelligence se mêlaient aux effusions. Déjà – pour ne prendre qu'un exemple – le voyageur dont on se moque souvent et dont on conteste les récits avait vu avec perspicacité les dangers qui menaçaient l'Amérique : « L'Amérique conservera-t-elle la forme de son gouvernement ? Les États ne se diviseront-ils pas ? Un député de la Virginie n'a-t-il pas déjà soutenu la thèse de la liberté antique avec des esclaves contre un député du Massachusetts, défendant la cause de la liberté moderne sans esclaves ? Les États du Nord et du Midi ne sont-ils pas opposés d'esprit et d'intérêts ? Ces États rompant l'union, les réduira-t-on par les armes ? » Pouvait-on annoncer plus clairement et plus longtemps d'avance le drame de la guerre de Sécession ? Dans le *Génie du christianisme,* ouvrage pesant s'il en est, et à beaucoup d'égards illisible, des foules de points de détail mènent à des analyses subtiles et profondes : « Les personnages de Racine sont et ne sont point des personnages grecs ; ce sont des personnages chrétiens : c'est ce qu'on n'avait point du tout compris. » Toutes les vues d'un Mauriac sur Racine sont dans ces quelques mots.

Les délices de la gloire et de l'amour étaient à peine ternies par des inconvénients subalternes. L'un d'entre eux découlait en droite ligne du succès : la mélancolie qui baignait un des épisodes du *Génie du christianisme* était en train de devenir une mode, une vague, une scie, presque une plaie. L'auteur lui-même s'en plaignait : « Si *René* n'existait pas, je ne l'écrirais plus, s'il m'était possible de le détruire, je le détruirais. Une famille de René poètes et de René prosateurs a pullulé : on n'a plus entendu que des phrases lamentables et décousues ; il n'a plus été question que de vents et d'orages, que de maux inconnus livrés aux nuages et à la nuit. Il n'y a pas de grimaud sortant du collège qui n'ait rêvé être le plus malheureux des hommes ; de bambin qui à seize ans n'ait épuisé la vie, qui ne se soit cru tourmenté par son génie ; qui, dans l'abîme de ses pensées, ne se soit livré au *vague de ses passions* ; qui n'ait frappé son front pâle et échevelé, et n'ait étonné les hommes stupéfaits d'un malheur dont il ne savait pas le nom, ni eux non plus. »

Lui, le vrai René, René l'auteur de *René,* était beaucoup plus gai que son personnage. Joubert disait drôlement de lui que c'était un « bon garçon ». Mais il était saisi, absorbé par son œuvre : la créature dévorait le créateur. Il lui sera difficile, désormais, d'échapper à ce climat de mélancolie et à ce cœur en écharpe qui avaient fait son succès et qui composeront sa vie. Ce sont eux qui lui vaudront la plupart de ses aventures sentimentales. Il s'efforcera de s'en dégager. Il y avait déja quelque temps que son prénom de René lui pesait. Après la folie entraînée par le succès de *René* et du *Génie du christianisme,* il y renoncera carrément. Il signera ses livres : François-Auguste.

La gloire, qu'il avait tant espérée, commençait à lui peser. Les grands nerveux et les hommes d'imagination veulent avec violence et se fatiguent assez vite. « Le succès d'*Atala* m'avait enchanté, parce que mon âme était encore neuve ; celui du *Génie du christianisme* me fut pénible : je fus obligé de sacrifier mon temps à des correspondances au moins inutiles et à des politesses étrangères. Une admiration prétendue ne me dédommageait point des dégoûts qui attendent un homme dont la foule a retenu le nom. Qui voudrait, s'il en était le maître, acheter à de pareilles conditions les avantages incertains d'une réputation qu'on n'est pas sûr d'obtenir, qui vous sera contestée pendant votre vie, que la postérité ne confirmera pas et à laquelle votre mort vous rendra à jamais étranger ? »

Juliette Récamier écoutait avec un sourire les phrases harmonieuses de René. Elle savait combien il aimait cette gloire qu'il faisait profession de mépriser. Depuis trente ans qu'ils vivaient l'un auprès de l'autre, elle l'avait toujours vu déchiré entre la double tentation de la lumière et de l'obscurité. Il voulait les honneurs, et il ne les voulait pas. Il voulait la célébrité, et il la refusait. Il faisait des pieds et des mains pour ce qu'il désirait – une femme, un poste, la radiation de la liste des émigrés, un ministère d'État, la pairie –, et puis il parlait d'aller s'enterrer à l'étranger ou sous une hutte à Marly. Il se drapait et il se dénudait. Il montait aux sommets et il se jetait dans les gouffres. Il réclamait une cellule, mais sur une scène, sous les applaudissements.

Tout au début de la carrière de René, Pauline avait déjà compris – et redouté – ces contradictions d'un cœur déchiré. Elles rendaient aussi cahotante sa carrière politique que sa carrière sentimentale. L'une était d'ailleurs indissolublement liée à l'autre. Tout ce qui est politique et religieux dans la vie du grand homme est en même temps sentimental.

Le lendemain même de la publication du *Génie du christianisme,* une lettre de René à Fontanes évoque la possibilité d'un départ pour Rome. Quelques jours plus tard, après les suppliques à Fouché, à Elisa, à Bonaparte, c'est une lettre à Talleyrand, pleine de naïveté ou peut-être de rouerie : « Citoyen Ministre, je viens de lire dans *les Débats* l'article suivant : “ On assure que le citoyen Chateaubriand auteur du *Génie du christianisme* est nommé secrétaire de légation à Rome. ” Je ne sais où le journaliste a pris ses renseignements. Dans l'absence du citoyen Lucien Bonaparte, je prends la liberté de m'adresser à vous pour vous demander s'il est à propos que je démente une pareille nouvelle ou s'il faut la laisser passer. Je suis avec respect, citoyen Ministre, votre très humble et très obéissant serviteur. Chateaubriand. » Quelques mois plus tard, tout de suite après avoir écrit à Mme de Staël qu'il n'aspirait plus qu'au calme et à l'obscurité, et après avoir agité une fois de plus le spectre du repos et de l'expatriation, il envoie son livre au pape : « Très saint Père, ignorant si ce faible ouvrage obtiendrait quelque succès, je n'ai pas osé d'abord le présenter à Votre Sainteté. Maintenant que le suffrage du public semble le rendre plus digne de vous être offert, je prends la liberté de le déposer à vos pieds sacrés. Si Votre Sainteté daigne y jeter les yeux, elle y verra mon admiration pour le Saint-Siège et pour le génie des Pontifes qui l'ont occupé. »

Tout, naturellement, dépendait de Bonaparte. François-René – ou Auguste, comme on voudra – échangea quelques mots avec lui pour la première et la dernière fois. « J'ai rencontré une seule fois sur le rivage des deux mondes l'homme du dernier siècle et l'homme du nouveau : Washington et Napoléon. Je m'entretins un moment avec l'un et l'autre ; tous deux me renvoyèrent à ma solitude, le premier par un souhait bienveillant, le second par un crime. » Deux ans avant l'exécution du duc d'Enghien, le Premier consul fit une assez bonne impression sur le poète catholique. Le sourire caressant et beau, l'œil admirable, « surtout par la manière dont il était placé sous son front et encadré dans ses sourcils » (Juliette se demanda en silence s'il existait vraiment des yeux qui ne répondaient pas à cette topologie), l'absence de toute charlatanerie, le refus du théâtral et de l'affecté, une impatience évidente et une certaine brusquerie frappèrent René agréablement. Écartant tous les gêneurs qui attendaient avidement d'être distingués et guettaient le moindre signe de reconnaissance, le consul se jeta littéralement sur le poète, l'interpella sans préambule : « Monsieur de Chateaubriand ! » et se mit à lui parler, à sa manière abrupte et vive, au milieu d'un cercle silencieux, de cette chose inconnue que les Arabes adorent quand ils se jettent à genoux au milieu du désert et touchent le sable de leur front en se tournant vers l'orient. Il ajouta quelques mots sur la grandeur du christianisme et tourna les talons, laissant René sans voix.

« A la suite de cette entrevue, Bonaparte pensa à moi pour Rome. » Juliette souriait de nouveau : elle savait trop bien comment les choses se passaient avec René, en train de poursuivre imperturbablement la lecture de ses Mémoires, où rien n'est jamais faux, mais où tout n'est pas dit. Bonaparte, peut-être, pensait à Chateaubriand pour Rome. Mais Chateaubriand y avait pensé lui-même, bien avant le Premier consul, et avec plus d'ardeur que lui : une ardeur souvent lassée, mais toujours renaissante. Le plus intéressant était le vrai motif de cette ardeur. Il était assez soigneusement dissimulé. La politique et l'ambition y avaient moins de part que l'amour et ses intrigues.

Les craintes de Pauline n'avaient guère tardé à se réaliser. Un an ne s'était pas écoulé depuis l'achèvement et la parution du *Génie du christianisme* que René, à nouveau, était tombé amoureux. Il n'avait pas pu résister à l'atmosphère d'adulation qui l'entourait depuis son triomphe. Il avait beau jurer le contraire : Juliette souriait encore. « L'idée d'une volupté advenue par les voies chastes de la religion révoltait ma sincérité : être aimé à travers le *Génie du christianisme,* aimé pour l'extrême-onction, pour la fête des morts ! Je n'aurais jamais été ce honteux tartuffe. » Tartuffe ? Non. Mais comment n'avoir pas la tête tournée par les flatteries et les propositions à peine dissimulées des créatures les plus ravissantes ? Après *Atala,* avec *René,* le *Génie du christianisme* avait bouleversé les esprits et les cœurs. Il y avait une seule personne qui semblait résister avec obstination à la transformation des mœurs qu'annonçait et appelait de ses vœux la grande œuvre consacrée à la restauration catholique : c'était l'auteur lui-même. Il se mettait à rouler, sans trace de repentir, de maîtresse en maîtresse. Après avoir écrit dans les bras de Pauline l'éloge de la virginité et, à la rigueur, du mariage, voilà qu'il trompait et Céleste et Pauline avec un nouvel amour. Elle s'appelait Delphine de Custine.

Le pli était pris. Il ne se déferait plus. René avait été un solitaire, un sauvage, un écorché vif. Il sera jusqu'à sa mort un homme couvert d'honneurs et des sacrements de l'Église – mais surtout : couvert de femmes. Il faut s'arrêter un instant ici sur cette contradiction qui pourrait apparaître comme une sorte d'imposture. Personne pourtant, en un sens, n'est plus simple, plus honnête, plus transparent et peut-être plus naïf que ce menteur et ce cachottier qui se présente lui-même, dans une lettre à Mme de Custine, comme « un Père de l'Église, très indigne sans doute, mais toujours de bonne foi, faisant d'énormes fautes, mais sachant qu'il fait mal et se repentant éternellement ». Il finit, bien souvent, par être désarmant à force d'inconstance et presque d'inconscience. Il y a tout un côté débridé et rieur chez ce conservateur engoncé et volontiers moralisateur. Et un mélange évident, en lui, de séducteur impénitent et de chrétien sincère. Comment faire tenir ensemble les morceaux du puzzle et concilier l'inconciliable ? La clé de l'énigme est sans doute donnée par une formule foudroyante de Sainte-Beuve : « C'était un épicurien qui avait l'imagination catholique. » Ah ! pour Chateaubriand comme pour Sainte-Beuve, il y a tout de même avantage à avoir du talent. Il fait pardonner à René ses retournements impardonnables, il fait pardonner à Sainte-Beuve tant d'aspects souvent odieux de son personnage peu sympathique - puisqu'il lui permet, ce talent, d'aller en quelques mots jusqu'au cœur de la contradiction : « C'était un épicurien qui avait l'imagination catholique. »

Delphine de Custine avait de longs cheveux blonds. Elle venait d'acheter, près de Lisieux, le beau château de Fervaques où était passé Henri IV. René fut invité à la pendaison de crémaillère. « J'eus l'honneur de coucher dans le lit du

Béarnais, de même que dans le lit de la reine Christine à Combourg ». Il eut surtout le plaisir de coucher dans le lit de la maîtresse de maison, qu'il appelait, à cause de son teint et de ses cheveux éclatants, « la Reine des roses ». Elle l'appelait « le Génie ». Pauvres mortels sans génie, nous ne sommes pas capables, comme lui, de poursuivre plusieurs proies à la fois. Nous retrouverons plus longuement la belle, la merveilleuse Delphine. Elle ne nous intéresse maintenant que parce qu'elle désespère, comme prévu, la pauvre Pauline de Beaumont. L'ouvrage auquel Pauline avait apporté tant de soins est à peine publié qu'elle se met à être délaissée. Et il n'est pas suffisant de la dire abandonnée. La vérité est plus cruelle encore : sa seule présence fait de son amant le séducteur qui donne aux autres femmes le désir et le besoin d'essayer à leur tour la force de leurs charmes. René est faible devant les attaques : le succès couronne leurs efforts. A la souffrance de celles qui l'aiment et qu'il oublie – et d'abord de Pauline – il oppose l'argument le plus décisif et le plus cruel : l'indifférence. En un amalgame explosif, la passion se mêle étrangement en lui à l'indifférence. Et cet homme d'imagination avant tout est tout à fait incapable de se représenter et de comprendre les sentiments des autres.

Le bon Joubert est là, heureusement, toujours en train de caresser avec patience et tristesse ses reliures où il n'y a plus rien. Pauline, de nouveau seule, se rejette un peu vers lui. Il la retrouve et l'accueille avec sa douceur habituelle. Il la console. Il va jusqu'à excuser l'Enchanteur. Il ne sait plus très bien lui-même si c'est Pauline qu'il aime ou si c'est René, si c'est la victime ou si c'est le boureau. Pauline, en tout cas, glisse lentement dans le désespoir. Son grand courage l'abandonne : « La pauvre Hirondelle, écrit-elle à Joubert, est dans une crise d'engourdissement fort triste. »

Pauline ne savait presque rien, mais elle devinait presque tout. Et René faisait de son mieux pour lui cacher le plus de choses possible. Non seulement son aventure avec Delphine, mais encore, dérision, la visite quasi clandestine qu'il allait rendre, en Bretagne, à Céleste, sa femme. Il saisit l'occasion d'un voyage professionnel à Lyon et à Avignon, où était publiée une édition pirate du *Génie du christianisme*, pour faire le grand détour de Fougères. Non sans recommander à Chênedollé un silence prudent à l'égard de Pauline : « Mon cher ami, je pars lundi prochain pour Avignon, où je vais saisir, si je puis, une contrefaçon qui me ruine ; je reviens par Bordeaux et par la Bretagne. J'irai vous voir à Vire, et je vous ramènerai à Paris. Ne manquez pas d'écrire rue Neuve-du-Luxembourg pendant mon absence. Mais ne parlez pas de mon retour *par la Bretagne*, ne dites pas que vous m'attendez et que je vais vous chercher. Tout cela ne doit être su qu'au moment où l'on nous verra tous les deux. *Jusque-là je suis à Avignon, et je reviens en droite ligne à Paris.* » N'allez surtout pas croire qu'après Charlotte, et Pauline, et Delphine, il s'agissait d'une réconciliation avec Céleste : le voyage à Fougères n'avait pas d'autre but que des considérations matérielles. Dans une lettre que, dix mois plus tard, il écrira de Rome à Fontanes et où le découragement, comme toujours, succède à l'enthousiasme, il ne s'en prend pas seulement à la politique et à l'Église, il lève aussi un coin du voile jeté sur les rapports secrets entre sa carrière et son cœur : « La religion va au diable. Vous n'avez pas d'idée du scandale des mœurs et de l'incrédulité de ce pays. Cardinaux, prélats, moines, c'est à qui sera le plus débauché, le plus insouciant sur la *grande affaire.* Ils vivent comme s'ils ne voyaient pas s'avancer sur eux la révolution qui va les engloutir et que nous essayons vainement de retarder. Mon cher ami, grâce à Dieu, je trouverai partout du pain. Mais je ne veux pas manger celui de l'iniquité. Je me repentirai toute ma vie d'être entré dans cette bagarre ; j'ai taché une vie qui était pure. Voilà où m'ont conduit des chagrins domestiques. La crainte de me réunir à ma femme m'a jeté une seconde fois hors de ma patrie. »

Impossible d'être plus clair. Rome répète Londres : René, inlassablement, essaie d'oublier qu'il est marié, devant les hommes et devant Dieu. Il ne pense qu'à s'en aller et à disparaître. Mais, cette fois, ce n'est pas sa femme seulement qu'il cherche à fuir : ce sont trois femmes en même temps – Céleste, Pauline, Delphine. On comprend que dans une lettre remarquable à Mme de Staël - où figure cette formule extraordinairement éclairante : « Quoi que vous en puissiez dire, il n'y a que les cœurs religieux qui connaissent le vrai langage des passions » - il finisse par s'écrier : « Je flotte entre mille projets ; il n'y a point de désert auquel je ne songe. Tantôt je veux m'embarquer pour la Louisiane et voir encore une fois les forêts du Nouveau Monde ; tantôt je pense à la Russie. Ah ! si on pouvait transporter tout ce qu'on aime dans un coin ignoré du monde et fonder, dans une retraite agréable, une petite colonie d'amis ! Cela sent le roman, il est vrai, mais les idées romanesques en valent bien d'autres, puisque dans ce monde on n'a que le choix des folies : folies sages, folies folles, folies nobles, folies basses, etc. »

Il choisissait les folies sages et les folies nobles : il faisait des pieds et des mains pour être nommé à Rome, il suppliait Elisa Bacciochi de supplier le Premier consul d'accepter la dédicace d'une nouvelle édition du *Génie du christianisme* : « La dédicace serait courte, simple et noble comme une dédicace doit l'être lorsqu'elle est adressée à un héros. » Vous vous rappelez, à Londres, l'ineffable Peltier, le futur ambassadeur du roi Christophe de Haïti ? Il avait soutenu *Atala* contre la « cabale orgueilleuse et trigaude » des philosophes et comblé d'éloge « l'honnête M. de Chateaubriand ». En bon ultraroyaliste, il ne laissa pas passer la dédicace à Bonaparte : il rappela avec cruauté que la première édition, dédiée à Louis XVIII, avait rapporté à l'auteur une subvention de trois cents livres et que la seconde, dédiée à Bonaparte, lui vaudrait, à Rome, une place à quinze mille francs.

René s'embrouillait entre les chefs d'État ; il s'embrouillait aussi entre ses amours. Ah ! comme il aurait aimé emmener tout son petit monde dans une île sauvage où il aurait régné. Ses idées, ses mœurs, ses ambitions, la société s'y opposait. Il n'y avait plus qu'à laisser tomber tout le monde – la femme et les deux maîtresses – et à se réfugier dans la fuite. Le 4 mai 1803, au terme d'une longue campagne, le citoyen Chateaubriand fut nommé premier secrétaire de légation à Rome.

« J'entrais dans la politique par la religion. Le *Génie du christianisme* m'en avait ouvert les portes. » Sans doute. Mais, autant que les vierges, les saints, les martyrs et les Pères de l'Église, les femmes aussi et les passions de l'amour avaient joué leur rôle dans ce début de carrière. Non seulement, positivement, Elisa Bacciochi, maîtresse du meilleur ami, sans qui rien ne se serait fait, mais encore, négativement, les trois femmes de sa vie qu'il s'agissait de fuir après les avoir choisies.

Vous commencez à le connaître. A peine devait-il les quitter, comme il l'avait tant souhaité, qu'il se mettait à les regretter. Inégalement, bien sûr. Céleste, presque pas du tout, sinon par une sorte de remords ; Pauline, dont il était le seul amour, parce qu'il l'avait aimée, qu'il lui devait beaucoup et qu'il lui gardait, d'un peu loin, tendresse et gratitude ; Delphine, enfin, amèrement et presque avec désespoir : la nouveauté, la fraîcheur de l'amour l'avait toujours ébloui. Dans le dernier mois avant son départ, il lui écrit lettre sur lettre : « Si vous saviez comme je suis heureux et malheureux depuis hier, vous auriez pitié de moi. Il est cinq heures du matin ; je suis seul dans ma cellule ; ma fenêtre est ouverte sur les jardins qui sont si frais, et je vois l'or d'un beau soleil levant qui s'annonce au-dessus du quartier que vous habitez. Je pense que je ne vous verrai pas aujourd'hui et je suis bien triste. Tout cela ressemble à un roman, mais les romans n'ont-ils pas leurs charmes ? Et toute la vie n'est-elle pas un roman et surtout un triste roman ? » Deux semaines plus tard : « Je ne vis plus que dans l'espérance de vous revoir. En grâce, un mot, un seul mot pour m'aider à passer la journée. J'ai erré hier le reste de l'après-midi dans toutes les rues de Paris, sans savoir où j'allais. Ah ! promettez-moi le château d'Henri IV ! Promettez-moi de venir à Rome. Il n'y a rien de déterminé pour le jour du départ. A demain ? » Quelques jours plus tard : « Encore un jour sans vous voir. Vous allez le passer bien tranquille et oublier qu'il y a dans le monde des personnes qui vous aiment. Ma cellule est bien triste : un vilain soleil sous le nuage, une bise froide, une chambre dépouillée de ses meubles, et qui annonce déjà l'absence. Il y a quelque temps que tout cela m'aurait été indifférent mais une *sainte apparition qui m'a visité dans ma demeure* m'a rendu l'éloignement insupportable. » « On a peine à croire, écrit drôlement André Maurois, que le mot *sainte* décrive avec exactitude ce que dut être l'apparition, dans la chambre d'un homme jeune, épris et ardent, de la très indulgente Delphine. » Enfin, le samedi 21 mai, dernière lettre avant le départ : « Vous ne pouvez pas concevoir ce que je souffre depuis hier. On voulait me *faire partir aujourd'hui*. J'ai obtenu par faveur spéciale qu'on m'accorderait au moins jusqu'à *mercredi*. Je suis, je vous assure, à moitié fou, et je crois que je finirai par donner ma démission. L'idée de vous quitter me tue. Au nom du ciel, ne sortez pas ; attendez-moi, que je vous voie au moins encore une fois. »

Chateaubriand quitta Paris pour Rome en chaise de poste le jeudi 26 mai 1803. Il pleurait. Ce qu'il avait tant désiré le faisait maintenant pleurer. Par Lyon, Chambéry, le Mont-Cenis, Turin, Milan et Florence, le voyage dura un mois : trois jours jusqu'à Lyon, un peu plus de quinze jours à Lyon, le reste, en diligence, puis en cabriolet, entre Lyon et Rome. Il passait pour la première fois ces Alpes qu'il allait franchir si souvent. Il était enfin seul. C'était une consolation très puissante à ses larmes. Il entra à Rome avec ivresse.

« Tout me réussit. La place que j'occupe est charmante : rien à faire, *maître de Rome*, choyé, prôné, caressé. La seule chose qui va me manquer, c'est l'argent. Il me faut une voiture. Mon prédécesseur en a une. C'est l'usage. » Tels que René les présente à Fontanes, les premiers jours à Rome sont délicieux. Presque un peu trop, peut-être. Le nouveau secrétaire n'en fait qu'à sa tête, se précipite au Colisée, au Panthéon, à Saint-Onuphre, au château Saint-Ange et accumule les gaffes : il va voir le pape et le roi de Sardaigne à l'insu de son chef hiérarchique. Très vite, les relations se détériorent entre le cardinal Fesch, oncle de Bonaparte, ancien archevêque de Lyon, ministre de France à Rome, vindicatif, jaloux, avare, et son illustre secrétaire. Les drames naissent de l'opposition entre la gloire de l'écrivain et la modestie de ses fonctions diplomatiques. Tout repose sur un double et formidable malentendu : le secrétaire s'imagine que le génie littéraire lui assure une situation politique ; l'ambassadeur s'étonne que ce médiocre fonctionnaire ait pu jouir, dans le petit cercle littéraire parisien, d'une certaine réputation. Ils ont, naturellement, autant tort l'un que l'autre. Ils ne mettent que quelques jours à comprendre qu'ils se détestent. Chacun de son côté, ils écrivent à Paris pour se plaindre l'un de l'autre.

La sage Pauline de Beaumont s'inquiète des lettres qu'elle reçoit et des commissions que René lui confie pour tâcher de contrer le cardinal et d'arranger en haut lieu la visite au roi de Sardaigne. Épuisée par la maladie, sur le point de quitter Paris pour aller se soigner au Mont-Dore, elle écrit à Fontanes : « M. de Chateaubriand, qui ne veut point accabler M. de Fontanes de ses lettres, me charge de causer avec lui d'une sottise qu'il a faite et de le prier de l'aider à la réparer (...) Je suis bien fâchée de partir sans avoir pu causer avec M. de Fontanes. J'espère que cette légèreté ne sera pas prise trop sérieusement, cependant je ne suis pas tranquille. M. de Chateaubriand a écrit à M. de Talleyrand sur cette affaire. Comment l'aura-t-il prise ? Je demande pardon à M. de Fontanes. Je suis tellement exténuée de fatigue que je ne puis relire ce griffonnage. » Il y a quelque chose de pathétique dans l'attention portée par une mourante à celui qui l'a abandonnée. La tendresse pourtant n'exclut pas la lucidité : un certain mélange d'exaltation et de maladresse l'épouvante chez le diplomate improvisé. Elle reconnaît tristement : « C'est une sorte de délire. » Et dans une lettre à Joubert : « Les nouvelles de Rome sont très tristes, très ennuyées, très mécontentes ; j'en excepte la dernière, qui était d'une inconcevable folie. » C'est qu'après avoir imaginé qu'il allait mener à lui tout seul la politique romaine de la France, l'auteur du *Génie du christianisme* s'est trouvé relégué dans les combles du palais Lancelotti, à quelques pas du Tibre. Des armées de puces lui sautent aux jambes et noircissent son pantalon blanc. Il se croit revenu dans les chenils de Londres où il traînait sa misère. Il n'a d'autre occupation que de signer des passeports et de répondre aux sourires et aux clins d'œil que, de l'autre côté de la rue, lui lance une blanchisseuse. Le premier secrétaire se retrouve expéditionnaire dans une administration. A nouveau, il se décourage aussi vite qu'il s'était emballé. A Chênedollé, il écrit : « La vie ici est ennuyeuse et très *pénible.* Les honneurs, mon cher ami, coûtent cher ! Heureusement, je n'en porterai pas longtemps le poids. » Et à Mathieu Molé : « Mon parti est irrévocablement pris. Je resterai à Rome un an ; au bout de cette année, si je n'obtiens pas une place indépendante, je donne ma démission et je me retirerai. J'ai le cœur triste et serré ; je suis fatigué, mortellement dégoûté de cette vie errante que j'ai commencée dès ma jeunesse. Vous savez que la position *intérieure* où je me trouve est le seul motif qui m'a jeté une seconde fois hors de France, dans l'espoir de gagner du temps et d'échapper aux chagrins cachés de ma vie ; mais enfin il faut que cela finisse, je veux la retraite et la paix n'importe à quel prix. » L'allusion à Céleste est, une fois de plus, très claire. La vie sentimentale et la carrière politique sont indissolublement imbriquées : tout ce qui se passe dans l'une a des répercussions sur l'autre.

Fontanes, l'habile Fontanes, ne l'entend pas de cette oreille. Il essaie de raisonner, avec sagesse et esprit, l'impétueux génie : « De grâce, considérez plus désormais votre intérêt que votre sensibilité. Soyez en garde contre votre cœur et vos habitudes. La franchise d'un ancien gentilhomme breton ne vaut rien au Vatican. Les cardinaux ne ressemblent pas au Père Aubry [1]. On vous a reproché le *bruit* et l'envie de *paraître*. Montrez que cette ridicule manie ne vous a jamais atteint. Je n'ai pas besoin de vous représenter que le pape est plutôt, dans ce siècle, le *vice-Consul* que le *vice-Dieu* (...) Il y a longtemps, mon cher ami, qu'une guerre sourde est déclarée entre les puissances littéraires et les puissances politiques. Les sciences exactes n'importunent point. Mais les arts de la pensée sont plus redoutables par leur influence. Les hommes d'État caressent quelquefois les grands écrivains, mais ils les aiment peu. » Dans la même lettre capitale à Fontanes, où il parlait ouvertement de sa volonté d'échapper à Céleste (« Je me repentirai toute ma vie d'être entré dans cette bagarre... La crainte de me réunir à ma femme m'a jeté une seconde fois hors de ma patrie »), François-René – ou plutôt, désormais, François-Auguste – n'y va pas par quatre chemins : « Je vous dirai plus : à présent que j'y suis, je vois même que la place de secrétaire d'ambassade est une place trop inférieure pour moi : pardonnez cette franchise à l'amitié. Tous mes *confrères* les secrétaires ici sont des jeunes gens sans nom et sans autorité ; des hommes qui *commencent*, et moi je dois finir. Je suis donc résolu à interrompre tout à coup cette carrière. Je vous laisse cependant encore un an, mon cher ami, à voir ce que vous pourrez faire de moi. Mais comptez qu'au bout de ce temps je suis inexorable et que je quitte là le harnois. Les plus courtes sottises sont les meilleures ; je compte sur votre amitié pour me tirer de ce bourbier. »

Tout cela, naturellement, ces ambitions, ces lassitudes, ces dégoûts, parvenait jusqu'aux oreilles de Bonaparte. « Les hommes qui écrivent, dit-il brutalement à Fontanes, ceux qui ont obtenu de la réputation littéraire, sont tentés de se croire le centre de tout. » Malgré toute la tendresse qu'elles éprouvaient toutes les deux pour l'égoïste et le génie qui était ainsi attaqué, Pauline et Juliette, si elles ont jamais connu, l'une et l'autre, à vingt ans de distance, ou à trente, ou à quarante, la rude formule de Bonaparte, ont dû, à nouveau, avec affection et au bord des larmes, se mettre vaguement à sourire. Joubert, malgré sa fidélité à toute épreuve, finissait lui-même par se sentir d'accord avec le jugement sévère du Premier consul. Il

1. Personnage d'*Atala*.

distinguait avec pénétration, chez l'ami triomphant qu'il aimait et qu'il se donnait le luxe de plaindre, des tendances contradictoires à l'épate et au secret, à la générosité et à l'égoïsme, au théâtre et à la retraite. La conclusion venait d'elle-même : « Il n'écrit que pour les autres et ne vit que pour lui. »

« Un malheur me vint enfin occuper : c'est une ressource sur laquelle on peut toujours compter. » Chateaubriand ne vivait que pour lui ; mais il n'était pas le seul à prendre René pour centre exclusif de ses préoccupations et de ses pensées : Pauline aussi ne vivait que pour lui. Et, maintenant, à bout de forces, elle voulait mourir près de lui. Sa vie, de toute façon, était perdue ; elle n'avait plus qu'une idée : c'était de réussir sa mort. Elle comprit, avec beaucoup de profondeur, que l'amour qu'il lui avait refusé vivante, il le lui accorderait mourante. Elle décida de partir pour Rome aussitôt après la cure qu'elle devait faire au Mont-Dore. L'amour et le drame mêlés se précipitaient dans leurs deux vies, séparées et unies.

Déjà ébranlée, la santé de Mme de Beaumont n'avait cessé de se détériorer. De temps en temps, elle s'imaginait aller mieux, elle écrivait à Chateaubriand ou à Joubert que les douches lui faisaient du bien, qu'elle se sentait moins fatiguée, qu'elle retrouvait ses forces. Prompt à se rassurer, René disait, à son tour, à qui voulait l'entendre qu'il n'avait plus aucune inquiétude sur la santé de Mme de Beaumont. Et puis une rechute la mettait un peu plus bas qu'avant. Elle écrit du Mont-Dore quelques mots bouleversants : « Je tousse moins, mais il me semble que c'est pour mourir sans bruit. »

Pauline, déjà épuisée, quitta le Mont-Dore le 6 septembre, passa à Clermont-Ferrand les 8 et 9, s'arrêta à Lyon jusqu'au 18. Elle était à Milan le 1er octobre. Le 2, elle en repartit pour Florence, où René était allé l'attendre.

Il venait d'écrire à Joubert une lettre où éclate enfin l'inquiétude : « Notre amie m'écrit du Mont-Dore des lettres qui me brisent l'âme : elle dit qu'elle *sent qu'il n'y a plus d'huile dans la lampe ;* elle parle des *derniers battements de son cœur.* Pourquoi l'a-t-on laissée seule dans ce voyage ? Pourquoi ne lui avez-vous point écrit ? Que deviendrons-nous si nous la perdons ? Qui nous consolera d'elle ? Nous ne sentons le prix de nos amis qu'au moment où nous sommes menacés de les perdre. Nous sommes même assez insensés, quand tout va bien, pour croire que nous pouvons impunément nous éloigner d'eux : le ciel nous en punit ; il nous les enlève et nous sommes épouvantés de la solitude qu'ils laissent autour de nous. » Il n'est pas très difficile d'imaginer les sentiments de Joubert en recevant cette lettre si pleine d'émotion, mais aussi de reproches. Quoi ! Chateaubriand se permettait de faire la leçon, lui qui avait arraché Pauline à la tendresse de ceux qui l'aimaient vraiment, avant de lui briser le cœur et de l'abandonner ! Quoi ! c'était lui qui reprochait à Joubert de l'avoir laissée seule et de ne lui avoir point écrit ! Qui l'avait consolée dans son chagrin, qui l'avait soutenue dans sa solitude ? Ce n'était pas René, qu'elle aimait avec désespoir ; c'était Joubert, qui l'aimait sans espoir. Il y avait, dans la lettre de Chateaubriand, une injustice qui allait jusqu'à l'inconscience.

Elle, Pauline, ne se faisait aucune illusion sur la fidélité de l'Enchanteur. Elle le voyait comme il était, faible, changeant, égoïste. Mais elle l'aimait. Et Joubert lui-même, malgré sa sévérité légitime pour l'égoïsme de Chateaubriand, trouvait encore en lui de quoi aimer son ami coupable. Les larmes aux yeux, il avait laissé Pauline partir pour Rome parce qu'il connaissait le cœur des hommes aussi bien que les textes et que, malgré son amour déçu, il comprenait Pauline et Chateaubriand avec autant de profondeur qu'il avait compris *Atala* et le *Génie du christianisme*. Il se disait, en serrant les poings, que, puisque Pauline devait mourir, elle mourrait plus heureuse dans les bras de René.

A la fin de la lettre en forme de reproche adressée à Joubert par Chateaubriand, il y avait une phrase terrible : « Le chagrin est mon élément : je ne me retrouve que quand je suis malheureux. » Un immense espace vide, une espèce de desert, d'où surgissaient la lassitude, la mélancolie, l'ennui, le besoin de changement, s'étendait, en Chateaubriand, entre la personne et le personnage, entre celui qu'il était et le rôle qu'il jouait. Seuls la douleur et le chagrin pouvaient parvenir à combler cette distance. Joubert poussait l'intelligence et l'abnégation jusqu'à deviner que René était capable, dans le malheur, de donner à Pauline ce qu'il lui avait refusé dans le bonheur. Oui, il l'avait laissée partir pour Rome avec un dernier espoir dans leurs deux cœurs déchirés : qu'elle trouve enfin dans la mort ce qu'elle avait tant espéré, mais en vain, dans la vie.

René, venant de Rome, arriva à Florence quelques heures avant Pauline, qui venait de Milan. Malgré les dernières nouvelles, un peu plus rassurantes, qu'il avait reçues d'elle, il l'attendait avec inquiétude. La réalité fut bien pire que tout ce qu'il pouvait craindre. Il fut terrifié à sa vue : elle n'avait plus que la force de sourire. Le voyage l'avait achevée. Une diarrhée, qui s'était déclarée à Lyon, la torturait. Elle ne pouvait plus ni marcher ni monter un escalier. A peine si elle ouvrait les yeux.

Heureusement, Chateaubriand avait écrit de Rome à un

curieux personnage, qu'un célèbre tableau d'Ingres devait bien plus tard rendre illustre, et qui se trouvait alors à Milan : il s'appelait Louis Bertin. Devenu propriétaire du *Journal des Débats* au début du Consulat, Bertin avait été impliqué dans une affaire d'espionnage au profit de l'Angleterre. Il avait été emprisonné au Temple, puis exilé par Bonaparte dans un lieu prédestiné : l'île d'Elbe. Il passa ensuite en Italie où il se lia d'amitié avec Chateaubriand. Bertin accompagna Pauline de Milan à Florence.

La seule vue de René parut ressusciter Pauline. Elle était bien incapable de se jeter dans les bras de l'amant infidèle et fidèle. Mais un pâle sourire illumina son visage ravagé par la souffrance. Elle était en train de mourir et, parce qu'elle allait mourir dans les bras de celui qu'elle aimait, l'amour la rendait encore belle.

Alors commence quelque chose d'assez rare dans l'histoire du cœur : à la fois un chemin de croix qui se termine par la mort et le chant d'un amour piétiné, et pourtant triomphant. Il était impossible de songer à repartir aussitôt : l'état de la malade ne le permettait pas. Ils descendirent dans une auberge de Florence pour prendre un peu de repos.

Chateaubriand était aux ordres d'un gouvernement antimonarchiste, il était un poète catholique et il était marié ; Bertin était un exilé français, suspect à bon droit d'opposition royaliste ; Pauline de Beaumont était la fille d'un ministre de Louis XVI. Être vu à Florence en compagnie de l'un et de l'autre constituait pour le secrétaire-poète, brouillé avec son ambassadeur et en froid avec son gouvernement, un risque considérable. Il était hors de doute qu'il serait espionné par quelques sbires et que des rapports accablants allaient partir pour Paris et pour Rome. René avait beaucoup de défauts : un des pires était sa faiblesse. Il était faible, mais il n'était pas lâche. Comme l'avait si bien vu Joubert, il était changeant, contradictoire, insupportable ; mais il était bon. Il était coupable, mais, à force de pureté naïve, il était aussi innocent. Il s'était souvent mal ou très mal conduit avec Pauline. A partir du moment où il la retrouve, mourante, à Florence, il ne s'occupera plus que d'elle sans s'inquiéter de rien d'autre. Pauline n'aura été vraiment heureuse avec René que pendant la brève année où il écrivait à ses côtés le *Génie du christianisme*. Et puis pendant le dernier mois où elle meurt dans l'éclat finissant d'un automne italien. C'est dans ces jours si brefs, si cruels et si heureux que s'accomplit son destin. Dans cet ultime trajet, Chateaubriand, grâce au ciel, n'est pas indigne de cette grande âme.

Enfin, il fallut quitter Florence et se mettre en route pour Rome. On chemina au pas pour éviter les cahots. Pauline reposait, immobile, sans un mot, entre les bras de René. Il la protégeait de son mieux contre les heurts et les courants d'air. Dès que le vent se mettait à souffler, des gémissements étouffés s'échappaient de ses lèvres. Alors René l'entourait un peu plus étroitement, la serrait contre lui, et la berçait doucement, comme un enfant qui souffre.

Le paysage autour d'eux déroulait ses splendeurs auxquelles ni elle ni lui n'accordait un regard. Ils avaient pris le chemin de Pérouse. Le charme de Mme de Beaumont agissait jusque sur les servantes des auberges où ils s'arrêtaient pour se reposer, prendre un repas ou passer la nuit. Elle souriait d'un air las. On s'empressait. Le voyage se passa plutôt mieux que René, en la voyant si pâle et si faible, n'avait pu le craindre à Florence.

A Terni, Mme de Beaumont parla d'aller voir la cascade. S'appuyant sur le bras de son amant, elle fit un effort surhumain pour se lever et marcher. Elle ne put faire que quelques pas avant de s'écrouler en larmes. Elle dut se rasseoir pour reprendre ses forces. Elle leva les yeux vers René et elle lui dit en souriant au travers de ses larmes, d'une voix mi-sentencieuse, mi-ironique : « Il faut laisser tomber les flots. »

Sous le soleil déjà pâle mais encore rayonnant de cet automne italien, il y avait bien d'autres choses à laisser tomber que les feuilles des arbres et l'écume des eaux : des souvenirs cruels qu'il s'agissait d'oublier, des préoccupations médiocres qui avaient cessé tout à coup d'avoir le moindre sens, des espérances aussi, hélas ! auxquelles il fallait renoncer. Pauline savait à la fois qu'il y avait d'autres femmes dans la vie de son amour et que la sienne était terminée.

Le voyage ne s'acheva pas trop mal. La diarrhée avait cessé. La malade dormait assez bien dans les lits pourtant nouveaux pour elle qui, d'étape en étape, lui avaient été préparés. Elle n'avait plus, pendant la nuit, de ces sueurs d'angoisse qui la réveillaient en sursaut, haletante, épouvantée, et la faisaient se dresser sur sa couche en criant de terreur. Le pouls n'était pas très mauvais. De vagues espérances, sans cesse renouvelées, rendaient la fin du long voyage à la fois supportable et encore plus poignante. Ils entrèrent à Rome le 15 octobre, par la via Appia, bordée de tombeaux antiques : déjà la mort accueillait la mourante. Une agitation de bonheur et de curiosité s'emparait de Pauline. Elle voulait tout voir et tout admirer : le Tibre, le château Saint-Ange qui découpait au loin sa lourde masse imposante, les colonnes sur les places et les innombrables églises, les façades grises et ocre des vieux palais romains. Elle tournait la tête en tous sens. Le rose lui montait aux joues. La main dans la main de René, elle poussait, lorsque la souffrance revenait, des gémissements étouffés qui étaient autant de cris de joie. Elle avait quinze jours à vivre.

Ils se rendirent place d'Espagne, sous la colline du Pincio, au bas de l'escalier monumental de la Trinité-des-Monts. René y avait loué, entre un petit jardin avec des orangers en espalier et une cour plantée d'un figuier, une maison assez solitaire, connue sous le nom de Villa Margherita. Il avait eu un peu de mal à se procurer cette retraite : il y avait à Rome, à cette époque, des préventions très vives, et même des lois, à l'encontre des maladies de poitrine regardées comme contagieuses.

Aussitôt arrivée à la Villa Margherita, Pauline de Beaumont s'alita. René fit venir plusieurs médecins. Ils examinèrent la malade et se montrèrent pessimistes : ils déclarèrent que les poumons étaient sérieusement atteints. Ils auraient souhaité, bien entendu, selon leur coutume, appliquer des vésicatoires. La faiblesse de la jeune femme les fit renoncer à ce projet. Ils mirent la patiente au lait d'ânesse et au bouillon de tortue pour toute nourriture. Ce n'était pas un grand sacrifice : elle éprouvait depuis longtemps, pour quelque aliment que ce fût, une aversion qui allait jusqu'au dégoût. Sa faiblesse, sa maigreur venaient en partie de ce manque d'alimentation.

René passait tout son temps aux côtés de Pauline. A peine s'il prenait le temps d'écrire quelques lignes à son cardinal, à son ministre, ou à Fontanes : « Notre amie de la rue Neuve-du-Luxembourg est ici mourante, presque abandonnée des médecins, et je passe mes nuits et mes jours en larmes au chevet de son lit (...) Je ne vois absolument personne et surtout point d'*Italienne.* » A M. de La Luzerne, mari de la sœur aînée de Pauline, morte en prison sous la Terreur, il écrit à plusieurs reprises que les médecins du Mont-Dore avaient conseillé à la malade l'air de l'Italie pour dernier remède. Il va même, dans ses *Mémoires*, jusqu'à soutenir qu'il n'avait accepté le poste de secrétaire à Rome que pour pouvoir y faire venir Mme de Beaumont. « Je me sacrifiai, écrit-il avec aplomb, à l'espoir de la sauver. » Il ne s'agit évidemment que d'un prétexte lénifiant pour expliquer le voyage à Rome de sa maîtresse mourante : aucun médecin n'aurait pu lui conseiller un déplacement aussi long et aussi épuisant dans l'état de délabrement où elle se trouvait. Chateaubriand est plus près de la vérité dans un autre passage des *Mémoires d'outre-tombe* : « Quand je partis de France, nous étions bien aveugles sur Mme de Beaumont : elle pleura beaucoup. » Dans les écrits publics de Chateaubriand, ces larmes sont attribuées à l'état de santé de Pauline. Il est trop clair qu'elles étaient dues bien plutôt à l'infidélité et à l'éloignement de l'amant : pendant que René pleurait sur Delphine, Pauline pleurait sur René. La raison du voyage à Rome ne peut être trouvée que dans le désir ardent éprouvé par Pauline de revoir, coûte que coûte, une dernière fois et, s'il le fallait, en échange de la mort, l'Enchanteur inconstant.

Les médecins n'espéraient plus la vie de la malade que d'un miracle. On put croire, un instant, que le miracle allait se produire : il était dû à l'amour. Le mieux qui s'était manifesté entre Florence et Rome semblait se confirmer. Pauline se sentait plus forte. Plusieurs fois, vers midi, elle voulut sortir, se promener, aller voir les monuments de la Ville éternelle et cette campagne romaine dont lui avait parlé Chateaubriand. René faisait venir une voiture. Ils y montaient. Ils partaient ensemble. Il s'efforçait de la distraire, de lui faire remarquer une église, les lignes pures des collines, le ciel. Mais elle se fatiguait aussitôt. Elle n'avait plus goût à rien. A nouveau, elle se sentait épuisée. Elle voulait rentrer. Ils rentraient. Le lendemain, elle allait mieux.

A Rome, en cette époque où le despotisme français naissant marquait la renaissance de l'ordre social, on recherchait tout ce qui avait appartenu à l'ancienne monarchie. Plusieurs cardinaux, et en tête le secrétaire d'État, le cardinal Consalvi, fournirent l'exemple d'un libéralisme surprenant, mais courant, dans une théocratie : ils firent prendre des nouvelles de Pauline de Montmorin. Le cardinal Fesch lui-même donna des signes d'un intérêt déférent que le génie humilié n'attendait plus de lui. Ce que René ne savait pas, ce qui l'aurait étonné et enchanté, c'est que le Premier consul lui-même avait adressé des instructions à son ambassadeur pour que Mme de Beaumont reçût tous les égards dus à une femme infortunée, dernière d'une grande race accablée par le malheur. Un beau jour, enfin, il y eut une grande agitation aux portes de la Villa Margherita : un légat du pape venait, de la part du Saint-Père en personne, prendre des nouvelles de Pauline. La situation était étrange : le pape s'inquiétait de la santé de la maîtresse – séparée de son mari – d'un poète catholique, marié et adultère, qui avait fondé sa carrière sur le rétablissement des mœurs et de la morale chrétiennes. Au sein de son affliction, le secrétaire maltraité du vaniteux cardinal, en une seconde entorse à ses principes chrétiens, qui doublait et renforçait la première, savourait sa revanche.

Le plus délicat, comme souvent, c'était les mots. On passe sur les actions, mais leur formulation accroche. On ose faire, on n'ose pas dire. Pour parler de Pauline, il fallait tourner longuement, si j'ose dire, autour du pot de l'adultère. On ne pouvait se servir ni, évidemment, de « votre maîtresse », ni, bien sûr, de « Pauline », ni de « votre amie », ni même de « Mme de Beaumont », allusion déplacée à un mari jadis abandonné. On évoquait « la pauvre malade », « la fille de l'illustre M. de Montmorin », à l'extrême rigueur « la chère comtesse ».

René et Pauline n'avaient ni le temps, ni la force, ni le désir de rire de ces précautions. Ils étaient toujours ensemble, mais le plus souvent en silence. Ils s'encourageaient l'un l'autre : il lui faisait croire qu'il l'aimait ; elle lui faisait croire qu'elle vivrait. Ils n'étaient dupes ni l'un ni l'autre, mais ces illusions leur faisaient du bien. Et, à force de les répéter, avec des larmes aux yeux et en se serrant les mains, ils finissaient par y croire. Passé au feu du malheur, le mensonge, tout à coup, se transmuait en vérité.

Elle allait vivre. Il l'aimait. Elle allait vivre parce qu'il l'aimait. Ils se mettaient à faire des projets : ils ne se quitteraient plus, ils iraient à Naples au printemps, ils verraient ensemble Capri, Sorrente, Amalfi, Ravello. Les yeux de la malade brillaient. Était-ce de fièvre ou de bonheur ? C'était de bonheur et de fièvre. René enverrait sa démission à M. de Talleyrand. Ils se cacheraient tous les deux, elle guérie dans son corps, lui guéri dans son cœur, au fond de quelque campagne. Un avenir lumineux flottait devant leurs yeux, abusés et éblouis. Elle souriait dès qu'il était là. Lui pleurait dès qu'il était seul.

Dans les derniers jours d'octobre, fatiguée, mais radieuse, Pauline se sentit presque bien. Il faisait un de ces temps d'automne merveilleux, tels qu'on n'en voit qu'à Rome : le soleil brillait, l'air était pur et doux, une lumière irréelle semblait tomber du ciel sur une terre à peine lasse, épanouie et glorieuse. Mme de Beaumont voulut sortir. Elle se leva, quitta sa chambre, monta en voiture, marqua de la curiosité et de l'amusement devant tout ce qu'elle voyait, René lui proposa de la mener jusqu'au Colisée : elle lui serra la main et sourit. Pendant le court trajet jusqu'au Colisée, sa faiblesse sembla la reprendre. Elle retomba dans une espèce d'abattement. Arrivés devant le Colisée, elle parvint pourtant à descendre de voiture et, appuyée sur René, elle alla s'asseoir sur une pierre, en face de l'autel. Elle resta un instant immobile, reprenant ses forces. Puis elle leva les yeux ; elle les promena lentement sur ces portiques morts eux-mêmes depuis tant d'années, et qui avaient vu tant mourir ; les ruines étaient décorées de ronces et d'ancolies safranées par l'automne et noyées dans la lumière. De gradins en gradins, elle abaissa jusqu'à l'arène ses regards qui quittaient le soleil ; elle les arrêta sur la croix de l'autel : « Allons, dit-elle soudain ; j'ai froid. » René, la portant presque, la ramena jusqu'à la voiture. Il la reconduisit jusqu'à la petite maison de la place d'Espagne. Arrivée chez elle, elle se coucha et ne se releva plus.

Les médecins revinrent. Ce furent de nouveau les examens, les conciliabules, les mines graves, les chuchotements : ils ne laissèrent cette fois aucun espoir. La fin commençait. On crut d'abord que Pauline, qui avait vu périr toute sa famille dans des drames, allait choisir le 2 novembre, jour des morts, pour mourir à son tour. René ne parvenait plus à dissimuler ses larmes. Elle paraissait émerveillée de la douleur de son amant. C'était la divine surprise qu'elle avait tant attendue. Elle obtenait dans le malheur et la mort tout ce qu'il lui avait refusé dans le bonheur de la vie : elle mourait, il pleurait ; elle souffrait, il l'aimait. Elle était enfin heureuse au moment même où elle s'en allait. Et sans doute était-ce parce qu'elle s'en allait que le malheureux Enchanteur se mettait à l'aimer.

L'agonie fut héroïque et d'une rapidité terrifiante. Apercevant des larmes dans les yeux de René, elle lui tendit la main avec un pauvre sourire et lui dit : « Vous êtes un enfant ; est-ce que vous ne vous y attendiez pas ? » Les sanglots étouffaient la voix de Chateaubriand. Il ne répondit rien.

Le jeudi 3 novembre fut de nouveau assez calme. Elle parla même de son testament avec tranquillité et des dispositions à prendre avec le fameux banquier Torlonia, auprès de qui elle avait une lettre de crédit de 8 350 livres. Le soir, pourtant, le médecin, prenant René à part, l'avertit qu'il croyait de son devoir d'inviter la malade à mettre sa conscience en ordre et à faire venir un prêtre. René, qui ne manquait pas de courage physique, avait souvent du mal à regarder en face, au moment où elles se présentaient, les réalités même les plus attendues et les plus inévitables. Il eut un instant de faiblesse. Avec une violence inaccoutumée, presque avec une sorte de fureur, il fit partager au médecin sa crainte de voir l'appareil de la mort précipiter le peu d'instants que Mme de Beaumont avait encore à vivre. Il le supplia d'attendre au moins jusqu'au lendemain.

La nuit fut plus cruelle pour René que pour Pauline. L'auteur de tant de pages inspirées et célèbres sur la nécessité et les pouvoirs des sacrements se reprochait amèrement de n'avoir pas eu le courage de faire venir un prêtre. Pauline n'avait pas voulu que René passât la nuit dans sa chambre. Installé à sa porte même, il guettait en tremblant tous les bruits qu'il entendait, tous les souffles de la malade. La femme de chambre de Pauline était une Espagnole qui ne la quittait jamais, qui l'avait accompagnée au Mont-Dore, puis en Italie, et qui avait épousé un certain Germain Couhaillon, au service des Montmorin pendant trente-huit ans, avant de passer à celui de Mme de Beaumont ; moitié par plaisanterie, moitié par commodité, on l'appelait Mme Saint-Germain. De temps en temps, Mme Saint-Germain, admirable de dévouement, passait silencieusement dans la chambre de Mme de Beaumont. Quand la porte s'entrouvrait, René apercevait avec angoisse la clarté débile d'une veilleuse qui s'éteignait.

Le vendredi 4 novembre 1803, à huit heures du matin, René entra avec le médecin dans la chambre de Pauline. Il était bouleversé. Même à l'article de la mort, Pauline s'occupait encore plus de René que René de Pauline. Elle s'aperçut de son trouble et, soucieuse avant tout de le rassurer, elle lui dit avec calme : « Pourquoi êtes-vous comme cela ? J'ai passé une bonne nuit. » Voyant qu'aucune parole ne parvenait à sortir de la bouche de René, le médecin, pour lui forcer la main, lui dit tout haut qu'il voulait s'entretenir avec lui, seul à seul, dans la pièce voisine. Ils sortirent tous les deux. Un instant plus tard, René rentrait, la mort dans l'âme. Pauline lui demanda ce que voulait le médecin. René se jeta au bord de son lit et fondit en larmes.

Pauline resta quelque temps sans parler. Puis, le regardant avec tendresse, sans la moindre altération sur son visage amaigri, elle lui dit d'une voix ferme, comme si elle avait voulu lui donner de la force : « Je ne croyais pas que cela eût été tout à fait aussi prompt : allons, il faut bien vous dire adieu. Appelez l'abbé de Bonnevie. »

L'abbé de Bonnevie avait émigré dès le début de la Révolution. Chanoine de la Primatiale de Lyon, il avait prononcé l'année précédente l'oraison funèbre du général Leclerc, mari de Pauline Bonaparte, la future princesse Borghèse, mort de la fièvre jaune à Saint-Domingue. L'abbé arriva presque aussitôt. Mme de Beaumont lui déclara, en présence de René, qu'elle avait toujours eu dans le cœur un profond sentiment de religion, mais que les malheurs dont elle avait été frappée l'avaient fait douter quelque temps de la justice de la Providence ; elle était prête à reconnaître ses erreurs et à se recommander à la miséricorde éternelle ; elle espérait que les maux qu'elle avait soufferts dans ce monde-ci abrégeraient son expiation dans l'autre. Puis elle fit signe à René de se retirer et resta seule avec le prêtre pour la confession.

Les maux qu'elle avait soufferts, les malheurs dont elle avait été frappée étaient bien entendu liés à la fin de sa famille et à la Révolution. René se demandait pourtant s'il n'avait pas part dans ces malheurs et dans ces maux, comme il avait part aussi, lui, le catholique professionnel, le soutien de l'autel, dans les erreurs dont se confessait humblement la mourante. Seul dans la pièce voisine de celle où Pauline était en train de mourir et d'où parvenait le murmure de ses paroles balbutiées, il se prit la tête entre les mains, et il pleura.

Une heure plus tard, à peu près, il vit revenir l'abbé de Bonnevie. Le prêtre avait les larmes aux yeux. A René, secoué de sanglots qu'il ne parvenait pas à arrêter, il dit qu'il n'avait jamais entendu une plus belle confession, ni vu pareil héroïsme.

René retourna auprès d'elle. En l'apercevant, elle lui dit, presque avec gaieté : « Eh bien ! êtes-vous content de moi ? » Puis il se passa quelque chose de terrible pour René : elle voulut lui baiser la main pour le remercier de ce qu'elle appelait ses *bontés.* C'en était trop pour lui : les derniers mois lui revenaient en tempête à l'esprit ; il vit, en un éclair, à travers ses larmes, les cheveux blonds de Delphine ; la honte se mêlait au chagrin. Ah ! s'il avait pu, à cet instant précis, racheter un seul jour de la vie de Pauline par le sacrifice de toute la sienne, il l'aurait fait avec joie : elle méritait autant de vivre que lui de disparaître.

Soudain, il comprenait tout : elle était heureuse de mourir parce qu'il fallait qu'elle meure pour qu'il se mette à l'aimer. Quelle honte pour lui ! Quel désespoir et pour elle et pour lui ! C'est à l'instant de cette mort qu'elle pouvait être sûre enfin de l'amour de René. Et, en effet, il l'aimait : parce qu'elle l'abandonnait. Voilà pourquoi elle était si sereine. Voilà pourquoi lui, qui ne pensait qu'à se séparer d'elle, était si bouleversé. Elle s'était aperçue qu'elle pesait dans la vie de René ; alors, elle avait décidé de le quitter ; mais elle l'aimait si fort que le seul moyen de le débarrasser d'elle était de s'en aller à jamais ; et elle avait voulu mourir auprès de celui qu'elle aimait et qui ne l'aimait plus. La seule chose qu'elle n'avait pas prévue et qu'elle ne pouvait pas prévoir – ni lui non plus – tant elle était déchirante et monstrueuse, c'était qu'il lui suffirait de s'en aller pour qu'il se mette à l'aimer comme il ne l'avait jamais aimée du temps de la gloire et du bonheur. La seule chose qu'elle ne pouvait pas prévoir... Au milieu de son trouble, René s'interrogeait : peut-être s'était-elle pourtant obscurément attendue à ce dénouement heureux dans le malheur ultime ? peut-être l'avait-elle espéré ? Avec la même résolution si douce dont elle avait fait preuve dans sa vie, elle avait joué sa mort à pile ou face. Par un prodige très prévu, au moment même de tout perdre, elle avait tout gagné. Elle mourait stupéfaite, désespérée et ravie.

Le curé de la paroisse de la Trinité-des-Monts arriva à onze heures. La chambre s'était peu à peu remplie de cette foule de curieux, de bigots et d'indifférents qu'on ne peut empêcher de suivre le prêtre en Italie. Pauline de Beaumont vit ce formidable appareil sans le moindre signe de frayeur. Tout le monde se mit à genoux, et Pauline, entre René et l'abbé de Bonnevie, reçut des mains du curé à la fois la communion et l'extrême-onction. Quand tout le monde se fut retiré, elle fit asseoir René sur son lit et lui dit quelques mots de l'avenir qu'elle souhaitait pour lui : elle l'engageait surtout à garder à Joubert l'amitié qu'il méritait et à vivre auprès de Céleste.

Tout à coup, elle se sentit oppressée. Elle le pria d'ouvrir la fenêtre. Un rayon de soleil d'automne vint éclairer son lit. Ce soleil lui rappela les projets de retraite à la campagne dont ils s'étaient si souvent et si tendrement entretenus. Alors, pour la première et la dernière fois, Pauline se mit à pleurer.

Entre deux heures et trois heures de l'après-midi, Pauline demanda à Mme Saint-Germain de la changer de lit. Le médecin s'y opposa : il craignait de la voir expirer pendant le transport d'un lit à l'autre. Alors, Pauline dit à René qu'elle sentait la fin approcher. Des convulsions la saisirent. Elle rejeta sa couverture, saisit la main de René et la serra avec force. De la main restée libre, elle faisait des signes à quelqu'un qu'elle voyait au pied de son lit ; puis, appuyant cette main sur son cœur, elle disait : « C'est là ! c'est là ! » René, épouvanté, se pencha sur elle et lui demanda si elle le reconnaissait. Un léger sourire passa sur ses lèvres et dans ses yeux égarés ; elle fit un signe de la tête ; et, attirant René vers elle avec une force surprenante, elle lui murmura distinctement à l'oreille : « Mon dernier rêve sera pour vous. » Les convulsions cessèrent aussitôt. Elle ferma les yeux, s'affaissa sur l'oreiller. René, secoué de sanglots, qui la soutenait dans ses bras avec Mme Saint-Germain et avec le médecin, porta la main à son cœur : il palpitait à toute allure, comme une chaîne brisée qui se déroule. Et puis, tout à coup, il le sentit s'arrêter. Le cœur de l'Hirondelle ne battait plus pour lui.

Quelques boucles de ses cheveux défaits tombaient sur son front. Ses yeux étaient fermés. La nuit éternelle y était descendue. Le médecin présenta un miroir et une bougie devant la bouche de Pauline. Aucun souffle de vie ne vint ternir le miroir, la flamme de la bougie demeura immobile. Tout était fini. Il était trois heures et quelques minutes. Dehors, le soleil de novembre brillait toujours sur Rome.

Les obsèques furent belles et fort bien ordonnées, presque princières. On aurait dit que René voulait rattraper dans la mort ce qu'il avait fait subir à Pauline dans la vie : il l'avait fait souffrir vivante ; il la vénéra morte. Il s'occupa de tout lui-même, choisit à Saint-Louis-des-Français le lieu de la sépulture, décida de la profondeur et de la largeur de la fosse, commanda le linceul, indiqua au menuisier les dimensions du cercueil, organisa la cérémonie et mena le deuil en représentant de la France et en amant inconsolable.

Dans la nuit du vendredi au samedi, deux religieux veillèrent auprès du corps. Par un hasard singulier, l'un d'eux était un Auvergnat, né à Montmorin même. Après avoir rejoint enfin l'amour au sein de la mort, l'étrangère trouvait dans son dernier exil un reflet du pays natal : une sorte de chance posthume la poursuivait, avec une affreuse ironie. Tous les ecclésiastiques français, tant séculiers que réguliers, qui se trouvaient à Rome furent convoqués par le poète catholique pour honorer sa maîtresse morte. La princesse Borghèse prêta le char funèbre de sa famille qui ne servait qu'aux princes et aux cardinaux. Fesch, le cardinal-ministre, s'était longuement interrogé sur la conduite à tenir en cas de mort de l'amie d'un écrivain peu sûr et d'un fonctionnaire tout à fait incapable, avec qui il s'entendait mal : l'absence ostentatoire était aussi gênante que la présence solennelle. Il avait fini par trouver ce que l'Albertine de la *Recherche du temps perdu* aurait appelé « la solution élégante »: il avait quitté Rome et il avait donné l'ordre, dans l'hypothèse d'un malheur, de faire parader devant l'église ses laquais en livrée et ses voitures empanachées de deuil et vides. Le samedi, à sept heures du soir, à la lueur des torches et au milieu d'une foule considérable, la comtesse de Beaumont fut transportée à son dernier asile. Le dimanche 6 novembre, à dix heures et demie du matin, fut célébrée la messe d'enterrement. Tous les Français de Rome y assistaient en deuil. Les costumes, les décorations, les manteaux frappés d'une croix des chevaliers de Malte ; les robes noires ou blanches, violettes ou rouges, des évêques et des religieux des ordres les plus divers ; les armes et les inscriptions de la tradition disparue dans les ornements et sous les voûtes de Saint-Louis-des-Français ; les tombeaux où figurent les noms de quelques-unes des familles les plus illustres de France, des La Trémoille aux Mortemart ; l'église elle-même, enfin, sous l'invocation d'un grand roi, d'un grand saint et d'un grand homme : tout cela ne consolait pas René en train de pleurer sur lui-même autant que sur Pauline, mais donnait au malheur un air de noblesse et d'élévation qui prenait peut-être pour lui des allures de réparation. « Je désirais, écrit Chateaubriand dans les *Mémoires d'outre-tombe*, que le dernier rejeton d'une famille jadis haut placée trouvât, du moins, quelque appui dans mon obscur attachement, et que l'amitié ne lui manquât pas comme la fortune. » En écoutant, les yeux clos, la phrase trop admirable, Juliette Récamier se demandait si Pauline de Beaumont n'aurait pas préféré à tant d'honneurs et d'amitié, à l'attachement posthume, à la cérémonie éclatante, à toutes les évocations de sa fortune malheureuse, un peu de cet amour vivant que René lui avait refusé.

Juliette avait cessé d'écouter. Elle revoyait en esprit le tombeau de Pauline élevé par Chateaubriand dans la première chapelle à gauche de Saint-Louis-des-Français. Elle s'y était rendue, avec des sentiments mêlés, lors de son dernier séjour à Rome, en 1824. Chateaubriand, à cette époque, était, une fois de plus, amoureux fou d'une autre. Elle avait quitté Paris par jalousie, avec fureur et tristesse. Elle avait retrouvé le nom de l'infidèle sous celui de la femme qui l'avait soutenu et aimé avec un courage indomptable et dont il avait enchanté la mort après avoir ravagé la vie. Juliette se rappelait que René était revenu lui-même se recueillir devant le tombeau. Elle entendait

Chateaubriand, en train de lui lire ses *Mémoires*, parler de 1827. Mais non : il se trompait. C'était en 1828. Le secrétaire, traité comme un chien galeux par le cardinal-ministre et occupé dans un chenil à puces à signer des passeports et à lorgner des blanchisseuses, était devenu ambassadeur. En 1803, il avait à peine le droit d'aller présenter ses respects à Pie VII ; en 1828, Léon XII le faisait asseoir à côté de lui et le traitait avec affection et familiarité. Comme il aimait ces montagnes russes de la gloire et de la misère et le constant contraste entre leurs hauts et leurs bas ! Les aventures de Rome autour de Pauline reproduisaient presque exactement, en une sorte de névrose d'existence, les aventures anglaises autour de Charlotte : un jeune homme malheureux revient, avec l'âge mûr, dans tout l'éclat de sa pompe et accablé d'honneurs, revisiter les lieux de ses passions traversées. Et traversées par qui, je vous prie ? Mais par lui-même, naturellement. Charlotte l'aimait, Pauline l'aimait. Il fallait que ce fût le départ – ou la mort – qui termine une histoire incapable de s'achever dans le bonheur et la vie.

Juliette se sentait tout à coup terriblement proche de Charlotte et de Pauline. Elles avaient, toutes les trois, après tout, été aimées par le même homme. Elle réfléchit un instant, et elle se reprit aussitôt. La formule exacte était un peu différente - mais si peu : toutes les trois, parmi bien d'autres, elles avaient aimé le même homme.

Juliette se souvenait avec autant de précision que René lui-même de tous les mots de l'inscription qui achevait, dans la chapelle de gauche de Saint-Louis-des-Français, la première histoire vraie, une des plus sinistres et des plus belles, du romantisme français :

D.O.M.
APRÈS AVOIR VU PÉRIR TOUTE SA FAMILLE,
SON PÈRE, SA MÈRE, SES DEUX FRÈRES ET SA SŒUR,
PAULINE DE MONTMORIN
CONSUMÉE D'UNE MALADIE DE LANGUEUR
EST VENUE MOURIR SUR CETTE TERRE ÉTRANGÈRE.
F.-A. DE CHATEAUBRIAND A ÉLEVÉ CE MONUMENT
A SA MÉMOIRE.

Le nom du mari ne figurait pas sur le tombeau : ceux du père adoré et de l'amant repentant suffisaient largement à accompagner Pauline pour l'éternité.

Le reste relève de la petite ou de la grande histoire. Les malles de Pauline de Beaumont étaient arrivées à Rome trois heures après sa mort. Il fallut en faire l'inventaire et les renvoyer en France pour que les héritiers en disposent. Chateaubriand adressait à Fontanes une lettre assez fameuse qui lui a été reprochée : il y parlait du regret de Pauline, qui lui avait laissé ses livres, de n'avoir pu lui léguer toute sa fortune. Il écrivait au beau-frère de Mme de Beaumont des lettres bouleversantes qui agaçaient pourtant vaguement leur destinataire : « Quand je serai de retour à Paris, Monsieur, j'espère que vous me permettrez d'aller vous saluer. Mon frère vous a connu, et je ne sais pourquoi je me regarde comme de votre famille. » Conformément aux lois en vigueur à Rome sur les maladies de poitrine, les meubles de la chambre de Pauline à la Villa Margherita furent brûlés jusqu'au dernier. René eut beaucoup de mal à vendre ses deux voitures pour payer les frais du monument à Pauline de Beaumont avant de quitter Rome : elles avaient servi deux ou trois fois à promener la mourante à travers la Ville éternelle, et jusqu'au Colisée.

Restait René lui-même. Sa douleur était un peu dérisoire à côté des souffrances de Pauline, mais elle n'était pas feinte : son chagrin tourna en jaunisse. C'est alors que lui vint pour la première fois l'idée d'écrire des *Mémoires* où sa vie misérable comme toutes les vies humaines – « Ainsi va l'homme de défaillance en défaillance : notre vie est une perpétuelle rougeur, parce qu'elle est une faute continuelle » – serait transfigurée. Il parle de son projet avec franchise et naïveté dans une lettre à Joubert : « Je n'entretiendrai pas la postérité du détail de mes faiblesses ; je ne dirai de moi que ce qui est convenable à ma dignité d'homme et, j'ose le dire, à l'élévation de mon cœur. Il ne faut présenter au monde que ce qui est beau ; ce n'est pas mentir à Dieu que de ne découvrir de sa vie que ce qui peut porter nos pareils à des sentiments nobles et généreux. J'ai eu mes faiblesses, mes abattements de cœur ; un gémissement sur moi suffira pour faire comprendre au monde ces misères communes, faites pour être laissées derrière le voile. Que gagnerait la société à la reproduction de ces plaies que l'on retrouve partout ? » Juliette secouait la tête : elle ne comprenait que trop bien. Le même sourire de tendresse et d'indulgence infinie pour tant de candeur coupable reparaissait sur ses lèvres.

A peine remis, il partit pour Naples, faire sans Pauline le voyage qu'elle aurait tant voulu entreprendre avec lui. Il grimpa sur le Vésuve et descendit dans son cratère. Il visita Pompéi, il rêva sur la mer, il contempla Capri et la baie de Sorrente en pensant à Pauline qu'il avait tant oubliée. Seul le désespoir l'accompagnait. Il se pillait lui-même : il jouait une scène de *René*. A son retour, il écrit à Fontanes une des lettres les plus célèbres de toute la littérature française, une de celles qui ont fait pâlir des générations d'écoliers, écœurés de Virgile et de troupeaux de bœufs blancs : la lettre à M. de Fontanes sur la campagne romaine. C'était son chant du cygne à Rome : il ne pensait plus qu'à partir.

Depuis plusieurs mois déjà - en fait, à peine arrivé -, il

écrivait à tous ses amis, et surtout à Fontanes, qu'il était trop malheureux à Rome et qu'il voulait à tout prix quitter la ville au plus vite. Des relents de philosophie, venus de la période anglaise et de l'*Essai sur les révolutions*, le faisaient douter bizarrement, sinon du catholicisme, du moins de l'avenir en ce monde d'une religion trop parfaite : « N'espérez rien des hommes pour la religion : il faut maintenant un miracle pour qu'elle ne périsse pas en Europe. Mais au moins je ne veux pas avoir la main dans sa chute et j'ai demandé mon rappel. » Et à Fontanes : « Je suis toujours résolu à demander mon remplacement. Je n'ai promis que d'être une année ; je tiendrai ma parole. Personne après ce temps-là ne peut trouver mauvais que je quitte ma place. Je ne veux plus rien du reste ; je renonce pour la vie à toute espèce de places, et je me repentirai longtemps d'avoir désiré et accepté celle-ci. » La littérature le tentait à nouveau avec force : « Je ris de pitié lorsque je vois des sots s'écrier qu'un tel homme ne sait faire *que des livres !* Faire un livre que le public lise, *ce n'est rien !* Il faut plus d'ordre, plus *d'esprit d'affaires* pour mettre ensemble quatre bonnes idées que pour signer tous les passeports de l'univers et donner un dîner diplomatique. » La maladie de Mme de Beaumont avait encore renforcé cette inclination au départ : « Si je la perds, attendez-vous à me voir quitter Rome sur-le-champ. » Après la mort de Pauline, pourtant, un tel mouvement de compassion s'était manifesté à son égard qu'il se remettait à hésiter : « Vous ne sauriez croire à quel point ma douleur et ma conduite dans cette occasion m'ont fait aimer et respecter ici. » Juliette se demandait s'il ne fallait pas supprimer ces mots un peu suffisants : il avait l'air de vouloir profiter des avantages de sa souffrance. Elle ne s'étonnait pas beaucoup, en revanche, d'apprendre qu'il avait changé d'idée et que, pour un temps du moins, il n'était plus question de partir.

Et puis, tout à coup, deux coups de tonnerre retentissaient à nouveau dans le ciel tourmenté de René. Le premier pouvait paraître de bon augure : Bonaparte proposait à Chateaubriand de le nommer ministre à Sion, au Valais. René confond allègrement dans sa correspondance le Valais et le pays de Vaud ; n'importe : il acceptait, ne fût-ce que pour prouver qu'à la différence des hommes de lettres il était capable aussi de faire les affaires des autres. Et l'indépendance le tentait : à Sion, au moins, il serait son maître. Il n'aurait plus sur son dos de cardinal-ministre.

Il quittait Rome, il rentrait à Paris. Il y avait rendez-vous avec l'histoire. Un matin, de bonne heure, il se rendit du côté des Invalides, où M. de Montmorin avait fait construire jadis un hôtel. Dans le jardin de cet hôtel, vendu sous la Révolution, Pauline, encore enfant, avait planté un cyprès. René voulait voir ce cyprès et rêver à la morte devant l'arbre qu'elle avait aimé. Ce pieux tribut payé et le pèlerinage accompli, il traversa l'esplanade des Invalides, franchit la Seine, entra dans le jardin des Tuileries et déboucha, après être passé devant le pavillon de Marsan, sur la rue de Rivoli. Là, le 21 mars, entre onze heures et midi, il entendit un homme et une femme qui criaient une nouvelle officielle devant les passants pétrifiés : « Jugement de la commission militaire spéciale convoquée à Vincennes, qui condamne à la peine de mort le nommé Louis-Antoine-Henri de Bourbon, né le 2 août 1772 à Chantilly. »

L'exécution du duc d'Enghien tomba sur lui comme la foudre : elle bouleversa son existence autant que celle de Napoléon. Il rentra chez lui, à l'hôtel de France, rue de Beaune, où il était descendu et où, en prévision de leur départ commun pour le Valais – un ministre de France a besoin d'une épouse – il avait fait venir Céleste, ruinée et défigurée par la petite vérole, telle la Cunégonde de *Candide*. Et il envoya à Talleyrand une lettre de démission, modérée dans les termes, mais transparente, et restée fameuse : « Citoyen Ministre, les médecins viennent de me déclarer que Mme de Chateaubriand est dans un état de santé qui fait craindre pour sa vie. Ne pouvant absolument quitter ma femme dans une pénible circonstance, ni l'exposer au danger d'un voyage, je supplie Votre Excellence de trouver bon que je lui remette les lettres de créance et les instructions qu'elle m'avait adressées pour le Valais. »

« Ne pouvant absolument quitter ma femme... » Quiconque connaissait si peu que ce fût M. de Chateaubriand était bien obligé de comprendre qu'il ne s'agissait que d'un prétexte. On aurait dit une ironie double et un double pied de nez à la fidélité conjugale et à l'iniquité du pouvoir. Quels que fussent les motifs avancés, Chateaubriand, en tout cas, faisait preuve de courage. Il se laissait aller, il est vrai, en même temps, à un de ses penchants les plus forts. Presque du jour de son arrivée à la fois à Rome et dans la carrière diplomatique, il ne rêvait que de démissionner : l'assassinat du duc d'Enghien lui fournissait une occasion incomparable. Au goût des honneurs et du pouvoir s'opposait chez lui un autre trait constant : la volonté de partir, le besoin de s'en aller, le plaisir de disparaître. Toute sa vie se passerait à alterner, en amour et en politique, la conquête et l'abandon. Mais le prétexte saisi décidait de sa vie. Historiquement, son refus de l'exécution du duc d'Enghien l'engageait définitivement, après quelque trois années de ralliement au Consulat, dans la voie de la fidélité à une monarchie légitime qui ne l'avait guère séduit tant qu'elle était heureuse, mais à laquelle il s'attachait dès qu'elle devenait malheureuse. Enfin, et surtout, en osant résister à Bonaparte, il se hissait d'un seul coup, avec une sorte de génie, au niveau du maître du monde. Il se mettait ainsi, sous plusieurs angles différents, à modeler les grands traits de la statue de lui-même qu'il songeait déjà à élever.

Il y a une dernière explication au geste de Chateaubriand : il n'avait pas vraiment envie de partir, aux côtés d'une femme laide et qu'il n'aimait pas, pour un trou isolé dans les montagnes du Valais. Tout cela, sans doute, était vrai à la fois. Aucune existence n'est vraiment simple. Le génie consiste à donner au hasard une allure de cohérence qui apparaît, après coup, comme une sorte de destin et de nécessité. En quelques semaines à peine, pour Chateaubriand comme pour Bonaparte, le sort se met de nouveau à tourner. Leur paradoxale conjonction, sous le signe de la restauration religieuse, s'était développée, pendant quelques années, à partir du début du siècle. Au début de 1804, sous le signe de la mort, c'est leur opposition qui éclate. Bonaparte met définitivement fin à la Révolution. Ce n'est pas, loin de là, pour restaurer la monarchie. Il change son nom pour son prénom, et il devient empereur. Après la double mort de Pauline et du duc d'Enghien – toujours le cœur et la politique –, René entre dans l'opposition comme dans une forme de chagrin et de grandeur, tempérée par le soulagement.

3

NATALIE OU LA FOLIE

Après la gloire et le chagrin, les années obscures commençaient...

—

Tous les visages de femmes que nous avons vus passer...

—

Notre histoire, ici, s'entoure d'un peu de brouillard...

—

Ce furent des jours de folie et de bonheur. Et aussi de mystère...

—

Le 30 mars, le schooner Enterprise, *vaisseau de guerre américain...*

—

Entre Venise et Florence, entre Ségeste et Agrigente...

—

La règle d'or des séducteurs est que le plus beau de l'amour...

Après la gloire et le chagrin, les années obscures commençaient. Elles n'allaient pas manquer d'être très encombrées. Lorsque Juliette avait entendu la voix de René : « Ma vie, creusée par la mort de Mme de Beaumont, était demeurée vide », elle n'avait pu s'empêcher de se demander en silence si ce désespoir et ce vide n'étaient pas un peu exagérés. Ils l'étaient. « Des formes aériennes, sortant de cet abîme, me prenaient par la main et me ramenaient au temps de la Sylphide » : le moins qu'on puisse dire est que ces formes aériennes étaient aussi charnelles. Les périodes précédentes avaient chacune été dominées par une figure de femme : l'épisode anglais par Charlotte, l'épisode romain par Pauline. Dans ces semaines, ces mois, ces années interminables qui se traînent, de victoire en victoire, depuis la fin du Consulat et le couronnement de Napoléon jusqu'à la chute de l'Empire, celles que la femme légitime appelle ironiquement les « Madames » et qu'il lui arrive aussi de désigner sous le nom collectif et mythique de « Madame du Lionfort » se connaissent, se rencontrent, se télescopent et se succèdent. Dans la rue, maintenant, qu'après avoir quitté Juliette il suit en sens inverse, de l'Abbaye-aux-Bois jusqu'à la rue du Bac, où l'attendent le long nez et l'esprit vif de Céleste, M. de Chateaubriand voit se lever autour de lui, à chacun de ses pas, des bataillons de fantômes, qui sont à ses yeux de rêve autant de jeunes femmes en fleurs, tout armées et casquées pour les combats de l'amour. Il y a celles de la première ligne ; il y a celles de la seconde ; il y a les troupes d'assaut, la réserve, les territoriales ; il y a les escadrons étrangers ; il y a les obscures et les sans-grade, les vivandières, les éternelles blanchisseuses, dont il se souvient à peine ; il y a l'état-major des chefs de guerre – et, au premier rang, formant le carré, le bataillon d'élite de ses fameuses duchesses : la duchesse de

Duras, la duchesse de Lévis, la duchesse de Laval qu'on appelait l'Adrienne parce qu'elle était la femme d'Adrien de Montmorency, prince, puis duc de Laval, Mme de Bérenger, qui avait été, en premières noces, duchesse de Châtillon-Montmorency. C'était entre elles un carrousel permanent à qui s'avancerait le plus loin dans les faveurs de l'Enchanteur. Les unes apportaient des graines et des arbustes pour son jardin ; les autres envoyaient, en cas de grippe ou de rhume, des bouillons pectoraux accompagnés de billets affectueux et parfumés. Elles jouaient à cache-cache avec Céleste, s'efforçant même parfois d'obtenir ses bonnes grâces. Mme de Chateaubriand, essayant, sans trop de succès, une tactique de contre-feux, choisissait les moins redoutables et les prenait sous sa protection. Elle poussait Mme de Bérenger, qu'elle trouvait douce et jolie, mais, du moins d'après la terrible et merveilleuse comtesse de Boigne, c'était la duchesse de Lévis dont les charmes l'emportaient – jusqu'au succès complet. Au milieu de ces intrigues dont il était le centre, l'Enchanteur restait très calme, un vague sourire aux lèvres. Il lui arrivait de lire les journaux, entouré de « Madames », sans se déranger le moins du monde. Ce rêveur passionné était d'abord un égoïste. Il voulait être aimé, naturellement, choyé et admiré. Il voulait aussi, et surtout, qu'on le laissât en paix. Et puis, entre la politique, les femmes, les soucis d'argent, la vie quotidienne, les soins de la religion, il avait tout de même ses livres à écrire. Les livres, les endroits, les femmes sont liés les uns aux autres de façon inextricable : l'Angleterre, Charlotte, l'*Essai sur les révolutions* ; Savigny-sur-Orge, puis Rome, Pauline, le *Génie du christianisme* et ses suites heureuses ou malheureuses. Maintenant, c'étaient d'autres femmes, d'autres lieux, et un autre livre : Paris et la Vallée-aux-Loups, la pléïade des « Madames », et *les Martyrs*, un ouvrage plutôt rasant, une compilation érudite de seconde main, une sorte d'*Iliade* pour patronage dont il avait eu l'idée à Rome, devant le Colisée, qui se déroulait bizarrement tantôt sur terre et tantôt au ciel, et où il racontait, sur le ton épique de Milton ou d'Homère, les aventures sinistres et gracieuses de païens et de chrétiens du temps de Dioclétien qui ressemblaient étrangement à Fouché, à Charlotte Ives, à plusieurs jolies femmes des salons parisiens et à l'auteur jeune lui-même.

L'amant de Pauline de Beaumont se plaignait beaucoup à Rome des tâches d'administration subalterne dont il était chargé : elles dévoraient ses heures. Tout au long de l'Empire, c'est l'ennui qui le menace. Diplomate, homme politique, plongé dans les affaires publiques, parvenu enfin aux places dont il a tant rêvé, avec une obstination fiévreuse qui l'a fait frapper à toutes les portes, il a aussitôt le sentiment de perdre un temps précieux, qu'il utiliserait mieux à écrire. Mais à peine a-t-il retrouvé, par la force des événements, ce loisir tant espéré qu'il cherche le moindre prétexte pour quitter sa table de travail. Les femmes lui en fournissent d'excellents. Dès son retour de Rome, malgré le chagrin qui l'accable, il court les salons et les châteaux pour en chercher de nouvelles. Il en trouvera. Et il les recevra en catimini dans la tour isolée de la Vallée-aux-Loups qui lui sert en même temps – ou plutôt successivement – de cabinet de travail et de garçonnière.

Parmi toutes celles qui, en vrac, meubleront les années sombres où le génie de l'autre grand homme jettera une ombre sur le sien, au sein même du petit clan des duchesses, une mention spéciale, une sorte de prix d'encouragement et de consolation, doit être accordée à la duchesse de Duras. De toutes les victimes consentantes de l'Enchanteur, elle reçoit la part à la fois la plus large et la plus cruelle. D'autres auront été séduites, aimées passionnément, trompées, abandonnées. A elle, il réserve un rôle qu'il lui présente comme le plus beau, le plus digne d'envie, mais qui est en réalité, pour une femme amoureuse, le plus inacceptable de tous : celui de confidente et d'amie.

Claire de Kersaint, duchesse de Duras, disposait pourtant, au départ, de sérieux atouts dans son jeu : elle était riche, généreuse, bienveillante ; elle avait un grand nom ; son père, libéral à la façon de Malesherbes, puis conventionnel modéré, avait racheté ses ardeurs révolutionnaires en montant à l'échafaud : et ce double engagement ne pouvait que plaire à Chateaubriand qu'elle aimait jusqu'au délire. Elle souffrait malheureusement d'un défaut irrémédiable au yeux de l'Enchanteur : elle manquait, sinon de beauté, car elle n'en était pas dépourvue, du moins d'un certain charme. En un mot comme en mille, elle ne lui plaisait pas.

Rentré d'émigration, son mari, Amédée de Duras, s'était retiré, sur les bords de la Loire, au château d'Ussé, d'où il sortait rarement. Elle, la duchesse, rencontra Chateaubriand dans un autre de ces châteaux qu'il fréquentait assidûment pour y pêcher des conquêtes. Elle était conquise d'avance : écrivant de petits livres, dont le moins inconnu, premier roman à thèse contre le racisme et le colonialisme, porte le titre d'*Ourika*, elle admirait passionnément tout ce qui avait un nom dans la littérature. Elle se jeta à la tête et au cœur de Chateaubriand et essaya de l'éblouir. Comme la plupart des écrivains, même quand ils se refusent à l'avouer, il se méfiait des femmes un peu trop intelligentes, voyant peut-être en elles des rivales en puissance ou des créatures plus capables que les autres de résister à sa séduction. A Londres, plus tard, ambassadeur de France, ses relations furent franchement fraîches avec la princesse de Lieven – future maîtresse de Guizot – qui avait une grande réputation d'esprit. Elle le dépeint comme un bossu sans bosse, traînant derrière soi un vieux cœur à vendre tombé de son écharpe et que personne ne veut plus acheter. Lui, de son côté, la décrit fatigante et avide, avec un visage aigu et mésavenant. Ces amabilités mutuelles trouvaient peut-être leur source dans une conversation, au cours d'un dîner londonien, entre la princesse et l'ambassadeur. Reprenant, sans se lasser, une de ses antiennes favorites, il se plaignait de s'ennuyer au milieu de tant d'honneurs et d'obligations politiques. Elle lui suggéra, de façon sans doute intéressée, de voir plus fréquemment des femmes intelligentes.

– Ah ! Madame, je n'aime pas les femmes intelligentes.

– Vous préférez les femmes stupides ?

– De beaucoup.

Mme de Duras n'avait pas de chance : bonne, active, désintéressée, les traits plutôt réguliers, mais sans ce je-ne-sais-quoi qui bouleverse ou enchante, elle était, de surcroît, intelligente. Mais de cette intelligence qui permet plutôt aux femmes de s'intéresser aux carrières et aux livres que de conquérir les hommes. Auprès de Chateaubriand elle s'y employa pourtant, avec naïveté et amour. Elle fit ce que quelques siècles de salons et une excellente éducation lui avaient appris à faire : elle invita le génie à un grand dîner parisien. Il lui expliqua aussitôt et sans la moindre ambiguïté qu'il était toujours disposé à coucher avec une duchesse, mais qu'il refusait de s'asseoir avec ses invités : « Vous êtes trop aimable, madame, j'ai réellement peur des visages inconnus. Je suis si sauvage que je n'ose répondre de mon humeur. Autant je serais heureux de passer auprès de vous les moments que vous voudriez bien m'accorder, autant je serais désolé de troubler votre société par une mine silencieuse et allongée. Le soir surtout, je ne suis pas de ce monde. »

Il faut espérer pour la jeune Claire qu'elle sauta sur l'occasion de la rencontre tête à tête que lui proposait l'Enchanteur. Bientôt, avec cette délicatesse exquise dont savent faire preuve les hommes pour les femmes dont ils ne veulent pas, ou plus, il la cantonnait pour toujours dans le rôle ingrat de la « chère sœur » dont aucun rêve d'inceste, jamais, ne réussira plus à la faire sortir. Établie une fois pour toutes dans ses fonctions, très bien délimitées, de secrétaire des amours et des ambitions, elle se faisait durement rappeler à l'ordre quand elle se risquait à sortir la tête un peu trop haut hors de son trou et à tendre la main vers des fruits défendus : « Ma sœur est quelquefois inconcevable. J'aime beaucoup l'Adrienne, j'aime bien Mme de Bérenger. J'ai aimé passionnément Mme de Mouchy. Mais ma sœur n'a-t-elle pas une place tout à part où elle règne sans trouble et sans rivale ? » Rien ne pouvait être plus exact ni mieux dit. Sans trouble : aucune ride, jamais, ne venait agiter cette mer sans cesse étale ;

sans rivale : qui donc aurait voulu jouer un rôle si plat dans la vie de don Juan ? Impossible de joindre dans une lettre plus d'ironie glacée à plus d'indifférence. Chateaubriand, pourtant, avait de l'affection et de la gratitude pour la duchesse de Duras ; et elle les méritait bien, ne manquant jamais d'être à la pointe de tous ceux, et surtout de toutes celles, qui venaient, inlassablement, se mettre au service de la bourse toujours vide et de l'ambition toujours insatiable de l'irrésistible vicomte. Sous les régimes successifs, en face de maîtresses toujours nouvelles, la fille du conventionnel, la femme du premier gentilhomme de la chambre du roi, fut, selon le mot de Lamartine qui ne l'avait jamais rencontrée, mais qui la devinait assez bien, « l'âme prodigue qui se consumait comme une lampe dans la nuit pour illuminer un nom d'homme ».

A force de mauvais traitements sentimentaux qu'elle supportait avec une patience angélique et avec une résignation à peine entrecoupée de timides mouvements de révolte que Chateaubriand osait qualifier d'*injures* et de *folies* et pour lesquels, impitoyable, il exigeait des excuses, la duchesse avait fini par attraper une maladie de foie dont elle devait mourir après quelque vingt ans de bons et loyaux services, chichement récompensés. Après sa mort, René, devenu vieux, mais toujours incorrigible, allait la couvrir de fleurs, comme il avait, jadis, couvert trop tard de baisers le corps déjà froid de Pauline. Parce qu'il était un grand écrivain, il allait, du même coup, trouver les mots les plus justes et les plus nobles pour décrire une attitude qui ne l'était guère : « Depuis que j'ai perdu cette personne si généreuse, je n'ai cessé, en la pleurant, de me reprocher les inégalités dont j'ai pu affliger quelquefois des cœurs qui m'étaient dévoués. Veillons bien sur notre caractère ! Quand nos amis sont descendus dans la tombe, quel moyen avons-nous de réparer nos torts ? Nos inutiles regrets, nos vains repentirs sont-ils un remède aux peines que nous leur avons faites ? Ils auraient mieux aimé de nous un sourire pendant leur vie que toutes nos larmes après leur mort. » Peut-on mieux dire ? Et avoir fait plus constamment le contraire même de tout ce qu'on dit et qu'on dit précisément parce qu'on s'est abstenu de le faire ? Il faut pourtant reconnaître à la décharge de l'Enchanteur que s'il s'est mal conduit à l'égard de la pauvre Claire, c'est que, malgré l'exil intérieur et la cure d'opposition, le temps lui manquait, à l'époque d'Eylau et de Wagram comme sous la Restauration, pour s'occuper mieux d'elle. La machine à produire des livres était aussi une machine à consommer des femmes. Dès le retour de Rome et l'établissement de l'Empire, quatre femmes presque à la fois se mettent à l'occuper tout entier : l'une était sa sœur en train de mourir, les deux autres ses maîtresses, la dernière sa propre épouse, qu'il s'agissait de fuir.

L'opposition rend amer. Les succès des adversaires ont un goût d'injustice. Dix jours après l'exécution du duc d'Enghien, Laetizia Bonaparte, mère du Premier consul, était reçue, à Rome, avec des honneurs quasi royaux, par le Sacré Collège et par le pape lui-même. Quelques mois plus tard, à la fureur de Céleste aussi bien que de René, Pie VII en personne accourait à Paris pour couronner l'empereur. Autour de Chateaubriand, c'était à qui se rallierait le plus vite et le plus bruyamment au nouveau régime détesté que servait déjà Fontanes, en bas de soie et culotte courte. Président du Corps législatif avant de devenir grand maître de l'Université, l'ami fidèle et arrivé était rejoint en hâte par des monarchistes libéraux tels que Molé et Pasquier, prêts à jurer fidélité, disait drôlement Céleste qui ne manquait pas d'esprit, « à tous les pouvoirs présents ou futurs ». Ces agacements publics étaient doublés de chagrins privés : Pauline était à peine morte que Lucile devenait folle.

Depuis quelque temps déjà, elle donnait des signes d'exaltation de plus en plus inquiétants. Violente, impérieuse, déraisonnable, elle se croyait en butte à des ennemis secrets, donnait à Pauline, à Joubert, à René lui-même, de fausses adresses où lui écrire, examinait les cachets des lettres qu'elle recevait pour voir s'ils n'avaient pas été rompus par les êtres mystérieux qui lui voulaient du mal. Elle se séparait de ses amis aussi vite et avec autant de passion qu'elle s'était attachée à eux. Après avoir nourri pour Mme de Chateaubriand une affection presque délirante, elle l'avait prise en grippe. Elle avait presque contraint René à épouser Céleste parce que c'était son amie la plus chère ; peut-être parce que René l'avait épousée, elle s'était mise à la détester. Les amours de René et de sa sœur Amélie dans le *Génie du christianisme* avaient semblé l'impressionner : dans ses lettres à son frère, elle met souvent l'accent, à bon droit, sur la pureté de leur enfance. L'échec de son aventure avec le pauvre Chênedollé, puis la mort de Pauline, qu'elle adorait, lui avaient porté les derniers coups : brouillée avec ses sœurs, seule, ruinée, épuisée, se refusant de croire à la disparition définitive de Mme de Beaumont, affligée d'un délire de la persécution mêlé d'un sens aigu d'une culpabilité imaginaire, allant jusqu'à soupçonner Dieu de s'acharner contre elle, elle n'était plus que l'ombre d'elle-même, qui avait été si longtemps, avec tant de force et de passion, l'ombre ardente de René.

René l'avait fait venir à Paris pour l'installer d'abord dans un appartement rue Caumartin, puis dans une maison religieuse du faubourg Saint-Jacques. Il avait détaché auprès d'elle le vieux Saint-Germain, le mari de cette Mme Saint-Germain qui avait aidé Pauline à mourir, et à ce fidèle serviteur il avait enjoint, avec délicatesse, de fournir à Lucile tout ce qu'elle pouvait désirer, sans jamais révéler le vrai chiffre des dépenses. Lucile était en train de quitter ses religieuses pour une maison isolée du côté du Jardin des Plantes quand des lettres de Saint-Germain et de l'aînée des sœurs Chateaubriand, Marie-Anne de Marigny, annoncèrent à René, en séjour chez Joubert, à Villeneuve-sur-Yonne, la mort subite de la première femme qui eût fait battre son cœur.

En apprenant à son tour la disparition de celle qui aurait pu devenir sa femme, Chênedollé s'écria : « Il me vient une pensée effroyable : je crains qu'elle n'ait attenté à ses jours. » Il n'est pas impossible que Lucile soit morte exactement de la façon dont tant d'amis attentifs soupçonnaient le pauvre Chênedollé de vouloir mettre fin lui-même à sa vie douloureuse : en se jetant d'une fenêtre ou du haut d'un escalier. Sur le chemin du retour vers la rue du Bac et Céleste, dans le soir en train de tomber, Chateaubriand écarte de ses pensées cette idée trop cruelle : il l'efface, il la nie, comme il l'avait déjà effacée et niée avec beaucoup de soin dans les pages de ses *Mémoires* qu'il vient de lire à Juliette.

« Vous voyez que je suis né pour toutes les douleurs. En combien peu de jours Lucile a été rejoindre Pauline ! » Ces exclamations de tristesse, jetées par le grand homme dans une lettre à Chênedollé et frappées d'égocentrisme comme d'une marque de fabrique, ne l'empêchaient tout de même pas de cueillir, là où elles se présentaient, les délices de la vie. En ces débuts de l'Empire – arrestation de Moreau, de Pichegru, de Cadoudal, exécution du duc d'Enghien, couronnement à Notre-Dame et bataille d'Austerlitz – elles prennent à nouveau le visage familier et charmant de Delphine de Custine.

Delphine de Custine avait fait beaucoup souffrir Pauline de Beaumont en lui prenant René. Pauline, en guise de revanche, avait gagné une partie qui pouvait paraître décisive : elle avait choisi de mourir dans les bras de celui qu'elle aimait. Delphine se préparait à la belle avec un atout opposé à celui de Pauline : elle vivait. Elle respecta un délai de décence après la mort de Mme de Beaumont et puis, tout de suite après la proclamation de l'Empire – était-ce pour consoler le monarchiste néophyte ? – elle lui envoya un mot de son beau château de Fervaques, en Normandie, où Henri IV et Chateaubriand avaient successivement, vous vous en souvenez sans doute, dormi avec l'hôtesse. Chateaubriand lui répondit par une lettre qu'il faut citer en entier et lire attentivement parce qu'elle offre comme un résumé de tout ce qui se passe à l'époque chez l'Enchanteur meurtri. Il rentre de Villeneuve-sur-Yonne où il a été passer quelques jours chez Joubert. Il a retrouvé sa femme, non plus à l'hôtel de France, rue de Beaune, ni à l'hôtel Le Valette, rue des Saints-Pères, où ils ont passé quelques semaines, mais dans une petite maison louée au

119 (aujourd'hui 31) de la rue de Miromesnil : il retire de ces retrouvailles une satisfaction assez mince. Il est brouillé avec le nouveau régime, mais il cultive avec soin des relations indirectes avec certains de ses ministres les plus décriés. Il dissimule enfin assez mal sa joie de retrouver Delphine et ses espoirs un peu hypocrites de renouer avec elle une liaison interrompue par la disparition tragique d'une rivale qui triomphe dans la mort, mais qu'on oublie sans trop de peine dans la vie : six mois après le drame de la Villa Margherita, il n'est déjà plus question de Pauline. Il n'est question que de Delphine dont un trait de caractère, connu et moqué de tous ses amis, apparaît très clairement : elle était extraordinairement pessimiste et s'attendait toujours à des catastrophes – qui arrivaient quelquefois, mais moins souvent que prédit. Il faut ajouter que, comme beaucoup de lettres de René à Delphine – et, en général, beaucoup de lettres de Chateaubriand - celle-ci est ravissante. Et Pauline et Céleste y sont piétinées en silence, avec des mots qui caressent, qui promettent, qui font rêver. Quelles délices pour Delphine ! On comprend qu'avec sa tête trop grosse sur un corps trop petit l'auteur ait plu à la folie.

« J'étais à la campagne quand votre billet de Fervaques m'est arrivé. Ne soyez pas trop fâchée de mon silence. Vous savez que j'*écris* malgré mes dégoûts pour le *genre épistolaire*, et vous avez fait le miracle : je m'ennuie fort à Paris et j'aspire au moment où je pourrai jouir encore de quelques heures de liberté, puisqu'il faut renoncer au fond de la chose. Bon Dieu ! Comme j'étais peu fait pour cela ! Quel pauvre oiseau prisonnier je suis ! Mais enfin le mois de juillet viendra et je ferai un effort pour courir un peu tout autour de Paris, et puis j'irai un peu plus loin. Ce sera comme dans un conte de fées : Il voyagea bien loin, bien loin (et les enfants aiment qu'on appuie sur le mot loin), et il arriva à Fervaques. Là logeait une fée qui n'avait pas le sens commun. On la nommait la Princesse Sans-Espoir, parce qu'elle croyait toujours, après deux jours de silence, que ses amis étaient morts ou partis pour la Chine et qu'elle ne les reverrait jamais. J'achèverai l'histoire dans le département du Calvados.

» Mille joies, mille souvenirs, mille espérances. Je vous verrai bientôt. Écrivez-moi. Embrassez nos amis. Écrivez à Fouché. »

Il courait en effet un peu tout autour de Paris. Et il rencontrait des jeunes femmes qui feront un jour à Delphine ce que Delphine elle-même avait fait à Pauline : elles lui voleront René et elles feront pleurer, comme elle s'y attendait, la Princesse Sans-Espoir. Mais, pour l'instant, elle triomphe : à peine changé par l'épreuve de l'intermède romain, son amant lui revient.

Comme beaucoup d'amies de Chateaubriand, la marquise

de Custine appartenait à la plus ancienne noblesse du pays : elle avait du sang de Marguerite de Provence, femme de Saint Louis, dont elle avait aussi les longs cheveux de soie blonde. Née Delphine de Sabran, elle était la fille d'Éléonore de Manville, comtesse de Sabran, qui, restée veuve à vingt-cinq ans d'un mari plus âgé qu'elle de presque un demi-siècle, entretint une longue et célèbre liaison avec le chevalier, puis marquis, de Boufflers, qu'elle devait finir par épouser sous le Directoire. A l'âge de seize ans, Delphine avait épousé Armand-Louis-François de Custine, fils du comte de Custine, maréchal de camp des armées du roi. A la Révolution, son mari et son beau-père, qui commandait l'armée du Rhin, puis celle du Nord, avaient été, l'un et l'autre, accusés de trahison et guillotinés. Delphine avait tout fait pour les sauver et s'était montrée héroïque devant le tribunal révolutionnaire. Avant de monter à l'échafaud, son mari lui avait écrit quelques lignes : « Pourquoi donc éprouverais-je aucun trouble ? Mourir est nécessaire et tout aussi simple que de naître. » Delphine elle-même, incarcérée à la prison des Carmes, ne dut la vie sauve qu'à une conjonction de hasards. Aux Carmes, une aventure surprenante lui était arrivée. Elle avait été jetée dans la même cellule que Joséphine de Beauharnais. Là, au vu et au su de Joséphine, elle était devenue la maîtresse d'Alexandre de Beauharnais, en froid depuis longtemps avec sa femme et accusé d'avoir livré à l'annemi la place de Mayence qu'il commandait. Les âmes de femmes forgées au feu de la Terreur n'étaient pas de la même trempe que les autres. A vingt-trois ans, Delphine avait déjà fait l'apprentissage de tous les désespoirs : elle avait vu monter à l'échafaud tour à tour son beau-père, son mari et son amant. Le pli était pris : courageuse et timide, sensuelle, malheureuse et charmante, étonnamment soumise à ses amants successifs, pessimiste et hardie, elle avait été, en quelques années, la maîtresse de Boissy d'Anglas, d'Antoine de Lévis, d'Emmanuel de Grouchy, du général Miranda, et enfin du précepteur suisse de son fils Astolphe, futur auteur de *Lettres* fameuses sur la Russie. Ce précepteur s'appelait M. Berstoecher ; elle le soignera avec un dévouement passionné quand il tombera malade et c'est lui qui, plus de vingt-cinq ans plus tard, annoncera à Chateaubriand, au sommet de la gloire et vieillissant, la mort à Bex, en Suisse, de leur amour commun : « C'en est fait, votre amie n'existe plus. Elle a rendu son âme à Dieu, sans agonie, ce matin à onze heures moins le quart. » Chateaubriand, de passage à Lausanne, entendra passer sous ses fenêtres, dans la nuit solitaire, le dernier convoi, vers Fervaques, de la Princesse Sans-Espoir, aux cheveux blonds, au cœur si grand.

Elle avait merveilleusement plu aux hommes. Elle avait aussi su s'en servir. Restée seule au monde avec sa mère après la tourmente, elle était devenue l'amie de Fouché, que lui avait présenté Joséphine. Le terrible séminariste devenu ministre de la Police générale était, auprès de Delphine, attendrissant de douceur. Il la protégea, l'entoura d'attentions, lui fit rendre ses biens et lui disait, à la fin de ses lettres : « Je vous embrasse comme je vous aime. » En échange, elle l'appelait « Chéché » et lui demandait, et obtenait, des services pour ses amis.

Du vivant de Pauline, avant le départ pour Rome, la liaison de René et de Delphine avait eu des accents enflammés. (« Je ne vis plus que dans l'espérance de vous revoir... Encore un jour sans vous voir... Je suis, je vous assure, à moitié fou et je crois que je finirai par donner ma démission. ») Elle reprit assez vite après la mort de Pauline, avec des alternances de tendresse et de fâcheries. Facile et difficile, Delphine avait le caractère presque aussi mauvais que Céleste. René, qu'elle appelait « le Génie » ou encore « Colo », on ne sait trop pourquoi, peut-être parce qu'il lui arrivait de l'appeler, elle, « Colombe », l'avait baptisée « Grognon », ce qui était moins aimable que « la Princesse Sans-Espoir ». Une brouille assez sérieuse les sépara quelque temps : il lui reprochait d'avoir parlé en public d'un prêt qu'il avait sollicité d'elle sous le sceau du secret et qu'elle avait refusé au moment où il avait à Rome, après la mort de Pauline, des difficultés financières ; elle lui en voulait d'avoir demandé de l'argent à une de ses maîtresses pour élever un monument funéraire à une autre de ses maîtresses. Le ton monta assez vite. Elle lui jeta à la figure ses soupçons trop fondés, il lui répondit par un « Madame » d'une solennité surprenante vu leur degré d'intimité, et il ajouta avec férocité : « Dans votre position, rien n'était plus aisé que de vous procurer le peu de chose que je demandais ; j'ai vingt amis pauvres qui m'eussent obligé poste pour poste. Je vous avais donné la préférence. Si jamais vous aviez besoin de mes faibles ressources, adressez-vous à moi, et vous verrez si mon indigence me servira d'excuse. » Tout finit par s'arranger dans la tendresse et les baisers. Le Génie se rendit plusieurs fois à Fervaques en secret, prenant tout de même la précaution, pour éviter toute scène, de se faire accompagner du triste et fidèle Chênedollé ; Grognon poussa l'audace jusqu'à louer une maison rue Verte (aujourd'hui rue de Penthièvre), presque exactement en face du logement de Chateaubriand, au coin de la rue Verte et de la rue de Miromesnil.

D'un bout à l'autre, au moins après la mort de Pauline, les relations de René et de Delphine gardèrent cette teinte douce-amère. Ils se plaisaient à la folie, et ils se reprochaient toujours quelque chose. Il y eut des instants charmants. Le pavé de la rue de Miromesnil se terminait à cette époque devant la porte de Chateaubriand. Plus haut, la rue se transformait en chemin et montait à travers un terrain vague semé de blé, où l'on entendait chanter des alouettes et qu'on appelait la *Butte* ou le *Champ-aux-Lapins*. René avait depuis longtemps l'habitude de s'y promener. Mathieu Molé, le plus jeune des membres de la petite société qui s'était constituée autour de Pauline, habitait, vers l'âge de vingt ans, rue de la Ville-l'Évêque. Chateaubriand, qui avait une douzaine d'années de plus que lui et qui l'avait pris en amitié, allait souvent le chercher au temps du *Génie du christianisme*.

– Venez, Mathieu, que je vous corrompe !

– Et où allons-nous ?

– Dans le *Champ-aux-Lapins*, répondait René.

Ils partaient tous les deux, bras dessus, bras dessous, et, avec une imagination pleine d'audace et de gaieté, ils causaient de toutes sortes de choses, aussi bien chrétiennes que profanes.

Au-delà de la *Butte-aux-Lapins* s'étendaient à droite le jardin de Tivoli, à gauche le parc abandonné de Monceau. Quand ils étaient à Paris l'un et l'autre, les deux amants se voyaient tous les jours et ils allaient se promener ensemble dans ces lieux encore presque sauvages qui s'ouvraient à leur porte et où les lapins, poursuivis par Trim, le chien de Delphine, détalaient sous leurs pas amoureux.

Quand Delphine était à Fervaques et René seul à Paris – seul, c'est-à-dire avec sa femme –, il allait s'entretenir du duc d'Enghien, fusillé, et de Mme de Custine, à la campagne, avec les corbeaux du parc Monceau. Et il n'est pas impossible qu'il prît plus de plaisir à rêver de ses amours absentes qu'à se retrouver face à face avec Mme de Custine dont les scènes se succédaient à un rythme accéléré et qu'il finissait par fuir avec presque autant de soin que la pauvre Céleste elle-même. C'était bien la peine d'avoir une maîtresse – ou peut-être plusieurs – pour se mettre, insensiblement, à la traiter aussi mal que la femme légitime : Delphine, toujours méfiante, à la fois gaie et sombre, s'en plaignait amèrement – et René, traînant les pieds, mais plus soumis encore à ses obligations d'amant qu'à ses devoirs de mari, retournait à Fervaques.

A Fervaques, ils eurent des nuits ardentes et des jours inoubliables. Il n'y avait pas seulement le fameux lit où avait couché Henri IV avant de faire graver sur une cheminée du château ces vers qui enchantaient René :

La dame de Fervaques
Mérite de vives attaques.

Il y avait aussi une grotte et un petit cabinet orné de deux myrtes triomphaux où se passèrent des choses obscures et très claires qui devaient laisser à Delphine un souvenir impérissable. Vous vous souvenez de la prudence de René qui s'était fait accompagner à Fervaques, pour prévenir tout éclat, de l'obligeant Chênedollé ? Ce qui devait arriver arriva : le pauvre Corbeau de Vire tomba éperdument amoureux de la pauvre Grognon. Il n'est pas toujours facile de vivre dans l'ombre d'un grand homme. Chênedollé, après Joubert, l'éprouva cruellement. René avait soufflé Pauline à Joubert ; le souvenir de René pesa de tout son poids sur l'amour naissant de Chênedollé. Après la mort de Lucile, qui l'avait bouleversé, Chênedollé fut invité par Delphine à venir passer quelques jours à Fervaques. Vire n'était pas très loin de Fervaques et notre Corbeau, par l'espoir alléché, arriva à tire-d'aile. Il y avait entre eux une sorte de malentendu : lui venait à Fervaques pour parler à Delphine de son nouvel amour pour elle et, à la rigueur, de son vieil amour pour Lucile ; elle voulait bien parler, à la rigueur, de Lucile, mais elle voulait surtout parler de son propre amour à elle pour l'insaisissable René. Il comprit assez vite. Elle tint à lui montrer, avec une exaltation muette qui frisait l'indiscrétion, la grotte et le petit cabinet avec ses deux myrtes impavides.

– C'est là, dit Chênedollé d'une voix un peu trop haute et un peu altérée, c'est là qu'il était à vos pieds ?

Elle eut cette réponse superbe, qui suffirait à la faire aimer :

– C'est peut-être moi qui étais aux siens.

Avant même cet aveu à l'allure de défi, la fameuse grotte et le fameux cabinet aux deux myrtes avaient été au centre d'un échange de correspondance très révélateur entre les deux amants. Après un séjour à Fervaques, René avait envoyé à Delphine un mot vif et spirituel, mais où il était franchement difficile de découvrir la moindre trace d'un sentiment un peu profond : « Je regrette Fervaques, les carpes, vous et Chênedollé. Je voudrais bien retrouver tout cela en octobre. Je l'espère, je le désire vivement. Avez-vous autant d'envie de me revoir ? Tâchez donc de faire niveler le billard, d'arracher l'herbe pour qu'on voie les brochets, d'engraisser les veaux, de faire pondre aux poules des œufs moins gris et plus frais ; quand tout cela sera fait, vous m'avertirez et je verrai s'il est possible de me rendre à Fervaques. Bonjour, grand merci, joie et santé, Mille choses à Chênedollé. Est-il encore avec vous ? Mille choses à votre bon fils. Écrivez-moi ; tout à vous. »

Devant ce billet à la limite de l'insolence, Delphine, ulcérée de se voir mise avec désinvolture dans le même sac que les carpes de ses étangs, répond aussitôt à René : « J'ai reçu votre lettre. J'ai été pénétrée je vous laisse à penser de quels sentiments. J'ai dû être surprise qu'au milieu de votre nombreuse énumération il n'y ait pas eu le plus petit mot pour la grotte et le petit cabinet orné de deux myrtes superbes. Il me semble que cela ne devait pas s'oublier si vite. Je n'ai rien oublié, pas même que vous n'aimez pas les longues lettres. »

Le plus grave, et le plus stupéfiant, est peut-être la réponse, presque immédiate, de Chateaubriand à la réponse de Mme de Custine : « Votre lettre m'a charmé. Vous êtes une très aimable personne. Je médite toujours un second voyage, mais il faut du temps et de la patience. Et le cher malade[1] ? Voilà un beau temps qui doit le guérir. Veut-il de mon quinquina ? Il faudra que Chênedollé vienne cet automne à Fervaques, d'où je le ramènerai à Paris. Le pauvre garçon ! Je l'aime très tendrement. Convenez que je vous ai fait connaître un aimable voisin. Je fais un troisième livre. Je mange du melon, j'enrage, et je me porte bien. Dieu vous conserve en joie et en *espérance*, si cela est possible. Écrivez-moi. »

Devant tant d'indifférence, il y avait de quoi devenir folle. Comment ne pas comprendre, et même ne pas partager, la mauvaise humeur de Grognon ? Peut-être n'est-il d'ailleurs pas suffisant de mettre en cause les sentiments portés par René à Delphine : il faut aller un peu plus loin et se demander, comme l'ont fait plusieurs spécialistes de la correspondance de Chateaubriand, si René ne négligeait pas de prendre connaissance des billets auxquels il répondait. Il n'aimait pas beaucoup, nous le savons, cet art épistolaire où il excelle. Sans doute poussait-il la désinvolture jusqu'à ne pas ouvrir, ou en tout cas à ne pas lire, certaines des lettres qu'il recevait.

Que de messages exquis aura pourtant reçus Delphine de cet amant trop lointain ! « Eh bien ! Vous voilà donc bien triste ? Et pourquoi ? Parce que vos oiseaux sont morts ? Eh ! qui est-ce qui ne meurt pas ? Parce que mes merles se sont envolés ? Vous savez que tout s'envole, à commencer par nos jours. » Ou : « Ah ! mon Dieu, quand voudrez-vous donc me croire et quand aurez-vous le sens commun ! Bonjour. *J'aime à vous aimer.* C'est Mme de Sévigné qui dit cela. » Ou encore, après la mort de Lucile : « J'ai éprouvé une des plus grandes peines que je puisse encore ressentir dans cette vie. J'ai perdu une sœur que j'aimais plus que moi-même. Je suis sans avenir. Que deviendrai-je ? Je n'en sais rien. Il ne me reste plus qu'à désirer le bonheur de ceux que j'aime. Tâchez donc d'être heureuse. Pensez à moi. Aimez-moi un peu si vous pouvez. J'ai tant rêvé de bonheur et je me suis si souvent trompé dans mes songes que je commence à prendre votre rôle à être tout à fait sans espoir. Mille tendresses. »

Les mots doux ne suffisaient plus. Après tant d'alternances de tempêtes et de beau temps, le ver était dans le fruit délicieux des amours de Delphine. Elle avait beau écrire à sa mère, après un passage de René : « Pendant son séjour, il a été aimable et gai, mais il est reparti, ce qui attriste Fervaques encore plus que la chute des feuilles », le ton des entretiens et des lettres allait tourner à l'aigre. La jalousie de Delphine

---

1. Berstoecher.

devenait maladive. Elle faisait une scène parce qu'elle avait aperçu une lettre d'une écriture féminine adressée à son amant. Pas de chance : c'était une lettre de Mme de Marigny, la sœur de Chateaubriand. Il y avait pire : un projet de voyage en Suisse que René devait entreprendre – devinez avec qui ? Avec sa propre femme. C'était plus que la Princesse Sans-Espoir n'en pouvait supporter. Tout, dans ce projet, était d'ailleurs boiteux et raté. Il fut remis plusieurs fois avant de se réaliser. Il devait d'abord se faire avec Molé, le vieil ami du temps de la rue Neuve-du-Luxembourg, rallié depuis à l'Empire, et dont le caractère, comme celui de Pasquier, pouvait inspirer quelques doutes. Molé et Chateaubriand finirent par partir, presque brouillés, chacun de leur côté, Molé avec sa femme et sa belle-mère, René avec Céleste. Chateaubriand détesta Chamonix – qu'il écrit *Chamouni* – et trouva que la Suisse manquait un peu de souvenirs. Il réussit enfin à mécontenter Mme de Staël à qui il rendit une longue, mais unique, visite dans son château de Coppet, au bord du lac Léman. Comptant sur une seconde visite, consacrée à des considérations politiques et littéraires, elle avait envoyé d'avance à Paris le récit des conversations présumées qu'elle aurait eues derechef avec lui et au cours desquelles elle l'avait, assurait-elle, converti à ses vues. Tout cela n'était rien à côté de la fureur de Grognon.

Mme de Custine était très liée avec une amie de sa mère, la comtesse Auguste de La Marck, princesse d'Arenberg. Ami de Mirabeau, le comte de La Marck, son mari, avait joué un rôle relativement important au début de la Révolution. Bien qu'aucun lien de parenté ne les unît, Delphine appelait la princesse « ma tante » en témoignage de respectueuse affection. La princesse essaya, mais en vain, de raisonner Delphine : « Le voyage en Suisse est non seulement utile, mais nécessaire. Paris est pernicieux pour lui, je voudrais l'en exiler pour quelques années ; je lui permettrais tout au plus quelques mois passés à Fervaques et, le reste du temps, je voudrais l'envoyer dans les montagnes de Suisse ou les déserts de l'Amérique. Je ne l'aime ni pour moi, ni même pour lui, mais seulement pour sa gloire future ! Je veux qu'il vive pour la postérité plus que pour ses amis. »

Delphine se moquait bien de la postérité. La postérité n'avait rien fait pour elle, elle ne voyait vraiment pas pourquoi elle ferait quelque chose pour la postérité. Elle tenait à René, elle aimait René, elle voulait garder René pour elle seule. Elle se sentait enchaînée, selon sa propre formule, par la magie de l'Enchanteur. Elle était plus hardie et plus peureuse que jamais, elle cultivait la tristesse sourde qui l'investissait de partout et elle confiait à sa tante son vœu de s'empêcher de dormir, de peur de ne plus penser à son amour. La princesse d'Arenberg lui répondait : « Il règne dans votre lettre quelque chose de vraiment passionné, qui me fait trembler pour vous. Je ne vous empêche pas de l'aimer, mais je voudrais voir en vous son amie. Aimez-le un peu moins, pour pouvoir l'aimer toujours, pour en être toujours aimée. Il vous a donné dans ses ouvrages le secret de son caractère. Profitez-en, ma chère Delphine, pour modérer vos sentiments. » Mme d'Arenberg n'a pas laissé un nom illustre dans notre histoire intellectuelle et morale. Peut-on pourtant faire preuve à la fois de plus d'intelligence, de sagesse et de cœur ?

Rien n'y faisait ; Delphine ne désarmait pas. Elle se battait contre le voyage conjugal de son amant en Suisse, applaudissait bruyamment quand il semblait compromis, se désespérait enfin à sa réalisation et apprenait avec fureur que, par une coupable négligence, crime de lèse-adultère, il n'avait même pas emporté avec lui une guitare qu'elle lui avait donnée. Sortie, pour cause d'oubli, de l'histoire du cœur, elle entre, cette guitare, dans l'histoire littéraire. Pour essayer, mais en vain, de désarmer la jalousie maladive de Delphine, Chateaubriand, qui n'avait pas été enthousiasmé par son expérience helvétique, en noircissait encore les couleurs, volontairement et un peu lâchement, dans ses lettres à Fervaques. Du coup, la maîtresse, pour sauver l'image qu'elle se fait de son amant, ou qu'elle essaie de s'en faire, prête à la femme légitime son propre comportement et écrit à Chênedollé : « Il me mande qu'il n'a pas fait son voyage seul comme il l'espérait, que des scènes auxquelles il ne sait pas résister l'ont fait consentir à ce qu'on a voulu. Il paraît malheureux, enchaîné. » C'était lui surtout qui se décrivait malheureux pour se faire mieux pardonner. Quelques jours plus tard, au même Chênedollé : « Tout cela ne me distrait pas de Colo. Je pense à lui plus que jamais et je suis tous les jours un peu plus malheureuse. Il a voyagé avec sa femme. Je suis furieuse, j'en ai pleuré trois jours de suite. J'ai écrit une lettre de désolation, de bouderie. Une lettre fulminante. »

A son retour de Suisse, Chateaubriand, qui avait promis un peu mollement de se rendre à Fervaques, avait choisi plutôt, une fois de plus, de s'arrêter quelques jours, avec Céleste, à Villeneuve-sur-Yonne, chez Joubert. C'est là que lui parvint la lettre fulminante de Delphine de Custine : « Je ne puis être généreuse à demi, lorsque surtout vous en appelez à ma générosité. Je consens donc à tout ce qui peut vous convenir et s'accorder le mieux avec toutes les convenances que vous avez tant d'intérêt à ménager. Lorsqu'à Paris vous promettiez deux mois de suite à Fervaques, lorsqu'à Fervaques vous juriez de revenir au mois d'octobre et de passer au moins un mois, lorsque vous promettiez de voyager seul... n'en parlons plus. Avertissez-moi dorénavant de ce que je pourrai croire. Pour vous voir peut-être un jour ou deux, après lesquels mille convenances vous obligeront à mille devoirs, je crois que cela n'en vaut pas la peine. Je trouve que lorsqu'on vient de faire un voyage aussi cher que celui que vous avez fait accompagné de votre femme, ce serait folie bien plus grande encore de venir ici dans la mauvaise saison pour se voir quinze jours plus tôt. Vous n'en êtes pas, je crois, à cela près. Vous avez assez voyagé. Restez paisiblement et maritalement à Villeneuve. Restez-y même une partie de l'hiver, avancez votre ouvrage, consolidez votre réputation, elle vous est chère et doit l'être ; laissez tout le reste avec la pauvre guitare dans le premier coin, et comme votre exemple doit entraîner, on fera aussi ce qu'il vous est si facile de faire. »

Colo, cette fois-ci, ne répondit pas par un de ces billets lassés, mais charmeurs, qu'il savait si bien tourner : « Eh ! bon Dieu ! quand serons-nous maître de ne nous pas quitter un instant ! Vous, éternelle grondeuse, je parie que vous me ferez encore la mine. Mais je vous déclare que si vous me recevez avec une mine renfrognée, vous ne me verrez qu'une fois, car je suis enfin lassé de vos perpétuelles injustices. Allons, la paix. Arrivez, réparez vos torts, confessez vos péchés. Je vous reçois en miséricorde. Mais que le pardon soit sincère. A vous, à vous, et pour la vie. » Non. Il ne répondit pas. Cet amour-là n'était pas pour la vie, et il était fini. Par la faute de qui ? de l'infidélité de l'Enchanteur ? de la jalousie de Grognon ? Qui le dira ? Tout ce que nous pouvons savoir des sentiments des autres, et même peut-être des nôtres, ce sont les mots qui les expriment et les actes qui les traduisent. Ce sont les enchaînements de ces actes et de ces mots qui nous font deviner ce que les autres – et nous-mêmes ? – sont en train de penser et de ressentir, ou ont pensé et ressenti dans tous les siècles passés. Le reste ne nous appartient pas et ne relève que de Dieu, s'il se mêle de ces choses-là. Par une espèce de symbole de l'achèvement d'un temps, la maison de la rue de Miromesnil, si proche de la rue Verte où habitait Delphine, avait été vendue et les Chateaubriand avaient dû la quitter. Ils s'installaient place Louis XV – c'est-à-dire place de la Concorde – dans l'attique de l'hôtel de Coislin, au coin de la rue Royale, où une plaque, aujourd'hui, rappelle encore leur souvenir. Un nouveau lien se rompait avec Delphine. Elle pouvait écrire de nouveau à l'inlassable Chênedollé : « Ce qui est certain, c'est la maussaderie de Colo. Pour mon malheur, j'ai été relire ses lettres d'Italie que j'ai trouvées tendres et aimables. Il ne m'aime donc plus ? Ou moins ? Non ! plus du tout ! Je suis plus folle que jamais. Je suis plus malheureuse que je ne puis dire. »

Ah ! Colo allait bien passer encore quelques jours à Fervaques. Mais c'était une visite d'adieu avant un voyage bien loin, bien loin, dont il avait beaucoup rêvé et dont il faut bien dire qu'il bassinait ses amis depuis de longues années. Il n'y avait plus, pour Delphine, qu'à ouvrir les yeux et à s'incliner : « Cette chimère de Grèce est enfin réalisée. Il part pour remplir ses vœux et détruire tous les miens. Tout a été parfait depuis quinze jours, mais aussi tout est fini. »

Oui, tout était fini. Il avait été aimable, charmant, irrésistible, et tout était fini. « Hormis qu'il bouleversait votre vie, ironisait Mme de Boigne, il était disposé à la rendre fort douce. » La dame de Fervaques l'apprenait à ses dépens : ses prophéties sinistres devenaient réalité. Qu'est-ce qui avait changé ? Les lieux, les circonstances, l'air du temps ? Dans une lettre à Joubert, Chateaubriand se montre plus lucide et plus honnête : « Non, c'est moi, c'est ce cœur humain qui s'écoule comme l'eau et qui n'est jamais dans le même état. Mon pauvre ami, cela fait pitié, tout cela. » C'était surtout Delphine qui faisait pitié, avec ses gémissements et ses cris de douleur. Pauline était enfin vengée dans sa tombe de tout ce que la rivale qui souffrait aujourd'hui lui avait fait souffrir quelque trois ans plus tôt. Le moment était venu pour Mme de Custine de remplacer l'amour par l'amitié. Elle le fit avec plus de sagesse qu'on n'aurait pu l'attendre de ce cœur jaloux et entier. Peut-être les sages conseils de Mme d'Arenberg l'aidèrent-ils à se résigner ? Depuis la « sainte apparition » dans la cellule de la rue Saint-Honoré jusqu'au départ pour la Grèce, rien ne s'était jamais très bien passé entre Grognon et le Génie. Tout se serait sans doute passé encore beaucoup plus mal si Delphine avait su que les minutes, les heures, les jours, tout ce temps pour quoi elle se battait avec fureur et désespoir et qui lui était arraché, bribe par bribe, sous prétexte des fièvres et des scènes de Céleste, son amant ne pensait qu'à les jeter aux pieds d'une deuxième, d'une troisième, d'une quatrième femme, une maîtresse nouvelle qu'il aimait avec passion.

Tous les visages de femmes que nous avons vus passer, et que nous verrons encore passer, dans la vie de René apparaissent plus ou moins longuement, parfois seulement l'espace d'un instant, dans les *Mémoires d'outre-tombe*. Il y a deux exceptions : Natalie-Luce-Léontine-Joséphine de Laborde, comtesse Charles de Noailles, plus tard duchesse de Mouchy, est la première d'entre elles. Cette discrétion ne peut être ni fortuite ni innocente. Elle donne à penser que Natalie de Noailles fut, sinon, comme le soutiennent quelques commentateurs, la plus vive passion de la vie de René et la seule femme qu'il ait vraiment aimée, du moins une des incarnations à la fois les plus parfaites et les plus secrètes de ses rêves de Sylphide.

Avec son cou très blanc, son charmant visage encadré de boucles, ses grands yeux d'enfant mélancolique et gâté, mise avec un goût très sûr et une élégance sans pareille, prodigieusement coquette, Natalie de Noailles était moins une beauté incomparable, comme le proclamaient à l'envi plusieurs de ses admirateurs, qu'une charmeuse enchanteresse et proprement irrésistible. Une statue de l'Amour filial, par Pajou, perpétue son image au château de Mouchy ; un tableau célèbre de Dutailly la représente en chasseresse, gracieuse, vaguement inquiétante, un fusil sur l'épaule, un chapeau sur ses cheveux frisés, vêtue d'une blouse brodée et d'une fourrure légère. Comme Pauline de Beaumont, comme Delphine de Custine, son visage ravissant, extraordinairement éloigné de la beauté tapageuse des publicités américaines, scandinaves ou italiennes d'aujourd'hui, a quelque chose à la fois de hardi et de triste.

Delphine avait été mariée à seize ans, comme Mme de Rênal dans *le Rouge et le Noir*. Fille du marquis de Laborde, banquier de la cour et fermier général, Natalie le fut à quinze ans. Fils du prince de Poix, son mari, le comte Charles de Noailles, portait un des beaux noms de la noblesse française. Elle l'aima passionnément. Comme Pauline encore, comme Delphine, comme la duchesse de Duras, Natalie de Noailles fut durement secouée par la tourmente révolutionnaire : son mari émigra en 1792, son père fut guillotiné en avril 94, elle-même fut emprisonnée avec sa mère, pendant toute la Terreur, à la maison d'arrêt du Plessis. Le 9 thermidor la libéra dans un état lamentable et en poie à une sorte d'ébranlement nerveux, dû sans doute aux épreuves qu'elle avait traversées. Elle se mit alors à voyager brièvement en Suisse, en Allemagne, en Hollande, mais elle n'avait qu'une idée en tête : rejoindre son mari en Angleterre. C'était un espoir que Charles de Noailles avait tout fait pour décourager et qu'il ne partageait guère : le prince de Galles lui avait refilé une de ses anciennes maîtresses, Mrs Fitz-Herbert, et, mari d'une des jeunes femmes les plus séduisantes de France, il s'était follement épris de ce vieux cheval de retour. Ce qu'il y a de plus incompréhensible dans la passion, ce ne sont pas ses crimes, mais ses erreurs.

Natalie de Noailles, tombant à Londres, avec toutes ses illusions, dans les milieux très fermés et un peu troubles de l'émigration, y fit à peu près l'effet d'un délicieux pavé dans la mare aux grenouilles. Tout le monde dans ce cercle restreint qui vivait replié sur lui-même était au courant de ses malheurs conjugaux et tout le monde – et d'abord les hommes – était très disposé à la plaindre et à l'admirer. Son mari avait surtout envie de continuer à vivre à Londres, après son arrivée, comme il y vivait auparavant. A peine débarquée, il se hâta de l'envoyer dans le Norfolk et monta une comédie cruelle pour la retenir loin de lui : il demanda à un de ses amis, le comte de Vintimille, de faire semblant d'être amoureux d'elle, de lui faire une cour de tous les instants et de l'occuper jour et nuit. Il se passa naturellement ce qui devait se passer dans un vaudeville tragique de ce genre, qui semble avoir été écrit par un Feydeau romantique et révolutionnaire et où les diamantaires belges et les poules de province auraient été remplacés par la plus haute aristocratie française du temps de l'émigration : Vintimille s'était pris au jeu et était devenu follement amoureux de celle qu'il était chargé de séduire. Natalie avait résisté par fidélité à un mari infidèle. Pour tenter de la fléchir, le séducteur en service commandé, mué en soupirant malheureux, avait mangé le morceau et révélé le stratagème inventé par M. de Noailles. Venant après les épreuves de la séparation, de la prison, des voyages assez rudes, cette terrible déception avait bouleversé la tête déjà plutôt faible de Natalie de Noailles.

Elle se donna à Vintimille, mais sans cesser jamais de le traiter assez mal. Elle rentra à Paris. C'était l'époque du Directoire. Après les formidables aventures de la Révolution, après plus d'une demi-douzaine d'années de gloire, de stupeur et de crainte, les gens ne pensaient plus qu'à s'amuser. Les mœurs étaient plus gaies et plus libres que jamais. Mme de Noailles se jeta dans les plaisirs du haut de ses chagrins. Les hommes se pressaient en foule pour lui apporter des conseils, de l'aide, des consolations. Natalie affichait l'indépendance la plus résolue. Elle fréquentait l'atelier du peintre Moreau. Elle poursuivait sa liaison avec Vintimille, mais elle lui en voulait, elle le méprisait, elle lui faisait sentir à chaque instant qu'elle ne l'aimait plus, qu'elle ne l'avait jamais aimé. Désespéré, il avait quitté la France pour aller mourir à Naples, sans doute volontairement, en tout cas par amour pour une femme qu'il avait eu, naguère, pour mission de séduire et qui s'était vengée en se faisant aimer.

La liaison avec Vintimille était en train de se dénouer quand Natalie de Noailles tomba sur Chateaubriand. Il est très probable que la première rencontre se situa à Fervaques et que ce fut Delphine de Custine qui présenta l'Enchanteur à l'enchanteresse. Elle qui craignait toujours le pire aurait mieux fait, ce jour-là, d'être sa propre Cassandre et de se méfier un peu davantage de l'avenir auquel elle donnait naissance. Delphine était jalouse ; Natalie était coquette. Peut-être à cause des malheurs qu'elle avait déjà connus, elle voulait à la fois plaire aux hommes et obtenir d'eux, sans cesse, des preuves toujours plus sûres de leur admiration et de leur attachement. Le tout aboutissait à des scènes prodigieuses dont Molé, notre ami Molé, peut nous donner une idée : « C'était l'Armide. Sa grâce surpassait encore sa beauté. Soit qu'elle parlât, soit qu'elle chantât, le charme de sa voix était irrésistible. Sa coquetterie allait jusqu'à la manie. Elle ne pouvait supporter l'idée que les regards d'un homme s'arrêtassent sur elle avec indifférence. Je l'ai plus d'une fois surprise à table, cherchant avec inquiétude sur le visage des domestiques qui nous servaient l'impression qu'elle produisait sur eux. » Et, à Mme de Boigne, Natalie elle-même avouait avec simplicité : « Je suis bien malheureuse. Aussitôt que j'en aime un, il s'en trouve un autre qui me plaît davantage. » Voilà la femme à qui Delphine avait présenté le Génie. Le choc allait être rude.

Delphine habitait Fervaques. Natalie habitait Méréville. Entouré d'un beau parc dessiné par Hubert Robert, le château de Méréville, en Hurepoix, à une vingtaine de kilomètres au sud d'Étampes, avait été acheté, quelques années avant le mariage de sa fille, par le père de Natalie. Confisqué par la Révolution après la condamnation à mort de M. de Laborde, la propriété ne tarda pas à être restituée à la famille. Rosalie de Laborde y vivait avec les deux enfants qui lui restaient, Natalie de Noailles et son frère Alexandre de Laborde.

Très vite après le retour de Rome, Chateaubriand apparut à Méréville avec une certaine assiduité. Savigny-sur-Orge avait été remplacé par Fervaques ; Fervaques fut remplacé par Méréville. Il lui arrivait même de quitter Méréville pour se précipiter directement à Fervaques où il devenait urgent de colmater les brèches et de limiter les dégâts. Pendant tout le Consultat et les débuts de l'Empire, les séjours à Paris de Chateaubriand sont ainsi coupés de villégiatures, plus ou moins brèves, mais nombreuses, à Villeneuve-sur-Yonne, chez le cher et fidèle Joubert, dans le beau château de Champlâtreux, propriété de Molé, l'ami jadis de cœur, dont on commence à se méfier, naguère au château du Marais où habite Mme de La Briche, belle-mère de Molé, ensuite – hier et aujourd'hui – à Fervaques et à Méréville. C'est évidemment à Méréville que le cœur de René bat le plus fort.

Déjà très près de la rue du Bac, à la hauteur de l'espace où le promeneur aperçoit aujourd'hui le square qui s'étend entre le Bon Marché et l'hôtel Lutetia, le vicomte de Chateaubriand s'arrête une nouvelle fois. Il est comme écrasé sous la masse des souvenirs et des rêves que lui proposent à la fois, en une sorte de carrousel lancé à toute allure, sa mémoire prodigieuse, célèbre depuis son enfance où il apprenait par cœur, pêle-mêle, textes sacrés ou profanes, et son imagination. A chaque visage nouveau sur le point d'apparaître dans son kaléidoscope intérieur qui tourne sans discontinuer s'attachent une vie, une carrière, des amours, des déceptions et des luttes, et tout le train de l'histoire. La plupart de ceux qu'il évoque sont morts depuis longtemps. Mort le cher Joubert, morts Fontanes et Chênedollé, morte la pauvre Claire, morte la pauvre Delphine, morte la pauvre Natalie... Mais d'autres sont encore vivantes et il croit entendre battre leur cœur, dans ce Paris juste-milieu, plein d'argent et de bruit, à quelques rues de la sienne. Molé, hier encore, au terme d'une carrière éblouissante et sinistre, mise indistinctement au service de tous les régimes successifs, était président du conseil de la monarchie de Juillet, peu glorieusement régnante. Lui, le poète recru d'honneurs et de gloire, qui se tient à l'écart du pot-au-feu domestique en train de mijoter aux Tuileries, la vie ne le lâche pas : elle l'emporte, non pas flétri, mais las, n'ayant rien renié, mais n'espérant plus rien. Il se sent vieux, tout à coup. Il s'arrête. Les deux rides d'amertume qui encadrent la bouche se marquent encore un peu plus. Quelle image laissera-t-il, non pas dans ces *Mémoires* qu'il est en train d'achever et où il se camoufle le mieux possible, mais dans le cœur des hommes et dans le souvenir mystérieux qu'ils gardent des choses passées ? Il pense, immobile – et il y a des passants, dans la rue, qui se retournent sur ce vieillard, soudain figé en lui-même comme une statue de sel – à ce qu'ont pu penser de lui les femmes qui l'ont aimé. Il pense à ce que pensent de lui un Lamartine, un Hugo, un Sainte-Beuve – il préfère ne pas savoir, ou il ne sait que trop, ce que peut penser de lui un Stendhal qu'il n'aime pas et qu'il a toujours ignoré. Il pense, avec violence, à ce qu'il pense lui-même de lui. Est-ce qu'il est, comme le lui écrivait la duchesse de Duras, et tant d'autres avant elle et tant d'autres après elle, égoïste, faux, trompeur ? Est-ce qu'il ne parle que de lui ? Est-ce qu'il ne s'occupe que de lui ? Est-ce qu'il est indifférent et incapable d'aimer ? Il se rappelle, en un éclair, et un vague sourire passe sur sa face tragique, un mot qu'on lui avait rapporté après l'avoir prêté à Louis XVIII, qui aurait dû, plus que personne, lui garder de la gratitude et de la fidélité : « M. de Chateaubriand, qui pourrait voir si loin s'il ne se mettait pas toujours devant lui. » Le roi qui l'avait abandonné retrouvait de lui-même les formules de ces femmes qu'il avait abandonnées. Oui, c'était une malédiction : la passion se mêle en lui à ce renfermement qui, de Lucile à Pauline et de Charlotte à Delphine, l'empêche de sortir de lui, de se livrer, de se donner à celles qui se donnent, à aller à leur rencontre, et parfois même de leur parler. Quelle dérision ! Il écrit, c'est la parole qui fait sa force, son charme irrésistible, et il ne sait pas s'exprimer. Ou il s'exprime trop bien, ce qui est à peu près la même chose : l'esprit l'emporte sur le cœur et le brillant sur le sentiment. Ce poète des passions religieuses et profanes, ce rêveur, cet être d'imagination et de feu qui ouvre les portes de l'avenir est, en matière d'amour, un sceptique du XVIIIe siècle. On dirait que l'amour, pour lui, ne se conjugue jamais qu'au futur, dans des rêves, ou alors au passé, dans des souvenirs. Enfant, et adolescent, dans sa Bretagne natale, il évoquait la Sylphide ; ambassadeur à Rome, il est allé prier devant le monument à Pauline de Beaumont ; ambassadeur à Londres, il a reçu Charlotte, qui l'appelait Votre Seigneurie avant de verser quelques larmes, et Astolphe de Custine, le fils de Delphine, de Grognon, de la Reine des Roses, et Léontine de Noailles, la fille de Natalie. On dirait que la passion ne cesse jamais pour lui de se teinter d'esthétisme. Il prend la pose, tout naturellement, et les amours, peu à peu, gagnent leur place dans son œuvre. Peut-être, l'une après l'autre, n'ont-elles jamais été là que pour constituer, après coup, des chapitres de ses *Mémoires* ? Mon Dieu ! comme il a longtemps essayé, sans jamais y réussir, de réduire le monde et la vie à un mot, à un regard et à les enfermer dans l'instant ! Mais l'amour, comme la gloire, ne tenait jamais ses promesses. Tout passait, tout perdait sa force, tout s'évanouissait, tout prenait un goût de cendres. Une jeune fille, qui passait près de la statue figée de l'âge et du désespoir, entendit avec surprise quelques paroles sans suite s'échapper de ses lèvres : « Et mon âme, qu'était-ce ? Une petite douleur évanouie se perdant dans les vents... Et je me disais : *Dépêche-toi donc d'être heureux ! Encore un jour et tu ne pourra plus être aimé.* »

C'était l'âme qui avait fait de lui un don Juan cruel et dangereux. L'ennui qu'il traînait derrière lui le poussait inlassablement à de nouvelles conquêtes. Rien ne le fatiguait plus vite que les certitudes de la possession. C'est pourquoi les amours impossibles l'attiraient avec violence : il avait aimé sa sœur quand il était jeune ; marié, il avait laissé une jeune fille tomber amoureuse lui ; infidèle par nature et par vocation, il s'était mis à aimer une de ses maîtresses abandonnées pour la seule raison qu'elle était en train de mourir ; et maintenant, il passait du cœur et des bras de Delphine à ceux de Natalie. Mieux vaut ne pas penser à ce qui aurait pu se passer dans sa vie – et dans la littérature française – si Lucile avait découvert qu'elle n'était pas sa sœur, si Céleste était morte au moment de l'affaire de Bungay, si les médecins de Rome avaient guéri Pauline. Ce qu'il est permis, en revanche, de se demander, c'est pourquoi, petit, plutôt mal fait, mélancolique jusqu'à l'amertume, avec sa double réputation de séducteur redoutable et de catholique pratiquant, il plaisait tant aux femmes. La réponse est peut-être précisément dans cette contradiction entre l'amour sacré et les amours profanes : le mélange est explosif. Il avait d'autres contradictions pour le rendre irrésistible : il avait la mélancolie gaie, l'amertume distrayante ; ce rêveur était un rieur, ce poète chrétien était souvent drôle. Il y avait aussi, bien entendu, la gloire : elle plaît aux femmes et les fascine, tout autant que le pouvoir. Il est assez remarquable qu'à part les amours de jeunesse et celles de la vieillesse beaucoup de femmes qui ont compté dans la vie de Chateaubriand aient cruellement souffert de la Révolution : Pauline de Montmorin, Delphine de Sabran, Natalie de Laborde, Claire de Kersaint, toutes ont vu leur père, leur mari, leurs proches monter sur l'échafaud. Chateaubriand ne représentait pas une opposition bornée aux idées nouvelles : il était disciple de Rousseau, il avait servi Bonaparte, il était attaché d'abord et avant tout à une certaine idée de la liberté et il regardait vers l'avenir autant et plus que vers le passé ; mais il avait su s'opposer à la Terreur et au despotisme. En écoutant l'Enchanteur, ses victimes volontaires croyaient entendre l'histoire leur parler en consolatrice. Et puis, enfin, il avait du génie. Quelle femme n'a pas eu envie d'être aimée par un génie – ou du moins de l'aimer, et que le génie, en retour, fasse semblant de l'aimer ? Voilà pourquoi Chateaubriand avait le droit de s'écrier, comme plus tard lord Byron, autre génie tourmenté et affligé d'un pied bot : « Personne depuis la guerre de Troie n'a été aussi enlevé que moi ! » Voilà pourquoi la princesse d'Arenberg, qui avait pour Chateaubriand beaucoup de sympathie, d'admiration et d'affection, pouvait écrire, avec sagesse, à sa fausse nièce Delphine : « Je vois qu'il n'est vraiment pas bon à aimer. »

Pauline était indifférente à la vie et à la mort ; Delphine, si pessimiste, n'avait pas froid au yeux ; indépendante et fantasque, d'une coquetterie sans pareille, Natalie, peut-être parce que la vie l'avait souvent trompée et s'était jouée d'elle, avait surtout besoin d'être rassurée : elle imposera au vicomte une sorte d'équivalent moderne des épreuves de la chevalerie.

Natalie partageait avec son frère, Alexandre de Laborde, des dons esthétiques réels et un goût affirmé pour l'art. Dès 1800-1801, Alexandre de Laborde avait accompagné en Espagne, en qualité d'aide de camp ou d'officier d'ordonnance, Lucien Bonaparte envoyé par son frère Napoléon comme ambassadeur à Madrid. Il s'y était intéressé aux monuments et aux coutumes du pays et, avant de publier une *Description des nouveaux jardins de la France et de ses anciens châteaux*, où une place de choix allait être faite naturellement au beau parc de Méréville, il était en train de préparer un *Voyage pittoresque et historique de l'Espagne*. Cet ouvrage, un peu oublié, joue un rôle essentiel non seulement dans la vie sentimentale de Chateaubriand, mais dans notre histoire politique et littéraire, une fois de plus liée de très près aux amours de l'Enchanteur. En juillet 1807, sous prétexte de rendre compte du livre d'Alexandre, Chateaubriand, en partie pour plaire à Natalie, en partie pour se hisser à la hauteur de celui qu'il attaquait, publiait dans le *Mercure de France* un de ses articles les plus fracassants, celui où figurent les lignes fameuses : « Lorsque, dans le silence de l'abjection, on n'entend plus retentir que la chaîne de l'esclave et la voix du délateur ; lorsque tout tremble devant le tyran et qu'il est aussi dangereux d'encourir sa faveur que de mériter sa disgrâce, l'historien parait chargé de la vengeance des peuples. C'est en vain que Néron prospère, Tacite est déjà né dans l'Empire ; il croît inconnu auprès des cendres de Germanicus, et déjà l'intègre Providence a livré à un enfant obscur la gloire du maître du monde. » Pour faire bonne mesure et pour montrer très clairement que la gloire littéraire n'a rien à envier à celle des princes et des héros, il ajoutait encore : « Après tout, qu'importent les revers si notre nom, prononcé dans la postérité, va faire battre un cœur généreux deux mille ans après notre vie. » L'auteur se rendait très bien compte que, pour la seconde fois, il se mesurait avec l'empereur. La démission au lendemain de l'exécution du duc d'Enghien se dissimulait encore sous des prétextes diplomatiques ; désormais, sous des apparences littéraires, une lutte était engagée qui ne pourrait se terminer que par la chute d'un des adversaires : « Si Napoléon en avait fini avec les rois, il n'en avait pas fini avec moi. Mon article, tombant au milieu de ses prospérités et de ses merveilles, remua la France : on en répandit d'innombrables copies à la main ; plusieurs abonnés du *Mercure* détachèrent l'article et le firent relier à part ; on le lisait dans les salons ; on le colportait de maison en maison. Il faut avoir vécu à cette époque pour se faire une idée de l'effet produit par une voix retentissant seule dans le silence du monde. » Prévenu, malgré Fontanes qui s'efforçait d'enterrer l'article et d'étouffer l'affaire, par le terrible cardinal Fesch, l'empereur s'emporta. Ce fut une de ses célèbres colères, racontée par Fontanes « Chateaubriand, s'écria-t-il, croit-il que je suis un imbécile, que je comprends pas ? Je le ferai sabrer sur les marches des Tuileries. » La tempête s'apaisa. Chacun des deux adversaires s'opposait à l'autre avec violence, mais chacun aussi admirait l'autre. « Après tout, Sire, plaida Fontanes avec courage et habileté, son nom illustre votre règne et sera cité dans l'avenir, au-dessous du vôtre. Quant à lui, il ne conspire pas ; il ne peut rien contre vous ; il n'a que son talent. Mais, à ce titre, il est immortel dans l'histoire du siècle de Napoléon. Voulez-vous qu'on dise un jour que Napoléon l'a tué ou emprisonné pendant dix ans ? » Non, grâce à Dieu, Napoléon ne voulait rien de tel. Chateaubriand fut évincé du *Mercure*, mais sa personne fut épargnée. Il rentra dans sa retraite, se remit à ses *Mémoires* et s'aperçut que l'obscurité et le mystère servaient mieux sa légende que les pleins feux de la scène. Quelques mois plus tard, Girodet acheva son portrait, noir et plein de génie. Vivant Denon, l'auteur de *Point de lendemain*, d'où Louis Malle devait tirer *les Amants*, avec Jeanne Moreau et Trintignant, mettait prudemment l'œuvre de Girodet à l'écart du Salon dont il avait la responsabilité. Quand l'empereur passa la revue de sa galerie, il n'aperçut pas le tableau. « Où est le portrait de Chateaubriand ? » demanda-t-il d'une voix brève. On alla tirer le proscrit de sa cachette. L'empereur regarda longuement le poète vu par le peintre. Il dit seulement : « Il a l'air d'un conspirateur qui descend par la cheminée. »

Quelque deux ans avant ces événements politiques, littéraires et artistiques, Natalie de Noailles projetait un voyage d'études en Espagne pour recueillir des illustrations destinées à l'ouvrage de son frère. Du coup, pris soudain de passion pour les antiquités mauresques, Chateaubriand, fatigué de Delphine, envisagea lui aussi de partir pour l'Espagne. Il y avait plusieurs motifs à ce voyage. Le premier était permanent : il voulait fuir, aller ailleurs, disparaître. Puisqu'il n'était et ne voulait être ni ministre ni ambassadeur, il préférait quitter la France où il n'était plus reconnu et où les victoires de son adversaire lui fatiguaient les oreilles, l'esprit et le cœur. Un deuxième motif était accidentel, mais sans doute plus fort encore : il était déjà fou de Natalie de Noailles et l'idée de partir avec elle pour un pays inconnu le transportait de bonheur. Il y avait eu l'Angleterre avec Charlotte et l'Italie avec Pauline ; il y aurait l'Espagne avec Natalie. Les obstacles, bien sûr, ne manquaient pas. Que dirait donc Céleste, habituée depuis peu, dans les hôtels de la rue de Beaune et de la rue des Saints-Pères, puis rue de Miromesnil, enfin place de la Concorde, aux charmes encore nouveaux pour elle et déjà un peu amers de la vie conjugale ? Et où trouver l'argent nécessaire au voyage ? Toutes ces questions restèrent sans réponse : Natalie de Noailles retarda son départ. Tout était à refaire. Mais ce n'était que partie remise. Six mois plus tard, Natalie partait seule pour l'Espagne. Elle voulait aider son frère, elle voulait oublier M. de Vintimille dont on commençait à murmurer qu'il s'était tué pour elle, elle voulait, elle aussi, fuir Paris et ses bruits, elle voulait surtout remettre de l'ordre dans ses idées en déroute : « Il faut s'occuper, écrivait-elle à son frère, car la tête s'affaiblirait par les douloureuses pensées qui reviennent sans cesse. Une fois l'esprit frappé, le sens s'échappe et il vaudrait mieux mourir mille fois. » Natalie, pourtant, n'avait perdu tout à fait ni la tête ni les sens : elle avait donné rendez-vous à René et s'était promise à lui si, au terme d'une dernière épreuve de constance et d'amour, il venait la rejoindre à Grenade. Lui, après avoir accepté une aide financière de la cour de Russie – le baron de Vitrolles, dans ses *Mémoires*, parle de 40 000 francs – après avoir aussi négocié des avances avec ses éditeurs, était déjà revenu à son vieux et cher projet : pèlerin classique et chrétien, il s'était décidé à partir – enfin ! – pour cette Grèce dont il parlait depuis si longtemps et pour Jérusalem. Mais, après la terre des dieux et le tombeau du Christ, le voyageur catholique rêvait déjà des montagnes arides et des plaines poussiéreuses d'Espagne. Dès le départ, avant le départ, la croisade littéraire et religieuse était une croisière d'amour.

Notre histoire, ici, s'entoure d'un peu de brouillard. Elle présente une face cachée et une face manifeste. Derrière l'apparence se dissimule un secret. Derrière la poignée de terre grecque et les grains d'encens lancés pêle-mêle aux yeux se profile, dans l'ombre, la silhouette d'une jeune femme dans la mosquée de Cordoue et dans la cour des Lions de l'Alhambra de Grenade.

Après l'échec de leur premier projet de voyage commun en Espagne, Natalie et René partirent séparément dans des directions différentes. Chateaubriand quitta Paris, avec Céleste, pour l'Italie le 13 juillet 1806 ; Mme de Noailles se rendit en Espagne vers la fin de septembre. Il y avait encore eu, dans les derniers jours du printemps, une nouvelle tentative de départ concerté. René était déjà décidé à partir pour l'Orient. Mais il espérait commencer par l'Espagne son périple méditerranéen et y retrouver Natalie, ou peut-être même l'y accompagner. L'éventualité d'un embarquement à Lorient était sérieusement caressée. Prendre un bateau en Bretagne pour se rendre en Grèce suppose un passage par l'Espagne. Encore fallait-il être sûr, pour envisager un détour si évidemment aberrant, que Natalie fût déjà elle-même arrivée en Espagne. Juste avant de passer une dernière fois par Fervaques pour sécher un peu distraitement les larmes de Delphine, René avait confié au portier ou au valet de chambre de Joubert une lettre de la plus haute importance pour Natalie de Noailles : il s'agissait de lui demander les dates de son départ, qui commandaient naturellement tous les projets de Chateaubriand. Le malheureux portier, l'infortuné valet de chambre – grâce à cette mésaventure, son nom obscur est parvenu jusqu'à nous entre ceux de Bonaparte, de Mme de Staël, de Talleyrand et de Metternich : il s'appelait Drule – mangea la commission et oublia de mettre la lettre à la poste. Toutes les fureurs de l'amour s'emparèrent de René. Elles éclatent, coup sur coup, dans deux lettres successives à Joubert qu'il traite carrément d'imbécile en même temps que son portier : « La peste étouffe Drule ! Voulez-vous parier qu'il n'aura pas mis samedi dernier ma lettre à la poste ? Je la lui ai donnée cependant devant vous. Lavez-lui la tête d'importance. Dites-lui mille injures. Cependant, s'il n'a pas perdu cette lettre, qu'il la mette à la poste et que le ciel lui pardonne. Pour moi cela va au-delà de la charité. J'aurais parti *(sic)* demain si j'avais trouvé ici la réponse à la lettre que Drule a perdue. Le misérable. » Et quatre jours plus tard : « J'ai attendu inutilement la réponse à la lettre mise ou devant être mise à la poste par Drule le jour de mon départ. Je suis très inquiet. Cette lettre était importante. Elle était adressée à Mme de Noailles. Elle était telle que si j'avais reçu une réponse prompte et satisfaisante, je me serais peut-être embarqué à Lorient sur un vaisseau américain qui partait pour la Méditerranée. Voyez donc quel mal Drule a fait. Je m'attends qu'il vous soutiendra qu'il l'a mise à la poste. Mais dans ce cas le silence d'Alexandre et de sa sœur serait bien plus inexplicable et beaucoup plus malheureux. Mon Drule a sûrement perdu la lettre. Ne l'aurait-il pas laissée dans le bureau où il alla changer mes billets ? Tâchez de lui faire confesser son *crime* par toutes les voies de force et de douceur. Je lui promets même pour boire s'il veut dire franchement : *j'ai perdu la lettre.* S'il la retrouve dans le taudis de sa femme, qu'il la mette tout simplement à la poste malgré son antiquité. Je rabâche là-dessus. Mais réellement je suis fort inquiet. Répondez-moi à Lisieux département du Calvados, poste restante. Ne dites rien de toute cette histoire à personne. Je vous prie de passer chez moi, et de prendre toutes lettres qui peuvent se trouver à mon adresse sous prétexte de me les envoyer. Vous les garderez et vous me les remettrez à moi-même. »

Tout est lumineux là-dedans. C'est le mystère en pleine lumière : les angoisses de l'amour, la fureur contre le portier, l'espérance tout de même qu'il a perdu la lettre car le silence de Natalie, si elle avait reçu le message, serait la pire des tortures, la double méfiance à l'égard de Delphine et de Céleste à qui il faut dissimuler à tout prix, à Paris comme à Fervaques, les messages de Natalie... O Drule ! ton nom inconnu appartient à l'histoire du cœur parce que, dans l'espace d'un instant, ton désordre ou ta négligence a pesé plus lourd dans l'esprit d'un génie que les victoires de Napoléon à Austerlitz et à Iéna.

Il n'y avait pas de quoi s'affoler. Drule n'avait pas fait grand mal : le périple par Lorient était, lui aussi, mort-né. Quant Natalie partit pour l'Espagne, René avait quitté Paris depuis deux mois et demi. Est-ce l'époque et ses draperies, ses affectations de grands sentiments, son amour un peu toc pour une antiquité en fer-blanc, est-ce l'ancienneté d'un projet indéfiniment remis et repris, est-ce une once de vanité, est-ce la dissimulation et le goût du mystère : il y avait quelque chose de vaguement risible dans l'expédition de M. de Chateaubriand. Il se dépeint lui-même en nourrisson du Pinde, en croisé à Solyme. C'est plutôt Tartarin en pèlerin sacrilège.

Le premier problème était d'empêcher Céleste

d'accompagner le navigateur jusqu'au bout du chemin. Le voyage en Orient présentait, en ce temps-là, des difficultés sérieuses. Même pour une femme, elles n'étaient pourtant pas insurmontables. René les exagéra à plaisir. Il n'avait qu'à suivre ses penchants pour que les tempêtes et les brigands se mettent à fleurir sur ses lèvres. Dans une lettre à Joubert, il imagine avec gaieté un Arabe tout jaune en train de lui couper le cou dans les déserts de la Syrie. Il ne parle, à tout venant, que de sa mort possible et de laisser ses os en Orient. Est-ce pour impressionner Céleste ou pour s'impressionner lui-même ? En tout cas, la veille de son départ, il dépense huit cents francs pour s'armer jusqu'aux dents d'un arsenal invraisemblable : pistolets, carabines, *espingoles,* qu'il dissimule dans la voiture avec suffisamment de soin pour qu'ils ne puissent pas échapper aux yeux très pénétrants de Mme de Chateaubriand. Céleste n'était guère dupe de toute cette comédie : elle avait déclaré avec sagesse qu'elle aimerait mieux voir en voyage un brigand qu'un pistolet. L'important était de la convaincre de la réalité et des uns et des autres. Faute de lui présenter des brigands, on lui montrait des pistolets. Devant l'insistance doublement inquiète de son mari – inquiète pour rire en ce qui concernait l'Orient, inquiète pour de vrai en ce qui concernait l'Espagne – elle se résigna assez vite et décida de ne l'accompagner que jusqu'en Italie et de l'abandonner à Venise à sa bonne fortune de mer.

Pour respirer dès le départ un léger parfum d'aventure et se donner le plaisir de voyager toute la nuit, on sortit de Paris le dimanche 13 juillet à trois heures de l'après-midi dans une de ces grosses, grandes et belles voitures de voyage qu'on appelait joliment des « dormeuses ». A côté du cocher avait pris place le frère de la cuisinière des Chateaubriand. La sœur s'appelait Manuela, dite Manette ; le frère s'appelait Julien Potelin. Tout en passant une ceinture pleine d'or autour de sa propre taille, toujours remarquablement mince pour un homme de près de quarante ans, René avait attifé Julien en valet de Molière ou de Mozart dans une turquerie-bouffe. On vit même le pauvre garçon coiffé d'un turban bleu. Ce carnaval oriental et poétique n'était pourtant pas tout à fait dépourvu de dangers immédiats et prosaïques. A Nevers, on faillit verser et René manqua de tomber dans la Loire. On atteignit le confluent du Rhône et de la Saône le mardi 15 juillet à sept heures du matin. On passa à Lyon le mardi, la nuit de mardi à mercredi et presque tout le mercredi. Le mercredi soir vers sept heures, on s'apprêtait à quitter la place Bellecour, alors place Bonaparte, lorsqu'un des pistolets partit tout seul. Ce fut une jolie pagaille. Céleste tourne de l'œil. La foule, croyant à un attentat ou à un crime passionnel, commence à s'assembler et à crier au meurtre et au feu. René se rappelle tout à coup qu'il y a quatre ou cinq livres de poudre avec les armes et que le tout risque de sauter. « Je ne perds point la tête, écrit-il avec simplicité, de Turin, à Joubert. Je rentre dans la voiture et, grâce à ma présence d'esprit et à mon courage, je saisis la boîte fatale au moment où les cordons étaient en feu. Un moment plus tard, je sautais en l'air avec la Chatte. » Remise de ses émotions, la Chatte – c'est-à-dire Céleste, René étant le Chat, comme Chênedollé, jadis, du temps de la petite société de la rue Neuve-du-Luxembourg, était le Corbeau de Vire, Pauline l'Hirondelle ou Joubert le Cerf, à cause de sa vie sauvage dans les bois de Villeneuve – fit jeter dans le Rhône les pistolets et la poudre. Tant pis pour le décor : c'était plus sûr. Le voyage se poursuivit sans autre incident remarquable, par le Mont-Cenis, Turin et Milan. La route était bonne. On y travaillait encore pour l'élargir. Au bas de chaque col, on trouvait un charron et un serrurier en voitures pour réparer les dégâts qui auraient pu se produire. A Turin, on ne s'arrêta que le temps de prendre une cantine et d'envoyer au brave Joubert des nouvelles héroïques. On arriva à Milan le dimanche 20 juillet à trois heures de l'après-midi, une semaine, jour pour jour, heure pour heure, après le départ de Paris. Céleste, encore enchantée, se portait à merveille : elle n'était jamais restée aussi longtemps aussi près de son mari. On passa la nuit à Milan pour repartir le lundi. Après de brefs arrêts à Vérone, à Vicence et à Padoue pour des visites au pas de course, on débarqua à Venise le mercredi 23 juillet et on s'installa à l'auberge du Lion d'or.

Venise fut une déception. Vous vous rappelez ce Bertin qui s'était occupé de Pauline de Beaumont entre Milan et Florence ? De cette Italie du Nord où la femme légitime en excellent état a remplacé la maîtresse mourante, Chateaubriand lui envoie quelques lignes, un peu surprenantes : « Cette Venise, si je ne me trompe, vous déplairait autant qu'à moi. C'est une ville contre nature. On n'y peut faire un pas sans être obligé de s'embarquer, ou bien on est réduit à tourner dans d'étroits passages plus semblables à des corridors qu'à des rues. La place Saint-Marc seule, par l'ensemble plus que par sa beauté des bâtiments, est fort remarquable et mérite sa renommée. L'architecture de Venise, presque toute de Palladio, est trop capricieuse et trop variée. Ce sont presque toujours deux, ou même trois palais bâtis les uns sur les autres. Il reste quelques bons tableaux de Paul Véronèse, de son frère, du Tintoret, du Bassan et du Titien. » Dès qu'elles furent connues – les nouvelles circulaient vite et des extraits des lettres de Chateaubriand étaient volontiers publiés dans le *Mercure de France* –, ces appréciations, trop rapides et superficielles, qui auguraient assez mal des découvertes en Orient de l'archéologue et de l'historien de l'art, soulevèrent un tollé justifié, mêlé d'une certaine ironie. Les appréciations esthétiques sont toujours libres, mais dire de Venise qu'il y « reste quelques bons tableaux » était manifestement insuffisant. Comme il était exagéré de prétendre que presque toute l'architecture de Venise, étalée sur tant de siècles et représentative de tant de styles différents, était l'œuvre du seul Palladio. On croirait retrouver sous la plume de Chateaubriand à Venise comme un écho des jugements irrésistibles du président de Brosses à propos de Florence, un demi-siècle plus tôt : « J'ai trouvé la peinture à Florence fort au-dessous de ce que j'en attendais... Cimabue, Giotto, Lippi : très méchants ouvrages, pour la plupart. La peinture est faible, ici » ; ou à propos de Saint-Marc : « Vous vous êtes figuré que c'était un lieu admirable, mais vous vous trompez bien fort : c'est une église à la grecque, basse, impénétrable à la lumière, d'un goût misérable, tant en dedans qu'au-dehors... On ne peut rien voir de si misérable que ces mosaïques... Le pavé est aussi en entier de mosaïque. Le tout a été si bien joint que, quoique le pavé soit enfoncé dans certains endroits et fort relevé dans d'autres, aucune petite pièce ne s'est démontée et n'a sauté : bref, c'est sans contredit le plus bel endroit du monde pour jouer à la toupie. » Dans leur chauvinisme comique et leur esprit de clocher, les voyageurs français sont décidément incorrigibles : il se dissimule chez les plus grands un M. Homais doublé de M. Prudhomme. Il y avait pire encore. Dans la même lettre à Bertin, Chateaubriand décrivait les gondoles : « Les fameuses gondoles toutes noires ont l'air de bateaux qui portent des cercueils. J'ai pris la première que j'ai vue pour un mort qu'on portait en terre. » Joubert lui-même s'émeut de cette comparaison un peu forcée : « On a imprimé ce matin dans le *Mercure* un bout de lettre qu'il a adressée à Bertin et dans laquelle il parle assez mal de Venise et de ses gondoles noires. Jusque-là, on n'a rien à dire. Mais il ajoute qu'il a pris une de ces gondoles *pour un mort qu'on portait en terre.* Je meurs moi-même, je meurs de peur que *le Publiciste* ne s'empare de cette phrase et que l'étoile du pauvre Chateaubriand ne soit battue dans cette petite occasion. »

Céleste, de son côté, avec plutôt plus d'esprit que son illustre mari, ajoutait son grain de sel dans une lettre à Joubert : « Je vous écris à bord du Lion d'or, car les maisons ne sont ici que des vaisseaux à l'ancre. On voit de tout à Venise, excepté de la terre. Il y en a cependant un petit coin qu'on appelle la place Saint-Marc, et c'est là que les habitants vont se sécher le soir. »

Vingt-sept ans plus tard, ambassadeur à la retraite, ancien ministre des Affaires étrangères, pair de France, confident des princes déchus, le vicomte de Chateaubriand, convoqué par la duchesse de Berry de passage à Ferrare, allait retourner à

Venise. Alors, ses sentiments à l'égard de la reine des villes seraient bien différents. La gloire de lord Byron avait passé par là et la mélancolie heureuse du vicomte, descendu, cette fois-ci, à l'hôtel de l'Europe, juste en face de l'église de la Salute, ne pourrait s'empêcher d'être sensible au beau et triste spectacle d'une ville si charmante et si désolée, qui s'accordait si bien à ses déroutes éclatantes et à ses écroulements de génie. D'où venait alors, en 1806, la mauvaise humeur de René ? De l'impatience, bien entendu. Il piaffait, littéralement. Il n'avait qu'une idée en tête : c'était de plaquer Céleste au plus vite et de hâter son départ pour mieux hâter son retour. Céleste, plus fine qu'on ne pourrait le croire et qu'il ne le croyait lui-même, avait percé à jour son mari et sentait toutes les nuances des tempêtes qui l'agitaient. Elle faisait contre mauvaise fortune bon cœur, mais elle aussi, pour des motifs opposés et symétriques à ceux de René, avait pris Venise en grippe.

René avait monté le mieux possible la manœuvre de séparation. Dès l'étape de Milan, il écrivait à Joubert pour lui confier la Chatte : « Dans un mois au plus tard, Minette sera de retour dans ses foyers. Vous la mènerez avec vous à Villeneuve, et vous lui ferez boire du lait doux en m'attendant. » La potion, de toute évidence, était destinée à faire passer la pilule espagnole. Comme si ce luxe de précautions ne suffisait pas encore, René avait pris soin de faire venir à Venise un troisième personnage destiné, comme Joubert ou comme Chênedollé, à s'attacher à la fois à Chateaubriand, à sa femme et à ses maîtresses successives. Ce nouveau venu, qui fait, avec timidité et gaucherie, son entrée dans notre histoire et sur la place Saint-Marc, s'appelle Pierre-Simon Ballanche.

Né à Lyon en 1776, associé de son père à la tête de l'imprimerie des Halles de la Grenette, Ballanche n'était guère connu que pour avoir imprimé la deuxième et la troisième édition du *Génie du christianisme* et pour avoir publié quelques ouvrages modestes et à tendance philosophique que des amours régulièrement malheureuses lui avaient inspirés. Ce métaphysicien lyonnais, à la poésie pénétrante et très douce, à mi-chemin d'un Maurice Scève et des philosophes allemands, avait pensé devenir prêtre avant d'essayer de se marier : il avait renoncé à l'un et l'autre projet avec crainte et tremblement. Il était laid, obscur, silencieux et gauche, au point d'en devenir embarrassant. Mais sous cette enveloppe disgracieuse et étrange se cachaient de vrais mérites, un sens de l'amitié à toute épreuve, une fidélité inébranlable. René avait fait appel à lui pour s'occuper de Pauline quand la voyageuse passionnée, déjà très affaiblie, était passée par Lyon entre le Mont-Dore et Rome. Deux ans plus tard, il avait accompagné le ménage Chateaubriand dans ce voyage en Suisse qui avait tant irrité et indigné la pauvre Delphine de Custine. Cette fois, il devait retrouver les deux voyageurs à Lausanne et descendre avec eux sur Venise. Mais les flottements de René, si soucieux de calquer son voyage sur les projets de Natalie, et les obligations de Ballanche modifièrent ces projets. Ballanche, en fin de compte, quitta Lyon le 24 juillet pour arriver à Venise le 1er août. René et Céleste l'attendaient dès le 27 juillet. Ils piétinaient l'un et l'autre : René parce qu'il voulait partir ; Céleste parce qu'elle ne voulait pas rester seule.

René à Joubert : « Je suis parti hier de Venise. J'y ai laissé ma femme, très raisonnable et attendant Ballanche. La Chatte va vous rejoindre. Je vous la confie. Ayez-en bien soin. » « Très raisonnable » était une formule au-dessus ou au-dessous de la vérité. Céleste ne décolérait pas. Elle était à bout de forces et de nerfs. Elle souffrait de la séparation et de ses motifs. Le départ de René et le retard de Ballanche la laissaient seule à Venise, après des adieux un peu trop hâtifs et joyeux de la part du marin-pèlerin. Comment ne pas se prendre de pitié pour le désarroi de la pauvre Céleste qui écrit à Joubert – toujours Joubert pour les coups durs et les chagrins, les larmes rentrées, les solitudes : « Je meurs de crainte, je meurs de désespoir, enfin je meurs de tout » ? Quand le doux Ballanche arriva enfin dans la soirée du 1er août, quatre jours après le départ de René, elle passa sur lui sa mauvaise humeur et son désespoir. Elle se déclara lasse de l'avoir si longtemps attendu, ne lui laissa voir de Venise que la place Saint-Marc et décida que le départ aurait lieu dès le lendemain, 2 août, à cinq heures du matin. Le coup était rude pour Ballanche. Au terme d'une longue transaction, il réussit à repousser jusqu'au 4 août la date d'expiration de son séjour éclair. Ils partirent ensemble pour Rome, la femme abandonnée et le consolateur bénévole. Mais, à peine arrivés à Florence, ils décidaient, le 9 août, de repartir aussitôt pour la France. La pauvre Céleste craquait : elle n'avait pas le cœur, loin de René, aux peintures, aux statues, aux monuments auxquels semblait manquer sans cesse le condiment du coup d'œil et des périodes bien arrondies de Chateaubriand. Son esprit inquiet accompagnait sur la mer des dieux le navigateur trop volage. Ballanche s'inclina, comme à son habitude. « Une certaine inquiétude qui vient du défaut de nouvelles nous a pris l'un et l'autre et nous a coupé bras et jambes. » A Paris, pendant ce temps, le *Mercure de France* publiait des extraits d'une lettre de Chateaubriand, précédés de cette notice : « Nous croyons faire plaisir aux lecteurs du *Mercure* en leur donnant des nouvelles d'un voyageur auquel s'intéressent si vivement les amis de la religion et des lettres. » Il n'est pas trop difficile d'imaginer les réactions tout intérieures de la subtile Céleste en prenant connaissance de cette sollicitude des amis de la religion. Et, dans une lettre à une amie, Joubert, lui transmettant des informations satisfaisantes sur le voyage de Chateaubriand, s'attendrit sur le succès des prières de Saint-Sulpice : « Saint-Sulpice, c'est-à-dire le séminaire, fait en effet tous les soirs, pour son heureux voyage, une prière à laquelle il a beaucoup de foi. Il me montre un cœur pénétré de la plus orthodoxe reconnaissance. »

Sur le pont de son navire, dans les mers grecques et turques, le pèlerin orthodoxe était fou de bonheur. Il était enfin lui-même et il prenait en même temps des allures de ce qu'il y a de plus étranger aux personnages – et au personnage – de Chateaubriand : un héros de Stendhal. Sous la nuit étoilée de la mer Adriatique, puis de la mer Égée, sous les constellations dont Pauline jadis, à Savigny-sur-Orge, lui avait enseigné les noms, je l'imagine en train de rêver moins aux amis de la religion qu'aux femmes qu'il avait aimées – et à celle qu'il aimait. La mer avait été, dans son enfance bretonne, dans sa jeunesse aventureuse, la première de ses maîtresses. Il en aimait jusqu'aux tempêtes et jusqu'aux trahisons. Dans sa violence, dans sa beauté, dans sa changeante permanence, elle était pour lui comme une image de l'amour. Tout ce qu'il aimait vraiment venait le frapper au visage avec le vent de la mer : la nature mélancolique, déchaînée et grandiose, la tristesse des aubes et du soleil levant sur les eaux soudain calmées, le goût contradictoire et mêlé de la solitude et de la gloire, la certitude que personne ne pourrait le trouver dans les déserts où il se rendait, mais que tout le monde, en même temps, était en train de penser à lui dans les salons de Londres, de Paris et de Rome, une passion sincère pour l'aventure retrouvée après les forêts et les grands fleuves de l'expérience américaine, et puis le souvenir, exalté par les vagues de la mer et les vents de la nuit, de tous ces visages de femmes qui s'étaient penchés sur lui et parmi lesquels brillait d'un éclat violent, encore renforcé par l'attente et par l'espoir, le charme irrésistible et neuf de Natalie de Noailles.

Il pense avec pitié au rôle qu'il avait joué dans le chenil du cardinal Fesch et dans les allées du pouvoir. Ah ! il était fait pour bien autre chose ! La soif de la célébrité littéraire lui revient avec le retour à la vie solitaire et sauvage. Il retrouve les sensations, les espérances, les coups de foudre au cœur de son adolescence aventureuse. Il se revoit sur le pont des navires qui sillonnaient l'Océan. Alors, disciple de Rousseau, il allait se jeter sur des terres neuves et dans les forêts primitives. Aujourd'hui, disciple d'Homère et de la Bible – et il se souvient, avec un sourire un peu amer, de vers satiriques adressés à Atala et mis dans sa propre bouche par cette peste de Marie-Joseph Chénier :

O sensible Atala ! tous deux avec ivresse
Courons goûter encor les plaisirs de la messe !...
Je prétends chaque jour relire auprès de toi
Trois modèles divins, la Bible, Homère et moi –,

il va, sur des terres antiques, chercher des souvenirs et des images d'histoire où accrocher ses rêves. C'est qu'il est toujours attelé à la rédaction de ses *Martyrs de Dioclétien*, qui deviendront *les Martyrs*, et pour lesquels il a besoin de sources, d'un cadre et d'inspiration. Tout cela lui tourne dans la tête et dans le cœur, et la littérature, la gloire, l'amour ne constituent qu'un seul rêve, plus puissant et plus réel que la réalité, et qui l'occupe tout entier.

Il n'est pas très difficile de se moquer de René, navigateur inspiré et archéologue improvisé. Tout historien spécialisé peut critiquer à juste titre ses aperçus trop rapides et son savoir emprunté. S'appuyant sur trop de textes trop hâtivement absorbés, il lui arrive de décrire en détail, comme s'il les avait parcourus, des monuments détruits depuis une vingtaine de siècles. Il se laisse emporter, il s'emballe, il abuse du style noble et des envolées d'un lyrisme échevelé. En archéologie comme en politique, il se situe trop souvent lui-même au beau milieu du tableau. Un commentateur érudit et à peine malveillant a raison de soutenir qu'en allant chercher en Orient des images du passé il a voulu surtout y laisser la sienne pour l'avenir. N'importe. A la différence des *Martyrs* et du *Génie du christianisme*, comme la *Vie de Rancé*, comme les *Mémoires d'outre-tombe* bien entendu, l'*Itinéraire de Paris à Jérusalem* est, encore de nos jours, tout à fait digne d'être lu. A toutes les objections qu'on a pu lui faire à bon droit, Chateaubriand a d'avance et très bien répondu : « Au reste, je ne sais pourquoi je m'attache si sérieusement à me justifier sur quelques points d'érudition. Il est très bon sans doute que je ne me sois pas trompé ; mais quand cela me serait arrivé, on n'aurait encore rien à me dire. J'ai déclaré que je n'avais aucune prétention, ni comme savant, ni même comme voyageur. Mon *Itinéraire* est la course rapide d'un homme qui va voir le ciel, la terre et l'eau, et qui revient à ses foyers avec quelques images nouvelles dans la tête et quelques sentiments de plus dans le cœur. » De ce texte remarquable, qui éclaire tout le romantisme historique et jusqu'au Flaubert de *Salammbô*, jusqu'à Barrès, jusqu'à Morand et à tout un secteur de l'imagination moderne du réel, il n'y a rien à changer – si ce n'est un mot : il y a quelque chose de comique à présenter l'auteur de l'*Itinéraire* comme un homme dont le but est, comme Ulysse, de rentrer dans son foyer. C'est très précisément le contraire. Il est vrai qu'ici, avec prudence et sagesse, le mot *foyer* est utilisé au pluriel.

Il débarqua à Modon, l'antique Méthone, traversa Tripolitsa, entra, le cœur battant, à Mistra et à Sparte, un peu plus tard à Athènes – à peu près au moment où Céleste et Ballanche, venant de Florence, arrivaient à Lyon. Il visita Argos, Corinthe, Mégare, Eleusis. Il passa au cap Sounion où Byron et tant d'autres allaient lui succéder. Il s'embarqua pour

Smyrne – où le consul de France s'appelait Choderlos de Laclos et était le frère aîné de l'auteur des *Liaisons dangereuses* – et passa cinq jours à Constantinople. Il faisait escale à Rhodes et débarquait à Jaffa : Natalie de Noailles traversait Barcelone. Il visitait Bethléem et Jérusalem, s'embarquait pour l'Égypte : c'était la victoire d'Iéna. Il débarquait à Alexandrie, remontait le Nil, séjournait au Caire, s'embarquait pour Tunis, était pris dans une de ces tempêtes qu'il aimait à la folie, lançait une bouteille à la mer : « F.A. de Chateaubriand, naufragé sur l'île de Lampedusa, le 28 décembre 1806, en venant de la Terre Sainte », débarquait enfin à la Goulette après une traversée très rude qui avait duré près de deux mois et visitait Carthage et Tunis où le carnaval battait son plein et où fêtes et bals masqués se succédaient sans discontinuer : c'était la bataille d'Eylau.

D'un bout à l'autre, du départ de Venise pour Mestre et pour Trieste jusqu'à Carthage, Tunis, Algésiras, jusqu'à la place de la Concorde, le 5 juin 1807, à trois heures de l'après-midi, avec de brèves divergences dans leur itinéraire commun, Julien Potelin a accompagné le vicomte. D'Auguste, le fils de M. et Mme Saint-Germain, jusqu'à Hyacinthe Pilorge, le secrétaire vulgaire et roux, d'un dévouement breton, mystérieusement remplacé en 1843 par un autre Julien, Julien Danielo, un raté de talent, et au valet de chambre douteux au service du cabinet noir et de la censure du roi, en passant par Benjamin, le jardinier de la Vallée-aux-Loups, et même par Drule, le portier de Joubert, il y aurait toute une étude à entreprendre sur les domestiques de Chateaubriand. Elle nous apprendraient beaucoup de choses et nous introduirait utilement dans l'envers du décor. Pendant tout l'itinéraire de Paris à l'Andalousie, en passant par la Grèce et par Jérusalem, Julien Potelin tint son propre journal.

L'opposition entre le lyrisme du maître et le réalisme prosaïque et un peu plat du valet – don Quichotte et Sancho Pança – permet, un peu facilement, des effets assez comiques. Entre Smyrne et Constantinople, Chateaubriand : « Je vois aujourd'hui, dans ma mémoire, la Grèce comme un de ces cercles éclatants qu'on aperçoit quelquefois en fermant les yeux. Sur cette phosphorescence mystérieuse se dessinent des ruines d'une architecture fine et admirable, le tout rendu plus resplendissant encore par je ne sais quelle autre clarté des muses. Quand retrouverai-je le thym de l'Hymette, les lauriers-roses des bords de l'Eurotas ? » Julien : « Monsieur, qui s'était endormi sur son cheval, est tombé sans se réveiller. » Sur le navire entre Constantinople et Jaffa, Chateaubriand : « On entendait de tous côtés le son des mandolines, des violons et des lyres. On chantait, on dansait, on riait, on priait. Tout le monde était dans la joie. On me disait : Jérusalem ! en me montrant le midi ; et je répondais : Jérusalem ! » Julien :

« Nous avions nos provisions de bouche et nos ustensiles de cuisine que j'avais achetés à Constantinople. J'avais, en outre, une autre provision assez complète que M. l'ambassadeur nous avait donnée, composée de très beaux biscuits, jambons, saucissons, cervelas ; vins de différentes sortes, rhum, sucre, citrons, jusqu'au vin de quinquina contre la fièvre. Pendant plusieurs jours de mauvais temps que nous avons eus, les femmes et les enfants étaient malades et vomissaient partout. » Entre Alexandrie et Malte, Chateaubriand : « Les nuits passées au milieu des vagues, sur un vaisseau battu de la tempête ne sont pas stériles ; l'incertitude de notre avenir donne aux objets leur véritable prix : la terre, contemplée du milieu d'une mer orageuse, ressemble à la vie considérée par un homme qui va mourir. » Julien : « Quand nous voyions, à la fin du jour, que nous allions avoir une mauvaise nuit, je faisais notre punch. Je commençais toujours à en donner à notre pilote et aux quatre matelots, ensuite j'en versais à Monsieur, à l'officier et à moi. » Ce serait une erreur de conclure de ces extraits que Chateaubriand donne volontiers dans un lyrisme pompier et qu'il ignore l'humour. Il trace le portrait d'un guitariste déguenillé et sourd comme un pot qui s'était attaché à lui dans les ruines de Grenade : « Sa poitrine brunie se montrait à travers les lambeaux de sa casaque et il aurait eu grand besoin d'écrire comme Beethoven à Mlle Breuning : *Vénérable Éléonore, ma très chère amie, je voudrais bien être assez heureux pour posséder une veste de poil de lapin tricotée par vous.* »

Nous voilà déjà en Espagne, à la veille d'un roman d'amour passionné. Le 30 mars 1807, Chateaubriand avait débarqué à Algésiras.

Ce furent des jours de folie et de bonheur. Et aussi de mystère. Les aventures avec Charlotte et Pauline, les figures de Lucile et de Céleste, les amitiés amoureuses avec la duchesse de Duras ou les autres « Madames », dans une certaine mesure les amours avec Delphine, tout cela apparaît, sous une lumière plus ou moins crue, dans les *Mémoires d'outre-tombe* et dans la correspondance. La passion pour Natalie, nous le savons déjà, est gommée avec soin de la plupart des écrits ou n'apparaît que sous la gaze et les ornements de la fiction. Tout le long voyage de plus de huit mois autour de la Méditerranée avait pourtant été combiné avec un soin extrême pour aboutir, dans le secret, à la rencontre en Espagne et aux nuits de Grenade.

Il semble que Molé, qui n'était déjà plus l'ami le plus intime, ait été mis presque seul dans la confidence. A Joubert, en revanche, l'ami si obstinément fidèle, mais aussi intime désormais de Céleste que de René, à Chênedollé aussi, maintenant épris de Delphine, il fallait cacher obstinément les motifs réels du passage en Espagne. A plusieurs reprises, d'Alexandrie, de Tunis, René écrit à Joubert qu'il ne sait pas encore s'il rentrera par l'Espagne ou par l'Italie. Il est pourtant si décidé à se rendre en Espagne qu'à la fin d'une de ces lettres où il agite encore la fiction d'un retour par l'Italie il invite Joubert, avec une distraction ou une naïveté désarmantes, à lui écrire « un mot poste restante à Madrid sans en rien dire à personne ». Quant à Céleste, il l'avait laissée dans le vague même sur son voyage à Jérusalem : « Si vous voyez ma femme, écrivait-il à une cousine, Mme de Talaru, si vous voyez ma femme, ne lui dites rien de mon voyage en Syrie, de peur de l'effrayer. » Cette Mme de Talaru vaut le détour. Elle avait poussé l'esprit de famille jusqu'à épouser, veuve, son gendre devenu veuf. Et, en l'absence de son mari, convaincue que la présence d'un homme à ses côtés était nécessaire à sa santé, elle faisait coudre son neveu dans un sac et le mettait dans son lit. Le lendemain, au réveil, après coup, si j'ose dire, elle faisait constater par ses domestiques que le sac n'avait pas été décousu.

Devant le silence de son mari, Mme de Chateaubriand se doute vaguement de quelque chose ; elle écrit elle-même à Joubert : « Je viens de recevoir une lettre de notre cher voyageur. Il dit qu'il va traverser le Péloponnèse et qu'après avoir vu Sparte, Argos, l'Arcadie et Athènes, son vaisseau le portera à Constantinople, d'où il reviendra en France. Aurait-il oublié Jérusalem ? » Non, le cher voyageur n'avait pas oublié Jérusalem et ses amours sacrées, mais il oubliait encore bien moins l'Espagne et ses amours profanes. Et ce qu'il redoutait plus que tout, c'était d'inciter Céleste à braver par piété les risques du voyage et de la voir accourir pour s'agenouiller à ses côtés auprès du tombeau du Christ. Toute l'affaire espagnole, si soigneusement montée, serait alors tombée dans l'eau sacrée du Jourdain.

Ce n'était pas seulement les contemporains qu'il s'agissait d'égarer : c'était surtout la postérité. Les *Mémoires d'outre-tombe* s'en occupent activement. Deux passages différents qui jetaient une lumière, pourtant encore tamisée et obscure, sur l'épisode espagnol ne furent pas conservés dans l'édition définitive. Le premier de ces passages ne comporte que quelques lignes : « Je traversai d'un bout à l'autre cette Espagne, la terre des songes ; je crois voir encore ses grandes routes solitaires, je me plaisais à entendre des chants formés pour moi. Ayant touché la France et m'étant séparé des mélodies qui m'enchantaient, je la visitai seul en passant par les Pyrénées. Je suivis, en me rapprochant de Paris, la route qui me conduisait à un château que j'avais pris pour début et pour terme de mes erreurs. » Ce château, début et terme des erreurs du pèlerin égaré, était évidemment Méréville, où régnait Natalie. Le second passage supprimé, qui figure dans ce qu'il est convenu d'appeler *le Livre sur Venise*, rattaché aux souvenirs du voyage vénitien de 1833, est, s'il se peut, encore plus explicite. Sainte-Beuve l'avait copié dès 1834 et reproduit plusieurs fois avec une indiscrétion remarquable qui allait jusqu'à reprocher à Chateaubriand une discrétion jugée déplacée. La discrétion de l'auteur et l'indiscrétion de l'historien peuvent être également justifiées par l'intérêt de ce texte décisif où la signification et les motifs du pèlerinage profane sont d'un seul coup exposés : « Mais ai-je tout dit dans l'*Itinéraire* sur ce voyage commencé au port de Desdémone et fini au pays de Chimène ? Allais-je au tombeau du Christ dans les dispositions du repentir ? Une seule pensée remplissait mon âme ; je dévorais les moments : sous ma voile impatiente, les regards attachés à l'étoile du soir, je lui demandais des vents pour cingler plus vite, de la gloire pour me faire aimer. J'espérais en trouver à Sparte, à Sion, à Memphis, à Carthage, et l'apporter à l'Alhambra. Comme le cœur me battait en abordant les côtes d'Espagne ! Aurait-on gardé mon souvenir ainsi que j'avais traversé mes épreuves ? Que de malheurs ont suivi ce mystère ! Le soleil les éclaire encore ; la raison que je conserve me les rappelle. Si je cueille à la dérobée un instant de bonheur, il est troublé par la mémoire de ces jours de séduction, d'enchantement et de délire. »

Le 30 mars, après avoir jeté l'ancre à Gibraltar, le schooner *Enterprise*, vaisseau de guerre américain commandé par le capitaine David Porter, déposait Chateaubriand à Algésiras. Comment René avait-il pu prendre passage sur un bateau de guerre ? En se liant, évidemment, à Tunis, à l'occasion des fêtes du carnaval, avec un groupe de jeunes officiers américains, pleins de gaieté et de fantaisie, qui l'avaient adopté comme l'un des leurs. Redevenu le bon garçon impatient de s'amuser qu'appréciait tant Joubert, il avait renoncé à aller méditer gravement sur les ruines de Carthage pour se déguiser en Turc et courir au bal avec les Américains. Du coup, le commandant Porter avait emmené à son bord jusqu'à Algésiras, sinon un camarade de débauche et de beuverie, du moins le joyeux fêtard devenu son ami.

A peine avait-il mis le pied sur le quai d'Algésiras que René se posa la question autour de laquelle il tournait maintenant depuis huit mois : où retrouver Natalie ? Plusieurs fois, au cours de son voyage, il lui avait écrit, mais aucune de ces lettres n'est parvenue jusqu'à nous. Ce que nous savons seulement, par une lettre de Céleste à Joubert et par une autre de Natalie à son frère Alexandre, c'est que, de Coron, en Morée, René écrivit le même jour, le 12 août, deux lettres semblables et différentes qu'il confia au consul de France à Coron, Esprit Vial : l'une était pour Céleste et l'autre pour Natalie. L'une et l'autre donnaient sur le futur itinéraire du voyageur des indications à peu près comparables – à ceci près que la lettre à la femme légitime ne soufflait mot ni de Jérusalem ni, bien sûr, de l'Espagne.

A son frère Alexandre, Natalie écrit : « J'ai reçu des nouvelles (ne parle de ceci, je te prie, à personne) de M. de Chateaubriand. Il me mande qu'il va traverser le Péloponnèse par terre et que s'il trouve une occasion pour venir débarquer en Espagne, il passera par Grenade pour retourner en France. Tu sais qu'il avait déjà ce projet-là lorsque nous en parlions à Méréville avec lui. Je serais très fâchée qu'on sût cela dans la société ; ni même que j'en ai des nouvelles, parce que par jalousie on en ferait des caquets et je ne souhaite rien tant que d'être oubliée du monde entier. Je ne compte pas beaucoup sur son arrivée parce qu'il n'y a pas d'occasion pour ces ports-ci dans le Levant. D'ailleurs, quand bien même il passerait, il ne resterait pas et je le laisserais reprendre seul la route de Madrid, où il ne me conviendrait pas d'arriver avec lui. » Même à l'égard de son frère, pour qui elle soulève un coin du voile, Natalie semble s'excuser et reste très prudente : elle ne considère pas l'arrivée de Chateaubriand comme certaine ; et, en tout cas, elle ne le verra qu'en passant et elle ne voyagera pas avec lui. Mais ce que dit une femme amoureuse, chacun le sait, n'a pas beaucoup de réalité, surtout quand, par caractère ou par nécessité, elle a décidé de la dissimuler. Dans cette dissimulation volontaire, Natalie va encore bien plus loin dans une lettre envoyée d'Aranjuez à une cousine : « Vous savez sûrement déjà en détail des nouvelles de M. de Chateaubriand, chère amie, je veux pourtant vous en donner aussi. Il se porte fort bien, il est engraissé, un peu noir, mais aussi gai et aussi reposé que s'il n'avait rien fait. Il parle de Jérusalem comme de Montmartre ; il veut aussi aller au Toboso, parce qu'il trouve que cela va bien ensemble. Il a été à Grenade, quoiqu'il ait un profond mépris pour l'Europe. Il doit passer ici dans deux jours ; je ne l'y attends pas, car je suis si pressée de revenir que je ne puis retarder d'un jour, surtout lui n'ayant aucun besoin de moi ; car il est si accoutumé à vivre avec des gens qu'il n'entend pas, à dormir par terre et à ne manger que des dattes et du riz qu'il trouve l'Espagne un pays de superfluités. Je le crois content de son voyage ; à Tunis, il a vu les ruines de Carthage ; ici, il aura vu tout ce qui mérite son intérêt, Grenade et Cordoue. J'ai eu bien du plaisir à le revoir, car j'en étais bien inquiète. Il a couru beaucoup de dangers dans les différents pays qu'il a parcourus, surtout en Palestine, aussi a-t-il un grand et beau sabre au côté. Moi, chère amie, je n'aspire qu'à me retrouver à Méréville et à vous revoir tous. »

Une foule de commentateurs et d'historiens se sont appuyés sur cette lettre et sur quelques autres textes pour soutenir que Natalie et René ne s'étaient pas retrouvés à Grenade. Il faut d'abord noter que Mme de Noailles ne dit pas expressément à sa cousine qu'elle n'était pas à Grenade avec René. Il faut se souvenir ensuite de toutes les prudentes réserves accumulées dans la lettre de Natalie à son frère. Il faut remarquer enfin que les contre-vérités se pressent en masse dans les lignes d'Aranjuez. Non, ce n'est pas parce que le pays du Toboso – souvenir de don Quichotte – allait bien ensemble avec Jérusalem que Chateaubriand tenait à s'y rendre ; non, il était impossible de soutenir que René n'avait aucun besoin de Natalie ; non, elle n'était pas aussi pressée qu'elle le dit de rentrer à Méréville : René était fou de Natalie, il était passé par l'Espagne expressément pour la revoir, elle le savait très bien et elle l'avait attendu, avec patience et impatience, pendant plus de six mois.

Longtemps, la rencontre des deux amants à l'Alhambra de Grenade, peut-être parce qu'elle était trop belle, a passé pour une légende. L'histoire a rattrapé la légende. Une histoire encore lacunaire, un peu floue, incertaine. Mais où la part du doute n'a cessé de se restreindre. Vous vous rappelez que Natalie avait quitté Paris vers la fin de septembre. Durant près de quatre mois, en vain, elle attendit René à Grenade. Pendant que Céleste, à Paris, après s'être fait voler sa malle en voulant partir pour Villeneuve, écrivait à Joubert, en l'absence de toute nouvelle : « J'ai dans l'idée qu'il est arrivé quelque malheur à M. de Chateaubriand ; et malgré mon indifférence, je suis inquiète à mourir », Natalie, privée elle aussi de lettres récentes, se décidait à partir pour Cadix vers la fin de février ou le début de mars 1807. C'était à peu près l'époque où Chateaubriand essuyait en mer les tempêtes les plus violentes, c'était quelques semaines après la bouteille jetée à la mer au large de l'îlot de Lampedusa. Le bruit courait à Paris, dans ce qu'il est convenu d'appeler les cercles bien informés, que Chateaubriand avait fait naufrage et que son navire avait péri corps et biens. Les bureaux avaient même envisagé de prévenir les journaux et la veuve supposée. Mais dans le doute, et pour ne pas tourmenter inutilement Mme de Chateaubriand, l'empereur lui-même s'y était opposé. Céleste, plus tard, sans devenir tout à fait bonapartiste, lui en gardera beaucoup de gratitude. Peut-être parce que la plupart des « Madames », Natalie de Noailles en tête, inclinaient du côté royaliste, elle se sentait de l'indulgence pour le régime en place. Elle se demandait, avec beaucoup de finesse et de jugement, si les Bourbons auraient fait montre à l'égard d'un ami d'autant de délicatesse qu'en avait témoigné Napoléon à l'égard d'un ennemi.

Par une lettre, par un message, par une rencontre, par la rumeur publique, je ne sais pas, René apprit à Algésiras que quelques semaines plus tôt, Natalie était partie pour Cadix. Une sorte de course-poursuite dans la meilleure tradition des films à grand spectacle s'engage aussitôt. Prenant à peine quatre ou cinq jours de repos, René se jette à son tour, à fond de train, sur la route de Cadix. Au terme de tant d'aventures, le cœur battant, il y arrive le 6 avril. Suspense. Angoisse. Égarement. Va-t-il retrouver Natalie ?

Il parcourt comme un dément les rues, les places, les jardins de Cadix. Lui qui s'est penché sur toutes les pierres d'Argos, sur les inscriptions grecques, sur les ruines de Carthage, il ne regarde rien, dans ce pays qu'il ne connaît pas, de ce que prodiguent le temps, l'histoire, le talent, le génie. Il cherche les traces de Natalie, sa voiture, ses gens, le chevalet où elle peint. Il entre dans les auberges, dans les boutiques, jusque dans les vieux palais dont son nom déjà illustre lui ouvre sans peine les portes. Il interroge ceux qui savent, des postillons, des valets, des fonctionnaires, des hidalgos et des duègnes qui ont dû, dans leurs salons où n'entre pas le soleil, aux grands meubles raides et antiques, recevoir Natalie. Oui, oui, la comtesse de Noailles est bien passée par là. Ah ! si on la connaît !... Bien sûr : elle est restée près d'un mois à Cadix, venant de Grenade où elle avait passé quatre mois. Elle est partie il y a quinze jours, ou quelque chose comme ça. Mon Dieu !... Partie pour où ? Pour où ? Ah ! ça !... Elle est partie, voilà tout. Avec qui ? Seule ? Eh bien..., oui, seule..., enfin, avec ses gens. Ah !... attendez, il y avait ce marquis ou ce comte portugais... Un marquis portugais ? Mais non : le colonel anglais, vous savez... Quel colonel ? On ne l'a j'avais vu, ce colonel. Non, on ne l'a jamais vu, mais la comtesse en parlait, vous vous souvenez ? Pas du tout, quelqu'un qui revenait de... de... ah ! on ne se rappelait plus d'où, avait aperçu la comtesse en compagnie d'un Français.

René devenait fou. Il prenait Cadix en grippe. Il frappait aux portes, montait les escaliers, redescendait dans les rues sous le soleil de printemps déjà chaud dans ce sud profond de l'Espagne. Il marchait découragé, ne sachant plus quoi faire, le long du paseo ou s'arrêtait un instant devant la cathédrale lorsqu'il aperçut tout à coup en face de lui un grand gaillard au visage ouvert et sympathique, l'œil vif, le teint coloré, le type plutôt britannique.

– Je vous demande pardon, monsieur. Peut-être êtes-vous français ?

– Oui, monsieur, répondit René, un peu surpris.

– Peut-être aussi venez-vous d'arriver dans cette ville ?

– Oui, monsieur.

– De l'Orient et de la Grèce ?

– Oui, monsieur.

– Et sans doute cherchez-vous dans Cadix une personne qui n'y est plus ?

– Mais, enfin, monsieur..., dit René avec vivacité et presque avec impatience. Voulez-vous m'expliquer...

– Et vous êtes M. de Chateaubriand ?

– Alors, là, monsieur..., commença René, secrètement ravi d'avoir été reconnu après tant de mois de solitude.

– Bienvenue à Cadix ! Je m'appelle Hyde de Neuville. Venez, ne restons pas là. J'ai un message pour vous.

C'est ainsi, ou à peu près, que Jean-Guillaume, baron Hyde de Neuville, monarchiste et conspirateur, devint l'ami de Chateaubriand. Courageux, loyal, entier, aventureux, Hyde de Neuville fut d'un bout de sa vie à l'autre un royaliste convaincu. Pendant la Révolution, quand tant d'autres tournaient casaque ou découvraient, à juste titre, la faiblesse et l'insuffisance de Louis XVI, Hyde de Neuville n'avait jamais cessé de défendre le roi. C'est à son bras que Malesherbes, après avoir achevé sa plaidoirie pour le souverain emprisonné, avait quitté la Convention nationale. Le roi exécuté, Hyde de Neuville s'était mué en conspirateur pour la cause des Bourbons. Il avait été, à plusieurs reprises, arrêté et condamné à mort ; chaque fois, avec une grande simplicité de cœur et un cran étonnant, il s'était évadé. Un mois après le 18 brumaire, introduit auprès du Premier consul par un Talleyrand qui flairait le vent, il essayait de convaincre Bonaparte, qui ne se laissait pas faire, de devenir le grand connétable d'un Louis XVIII restauré. Cadoudal, l'ennemi juré de Bonaparte qui le fera arrêter et exécuter à peu près en même temps que le duc d'Enghien, soutenait que la première chose à faire pour le roi s'il remontait jamais sur le trône devrait être de fusiller Hyde de Neuville et lui-même : ils étaient devenus des conspirateurs professionnels, incapables de se passer, sous quelque régime que ce fût, de cette drogue violente dont ils avaient pris l'habitude.

– Mais comment, monsieur, lui demandait Chateaubriand en marchant à ses côtés dans les rues de Cadix, comment avez-vous fait pour me reconnaître au milieu de cette foule ?

– Oh ! ce n'était pas difficile ! répondait Jean-Guillaume avec un grand rire communicatif et en lui tapant sur l'épaule. Dolorès m'a tant parlé de vous ! Il m'a semblé, en vous voyant, que je vous connaissais depuis toujours et que je retrouvais un vieil ami.

– Dolorès ? s'étonnait René, Dolorès ? Mais qui donc est Dolorès ? Je ne connais pas de Dolorès.

– Mais si ! s'esclaffait le baron. Mais si ! Dolorès, c'est Natalie. Ici, en Espagne, la comtesse de Noailles ne veut plus être Natalie : elle se fait appeler Dolorès.

C'était vrai. Toujours fantasque et imprévue, Natalie, en six mois, avait adopté les coutumes, les vêtements, les comportements d'une Espagnole, jusqu'à changer de prénom. Sa grâce, sa vivacité un peu triste, sa beauté avaient bouleversé le tonitruant baron. Sous ses dehors de cascadeur, Hyde de Neuville était un sentimental : il s'était attaché à Natalie de Noailles avec autant de violence qu'au roi. Il était en Espagne parce qu'il fuyait la France où sa vie était en danger et il était sur le point de s'embarquer pour l'Amérique quand il avait rencontré Natalie. D'un seul coup, ce séjour espagnol, qu'il s'était imaginé sous les couleurs les plus sinistres, avait été illuminé. Il ne s'était, comme on dit, rien passé entre eux et aucun lien physique ne les unissait. Mais une amitié passionnée était née à jamais et ils s'étaient juré l'un à l'autre, dans le style un peu larmoyant de l'époque, une affection éternelle et désintéressée. En jouant le rôle de messager de Dolorès auprès de René, Jean-Guillaume ne faisait que remplir ses fonctions de chevalier d'honneur et de dévotion de Natalie de Noailles. Parce qu'il était monarchiste, parce qu'il était loyal et ouvert, et surtout parce qu'il était attaché avec exaltation à Mme de Noailles, René l'aima aussitôt.

René resta trois jours à Cadix en compagnie de son nouvel ami. Ils passèrent le plus clair de leur temps à parler de leur commune passion. Quinze jours plus tôt, jour pour jour, Natalie de Noailles et Hyde de Neuville avaient assisté ensemble, à Séville, aux fameuses fêtes de la semaine sainte. En buvant du xérès et en fumant des cigares, Hyde de Neuville racontait à René des journées éclatantes de lumière et de gaieté, les longs cortèges à cheval, les danses des gitanes dans leurs robes larges et serrées, aux couleurs éblouissantes, les nuits interminables et les matins recueillis. Dans la cathédrale de Séville, après les tourbillons du soir, une sorte de communion mystique avait rapproché et presque fondu leurs âmes. Mais, surtout, jour et nuit, Natalie-Dolorès avait parlé de René. Elle l'attendait, elle l'espérait, elle ne pensait qu'à lui. En écoutant Hyde de Neuville lui parler de Natalie, René se sentait envahir d'un bonheur oublié. Il était parti de Venise, il avait traversé la Grèce, il avait visité Constantinople, Jérusalem, Alexandrie, Tunis, il avait navigué sur la Méditerranée en fureur avec au cœur et à l'esprit l'image de Natalie. Mais il s'était passé tant de choses dans ce voyage interminable que l'image, peu à peu, avait fini par s'affaiblir. Les mots de Hyde de Neuville lui rendaient à nouveau sa vivacité et son éclat. Un violent désir de revoir Natalie s'emparait de René.

Hyde de Neuville expliquait comment le retard, entraîné par la tempête, des lettres de René avait incité Natalie à partir pour Cadix, puis pour Séville, et comment, inversement, le décalage des nouvelles avait pu faire croire à René, débarqué à Algésiras, que Natalie était encore à Cadix. Si René n'avait pas été tout entier la proie de sa passion, peut-être aurait-il pu observer un léger embarras dans les explications un peu trop subtiles et confuses de son nouvel ami. L'impitoyable Mme de Boigne insinue, dans ses *Mémoires*, que le fameux colonel anglais dont la présence et l'absence furtives nous sont déjà apparues n'était pas tout à fait une invention. Six mois de solitude sont une longue épreuve pour une jeune femme exaltée, le climat de l'Espagne est une invitation permanente à l'amour, un cœur tout occupé d'un voyageur absent a besoin de consolations : il n'est pas impossible qu'un colonel anglais se soit trouvé au bon moment quelque part en Andalousie. Heureux et malheureux, le colonel inconnu serait mort subitement pendant que Natalie attendait René à Grenade : il n'aurait pas été donné au consolateur d'assister au retour du tourmenteur dont l'absence lui avait permis d'entourer l'affligée d'affections intérimaires. A la joie de retrouver le pèlerin se serait mêlé alors, chez Natalie-Dolorès, le chagrin d'avoir perdu le colonel. Tout cela, plus discret que Mme de Boigne, Hyde de Neuville le tut, ainsi que la présence, encore moins avérée et plus hypothétique, du nobliau portugais qui serait venu, lui aussi, occuper les temps morts. Y avait-il le moindre fond de vérité dans tous ces ragots hispano-parisiens ? Au moment où René descendait de la passerelle du schooner *Enterprise*, tout Paris murmurait que l'auteur du *Génie du christianisme* avait péri en mer. Si Dolorès n'était plus à Cadix pour l'accueillir, c'était tout simplement qu'après tant de mois d'attente et d'angoisse elle ne savait plus si elle était encore en droit d'espérer le revoir jamais. Maintenant, grâce au messager de Cadix, au conspirateur d'amour, les fils étaient renoués. René repartait, inlassablement, pour sa conquête du Graal.

Le Graal, par définition, est dissimulé aux regards. Où se trouvait Natalie quand René parlait d'elle avec Hyde de Neuville ? Il est encore permis d'hésiter entre deux hypothèses : après avoir quitté Séville pour poursuivre sa route vers l'intérieur du pays, Natalie peut s'être arrêtée soit à Cordoue, soit à Grenade. Ce qui est sûr, c'est que René quitte Cadix le 9 avril et arrive à Cordoue le 10. L'excursion à Grenade eut lieu du 10 au 15. Et, malgré des thèses contraires aujourd'hui écartées, Natalie s'y trouvait en même temps que René.

Entre Venise et Florence, entre Ségeste et Agrigente, entre Capri et Sorrente, une tendre rivalité dans la beauté et le charme fait balancer les cœurs. Il y aura toujours des esprits pour être plus sensibles aux palais jaunes et roses de la reine de l'Adriatique et d'autres qui préféreront les marbres, noir et blanc, de la ville des Médicis. La même guerre pacifique divise partisans de Grenade et amoureux de Cordoue. On se perd dans Cordoue, on jubile dans Grenade. De petites rues obscures et blanches amènent imperceptiblement l'illumination mystique de la mosquée de Cordoue. Les cours, les jardins, les palais de Grenade plongent le visiteur ébahi dans toutes les splendeurs de l'histoire. A Cordoue, basse et sombre, écrasée de soleil, l'incroyable mosquée aux innombrables piliers se transforme lentement en cathédrale. A Grenade, le souvenir éclatant de la prise de la ville par Ferdinand et Isabelle l'année même où Christophe Colomb va découvrir l'Amérique fait surgir devant les yeux des images d'épopée. Chacun situera où il veut la rencontre tant attendue de René et de Natalie : le 10 avril à Cordoue ou le 12 à Grenade.

A l'ombre de la mosquée de Cordoue, au détour d'un chemin tortueux et blanchi à la chaux, René aperçoit tout à coup le visage et la silhouette dont il a tant rêvé. Il se jette dans les bras de Natalie éperdue. Plus de colonel anglais, plus de seigneur portugais ; plus de souvenir de Pauline mourante, plus de Grognon évanouie. Un homme et une femme qui se sont longtemps attendus et qui se retrouvent enfin. Le soir même, ensemble, ils s'en vont vers Grenade.

C'est la hâte de ce départ qui incline peut-être à imaginer que René, à nouveau, manque Natalie à Cordoue. Elle y est passée sans trop s'attarder, elle est déjà repartie. René, aussitôt, après avoir couru de Cadix à Cordoue, se précipite à Grenade. Il couche à Andujar, puis dans une auberge sur la route. Et le 12 avril, dans l'après-midi, il arrive enfin à Grenade.

Alors, sonnez clairons, roulez tambours, ils se rue à l'Alhambra. Là, dans la cour des Lions, est assise toute seule, au milieu des souvenirs de la domination arabe, Natalie de Noailles. Elle ne le voit pas arriver, elle ne l'entend pas qui approche. Elle travaille et elle rêve. Elle a un chevalet devant elle et elle dessine ce qu'elle voit : la fontaine, les galeries ajourées, la charmante grandeur d'une architecture enchantée, fille d'un désert transfiguré par l'eau. Tout à coup, Natalie se sent prise par les épaules. Elle n'a même pas le temps de se retourner. Elle est dans les bras de René. On n'entend que le bruit de l'eau qui jaillit vers le ciel.

Que la rencontre ait eu lieu à Grenade ou à Cordoue, c'est à Grenade en tout cas que les flots de la passion roulent et submergent enfin les deux amants réunis. Dans un décor prodigieux, parmi les traces d'un passé qui leur était cher à l'un et à l'autre, des sentiments longtemps réprimés se donnent soudain libre cours. Le faible de René pour les obstacles qui se dressaient, sur les chemins de l'amour, entre son ennui et son désir – pensez à Lucile, à Charlotte, à Pauline – était pleinement assouvi. Aux yeux de Dolorès, les épreuves successives subies par son chevalier avant la récompense finale étaient un gage d'amour, et sa coquetterie naturelle en était enivrée. La beauté du ciel, de la nature, des monuments, de l'histoire et de la légende suffisait à faire le reste. Les deux amants vécurent à Grenade quelques jours enchantés.

Parce qu'ils étaient l'un et l'autre loin de leur cadre naturel, parce que Paris, ses rumeurs, son vacarme avait disparu de l'horizon, parce qu'ils sortaient tous les deux de plusieurs mois d'une solitude au moins relative qui substituait à leurs lassitudes et à leurs dégoûts une sorte de virginité retrouvée, ils avaient le sentiment – évidemment exagéré dans un cas comme dans l'autre, mais très fort et touchant – de vivre leur premier amour. Tout séducteur aspire obscurément à voir dans sa dernière conquête un amour éternel et essaie de se convaincre qu'après tant de navigations il arrive enfin au port ; toute coquette espère que ses manœuvres ont fini par réussir et qu'elle n'aura plus besoin d'opposer à l'admiration et à l'amour qui suffisent à la combler d'autres témoignages d'amour et d'autres hommages d'admiration. Pendant les jours et les nuits enchantés de Grenade, René et Natalie s'imaginèrent sincèrement qu'ils étaient tout l'un pour l'autre et que leur passion serait durable. Et, malgré les hommes et les femmes qui passeront encore dans leur vie, malgré le temps qui s'écoule et la pression formidable des événements et du monde, en un sens, elle le sera. « Si je cueille à la dérobée un instant de bonheur, dira plus tard Chateaubriand, il est troublé par la mémoire de ces jours de séduction, d'enchantement et de délire. »

Les heures passèrent très vite à Grenade et à l'Alhambra. Ce furent des heures inoubliables. Un paysage enchanteur, la légèreté lumineuse des cloîtres et des fontaines, les citronniers en fleur furent le décor d'un amour qui s'étonnait de lui-même. Les deux amants se promenèrent longuement dans le palais des fées. Et ils interrompaient à chaque pas, pour se jeter, loin du monde, dans les bras de l'un de l'autre, leur visite émerveillée. Après avoir vu le soleil jouer à travers les cyprès et les arcs des cloîtres, ils revinrent, la nuit, sous la lune. Ils passaient, sans leur jeter le moindre coup d'œil, auprès de ces antiquités mauresques qui, pendant tant de mois, leur avaient servi d'alibis. Ils ne s'occupaient plus que d'eux-mêmes et, dans l'ombre parfumée de toutes les odeurs de la nuit, ils se fondaient l'un dans l'autre. Entre deux baisers interminables, au chant du rossignol, René grava sur une colonne leurs deux noms entrelacés. Sous sa calotte de concierge, plein de savoir et d'envie, d'admiration un peu fielleuse et de talent amer, Sainte-Beuve affirme que jusque vers le milieu du XIXe siècle on pouvait encore lire à l'Alhambra de Grenade les deux noms de René et de Natalie, comme sur une colonne du temple du cap Sounion, à l'extrémité de l'Attique, on lisait le nom de Byron. Il paraît que les deux noms de Grenade furent alors effacés par la main pieuse ou sacrilège d'Adrien de Montmorency, duc de Laval.

Plus tard, dans un de ses livres, *les Aventures du dernier Abencerage,* Chateaubriand devait se souvenir, avec une évidence qui crevait les yeux des contemporains, de la promenade de l'Alhambra. René, encore tout barbouillé de ses souvenirs turcs et syriens, se transforme en un seigneur arabe du nom d'Aben-Hamet ; Natalie-Dolorès est une jeune Espagnole catholique ; elle danse au son de la guitare, elle chante d'une voix très basse qui fait tourner la tête, elle aime l'ennemi arabe et elle s'appelle Blanca : « La lune, en se levant, répandit sa clarté douteuse dans les sanctuaires abandonnés et dans les parvis déserts de l'Alhambra. Ses blancs rayons dessinaient sur le gazon des parterres, sur les murs des salles, la dentelle d'une architecture aérienne, les cintres des cloîtres, l'ombre mobile des eaux jallissantes, et celle des arbustes balancés par le zéphyr. Le rossignol chantait dans un cyprès qui perçait les dômes d'une mosquée en ruine, et les échos répétaient ses plaintes. Aben-Hamet écrivit, au clair de la lune, le nom de Blanca sur le marbre de la salle des Deux-Sœurs : il traça ce nom en caractères arabes, afin que le voyageur eût un mystère de plus à deviner dans ce palais des mystères. »

Il y avait un voyageur, en tout cas, pour qui, malgré les caractères arabes, ce mystère n'en était pas un : c'était Hyde de Neuville. Pour lui à qui Mme de Noailles avait tant parlé de René et qui l'avait vue si occupée des monuments des Arabes et de leurs coutumes, les allusions de Chateaubriand étaient tout à fait transparentes : « C'est de ce grand enthousiasme pour ces mœurs dont Mme de Noailles était animée qu'est née la charmante nouvelle que Chateaubriand a appelé *le Dernier Abencerage.* Blanca y est bien l'image fidèle de l'aimable Natalie, et dans la description de cette danse gracieuse et noble où il a peint la fille des Espagnes j'ai cru souvent revoir l'amie commune qui nous avait charmés bien des fois en essayant les danses si attrayantes du pays que nous visitions ensemble. » Déjà, comme il le fera avec un éclat incomparable dans les *Mémoires d'outre-tombe*, Chateaubriand transforme en une œuvre d'art destinée à durer des épisodes passagers de sa vie cahotante, pleine de ruptures, d'oublis et d'infidélités.

En descendant de l'Alhambra, pour laisser dans des objets la trace de leurs amours, René offrit à Natalie une broche en forme de grenade et une mandoline. En achetant la mandoline, comment n'aurait-il pas eu une pensée pour la guitare que lui avait donnée Delphine et qu'il avait laissée dans un coin ? Delphine remet une guitare à René qui l'oublie ; René tend une mandoline à Natalie avec l'espoir qu'elle ne s'en séparera plus jamais. Ainsi va l'histoire des cœurs à travers le temps qui passe et les ombres qui se succèdent.

Il fallut enfin quitter Grenade. Après tant de mois passés loin de Paris, et René et Natalie devaient rentrer chez eux et retrouver les leurs. A sa plus proche voisine de la place de la Concorde, Mme de Pastoret, René écrit : « J'aime en Espagne les ruines de Grenade qui sont un véritable enchantement, l'Alhambra est un palais de fées ; c'est une chose dont je n'avais aucune idée, et qui n'existe que dans ce coin du monde. Je ne sais, Madame, ce que je trouverai à Paris. Le bruit de ma mort, assez généralement répandu, aura sans doute encouragé les douleurs vraies ou fausses, les propos plus ou moins inconsidérés. J'arrivais charmé du voyage que j'avais fait, plein d'envie de revoir mes pénates et d'embrasser mes amis ; mais j'avoue que j'ai été glacé par les nouvelles ; loin de désirer maintenant de retrouver mes foyers, je trouve que j'avance trop vite, je prolonge exprès mon voyage, je vais courir dans les Pyrénées, et peut-être même rentrerai-je d'Espagne par la Catalogne ou la Navarre. » C'est que, après Grenade, ils avaient voyagé tous les deux à travers l'Espagne printanière, couchant de nouveau à Andujar, passant quelques jours à Aranjuez, arrivant enfin ensemble à Madrid, le 21 avril. Le 23 avril 1807, dans une lettre adressée au ministre des Relations extérieures, l'ambassadeur de France, M. de Beauharnais, écrit : « M. de Chateaubriand est attendu aujourd'hui à Madrid. » La date ne coïncide pas avec celle qu'indiquent l'*Itinéraire de Paris à Jérusalem* et les notes de Julien Potelin. On a pu conclure de cette discordance soit que Julien et son maître s'étaient trompés dans leur relation, soit que l'ambassadeur était mal informé. N'est-il pas possible aussi que, comblé d'attentions par l'ambassadeur, René ait voulu se réserver une marge de vie clandestine et privée, à dévorer avec Natalie ? Dans une lettre à Joubert, où il dit à propos de l'Alhambra et de Grenade : « C'est de la féerie, de la magie, de la gloire, de l'amour ; cela ne ressemble à rien de connu », il ajoute : « J'ai quitté précipitamment Madrid parce qu'on voulait m'y faire trop d'honneurs. » On imagine bien qu'à Madrid, aux côtés de Natalie, il avait mieux à faire, après Grenade, qu'à courir derrière les discours et les réceptions. Comment ne pas supposer que, tout au long du voyage d'Espagne, il ait cherché à arracher aux lumières de la scène le plus de temps possible pour de secrètes amours ? Il faut tout de même préciser que, dans la même lettre à Joubert, il indique sans sourciller : « La reine et le prince de la Paix m'avait fait demander ; une raison qui tient à mes opinions m'a empêché de paraître à la Cour. »

La reine et le prince de la Paix : c'est-à-dire Marie-Louise d'Espagne et le Premier ministre, don Manuel Godoy, son amant. Faut-il comprendre que ce sont les opinions politiques de Chateaubriand qui lui interdisaient de les voir ? Mais il n'était plus un homme public et s'il avait une couleur politique, c'était bien celle du loyalisme monarchique. Seraient-ce alors ses opinions religieuses qui lui interdisaient une rencontre avec un couple adultère, fût-il royal ? Même à l'égard du bon et fidèle Joubert, qui, à la différence de Molé, ne savait rien de l'aventure de Grenade et qui était d'avance disposé à presque tout avaler, c'était pousser le bouchon un peu loin. La lettre est d'ailleurs charmante, malgré quelques exagérations : « J'ai fait un voyage admirable. Que je suis heureux de l'avoir fait, malgré trois attaques par les Arabes et une espèce de naufrage de cinquante-six jours ! Les pantoufles de l'archevêque Turpin à Roncevaux me tentent beaucoup : je veux voir tout, pour n'avoir plus de prétexte pour voyager. Si vous étiez à Villeneuve, je voudrais y passer un an entier avec vous, pour travailler. Dans tous les cas, je veux absolument me retirer du monde ; c'est-à-dire de Paris. J'avais écrit d'Espagne à Fontanes et à Mathieu (Molé) dont bien me fâche aujourd'hui. Bonjour, mon cher ami, je vous embrasse tendrement et vous regarde comme mon seul ami. »

Le seul ami, en tout cas, n'était guère au courant des aventures espagnoles de René dont Molé, le traître peut-être, mais aussi le confident, était bien mieux informé. Pendant qu'apparaît déjà, et à nouveau, dans la lettre à Joubert, la tentation de la retraite après celle du voyage – à un autre ami, Chateaubriand assure qu'il n'aspire plus qu'à un coin de terre où il y ait un peu d'ombre –, René traversait l'Espagne, Natalie dans ses bras, à bord d'une somptueuse voiture entraînée par six mules menées par deux cochers qui plaisantent avec Julien et se moquent de lui quand il ne les comprend pas. On cueille encore au passage l'Escurial, Ségovie, Burgos, Miranda, Vitoria : autant de lieux comblés d'histoire, autant d'heures délicieuses. Le rêve enchanté se poursuit, mais la séparation approche. Ils rient, ils s'embrassent, ils regardent le paysage, ils évoquent leurs souvenirs avec de brusques émotions et des bouffées de tendresse, mais déjà les rattrape la mélancolie des voyages sur le point de s'achever. Les voyages, hélas ! ne se font pas seulement dans l'espace, mais aussi dans le temps. Ils ont un terme, par définition. Ils vont vers quelque chose qui marquera leur fin. Ce terme, pour les amants de Grenade, c'est la frontière française. Elle est franchie au début de mai. Leurs deux routes se séparent. Natalie rentre à Méréville par le chemin le plus court. Chateaubriand traîne à Bayonne et à Pau, passe quelques jours dans les Pyrénées, s'arrête une semaine à Bordeaux. On dirait qu'il prolonge, en solitaire, par des rêves et des souvenirs, l'éblouissement espagnol. Enfin, par Angoulême et Tours, par

Blois, par Orléans, il reprend, par petites étapes, le cœur lourd, les yeux encore tout pleins d'un bonheur évanoui, le chemin de Paris. Et puis, comme par hasard, il y aura un arrêt de près de deux jours et d'une nuit au relais de poste d'Angerville. Tiens ? pourquoi Angerville ? C'était le relais le plus proche de Méréville. Un mois, jour pour jour, après leur séparation à la frontière espagnole, les deux amants se jettent à nouveau dans les bras l'un de l'autre. Ils se murmurent des mots d'amour, ils échangent en riant des secrets andalous, ils remuent leurs souvenirs, ils font des projets d'avenir dans cet autre monde qui s'ouvre à eux et qu'ils avaient oublié : Paris, et la société française du début du XIXe siècle. Le 5 juin 1807, un peu plus d'un mois avant le traité de Tilsit, sur le coup de trois heures de l'après-midi, à la façon d'un Phileas Fogg romantique et poète suivi de son Passepartout, Chateaubriand, flanqué de Julien, fait son apparition sur la place de la Concorde. Il y avait onze mois moins huit jours qu'accompagné de Céleste, larguée à Venise, et de Julien, fidèle au poste, il avait quitté Paris.

La règle d'or des séducteurs est que le plus beau de l'amour se situe toujours à ses débuts. Au moment de rentrer chez lui, dans la maison qui s'élève encore aujourd'hui au 120 de la rue du Bac et où Céleste l'attendait. Chateaubriand devenu vieux revoyait les jours ensoleillés et lointains de son amour espagnol. Il y avait pensé ce matin même, quelques heures après avoir reçu la lettre de Samuel Sutton, quand son petit-neveu avait chanté d'une voix fausse la romance du *Dernier Abencerage*, chef-d'œuvre assez mineur du genre troubadour, mais où l'ombre de Natalie revivait en Blanca :

Combien j'ai douce souvenance
Du joli lieu de ma naissance !
Ma sœur, qu'ils étaient beaux les jours
De France !
O mon pays, sois mes amours
Toujours !...
Ma sœur, te souvient-il encore
Du château que baignait la Dore,
Et de cette tant vieille tour
Du Maure
Où l'airain sonnait le retour
Du jour ?

Ah ! s'il se souvenait encore de la vieille tour du Maure ! Mon amour, ma sœur, qu'ils étaient beaux, les jours d'Espagne et de Grenade ! Le retour en France n'avait pas suffi pour ranger au magasin des accessoires les amours de l'Alhambra. La double influence de Natalie de Noailles et du bon Hyde de Neuville, charmant et loyal, mais réactionnaire fieffé, s'exerça même sur Chateaubriand avec une certaine force. Elle balança l'aspiration au progrès et l'horreur renouvelée du despotisme qu'avait inspirées à cet esprit véritablement libéral le spectacle du gouvernement absolu en Turquie. « La sérénité dévouée, rarement approbative » de Céleste de Chateaubriand luttait en vain contre l'emprise de Natalie. « En politique, disait René, si Mme de Chateaubriand m'a contrarié, elle ne m'a jamais arrêté. » C'était sans doute vrai pour la politique ; ce l'était encore bien plus pour la vie sentimentale.

Natalie était toujours là. René se rendait à Méréville aussi souvent que possible. En été surtout, il y passait de longs séjours. Delphine n'avait pas tout à fait disparu, mais elle était devenue une amie, qui se cachait et fuyait. Malgré la hardiesse dont elle savait faire preuve, le monde, plus que jamais, l'intimidait, l'ennuyait et la dégoûtait. Dans le merveilleux parc de Méréville, comparé par Molé comme par Chateaubriand aux jardins enchantés d'Armide, Natalie s'adonnait à ces caprices de volupté qui avaient enchaîné René dans les nuits de l'Alhambra et à une mélancolie exaltée envahie peu à peu par l'ombre de quelque chose d'obscur qui ressemblait à la folie.

C'était l'époque où la duchesse de Duras entrait dans la vie de René – ou, plus exactement, où Chateaubriand pénétrait, presque malgré lui, dans la vie de Claire de Duras. Qui avait présenté René à la duchesse de Duras ? Il n'est pas difficile de le deviner : c'était, à Méréville, Natalie de Noailles, devenue duchesse de Mouchy par le jeu des décès dans une de ces familles si élégantes qu'elles disposent de plusieurs noms. S'essayant, mais en vain, à cette forme de coquetterie qui consiste à faire semblant de s'effacer pour mieux s'imposer et qui ne peut réussir que quand la partie est déjà gagnée, la pauvre Claire s'était inquiétée auprès de René de l'accueil réservé par Natalie de Noailles à l'affection naissante que la nouvelle venue cultivait avec passion. Elle se fit durement rabrouer : « Quelle folie, chère sœur ! Mme de Mouchy sait que je l'aime, que rien ne peut me détacher d'elle. Sûre ainsi de moi, Mme de Mouchy ne me défend ni de vous voir, ni de vous écrire, ni même d'aller à Ussé, avec ou sans elle. Si elle me le commandait, sans doute elle serait aussitôt obéie, comme je vous l'ai dit cent fois. Vous ne le trouvez pas mauvais. Vous m'en estimez davantage. C'est Mme de Mouchy qui a inspiré l'*Abencerage* ; je suis charmé qu'il vous plaise tant. » Les choses, une fois pour toutes, étaient mises au point sans la moindre équivoque.

Un grand bonheur était pourtant réservé, au milieu de tant d'humiliations, à la duchesse de Duras. Pendant plusieurs années encore, au plus fort de l'Empire, Natalie tiendra le premier rôle dans le harem imaginaire des « Madames ». Elle venait, en public ou en secret, rendre visite au poète à la Vallée-aux-Loups, cette propriété du côté d'Aulnay, de Châtenay et de Sceaux, qu'il avait achetée à son retour d'Espagne et où il travaillait dans une tour remplie de souvenirs de Grenade. La légende, ou peut-être l'histoire, rapporte qu'elle passait, la nuit, par une porte dérobée, percée dans le mur du parc, et où se dissimulaient quelquefois des admirateurs fanatiques, tels que le jeune Lamartine. Quand les deux amants étaient restés quelques jours sans se voir, René pensait à elle en travaillant aux *Martyrs*, au *Dernier Abencerage*, à son *Itinéraire de Paris à Jérusalem*, à sa tragédie illisible de *Moïse* ou aux *Mémoires d'outre-tombe*. « Combien de fois mon imagination avait franchi les bois pour voyager toujours sur le même chemin ! Je me voyais partant, revenant, allant m'enfermer dans la tour, pour rêver à elle et aux *Martyrs*, persécuté par le tyran, glorieux de sa haine, rêvant de grands ouvrages au milieu des menaces, amoureux, inspiré, malheureux et content. » Il n'y a que Chateaubriand pour bien parler de Chateaubriand.

Un jour pourtant, Mme de Duras reçut un billet dont nous avons déjà parlé et qui, tout en la remettant, comme d'habitude, à sa place (« Ma sœur est quelquefois inconcevable... »), utilisait un passé qui dut résonner avec douceur aux oreilles de la pauvre duchesse : « J'aime beaucoup l'Adrienne, j'aime bien Mme de Bérenger, *j'ai aimé* passionnément Mme de Mouchy. » Ainsi ce grand amour se conjuguait au passé. Mme de Duras n'était guère la bénéficiaire de ce refroidissement ; au moins en était-elle la confidente. Délices !

Peu à peu, en effet, tant à Méréville que rue Cerutti où elle habitait à Paris, Natalie de Mouchy, devenue « la pauvre Mouche », de plus en plus capricieuse et guettée par une folie qui ne faisait que croître, se voyait, à son tour, oubliée et délaissée. Et c'est dans le sein de Claire que, presque brouillé avec Natalie, René venait s'épancher : « La rue Cerutti a recommencé ses orages. Hier, j'ai reçu un congé en forme et je l'ai accepté, car enfin il y a un terme à tout. Je ne sais si je serai rappelé, mais ce qu'il y a de certain, c'est que j'en ai par-dessus la tête. » Et encore, dix jours plus tard : « Toute l'histoire de la rue Cerutti est la même. On m'a bien rappelé, mais les choses ne sont pas changées et ne changeront plus. J'ai rendu tout ce que je possédais et il ne reste pas une trace de tout ce qui a fait une partie du bonheur et des peines de ma vie. Je crois que j'en serai plus heureux, quoique peut-être un peu plus triste. Mais le temps va vite et m'emportera, avec toutes mes futilités et toutes mes folies. » L'indifférence le reprenait. Quand on trouve, comme René, le bonheur jusque dans le malheur, l'amour, pour les autres au moins, est un jeu dangereux. A chacune des passions de René, si une fée malveillante, ou peut-être bienveillante, avait présenté en un éclair l'avenir qui se préparait, Bungay, Savigny-sur-Orge, Fervaques et Méréville, au lieu d'être des havres de grâce, seraient devenus des enfers. Deux mois après les billets à Mme de Duras, en mars 1812, oublieux de Grenade, de la mandoline, de la voiture à six mules lancée sur la route de Madrid, René va jusqu'à écrire qu'il n'a pu encore, à son âge, acquérir un cœur dont il soit sûr. C'était d'une injustice criante. A Claire de Duras, prise en sandwich entre les amants séparés, la pauvre Mouche envoyait, de son côté, ces quelques lignes déchirantes : « Parlez de moi quelquefois ! Que je ne sois ni trop méconnue ni trop oubliée ! Si notre ami peut conserver mon souvenir, je suis sûre qu'il me plaindra et aimera ma mémoire. Adieu ! soyez heureuse ! Que ceux qui ont eu quelque amitié pour moi retrouvent mon souvenir auprès de vous. » La fin de l'amour de la pauvre Mouche est plus triste encore que la mort de Pauline. Décidément, la meilleure façon de sortir de la vie de René était encore de mourir.

C'était l'époque de l'élection du grand homme à l'Académie française. Passant l'éponge sur l'article du *Mercure*, l'empereur lui-même avait décidé d'imposer Chateaubriand aux académiciens. Lui se disait qu'il aurait avantage à entrer « dans un corps puissant par sa renommée et par les hommes qui le composent et à travailler en paix à l'abri de ce bouclier ». Il fut élu au fauteuil de Marie-Joseph Chénier, conventionnel et régicide, qu'il détestait cordialement. Le discours de réception fut soumis à l'empereur. Napoléon déclara que Chateaubriand voulait mettre le feu à la France et rétablir l'anarchie à la place du calme impérial. Le manuscrit fut renvoyé à René, sabré de traits de plume et de coups de crayon : « L'ongle du lion était enfoncé partout, et j'avais une espèce de plaisir d'irritation à croire le sentir sur mon flanc... J'ai refusé net de faire un second discours. Je ne sais s'ils m'effaceront de la liste, mais ce qu'il y a de certain, c'est que je n'aurai pas de droit aux séances, et qu'ainsi, par le fait, je ne serai pas de l'Institut, ce qui m'enchante et ravit tout le monde. »

C'était l'époque où Céleste, épouvantée, cachait sous sa robe le manuscrit incendiaire, rédigé en secret et intitulé *De Buonaparte et des Bourbons*. Un jour, au beau milieu des Tuileries, elle s'aperçut tout à coup que le manuscrit avait disparu ; le sang lui monta à la tête ; elle eut le temps de se dire qu'elle l'avait perdu au cours de sa promenade, et elle s'évanouit. Elle se réveilla sur son lit où on l'avait transportée, passa le bras sous l'oreiller et sentit sous sa main le rouleau du manuscrit qu'elle avait laissé chez elle. « Je n'ai jamais éprouvé, écrit-elle, un tel moment de joie dans ma vie. »

C'était l'époque où, avant les grands bouleversements qui allaient le ramener aux affaires, Chateaubriand ne comptait plus que sur la gloire littéraire. « Si j'étais libre, je vivrais dans la solitude la plus absolue. Toutes les fois qu'on a un goût dominant, on n'est propre qu'à cela. Je sens fort bien que je ne suis qu'une machine à livres ; sans rien exagérer et sans faire de roman, il me faudrait un désert, une bibliothèque et une miss ; ou plutôt *il aurait fallu...* » Alors que, Pauline et Delphine éloignées dans la mort ou dans l'amitié, Natalie sombrait à la fois dans la folie et dans l'oubli, c'était l'image de Charlotte qui revenait à l'esprit de René. Au milieu de son âge mûr, don Juan, éprouvé, se remettait à songer à son premier amour. A son premier amour, et à lui-même, bien entendu, à sa mort, à sa gloire : « Mon front devient chauve ; je commence à radoter ; j'ennuie les autres ; je m'ennuie moi-même. La fièvre arrivera et, un beau matin, on m'emportera. Qui se souviendra de moi ? Le savez-vous, chère sœur ? Quelques vieux bouquins que j'aurai laissés et qu'on ne lira plus exciteront, au moment où je disparaîtrai, une petite controverse ; on dira qu'ils ne valaient rien du tout, qu'ils sont morts avec moi ; d'autres soutiendront qu'il y a quelque chose dans ce fatras ; on restera là-dessus ; on fermera le livre ; on ira dîner, danser, pleurer... » Il y a tout de même avantage à avoir été aimée, et même abandonnée, et même négligée, par un génie : Chateaubriand vit encore parmi nous, et avec lui, et grâce à lui Charlotte, Pauline, Delphine, Natalie, et Claire, et Lucile, et Céleste.

Pauvre Mouche ! Sa fin fut sinistre. Adrien de Montmorency, qui devait effacer, à l'Alhambra de Grenade, les traces de son nom uni à celui de René, s'était mis à l'aimer, de loin et avec respect. Lui avait succédé, beaucoup plus matériellement et plus prosaïquement..., eh bien !... qui donc ? Devinez ! Comme dans un roman bien fait, comme dans une pièce de théâtre où il s'agit, faute de ressources, de limiter le nombre des acteurs, ce fut Mathieu Molé. Il avait été le seul à être tenu au courant par René du rendez-vous de Grenade. Son caractère trop souple et son ralliement à l'Empire avait mené ensuite à des brouilles. Moitié sans doute par admiration pour son aîné du Champ-aux-Lapins, moitié aussi par jalousie, Molé se transformait volontiers en ramasse-miettes de Chateaubriand : il avait, au passage, ramassé Natalie.

Plus sauvage, plus sombre, plus fantasque que jamais, elle n'était plus que l'ombre d'elle-même. Sa folie prenait la forme d'une manie ambulatoire : comme si elle essayait sans fin de s'échapper à elle-même, elle passait son temps à marcher, à courir de plus en plus vite. On dirait d'un film fantastique passant soudain en accéléré. Mais l'angoisse, de loin, l'emporte sur le comique. Molé s'efforçait en vain de vaincre son isolement, d'arrêter sa fuite en avant, de l'intéresser au monde extérieur, de lui lire *Adolphe* qui venait de paraître. « Elle avait l'air, écrit-il, de sentir en elle des souvenirs, une amertume, des secrets bien autrement poignants que toutes les désespérantes révélations échappées à la plume de Benjamin Constant. » Elle courait à travers Paris, à travers la France, d'auberge en auberge et de pays en pays. Loin de Grenade et de Cordoue, elle était engagée dans un voyage sans fin. Uniquement occupée de sa santé, cherchant partout un soulagement qu'elle ne pouvait trouver nulle part, la mort sans cesse devant les yeux, « elle rêvait tous les jours d'une manière plus extravagante de s'acheminer vers le tombeau ». « Elle croit toujours mourir la nuit qui va suivre, écrit Mme de Duras. La terreur la saisit, elle croit qu'on va l'assassiner, que tout ce qu'elle prend est empoisonné, que nous allons tous périr tôt ou tard par l'effet d'une conspiration. » Elle partit pour Vichy avec Molé et Claire de Duras. A son retour à Paris, elle était si bizarre et si inquiétante qu'il fallut l'interner dans une maison de santé de la rue du Rocher.

Molé se montra dur avec elle et parla de « celle que la nature avait formée pour l'ornement de la terre et à laquelle aucune faute ne fut pardonnée parce qu'elle n'avait jamais aimé ». Quand un homme dit d'une femme qu'elle n'a jamais aimé, c'est en général parce qu'elle a aimé – mais un autre que lui-même. Et Natalie, en effet, à défaut de Mathieu, avait aimé René. Et Mathieu le savait. Claire parla avec bonté à René de cette folie déchirante où la pauvre Mouche ne déguisait plus rien et où chacun pouvait voir combien son âme était douce et combien elle devait souffrir. René répondit avec plus de compassion raisonnable que de douleur et de flamme : « Ah ! mon Dieu, la pauvre Natalie ! Quelle fatalité me poursuit ! Ne vous ai-je pas dit que tout ce que j'avais aimé, connu, fréquenté, était devenu fou, et moi, je finirai par là. Il n'y a rien que je ne fisse ou ne donnasse pour voir Mouche heureuse. J'espère que sa tête se remettra. Il peut se faire que ce ne soit qu'un dérangement passager. Pour tout le bonheur qu'elle m'a donné, je ne puis rien pour elle. Chère sœur, quelle déplorable impuissance que celle des amitiés humaines. » Oui, bien sûr. Il avait beau ajouter : « J'ai le cœur déchiré... J'y pense continuellement », la passion était bien morte, les serments de Grenade avaient sombré dans l'oubli, Natalie de Noailles était sortie de ses rêves.

Plus tard, envoyé à Londres par Louis XVIII pour représenter la France et le roi, les attachés de l'ambassade parlaient de lui avec une admiration vaguement mêlée d'épouvante : une duchesse, pour lui, était morte d'amour, une autre était devenue folle. C'était trop et trop peu : Pauline n'était pas duchesse, mais Natalie l'était, et il fallait peut-être ajouter encore Lucile à la liste des démentes. La bonne Claire de Duras fut peut-être à la fois plus lucide et plus juste à l'égard de Natalie que les deux hommes illustres qui l'avaient aimée successivement : « Sans ce fatal voyage d'Angleterre qui l'a rendue toute blessée, toute désillusionnée, peut-être n'aurait-elle pas suivi une aussi mauvaise voie. » Peut-être, en effet. Avec sa vieille maîtresse anglaise, reçue du prince de Galles, avec l'affreuse comédie de M. de Vintimille, si cruellement puni, le comte Charles de Noailles, prince de Poix, duc de Mouchy, était le premier coupable. Le mal, sans doute, était irréparable. Ni Mathieu ni même René, quelque inégaux qu'ils fussent par le talent, le caractère, le charme et le génie, n'avaient aimé la pauvre Mouche avec assez de force et de patience pour la sauver d'elle-même. Chateaubriand « avait certainement conçu la pensée de la relever à ses propres yeux et à ceux du monde, mais il était incapable de s'occuper avec persévérance du sort d'une autre, étant trop absorbé par la préoccupation de lui-même ». Impossible de mieux dire. La pauvre Mouche ne mourra, à Paris, qu'à la veille de Noël de 1835. Mais dès 1817, victime de l'histoire, d'elle-même, de ses amours, elle s'enfonce dans la folie. Alors, et depuis longtemps déjà, malgré Grenade et l'Alhambra, malgré la passion espagnole et les deux noms gravés sur la colonne de Blanca, il semble bien que le dernier rêve de René ne sera jamais que pour lui-même.

Accablé par l'âge, par les chagrins, par la gloire, le vicomte de Chateaubriand, ayant poussé la porte du rez-de-chaussée de la rue du Bac, entra lentement dans la pièce où, impavide, aiguë, légèrement acariâtre et apparemment immortelle, Céleste l'attendait.

4

JULIETTE OU L'AMOUR

Tous les jours, un peu après deux heures, M. de Chateaubriand sortait de chez lui...

—

Avec Mme Tallien et quelques autres, Juliette règne sur le Directoire...

—

Dans le salon du 32 de la rue Basse-du-Rempart, l'Europe...

—

En février 1817, au beau milieu d'un bal chez le futur duc Decazes...

—

Le soir de l'immortel dîner chez la mourante, Juliette...

—

La vie cependant continuait son train. La politique...

—

« *Vous me direz :* Vous avez donc une terrible fureur... »

Tous les jours, un peu après deux heures, M. de Chateaubriand sortait de chez lui pour se rendre, à heure fixe et par un chemin immuable, chez Mme Récamier. Il arrivait à l'Abbaye-aux-Bois vers deux heures et demie. Il rentrait rue du Bac entre quatre heures et quatre heures et demie. Chaque jour, pendant des années, vers la fin de sa vie, il passa ainsi près de deux heures auprès de Juliette Récamier. Quand il lui devint impossible de se déplacer, il refusa de se faire porter à l'Académie française ou à l'Abbaye-aux-Bois. Alors, ce fut Juliette qui vint le voir tous les jours – tous les jours, jusqu'au dernier. Comment cette affection si forte et qui ne finit qu'avec la mort avait-elle commencé ?

Il faut revenir ici aux débuts du Consulat, à la publication d'*Atala,* un an avant le *Génie du christianisme,* et à l'aube encore triomphante de la liaison de René avec Pauline de Beaumont. Un matin de printemps, exactement entre la parution d'*Atala* et le départ avec Pauline pour Savigny-sur-Orge, c'est-à-dire à la fin d'avril ou au début de mai 1801, René, jeune auteur à la mode, se rend chez Germaine de Staël. A trente-cinq ou trente-six ans, Mme de Staël s'est déjà fait un nom grâce à plusieurs ouvrages, annonciateurs des grands succès qui restent encore à venir. Entre Germaine et René, les relations sont apparemment excellentes – et en réalité un peu complexes. Victime de l'anglomanie qui se met à sévir, par réaction, dans les milieux libéraux, elle commence ses lettres à François-René par un surprenant *Dear Francis.* Lui, pour ne pas être en reste, termine les siennes par *God bless you.* Ces douceurs britanniques et un peu ridicules couvrent des rapports plus ambigus. Dans le premier article du *Mercure de France* où Fontanes, en post-scriptum, parlait avec éloge du futur *Génie du christianisme,* figuraient des attaques contre Mme de Staël. Mme de Staël protesta. Quelques mois plus tard, toujours dans le *Mercure,* ce fut Chateaubriand qui lui répliqua. A la parution du *Génie du christianisme,* vous vous souvenez que Mme de Staël prédit un échec sanglant à Adrien de Montmorency. Le plus piquant est qu'à l'époque ni Mme de Staël ni Chateaubriand ne sont encore entrés dans l'opposition à Bonaparte. Le rapprochement avec l'Église, qui enchantera et servira René, laissera Mme de Staël, fille du protestant Necker, indifférente ou hostile. Elle écrit à Juliette Récamier : « Que disent-ils, vos dévots, du nouveau traité avec le pape ? Est-ce bien orthodoxe ? Nous autres, hérétiques, nous confondons tout cela ; donnez-moi quelques lumières sur ce mélange un peu singulier. » Tout cela n'empêchait ni les *Dear Francis,* ni les *God bless you,* ni les politesses sur *Delphine,* alors en préparation, ni les lettres où René, selon son habitude, se présentait en sauvage et en persécuté – « J'irai mourir sur une terre étrangère. Il y a tant et de si beaux talents en France ! Le mien n'y fera pas un grand vide » – ni les visites à domicile.

Ce matin-là, René, recu comme toujours et introduit auprès de Germaine par Joseph Uginet, dit Eugène, valet de chambre, maître d'hôtel, intendant, homme de confiance de Mme de Staël, ne regretta pas d'être venu. Il assistait, comme s'il était le personnage secondaire d'un tableau, d'une pièce de théâtre ou d'un film d'histoire, à l'habillage de Germaine par Olive, sa femme de chambre, lorsqu'il se passa quelque chose qu'il ne devait plus oublier. « J'étais, raconte-t-il lui-même, un matin chez Mme de Staël ; elle m'avait reçu à sa toilette ; elle se laissait habiller par Mlle Olive, tandis qu'elle causait en roulant dans ses doigts une petite branche verte. Entre tout à coup Mme Récamier, vêtue d'une robe blanche ; elle s'assit au milieu d'un sofa de soie bleue. Mme de Staël, restée debout, continua sa conversation fort animée, et parlait avec éloquence ; je répondais à peine, les yeux attachés sur Mme Récamier. Je me demandais si je voyais un portrait de la candeur ou de la volupté. Je n'avais jamais rien inventé de pareil et plus que jamais je fus découragé ; mon amoureuse admiration se changea en humeur contre ma personne. Je crois que je priai le ciel de vieillir cet ange, de lui retirer un peu de sa divinité, pour mettre entre nous moins de distance. Quand je rêvais ma Sylphide, je me donnais toutes les perfections pour lui plaire ; quand je pensais à Mme Récamier, je lui ôtais des charmes pour la rapprocher de moi ; il était clair que j'aimais la réalité plus que le songe. Mme Récamier sortit et je ne la revis plus que douze ans après. »

Rien de plus éloquent que cette ravissante description d'un coup de foudre à retardement qui éclate des années après la première rencontre. La tache blanche de la robe de Juliette sur le bleu du sofa ; Germaine parlant sans arrêt, avec cette manie de tripoter un bout de bois ou une fleur ; le double silence de René, alors amoureux de Pauline, et de Juliette, impassible ; le mélange inextricable de pureté et de sensualité évoqué par Mme Récamier : tout est donné d'un seul coup, et exprimé à merveille. Il ne manque, ici encore, qu'une vue soudaine de l'avenir : Mme Récamier affreusement vieillie selon le vœu imprudent de René et pourtant toujours belle, aveugle, non plus en blanc, hélas ! mais en noir, effondrée tout en larmes au pied du lit en fer où meurt Chateaubriand.

Jeanne-Françoise-Julie-Adélaïde Bernard était née à Lyon neuf ans après la naissance de Chateaubriand à Saint-Malo. L'année d'avant, à Lyon également, était né Pierre-Simon Ballanche, qui devait devenir successivement l'ami de Pauline de Beaumont, de René, de Céleste et de Juliette Récamier. Julie Bernard, mère de celle que, plus tard, on appellera Juliette, était blonde, fraîche et vive. Me Jean Bernard était l'un des quarante notaires alors établis à Lyon « à l'instar des notaires de la ville de Paris ».

Juliette fut mise en pension au couvent de la Déserte, à Lyon. Elle y reçoit une éducation soignée et presque luxueuse. Très vite, en pleine Terreur, à quinze ans, elle épouse un banquier de vingt-sept ans son aîné, qu'elle avait connu chez sa mère : il s'appelle Jacques Récamier. Jacques et Juliette ont exactement l'âge qu'ont Arnolphe et Agnès – qui sort d'un « petit couvent » – dans *l'Ecole des femmes* de Molière. Tout de suite surgit ici un problème mystérieux autour duquel ont tourné une foule d'historiens et de curieux : celui des relations entre Juliette et son mari. Le témoignage fondamental sur cette union vient de la propre nièce de Mme Récamier ; elle s'appelait Amélie Cyvoct, avait épousé Charles Lenormant, était intimement liée avec sa tante et a laissé sur elle des souvenirs très précieux. « Ce lien, écrit-elle, ne fut d'ailleurs jamais qu'apparent ; Mme Récamier ne reçut de son mari que son nom. Ceci peut étonner, mais je ne suis pas chargée d'expliquer le fait ; je me borne à l'attester, comme auraient pu l'attester tous ceux qui, ayant connu M. et Mme Récamier, pénétrèrent dans leur intimité. M. Récamier n'eut jamais que des rapports paternels avec sa femme. » Mme Lenormant enfonce, si l'on ose dire, le clou en parlant de la « filiale affection » de Juliette pour son mari. Elle répète encore un peu plus loin que Juliette Récamier ne fut jamais « ni épouse ni mère ».

Il y a plusieurs étages dans l'édifice du mystère. D'abord, l'évidence : Mme Récamier n'a jamais eu d'enfant. Il est déjà plus difficile de se prononcer avec certitude sur la vie intime et sexuelle de Juliette. Il est pourtant hors de doute que, si Juliette se montra la plus dévouée et la plus attentive des épouses, le mariage avec Jacques ne fut jamais consommé. Lorsque les relations se détériorèrent entre les époux et que Juliette demanda le divorce, M. Récamier exprima « le regret d'avoir respecté des susceptibilités et des répugnances sans lesquelles un lien plus étroit n'eût pas permis cette pensée de séparation ». Inutile de chercher d'autres textes et d'autres preuves, la cause semble entendue : le mariage est resté blanc.

Reste à déterminer les motifs de cette étrange situation. Deux hypothèses principales ont été avancées. La première remonte à Mérimée. « Un jour, raconte Maxime du Camp, le chroniqueur ami de Flaubert, de Louis Bouilhet et de Mérimée lui-même, un jour que nous causions avec lui de Chateaubriand qu'il avait connu, nous en arrivâmes, par une transition naturelle, à parler de la vertu bruyamment célébrée de Mme Récamier ; il s'écria : *Ne la jugez pas défavorablement, je vous en prie ; elle est plus à plaindre qu'à blâmer ; c'était un cas de force majeure.* Puis, levant les bras et les yeux vers le ciel avec désespoir, il ajouta : *Pauvre Juliette ! elle en a bien souffert !* » Voilà l'origine, ou une des origines, de la longue tradition qui, légende ou vérité, attribue à Juliette un vice rédhibitoire de conformation physique : aucun des innombrables amoureux qu'elle a traînés derrière elle n'aurait pu franchir la barre qui défendait sa vertu. Cette théorie ne repose évidemment que sur une pure et simple hypothèse, sur des ragots, sur des on-dit. Il est aussi impossible de l'écarter que de la retenir. Peut-être peut-on seulement se rappeler qu'au moins une fois, au moment de l'idylle avec le prince Auguste de Prusse, elle envisage sérieusement, non seulement le divorce, mais un second mariage. Chacun jugera si un tel projet est compatible avec l'hypothèse d'une malformation chez un être si harmonieusement équilibré et si une femme de trente ans, autrement au courant de l'existence et de son propre corps qu'une enfant de quinze ans, aurait pu, se sachant barrée, s'avancer jusque-là.

La malignité publique s'empara naturellement de ces rumeurs incontrôlables. La carrière de séducteur éternellement insatisfait que poursuivait René pouvait faire supposer, bien à tort, que ce don Juan était en réalité impuissant. Plus tard, quand la liaison, supposée platonique, entre Chateaubriand et Mme Récamier défraya la chronique, de méchants vers de mirliton se mirent à courir Paris :

Juliette et René s'aimaient d'amour si tendre
Que Dieu, sans les punir, a pu leur pardonner :
Il n'avait pas voulu que l'une pût donner
Ce que l'autre ne pouvait prendre.

Il y a une autre explication, plus étrange et plus secrète encore. Elle repose principalement sur une lettre écrite par Jacques Récamier à son beau-frère quelques semaines avant le mariage. Dans le style sentimental et pleurnichard de cette époque où les larmes tombaient aussi facilement que les têtes, il trace un portrait plein de pudeur et exagérément modeste de Juliette Bernard. Il assure qu'elle est charmante et douée de toutes les vertus, mais, ajoute-t-il aussitôt, « il est possible d'être plus belle ». Parlant de son « attachement tendre et vrai » pour cette « intéressante personne », il précise, avec une fermeté surprenante : « Je n'en suis point amoureux. » Le plus intéressant vient ensuite. Pour écarter d'avance la « prévention » qui pourrait s'emparer de son correspondant au seul nom de Mlle Bernard, il se justifie : « On pourra dire que mes sentiments pour la fille tiennent à ceux que j'ai eus pour la mère ; mais tous ceux qui fréquentent la maison savent bien que l'amitié seule m'y attachait à la suite d'un sentiment peut-être un peu plus vif que j'ai pu éprouver dans le principe de notre connaissance. »

D'un texte tel que celui-là devait découler tout naturellement l'idée que M. Récamier, très lié avec Mme Bernard, était le père de sa femme. Il illustrerait alors, malgré toutes ses vertus, le distique qu'un poète du XVIIIe avait dédié à Loth s'unissant à ses filles sous le coup de la boisson :

Il but, il devint tendre ;
Et puis, il fut son gendre.

L'hypothèse a été soutenue avec vivacité par plusieurs auteurs, notamment anglais. Ils insistent, non seulement sur les données psychologiques, mais sur les circonstances historiques : le mariage, civil, est célébré en avril 93 ; le marié est banquier et suspect au Comité de Salut public ; dans la légalité flottante de l'époque, le seul moyen sûr pour Jacques Récamier d'assurer à Juliette la transmission de sa fortune est de l'épouser. Là encore, il ne s'agit que d'une hypothèse, impossible à vérifier. Tout ce qu'il est permis de dire, c'est qu'elle répond assez bien aux circonstances générales et particulières. Il est tout à fait certain que Jacques Récamier s'estimait gravement menacé : pour se familiariser avec le sort qui l'attendait, il allait assister le plus souvent possible aux exécutions capitales. Il avait vu périr ainsi le roi, la reine, plusieurs fermiers généraux et M. de Laborde, banquier de la cour ; à cette époque encore, le monde n'est pas très grand : c'était le père de Natalie de Noailles.

S'il est vrai que Jacques Récamier était le père de Juliette Bernard, sa mort violente sous la Terreur aurait naturellement tout arrangé. Le pire n'est pas toujours sûr et les meilleures combinaisons finissent par échouer. Par bonheur et par chance, par malchance, par malheur, M. Récamier sauva sa tête branlante. Les difficultés commençaient.

Avec Mme Tallien et quelques autres, Juliette règne sur le Directoire, puis sur le Consulat. Pauline, Delphine, Natalie, toutes s'étaient jetées dans le tourbillon effréné qui succède à la Terreur. Peut-être avec moins d'audace, mais aussi avec plus d'éclat, Juliette ne fait pas exception.

C'est l'époque des muscadins, des incroyables, des merveilleuses. Un luxe tapageur succède à l'austérité. Les hommes se montrent en frac gris avec des cravates vertes. Les femmes portent le turban à la façon de Germaine de Staël, le châle comme Mme Récamier, des robes sans manches, aux bras nus. Les souliers disparaissent, remplacés par des semelles attachées à la jambe par des rubans croisés. Le jupon et la chemise reculent devant la tunique de gaze. Le vêtement n'est plus fait pour dissimuler le corps, mais pour le révéler. L'engouement pour l'antique, à la mode depuis quelques années, ne faiblit pas encore. Dans le vêtement comme dans le langage, il se combine parfois, surtout dans les milieux d'opposition, avec la tendance croissante à l'anglomanie. Au reste, toutes les excentricités sont permises et acclamées : maillots couleur de chair, voiles de tulle transparent, anneaux d'or aux chevilles. On compte sur le plaisir et les extravagances pour balayer les craintes passées et l'angoisse de l'avenir.

L'or coule de nouveau à flots. Millionnaires et spéculateurs s'en donnent à cœur joie. L'acajou, la soie, le bronze doré, le marbre antique envahissent les demeures où se succèdent les fêtes, les fortunes se font et se défont au gré des spéculations. Les bals masqués se multiplient. Des ambassadeurs venus d'Orient y répandent des essences de roses. Dans les concerts publics et dans les fêtes champêtres à la grecque ou à la romaine chante Garat et danse Trenitz.

Les historiens se divisent. Pour les uns, Juliette est un des centres des bacchanales, entre Mme Hamelin, Joséphine de Beauharnais, amie de Fouché et de Mme de Custine, et de Thérésa Cabarrus, devenue Mme Tallien avant de finir sa vie comme princesse de Caraman-Chimay. Pour les autres, au contraire, elle se tient plutôt à l'écart de cette cour du roi Pétaud où gambille le Directoire. La vérité, sans doute, se situe quelque part entre ces deux extrêmes. Il ne faut pas oublier que Juliette a à peine vingt ans. Malgré l'opinion de son propre mari, sa beauté et son charme sont incomparables, mais elles s'unissent à une grâce et à une retenue naturelles. Si elle triomphe, c'est par la simplicité. Un beau primidi de 96 – c'est-à-dire un dimanche du calendrier révolutionnaire, vers les débuts du Directoire – la belle Mme Tallien brillait dans un salon quand Juliette Récamier y entra. Mme Tallien aussitôt, se sentant menacée, rejeta son châle et se leva, les bras nus, éblouissante, des bijoux éclatants aux doigts et autour du cou. Sans collier, sans une bague, dans la tunique la plus simple, Juliette ne bougea pas, se contentant de sourire sans aucune affectation. Sa modestie naïve se mettait déjà à l'emporter sur toutes les extravagances de la somptuosité.

Juliette, à vingt ans, ressemblait à une vierge de Raphaël. La taille souple et élégante, les épaules et le cou admirables, la bouche petite et très rouge, des dents de perle, le nez délicat et régulier, les cheveux châtains et bouclés, les bras peut-être un peu minces, la poitrine peu marquée, mais très ferme et remarquablement dessinée, le teint d'une pureté incomparable, elle avait quelque chose à la fois d'indolent et de fier. Quand elle dansait parmi ceux qu'on commençait à appeler les *bambocheurs,* les mouvements de ses bras étaient d'une grâce merveilleuse. Dans l'enfer de tous les vices, brillante, fêtée, applaudie, elle nous apparaît de loin comme une jeune déesse sur les nuées.

Cette idole des bals et des charades ne se contentait pas de danser à ravir. Elle devint l'amie d'une femme qui avait d'autres ambitions que de rivaliser avec Mme Tallien : quand M. Récamier, à la fin du Directoire, acheta à Mme de Staël son hôtel de la rue du Mont-Blanc, elle se lia intimement avec le futur auteur de *Corinne.* Rien de plus surprenant que la vraie affection entre ces deux femmes si différentes. L'une était habillée de façon extravagante, à la va-comme-je-te-pousse, avec des turbans inouïs et des chapeaux à fleurs, l'autre était vêtue en jeune fille très convenable. L'une déversait sur l'autre des torrents de bienveillance spirituelle et savante écoutés en silence. L'une parlait tout le temps, et l'autre ne disait rien. On raconte qu'un imprudent, assis entre Germaine de Staël et Juliette Récamier, bredouilla un peu platement : « Ah ! me voici entre l'esprit et la beauté. – Monsieur, répliqua aussitôt Mme de Staël avec une vivacité qui démentait ses paroles, c'est la première fois que je m'entends dire que je suis belle. »

Mme de Staël, à cette époque, avait un grand amour dans sa vie : c'était Benjamin Constant. Avec onze ans de plus que Juliette et un an de plus que Benjamin, Germaine, débordante de vie, avait une expérience et une réputation considérables. Mais le bonheur la fuyait. La liaison avec Constant commençait déjà à battre de l'aile. Dans ses journaux intimes Benjamin se servait, à la manière de Stendhal, d'un langage secret et chiffré où 1 signifiait le plaisir physique, 2 sa décision de rompre avec Germaine, 3 son hésitation à rompre, 4 son travail, etc. Le code allait jusqu'au chiffre 17 et aboutissait à des résultats étonnants : « Soupé avec Mme Dutertre. 1. Derechef, 2. 4, un peu. » Et le lendemain : « Lettre de Minette. 3. Ah ! que faire ? » Minette, bien entendu, mais de façon surprenante, était Germaine de Staël. Juliette regardait tout cela avec ses grands yeux étonnés. A la veille du Consulat, dans tout l'éclat de sa beauté, répandant chez les hommes, « par un mélange extraordinaire, le double enchantement de la vierge et de l'amante », il lui était impossible de ne pas éveiller des passions. Après un petit neveu écarté avec douceur, ce seront, coup sur coup, de plus gros poissons qui viendront, avec plus ou moins d'imprudence, mordre à l'hameçon délicieux et trompeur : Lucien Bonaparte, frère du Premier consul et d'Elisa Bacciochi, le prince de Wurtemberg, M. de Metternich, Eugène de Beauharnais, le général Masséna, le général Moreau, le général Bernadotte, les deux cousins Montmorency, Adrien et Mathieu.

Benjamin Constant et Chateaubriand se moquèrent plus tard, tous les deux, on peut comprendre pourquoi, des lettres un peu ridicules de Lucien à Juliette : « Roméo vous écrit, Juliette... Oh ! Juliette, la vie sans l'amour n'est qu'un long sommeil. Mon âme est inquiète, elle a soif de sentiments... Encore quelque émotion comme celles de ces deux jours, et je deviens fou. Je ne peux pas vous haïr, mais je peux me tuer... » En face des entreprises de Lucien, Sainte-Beuve explique mieux que personne l'attitude de Juliette : « Lucien aime, il n'est pas repoussé, il ne sera jamais accueilli. Voilà la nuance. Il en sera ainsi de tous ceux qui vont se presser alors comme il en sera de tous ceux qui lui succéderont. Elle était véritablement magicienne à convertir insensiblement l'amour en amitié, en laissant à celle-ci toute la fleur, tout le parfum du premier sentiment. Elle aurait voulu tout arrêter en avril. »

Élégant, charmant, très vif, gracieux mais gauche, affligé d'un bégaiement tenace et myope, Adrien de Montmorency, futur duc de Laval, mari de « l'Adrienne » chère à Chateaubriand, tombe amoureux de Juliette, lui est soumis en tout et lui envoie des billets souvent irrésistibles : « J'obéirai à vos ordres ; je n'irai pas dans ce lieu si vanté par votre belle présence. Je sacrifierai le plaisir de vous voir contemplée par un concours immense à la sévère consolation de vous avoir obéi. » Ou ceci, qui est déchirant : « Ce n'est pas que je sois sensible à l'humiliation d'être refusé ; il y a longtemps que j'ai déposé tout amour-propre à vos pieds. » Décidément, ce vieux croûton de Montmorency avait plus d'allure et d'esprit que le frère de Napoléon, président du Conseil des Cinq-Cents, ministre de l'Intérieur, ambassadeur à Madrid, membre du Tribunat et prince de Canino. On n'en voudrait pour preuve que ces lignes ravissantes : « Mon père était épris de vous. Vous savez si je le suis moi-même. C'est le sort de tous les Montmorency. » Cette formule un peu sibylline s'explique assez aisément : en attendant qu'Henry, le fils d'Adrien, soit enfin assez grand pour attraper le mal de famille, Mathieu, le cousin d'Adrien, avait succombé à son tour.

Mathieu, vicomte, puis duc de Montmorency, était très différent de son cousin. C'était un homme de quarante ans, il s'était battu en Amérique, il était le compagnon des La Fayette, des Lauzun, des Ségur, il faisait profession de libéralisme et, issu de la noblesse la plus authentique de France, il s'était, au début de la Révolution, rangé aux côtés du tiers état. Longtemps attaché à Mme de Staël, il avait connu Juliette par Germaine de Staël, qui était son amie, et par son cousin Adrien.

Mathieu était un dévot professionnel. D'une piété sincère et grave, il aima d'abord Juliette à travers les bonnes œuvres pour lesquelles il la tapait. Insensiblement, il passa des sollicitations pour des secours financiers à des conseils mystiques et à une sorte de direction de conscience à tonalité amoureuse. Il finit, sans rire et sans aucune intention plus ou moins dissimulée, par proposer à Juliette de collaborer avec lui à la préparation d'un ouvrage sur les sœurs de charité. Celui-là au moins, il n'y avait même pas à le repousser. Pendant un quart de siècle, Mathieu aima Juliette de loin, avec respect et tendresse, avec une passion pieuse, mais un peu ombrageuse, et se conduisit avec elle comme le duc de Nemours avec la princesse de Clèves dans le roman de Mme de La Fayette.

Au milieu de toutes ces amours, acceptées et refusées, Juliette conservait pour Germaine une admiration passionnée. Lorsque Mme de Staël publie *Delphine,* le grand jeu, dans les salons, est de chercher les clés des personnages du livre. « On dit, murmura Talleyrand avec drôlerie et cruauté, que Mme de Staël nous a représentés tous deux dans son roman, elle et moi, déguisés en femmes. » Il n'est pas impossible que Mme Récamier et Benjamin Constant aient servi, l'un et l'autre, de modèles à Germaine. Mais il y avait plus sérieux que ces jeux littéraires qui servaient de prétextes à de bons mots : les bouleversements politiques rapprochaient les uns et séparaient les autres.

Chateaubriand n'avait plus revu Mme Récamier depuis la rencontre chez Mme de Staël en train de s'habiller. Parce qu'il avait choisi de servir le Premier consul, il rencontra M. Récamier. Grâce à la double dédicace du *Génie du christianisme* à Bonaparte et au pape, grâce à la chaîne Fontanes - Elisa - Lucien - Napoléon, René avait été nommé à Rome. A la veille de son départ, il lui avait fallu obtenir un peu de monnaie romaine. Un certain nombre de banques, à cette époque, avaient des difficultés. Plusieurs banquiers avaient été arrêtés, d'autres avaient pris la précaution de se suicider. Il se rendit chez un banquier fameux qui avait, lui aussi, connu des revers, mais qui, au moins temporairement, les avait surmontés : c'était le mari de Juliette. M. Récamier ne se contenta pas de lui fournir une lettre de change sur Rome pour la somme de mille écus, il lui remit aussi une lettre, restée célèbre, pour son correspondant à Rome : « Je vous adresse M. de Chateaubriand, mon ami, et je vous prie de lui rendre toutes sortes de services ; c'est un homme de mérite dans son genre. »

Juliette, elle, était liée à la fois à Germaine de Staël et à Bernadotte, opposants de gauche, et à Mathieu de Montmorency, opposant de droite. La proclamation de l'Empire divisa l'ancienne noblesse. Les Mortemart, les Turenne, les Colbert, les Ségur, les Rohan, les Montesquiou se rallièrent autour de Mme de La Rochefoucauld, première dame d'honneur de Joséphine, à Napoléon Ier. Mathieu et son cousin résistèrent. « Peu de jours après que Bonaparte monta sur le trône, raconte Adrien de Montmorency, le baron de Breteuil rassembla chez lui tous les membres de notre famille et nous communiqua les ordres du nouvel empereur : ils signifiaient que nous devions tous sans exception nous attacher à son service dans une carrière quelconque, et cela par des considérations qui pouvaient flatter notre orgueil. Le lendemain, nous nous réunîmes et nous prîmes l'engagement de ne jamais paraître à cette cour et de n'accepter aucun emploi : dans ce conseil de famille, Mathieu parla avec une force qui nous arracha des larmes. » Curieuse et lointaine époque que celle où des opposants étaient priés ou contraints par le pouvoir d'accepter des fonctions et où ils les refusaient très librement !

Juliette, sans être l'objet d'autant de persécutions que Germaine, se rangea de son côté et de celui des Montmorency. Elle s'éloigne toujours plus de l'Empire, jusqu'à le combattre ouvertement. Fouché essaya de la séduire, de l'introduire à la cour et peut-être de faire miroiter à ses yeux les perspectives éblouissantes d'une liaison avec l'empereur : elle refusa. Pendant que René s'enterrait à la Vallée-aux-Loups, elle connaissait, de son côté, des jours difficiles : Jacques Récamier faisait faillite. Il dut vendre l'hôtel de la rue du Mont-Blanc qui avait connu tant de fêtes et brillé de tant de feux. Junot essaya d'intervenir auprès de Napoléon. Peut-être parce que Juliette n'avait pas voulu devenir la version française de Marie Walewska, il fut plutôt mal reçu : « Je ne suis pas l'amant de Mme Récamier, moi ! Et je ne viens pas au secours des négociants en faillite. Sachez cela, monsieur Junot ! » Le ton est bien celui d'un amoureux vexé et d'un soupirant repoussé. En été 1807, Juliette partit pour Coppet, près de Genève, où Mme de Staël vivait en exil.

Il faudrait adopter ici, pour peindre la vie à Coppet, qui fut, pendant quelques années, la capitale européenne de la résistance intellectuelle au despotisme napoléonien, la forme et le ton de la comédie. C'est que derrière les préoccupations politiques et littéraires se succédaient les drames psychologiques et sentimentaux. Et, avec leurs retournements, leurs rebondissements, leurs excès, leurs rencontres, ces drames, souvent cruels, avaient quelque chose d'irrésistiblement comique. Le décor : Coppet, aux portes de Genève, la belle propriété que Jacques Necker, banquier suisse, adversaire de Turgot, ministre malchanceux de Louis XVI, avait laissée à sa fille Germaine et où elle s'était installée quand les malheurs du temps et les ordres de l'empereur l'avaient contrainte à quitter Paris. Les personnages : Schlegel, Elzéar de Sabran, Mathieu de Montmorency, Sismondi, Degérando, Prosper de Barante et sa sœur, la future Mme Anisson du Perron, Auguste, le fils de Mme de Staël – et probablement de Narbonne, l'ancien ministre de Louis XVI –, Albertine, sa fille – et sans doute celle de Constant –, future duchesse de Broglie, et beaucoup d'autres encore qui constituaient le groupe le plus remarquable de l'époque et peut-être une des sociétés les plus curieuses et les plus amusantes de tous les temps. Au milieu de l'agitation un peu factice et chimérique dont Germaine de Staël aimait à s'entourer, quatre protagonistes jouent, deux par deux – mais les couples changent au fil du temps –, un rôle de premier plan : Germaine de Staël et Benjamin Constant, Juliette Récamier et le prince Auguste de Prusse.

Neveu de Frédéric II, le grand Frédéric, le prince Auguste était jeune – à peine vingt-cinq ans –, assez léger, étourdi et charmant. Il tomba, à Coppet, éperdument amoureux de Juliette Récamier. Et, pour une fois, le cœur de Juliette, de son côté, se mit à battre pour de bon. Pendant que le couple Benjamin Constant - Germaine de Staël se défaisait dans les drames, le couple Auguste de Prusse - Juliette Récamier filait un amour presque parfait. Après une représentation d'Andromaque où Germaine jouait Hermione et Benjamin Constant Pyrrhus, Benjamin-Pyrrhus, encore en costume de scène, entreprit, une fois de plus, de rompre à l'amiable une liaison qui ne parvenait ni à survivre ni à mourir. Dans une scène effroyable, où une tragédie vraie se joue à l'intérieur de la tragédie jouée, Germaine-Hermione, en pleine crise de délire et en tunique d'époque, essaya de s'étrangler. Juliette, pendant ce temps, songeait à divorcer et à épouser en secondes noces le prince Auguste de Prusse, sans trop se douter que le jour viendrait où l'amant d'Hermione serait fou de passion pour elle.

Juliette et le prince Auguste firent ensemble une fameuse promenade en bateau sur le lac de Genève qui apparaît dans une nouvelle, plutôt ridicule, publiée par Mme de Genlis en 1832 : *Athenaïs ou le château de Coppet en 1807.* Sous une fiction transparente, Mme de Genlis se pique d'exactitude historique, mais la littérature, comme souvent, est très inférieure à la réalité. Avant de quitter Coppet, le prince Auguste signa un papier où il s'engageait « par l'honneur et par l'amour » à n'aimer aucune autre femme que Juliette Récamier et il le lui remit avec une chaîne ornée d'un cœur en rubis et un bracelet en or. Juliette se lia par un serment analogue.

Benjamin Constant travaillait à Coppet, lisait ses œuvres

à Mme de Staël, se rabibochait avec elle, profitait de ses conseils, jouait des rôles dans son théâtre, et puis, tout à coup, il se mariait. La présentation à Germaine de Staël de la pauvre Charlotte de Hardenberg est une scène inouïe, pleine de tractations diplomatiques et de coups de théâtre sentimentaux, où le comique se mêle au tragique. Pendant que s'effeuille et s'effiloche l'interminable liaison entre le futur auteur d'*Adolphe* et celui de *Corinne*, Juliette dit oui, puis bientôt, puis peut-être, et enfin non au prince Auguste désespéré. Elle se heurte à son mari qui refuse le divorce, délie le prince de sa promesse, pense sérieusement à se suicider. Mais la vie continue, le carrousel s'accélère. Pendant que Benjamin « fait le mari » avec cette « personne à sentiments » dont la fadeur allemande et la vulgarité indignent Mme de Staël, Prosper de Barante s'attache successivement, avant de se marier à son tour, aux deux dames de Coppet ; et puis, pour boucler la boucle, au moins temporairement car Benjamin Constant nous réserve encore des surprises, Auguste, le fils de Germaine, tombe amoureux de Juliette. Le mot ambigu et un peu inquiétant de Mme Staël à Mme Récamier : « C'est de vous que je me sers pour récompenser ceux que j'aime » devient presque trop vrai. On éprouve une sorte de soulagement quand, pour changer un peu d'air et pour sortir d'un cercle où les mêmes visages tournent indéfiniment dans les combinaisons changeantes d'un quadrille immuable, Juliette, sur les conseils de Mathieu de Montmorency, inquiet de ce qu'il appelait ses « mauvaises amitiés », décide de partir pour l'Italie.

Tout était fini avec le prince Auguste. Une dernière fois, elle lui avait donné rendez-vous à Schaffhouse. C'était à peu près au moment où Napoléon l'exilait de Paris : elle prit prétexte de cette mesure pour ne pas se rendre à Schaffhouse. Le prince Auguste y vint et dut repartir pour la Prusse sans avoir vu Juliette. C'était la goutte d'eau qui faisait déborder le vase de la fureur et de l'amertume. « Enfin, écrit-il à Mme de Staël, j'espère que ce trait me guérira du fol amour que je nourris depuis quatre ans. » Mais, quand il apprit le motif de la dérobade de Juliette, il se repentit aussitôt et lui envoya une nouvelle lettre pleine de tendresse où il se plaignait seulement de n'avoir pas été prévenu et d'avoir fait « inutilement une course de trois cents lieues ». L'empereur lui-même, pour qui il n'y avait pas de question secondaire, suivait l'affaire et s'en amusait. Admirablement renseigné, il écrit de Rotterdam à Davout : « Le prince Auguste est amoureux fou de Mme de Récamier ; il lui a même fait une promesse de l'épouser. L'autre, qui n'est pas si folle, s'en rit et s'en moque ; elle a manqué au rendez-vous de Bâle. Ainsi, vous voyez qu'il y a bien peu de politique dans tout cela. Ce jeune homme est sans boussole et sans tête : ce qui désole, dit-on, la famille de Prusse. »

Avant de partir pour l'Italie, Juliette, exilée de Paris, eut encore le temps de passer quelque mois à Chalon-sur-Saône, non loin du château de Montmirail où habitaient les La Rochefoucauld-Doudeauville dont le fils, Sosthène, avait épousé la fille unique de Mathieu de Montmorency. Puis quelques mois à Lyon, sa ville natale. Là, après avoir dîné plus d'une fois avec le cardinal Fesch, retiré dans son diocèse, il lui arriva une aventure qui n'avait plus rien d'original : elle déchaîna une passion qui devait durer toute une vie. Ce qu'il y a d'amusant pour nous, et presque d'un peu déchirant, c'est le nom de la victime : avec sa timidité d'enfant, sa simplicité d'esprit, son bégaiement, son extérieur disgracié et ce visage « concassé » dont nous parle Lamartine, c'était..., ah ! vous le savez déjà, vous ne pensez plus qu'à lui puisque nous sommes à Lyon - c'était le bon Ballanche. Il était impossible que, dans les cercles littéraires de Lyon, la rencontre n'ait pas lieu. Elle eut lieu. Il la vit. Du premier jour, du premier regard, il se donna à elle pour toujours, sans jamais rien demander et presque sans le lui dire. Elle fut son idole dans un silence qu'ils ne rompirent ni l'un ni l'autre. Ils se dévoua à elle sans réserve ni murmure pendant près de trente-cinq ans. Il lui consacra toute sa vie. Comme Joubert, comme Chênedollé, dans une certaine mesure comme Fontanes ou Molé, l'existence de Ballanche se passera indirectement, à travers des visages de femmes, à l'ombre de Chateaubriand. Des historiens superficiels ont pu estimer que Juliette, abusant de cette dévotion, ne lui donna rien en retour. C'est une erreur grossière. A la mort de Ballanche, vraisemblablement toujours vierge, Juliette était à son chevet. Elle lui avait promis une place pour l'éternité dans son propre caveau au cimetière Montmartre. C'est là qu'elle le rejoignit quelques années plus tard et qu'il l'embrassa enfin pour la première fois. Dans sa chambre, dont la fenêtre donnait sur l'appartement de Mme Récamier, il lui demanda, en attendant cette volupté posthume, la permission d'expirer en lui tenant la main. Elle la lui accorda en pleurant, et il mourut payé de toute une vie d'amour. Il aurait été bouleversé de savoir que Juliette Récamier, qui venait de subir l'opération de la cataracte et à qui les médecins avaient recommandé le repos le plus complet et d'extrêmes ménagements, avait perdu dans ses larmes toute chance de recouvrer la vue.

Accompagnée jusqu'à Chambéry par Mathieu de Montmorency, contrôleur implacable d'une vertu qu'il n'attaquait pas plus qu'il ne permettait aux autres de l'attaquer, Juliette arriva à Rome, avec dans ses bagages le *Génie du christianisme,* pendant la semaine sainte de 1813. Avant de s'installer dans le palais Fiano, sur les ruines de l'*Ara pacis* d'Auguste, elle descendit à l'Albergo Serni, place d'Espagne, à deux pas de la Villa Margherita où, dix ans plus tôt, s'était éteinte Pauline.

Rome, alors chef-lieu du département du Tibre, et officiellement déclarée seconde ville de l'Empire, était occupée par les Français : Miollis commandait les troupes et Norvins la police. Juliette, opposante et exilée, fut reçue avec chaleur par la noblesse locale. Elle fréquentait le fils d'un chaudronnier auvergnat qui était devenu prince romain et qui portait, selon Stendhal, des gilets un peu trop longs : c'était Torlonia, le banquier, un peu vieilli, de Pauline de Beaumont. Elle s'entourait de Français émigrés : le charmant baron de Forbin, qui sera amoureux d'elle, le peintre Granet, un certain M. d'Ormesson. Mais, à l'indignation de beaucoup, on voyait aussi chez elle les hommes de l'empereur. Mélange d'ancien et de nouveau régime, assoupli par une vie d'aventure et allégé des plus gênants scrupules, flanqué d'un excellent cuisinier, le baron de Norvins, qui avait su, malgré ses fonctions, mettre des talons rouges à ses bottes de gendarme, ne manquait pas d'esprit. Amateur d'art et de femmes, Miollis était plus fruste : « Je lui ai parlé de *Corinne*, raconte Juliette ; il ne savait pas ce que je voulais dire. Il a cru que c'était une ville d'Italie qu'il ne connaissait pas. »

Quelques mois à peine après l'arrivée de Juliette à Rome, Ballanche, n'y tenant plus, voyagea nuit et jour pour venir passer une semaine à l'ombre de son idole. C'était une malédiction : il n'était resté que quelques heures à Venise en compagnie de Céleste ; il ne resta guère davantage à Rome aux côtés de Juliette. Au pied du Colisée où flottait encore l'ombre de Pauline appuyée sur René, l'exilé du bonheur connut huit jours heureux. Il partit le cœur brisé : « Ville de saint Pierre, je ne te dis pas adieu... » Dix ans plus tard, en effet, nous le retrouverons à Rome, dans les bagages de Juliette passionnément déçue par les folies de René. Le monde continuait à se tricoter inlassablement autour de Chateaubriand et de Mme Récamier.

Mais la grande affaire de Mme Récamier à Rome, ce fut le sculpteur Canova. Sa réputation était immense. Son tombeau de Clément XIV, son mausolée de Clément XIII, son monument aux Stuarts, sa statue de Pauline Borghèse l'avaient porté aux nues. Vivant, il méritait déjà l'inscription fameuse qui figure sur son tombeau dans l'église des Frari, à Venise : *princeps sculptorum aetatis suae*. Il reçut Juliette le bonnet de papier du sculpteur à la main et, refrain connu, tomba amoureux d'elle. Ce qui était d'autant plus méritoire qu'il aimait plutôt les garçons. Tous les jours, il lui rendait visite, et tous les jours, il lui écrivait. Elle restait assez froide. Il fit, en secret et de mémoire, deux bustes d'elle qu'il lui présenta avec orgueil. Elle cacha à peine qu'elle ne les appréciait guère. Dépité, Canova transforma l'un des deux bustes de Juliette Récamier en une Béatrice de Dante : pour un artiste et une coquette, ce changement de destination équivalait à une rupture.

A la fin de 1813, Juliette Récamier quitta Rome pour Naples, où Joachim Murat et sa femme, la reine Caroline, sœur de Napoléon, de Lucien, d'Elisa Bacciochi et de Pauline Borghèse, l'avaient invitée. Toute la vie de Murat, commandant de la garde consulaire, beau-frère de l'empereur, commandant en chef en Espagne, puis de la Grande Armée au retour de Russie, maréchal de France, prince d'Empire, grand amiral de la flotte, grand-duc de Berg, roi de Naples, fils d'aubergiste, est, à elle seule, un fabuleux roman. Quand Juliette arrive à Naples s'ouvre la dernière période, et la plus sombre, de l'existence haletante de l'héroïque sabreur ; elle se terminera, vingt et un mois plus tard, devant le peloton d'exécution de Pizzo, en Calabre. Il vient de rentrer, après Dresde et Leipzig, de la campagne d'Allemagne de 1813 et, le 11 janvier 1814, il négocie avec l'Autriche et l'Angleterre pour tenter de se maintenir sur le trône en échange de la fourniture contre l'empereur, son beau-frère, d'un contingent de trente mille hommes. Mme Récamier était assise avec les Murat dans le salon du palais royal de Naples lorsqu'un aide de camp vint murmurer quelques mots à l'oreille du roi. Alors, raconte Ballanche, Murat se lève tout à coup, prend la main de Juliette, l'entraîne vers une fenêtre qui donne sur le golfe et, pendant que le Vésuve, en une sorte d'avertissement de la nature à l'histoire, lance au ciel des torrents de flammes, il lui montre les bateaux de guerre anglais en train d'entrer lentement dans le port. « Regardez ! lui dit-il d'une voix altérée par l'émotion, regardez ! tout est fini ! »

Murat partit avec ses troupes contre Eugène de Beauharnais, Juliette resta seule quelque temps avec la reine Caroline. Un jour où, tout à fait à la fin de son séjour italien, elle était revenue à Naples l'embrasser une dernière fois, elle la trouva en larmes, avec, à la main, une brochure et des lettres qui semblaient la bouleverser. Les lettres annonçaient le départ de son frère pour l'île d'Elbe. Le livre était un ouvrage de M. de Chateaubriand ; il s'appelait *De Buonaparte et des Bourbons* : c'était celui-là même dont Céleste cachait le manuscrit sous son jupon et qu'elle crut avoir perdu un matin au cours d'une promenade aux Tuileries. Quelques jours plus tôt, au moment même où Cosaques et Prussiens défilaient sur les boulevards, les passants pouvaient lire une affiche blanche sur les murs de Paris : « *De Buonaparte et des Bourbons et de la nécessité de se rallier à nos princes légitimes pour le bonheur de la France et celui de l'Europe,* par François-Auguste de Chateaubriand, auteur du *Génie du christianisme.* Cet ouvrage paraîtra demain, ou après-demain au plus tard, chez Mame et chez les marchands de nouveautés. » Maintenant le brûlot était entre les mains de Caroline et il lui faisait verser des larmes, essuyées par Juliette.

Juliette Récamier fut de retour à Rome pour la semaine sainte. Elle était arrivée de Lyon pendant la semaine sainte de 1813, elle arriva de Naples pour celle de 1814. Les cérémonies religieuses, et surtout l'office des Ténèbres du mercredi saint, au cours duquel était chanté par des voix suraiguës des castrats ou d'enfants le fameux *Miserere* d'Allegri, lui firent la plus forte impression. Parce que le pape était retenu en France par l'empereur, l'office, au lieu de se dérouler, comme le voulait la tradition, à la chapelle Sixtine, fut chanté, avec moins de splendeur, dans la chapelle Saint-Pierre du Vatican. Malgré cette simplicité relative, l'émotion était à son comble et Juliette Récamier entendit un auditeur sangloter devant elle : c'était le chef de la police des forces d'occupation, le baron de Norvins.

A Paris, cependant, l'Empire était abattu et Napoléon abdiquait. Rien ne retenait plus Mme Récamier en exil. Elle vit rentrer à Rome le pape Pie VII libéré et elle partit pour la France. En un dernier geste assez révélateur de son cœur généreux jusqu'à la contradiction et jusqu'à l'imprudence, elle fut la seule de tous les émigrés français de Rome à aller saluer, avant son départ, dans le Quirinal déjà désert, le général Miollis. Il avait représenté l'empereur, il avait fait surveiller Juliette tout au long de son séjour, il l'avait écartée de ses fêtes fabuleuses : il était son ennemi. Mais le charme et le drame de Juliette Récamier, c'était d'être incapable de résister au malheur. En politique comme en amour, elle détestait la souffrance. Elle traitait le général Miollis, désespéré par la fortune des armes, comme elle traitait ses amoureux, désespérés par elle-même : pour les consoler des souffrances qu'elle ne cessait de leur infliger, elle leur accordait de menues faveurs dont ils souffraient davantage, elle faisait des reprises aux cœurs qu'elle avait elle-même déchirés. C'est ce qui permettait aux uns de l'aimer à la folie et aux autres de ne voir en elle qu'une coquette incorrigible. « Il ne faut pas trop vous aimer, lui écrivait Germaine ; vous faites mal. »

Le 1er juin 1814, un mois après Louis XVIII, entouré pêle-mêle par Talleyrand et Duras, par Blacas et Fontanes, par le duc de Wellington et le maréchal Ney, par l'empereur Alexandre et Pasquier, toujours préfet de police, Mme Récamier rentrait à Paris, où l'attendaient Mme de Staël, Mathieu de Montmorency et Benjamin Constant.

Dans le salon du 32 de la rue Basse-du-Rempart, l'Europe est réunie. Il y a là Bernadotte, devenu roi de Suède, le prince de Metternich, le duc de Wellington, idole des monarchistes, plusieurs maréchaux d'Empire reconvertis dans le royalisme, Mme de Staël, quelques duchesses, Mathieu de Montmonrency et son beau-père, le duc de Doudeauville, le vieux chevalier de Boufflers, beau-père de Delphine de Sabran, marquise de Custine, le prince Auguste de Prusse, Benjamin Constant et encore quelques autres qui complètent le lot de tout ce qui se nomme dans le Paris de la première Restauration. On annonce d'un moment à l'autre l'arrivée de David, le peintre, de Talma, l'acteur, de Canova, le sculpteur. Juliette Récamier triomphe. Elle seule est capable, déesse rayonnante de la conciliation, de faire causer l'un avec l'autre un ancien conventionnel et un duc et pair de France, un maréchal d'Empire et un prince russe ou autrichien. Plusieurs de ceux qui sont là, ou peut-être presque tous, à l'exception, et encore, des vieillards et des homosexuels, sont plus ou moins amoureux d'elle. Bernadotte l'a été, Metternich lui fait la cour, Wellington l'accable de billets qu'elle juge insignifiants, elle a brisé le cœur et la vie du prince Auguste de Prusse. Mathieu de Montmorency, plongé dans la dévotion et boutonné jusqu'au menton, ne la quitte pas des yeux. Benjamin Constant semble bien songeur dans son coin. Tous rêvent en silence à la maîtresse de maison. Mais ils sont obligés de faire semblant d'écouter : M. de Chateaubriand lit en public une composition encore inconnue. Elle porte un titre qui intrigue et que l'auteur a lancé de sa belle voix lassée : *les Aventures du dernier Abencerage.* Devant Juliette Récamier, devant le beau-père de Delphine de Custine, se déroule le récit tout plein de l'ombre gracieuse et déjà effacée de Natalie de Noailles.

Ce genre de manifestation n'est pas exceptionnel. Quelques mois plus tard, devant une douzaine de personnes, pendant trois heures d'affilée, Benjamin Constant lit son roman *Adolphe.* A la fin de la soirée, hagard, épuisé, Benjamin Constant éclata en sanglots. « La contagion, raconte le duc de Broglie, qui devait épouser peu après, en Italie, Albertine de Staël, fille de Germaine et du même Benjamin, gagna la réunion tout entière, elle-même fort émue ; puis, tout à coup, par une péripétie physiologique qui n'est pas rare au dire des médecins, les sanglots, devenus convulsifs, tournèrent en éclats de rire nerveux et insurmontables, si bien que qui serait entré en ce moment et aurait surpris en cet état l'auteur et ses auditeurs aurait été fort en peine de savoir qu'en penser et d'expliquer l'effet par la cause. » Cette réunion de ducs, de femmes de lettres, d'hommes graves et souvent pompeux secoués par le rire après la lecture des démêlés tragi-comiques inspirés par les scènes de Coppet et par la liaison de l'auteur avec

Mme de Staël, quelle scène pour un écrivain de théâtre ou pour un cinéaste !

Benjamin Constant était d'ailleurs maintenant au centre de la vie de Juliette. Tout avait commencé par l'amitié de Juliette pour Caroline Murat et par les sentiments peut-être plus tendres que Sainte-Beuve supposait, en vérité un peu gratuitement, mais on ne prête qu'aux riches, entre le roi Murat et Juliette Récamier. Malgré l'alliance signée avec l'Autriche et l'Angleterre, les affaires de Murat se présentaient assez mal au Congrès de Vienne. Joachim et Caroline cherchaient un homme de lettres et d'Etat capable de les soutenir. Juliette, consultée, pensa tout naturellement à Benjamin Constant. Il accepta la proposition. Mathieu de Montmorency n'avait pas eu tout à fait tort de proposer à Juliette un travail sur les bonnes sœurs : la préparation du mémoire sur le royaume de Naples resserra les liens d'amitié entre Juliette et Benjamin. D'un des deux côtés au moins, on glissa assez vite de l'amitié à l'amour. Les fruits de Coppet arrivaient à maturation et la dernière figure du quadrille dansé entre les Staël, mère et fils, les deux Montmorency, Prosper de Barante, Auguste de Prusse, Benjamin Constant et Juliette Récamier était en train de prendre forme.

Ce fut un jeu d'amour et de hasard, un jeu de fureur et de volonté ; selon la formule de Michel Mohrt, ce fut surtout un jeu d'enfer. Très vite, Benjamin Constant, affolé de passion, se sentit très malheureux. Tendrement, mais de loin, avec son sourire calme, elle lui avait dit : « Osez ! » Il osa. Elle recula aussitôt. « Je ne plaisante pas, lui écrit-il, je souffre. Il vous est si égal de faire souffrir ! Les anges aussi ont leur cruauté. »

Les anges aussi ont leur cruauté... La formule était jolie, et même exacte. Benjamin devenait fou. Littéralement, il ne savait plus ce qu'il faisait. Tout le monde était malheureux : Benjamin, naturellement, et Juliette, mais aussi le doux Ballanche, Mathieu de Montmorency et peut-être même Germaine de Staël qui hésitait entre le souvenir et la sérénité consolée. Il n'y avait pour se réjouir que la duchesse de Duras qui, enfin débarrassée de Delphine et de Natalie, avait vu avec inquiétude Juliette Récamier s'occuper de Chateaubriand : l'entrée en scène de Benjamin la rassurait tout à fait.

Avec une douceur effroyable, Juliette s'efforçait de décourager Benjamin après l'avoir encouragé. On le voyait alors « hors de toute raison, de toute mesure, sans forces, et ne parlant que comme un mourant ou un insensé. » Il envisage de s'en aller, de partir pour l'Amérique, et puis il se refait humble, suppliant, réclame de la voir chaque jour et plusieurs fois par jour : « Tout l'intervalle est une agonie. »

Agonie rendue pire encore par la multitude des rivaux. De Wellington à Forbin, de Ballanche à Henry de Montmorency, le fils d'Adrien, frappé à son tour du « mal de famille », Juliette, à cette époque, est accablée de tant d'hommages que ses amis peuvent lui dire, mi-riant, mi-pleurant : « Vous êtes, comme les premiers chrétiens, livrée aux bêtes ! » Ballanche ou le comte de Forbin se servaient, contre Benjamin, de cet *Adolphe,* maintenant presque achevé, où l'amant de Germaine tend des verges pour se faire battre et se présente lui-même comme un égoïste hésitant, un faible à l'affection bien changeante. Tout cela n'aurait été qu'une tempête sentimentale dans une tasse de thé tendue et retirée par une femme du monde si, le 1er mars 1815, Napoléon Bonaparte n'avait pas débarqué à Golfe-Juan.

Si jamais l'amour a joué un rôle en politique, c'est bien en 1815 entre Juliette, Benjamin et l'empereur Napoléon. Le 19 mars paraît dans le *Journal des Débats* le plus célèbre article de Benjamin Constant : « Je n'irai pas, misérable transfuge, me traîner d'un pouvoir à l'autre, couvrir l'infamie par le sophisme, et balbutier des mots profanes pour racheter une vie honteuse. » Le 14 avril, le même Benjamin Constant rencontre l'empereur Napoléon et accepte de lui soumettre un projet de Constitution : ce sera le fameux *Acte additionnel aux Constitutions de l'Empire* dont l'auteur principal est l'ami de Mme de Staël et de Mme Récamier, opposantes déclarées au despotisme bonapartiste. Que s'était-il donc passé ?

Constant hésitait entre royalistes et bonapartistes. Juliette le poussait du côté des Bourbons. Les intrigues de ses rivaux auprès de Mme Récamier, et surtout de Forbin, le rendaient fou de jalousie. Il explique très clairement son attitude ambiguë et ses atermoiements à Prosper de Barante : « Ce fut le grand sabre de M. de Forbin qui me perdit. Je voulus aussi faire preuve de dévouement. Je rentrai chez moi et j'écrivis l'article du *Journal des Débats.* » Quand Juliette paraissait, il oubliait Napoléon. Mais il suffisait à Napoléon, qui ne manquait pas de charme, d'apparaître à son tour pour que Constant l'inconstant, Constant le mal-nommé, se mît à changer d'avis. « Benjamin Constant, écrit Anatole France, ne prenait point les idées des femmes. Mais, comme il les aimait, il pensait pour elles, de la manière qu'elles voulaient. Seul, il était incapable de prendre un parti. Jamais homme ne fut plus indécis. Les idées naissaient trop nombreuses et trop agiles dans son cerveau. Elles s'y formaient, non comme une armée en solides bataillons carrés, mais en troupe légère, comme les abeilles des poètes et des philosophes attiques, ou comme les danseuses des ballets, dont les groupes se composent et se décomposent sans cesse avec harmonie. »

L'article du *Journal des Débats* avait été un coup de théâtre. L'*Acte additionnel* en fut un autre, en sens inverse. Waterloo, naturellement, en fut un troisième, et décisif. Compromis par son article avec les monarchistes – « Je suis certainement, avec

Chateaubriand, un des hommes les plus compromis de France » – Constant avait essayé de quitter la France pour l'Amérique à l'arrivée de Napoléon. Compromis par l'*Acte additionnel* avec les bonapartistes, il fut en butte, après la chute de l'empereur, à une sorte de « proscription sociale ». Désavoué par tous ses amis, contraint à se battre en duel, abandonné par Mme de Staël, qui disait avec lucidité et impartialité à la veille de Waterloo : « C'en est fait de la liberté si Bonaparte triomphe et de l'indépendance nationale s'il est battu », mais qui ne pardonnait à Benjamin ni sa trahison sentimentale ni sa trahison politique, il suppliait Juliette de l'aider à se refaire une place parmi les rangs vainqueurs « qui ne seront les miens que parce que vous y êtes ». Mais il était trop intelligent pour ne pas comprendre que, par la force des choses, c'en était fini de son roman d'amour. Il ne restait à Benjamin que de mettre au service de la fureur la passion qu'il n'avait pas su mettre au service de l'amour. Il ne se priva pas de cet amer plaisir et de cette compensation : « Je n'avais jamais connu de coquette. Quel fléau ! Je l'ai en horreur. Je donnerais dix ans de ma vie pour qu'elle souffrît la moitié de ce que je souffre. » A grandes causes, petits effets : sur les agitations contradictoires de Benjamin Constant, Waterloo marquait le triomphe de la fidélité et de la placidité de Ballanche.

Juliette Récamier approchait de ses quarante ans. Sous la longue suite stérile de ses triomphes successifs, ses amis et elle-même apercevaient avec mélancolie le vide de son existence. « Mme Récamier est jolie et bonne, écrivait Albertine de Staël à Sophie de Barante, mais une vie de petites coquetteries n'élève pas l'âme ; elle vaudrait beaucoup mieux si elle n'avait pas dépensé tout son temps et son cœur de tous les côtés, mais elle est généreuse et séduisante. » « J'ai peur, disait en écho le frère de Sophie, Prosper de Barante, que cette habitude de gaspiller le sentiment ne s'oppose à tout bonheur vif pour elle. » Et Ballanche, lucide mais plaidant pour son saint : « Le besoin de dévouement vous dévore, vous n'avez personne à qui consacrer vos pensées, vos actions, votre existence tout entière. Vous vous consumez dans la solitude. » A ces critiques, à ces conseils qu'elle ne repoussait pas, mais dont elle ne tenait guère compte, Juliette elle-même répondait avec mélancolie : « Je n'ai jamais été heureuse et je crois que je ne le serai jamais. »

C'est alors que, tel un chevalier de légende accourant du fond de l'horizon sur son cheval de gloire pour délivrer des périls la princesse accablée, poursuivi par la meute des prétendants qu'elle n'aime pas, paraît Chateaubriand.

En février 1817, au beau milieu d'un bal chez le futur duc Decazes, fils d'un avoué de Libourne, ancien secrétaire de Laetitia Bonaparte, successeur de Fouché au ministère de la Police et favori de Louis XVIII qui l'appelait « mon cher fils » et disait de lui : « Je l'élèverai si haut qu'il fera envie aux plus grands seigneurs », Germaine de Staël, en train de gravir les marches de l'escalier encombré d'uniformes et de robes du soir, avait été frappée d'une attaque. Elle devait en mourir quelques mois plus tard, en juillet, navrée de quitter cette vie qui lui avait tant donné et qu'elle avait enrichie, en retour, de son intelligence et de son énergie. En avril, cependant, elle se crut guérie. Chateaubriand alla la voir. Il la trouva assise dans son lit, soutenue par des oreillers. Elle était brûlante de fièvre. Son dernier amour, M. de Rocca – dont elle disait drôlement : « La parole n'est pas son langage » –, en train de mourir lui-même, la regardait mourir. « Ces deux spectres qui se contemplaient en silence, écrit Chateaubriand, l'un debout et pâle, l'autre assis et coloré d'un sang prêt à redescendre et à se glacer au cœur, faisaient frissonner. » Dans le demi-jour de sa chambre de malade, le regard de Germaine croisa celui de René : « Bonjour, *my dear Francis,* lui dit-elle d'une voix faible. Je souffre, mais cela ne m'empêche pas de vous aimer. » Mourante, Mme de Saël, qui avait le culte de l'amitié et qui aimait les fêtes, invitait encore ses amis à dîner. Le 28 mai, rue Neuve-des-Mathurins, autour d'une table d'où était absente, malgré tout son courage, la maîtresse de maison occupée à mourir, Chateaubriand se retrouva assis à côté de Juliette Récamier.

« Il y avait douze ans, écrit-il dans ses *Mémoires,* que je ne l'avais rencontrée. » C'est inexact. Trois ans plus tôt, il avait lu chez elle, nous l'avons vu, devant un parterre époustouflant, *les Aventures du dernier Abencerage.* Si on excepte cette rencontre littéraire et mondaine qui, malgré l'éclat de l'assistance, ou peut-être à cause d'elle, ne méritait guère d'être retenue, et qu'il semble avoir oubliée, ce n'est pas à douze, mais à seize ans que remontait l'apparition de Mme Récamier, à peine enveloppée de soie blanche, dans la fraîcheur de sa vingtaine, chez la même Germaine de Staël, alors dans tout l'éclat de sa réputation et de son esprit, aujourd'hui sur son lit de mort. L'image insistante de la mourante rendait Chateaubriand et Mme Récamier, absorbés dans leurs pensées, tout aussi muets que le matin, au début du siècle, où, devant Mme de Staël volubile et éblouissante, en train d'être habillée par Mlle Olive, Juliette et René ébloui n'avaient presque rien dit. Tout à fait vers la fin du dîner, au moment de se lever de table, après un interminable silence qui avait duré pendant tout le service, Juliette Récamier sembla enfin s'apercevoir de la présence de René. Bouleversée par l'état de celle qui venait de lui écrire : « Je n'ai pas le tort de ne pas vous aimer de toute mon âme », Juliette adressa à son voisin quelques mots où il était question de la santé de Germaine et de l'affection profonde qui unissait, depuis tant d'années, les deux femmes si dissemblables, si opposées, mais liées l'une à l'autre par tant de souvenirs partagés. En entendant la voix, si extraordinairement harmonieuse, de Mme Récamier, Chateaubriand sortit de son rêve. « Je tournai la tête, je levai les yeux et je vis mon ange gardien debout à ma droite. Je craindrais de profaner aujourd'hui par la bouche de mes années un sentiment qui conserve dans ma mémoire toute sa jeunesse et dont le charme s'accroît à mesure que ma vie se retire. » Leurs yeux se rencontrèrent. Quelques secondes, qui sont un siècle, leurs regards restèrent rivés l'un à l'autre. C'était le dernier miracle de Mme de Staël en train de mourir, de cette femme exceptionnelle qui avait tant aimé l'amour, mais qui n'en avait connu que les malheurs : la foudre était tombée sur Juliette et René.

Le soir de l'immortel dîner chez la mourante, Juliette approchait de ses quarante ans. Et René en avait quarante-huit. Côté cœur, il était libre ; côté raison, déçu.

Quelques semaines après le dîner, sa « chère sœur », Mme de Duras, de retour des eaux de Vichy, où elle avait passé quelque temps avec Natalie de Noailles et Mathieu Molé, désormais intimement liés, lui apprenait que la pauvre Mouche avait perdu la raison. Depuis plusieurs années déjà, René et Natalie s'étaient mutuellement donné congé. L'internement de Natalie mettait définitivement fin à l'amour passionné qui avait lui-même succédé à l'idylle avec Grognon. Dans la solitude de la Vallée-aux-Loups, Céleste l'emportait sur la cohorte des « Madames » et sur les rendez-vous clandestins dans la tour isolée. Ce n'était pas la duchesse de Duras qui pouvait lui inspirer de sérieuses inquiétudes. Avec ses qualités et ses défauts, son visage un peu ingrat, son esprit un peu pointu, son dévouement un peu acariâtre, Céleste avait surtout le tort d'aimer avec passion son insupportable et irrésistible mari. Elle avait réussi, tant bien que mal, à l'avoir pour elle toute seule. C'était une affaire risquée : il supportait très mal le calme du bonheur. Il était courtois, indifférent, exaspéré. Elle ne retenait de ce mélange si complexe que les marques d'attention. Au lendemain de la mort de Mme de Staël et de la naissance du plus grand amour de René, à peine guérie d'une rougeole qu'il avait soignée avec le dévouement attendri qu'il retrouvait toujours en face du malheur, elle note dans son Journal : « Le bon Chat est à la messe. J'ai peur quelquefois de le voir s'envoler vers le ciel, car, en vérité, il est trop parfait pour habiter cette mauvaise terre et trop pur pour être atteint par la mort. Quels soins il m'a prodigués pendant ma maladie ! quelle patience ! quelle douceur ! » La douceur de René n'allait plus guère s'exercer qu'à l'égard de Juliette. Et c'est vers le septième ciel de la passion coupable qu'il allait s'envoler.

Politiquement, les choses étaient moins claires. Elles étaient même très compliquées. Le retour du roi aurait dû marquer le triomphe du vicomte de Chateaubriand. Sur ce point au moins, le pessimisme de Céleste avait vu plus clair que la passion partisane de l'auteur de la brochure *De Buonaparte et des Bourbons.* Dès l'entrée des Prussiens et des Russes dans Paris, Chateaubriand éprouve, comme souvent, des sentiments contradictoires. Ils se réjouissait de la chute de l'homme qu'il admirait par-dessus tout parce qu'il se comparait à lui, et il se désolait de la victoire des idées que depuis l'exécution du duc d'Enghien au moins, il n'avait jamais cessé de défendre : « Stupéfait et anéanti au-dedans de moi-même comme si l'on m'arrachait mon nom de Français pour y substituer le numéro par lequel je devais désormais être connu dans les mines de Sibérie, je sentais en même temps mon exaspération s'accroître contre l'homme dont la gloire nous avait réduits à cette honte. »

Cette exaspération se retourna bientôt contre son propre parti : il espérait que, soutenue par Bertin et le *Journal des Débats,* la brochure *De Buonaparte et des Bourbons* jouerait à l'aube de la Restauration le rôle que, soutenu par Fontanes et par le *Mercure de France,* le *Génie du christianisme* avait joué à l'aube du Consulat. Il vit avec fureur, avec désespoir, Talleyrand se glisser dans les faveurs de l'empereur Alexandre et passer du service de l'empire au service de la monarchie. « Homme futur de la restauration possible, j'attendais sous les fenêtres, dans la rue, cependant qu'au gouvernement provisoire Talleyrand plaçait les partenaires de son whist. » A la première Restauration, Chateaubriand ne fut ni ministre du roi ni pair de France. « Ce fut une chose hideuse, s'indigne Mme de Chateaubriand, que la manière dont furent traités en 1814 les hommes qui avaient le plus souffert pour la cause des Bourbons. » Par une merveilleuse ironie qui le faisait sourire, Chateaubriand, homme des tempêtes, ne reçut un ministère que quand tout semblait perdu : à Gand, pendant les Cent-Jours, Louis XVIII lui confia l'Intérieur. Cette faveur ressemblait à une plaisanterie. Dès que l'ogre fut battu pour la seconde fois, une formidable série d'intrigues l'écarta du pouvoir. Talleyrand ne s'appuya sur lui – « M. de Talleyrand était une vraie tendresse, il se penchait sur mon épaule... » – que pour mieux le rouler. Après avoir fait cause commune contre Fouché avec

Chateaubriand, Talleyrand se retourna avec Fouché contre Chateaubriand : ce fut le « bourbeux ministère » de l'été 1815, avec Talleyrand aux Affaires étrangères, Fouché à la Police, Pasquier à la Justice, et aux Finances l'abbé Louis, futur baron, ancien enfant de chœur de Talleyrand à la messe de la fête de la Fédération, le 14 juillet 1790 – trois défroqués et un opportuniste. Passé, comme le fera aussi Molé, de la petite société libérale et royaliste de la rue Neuve-du-Luxembourg à l'empire et de l'empire à la monarchie, Pasquier, l'opportuniste, était doublement renégat. Quant à l'abbé Louis, le bruit courait avec insistance – mais les preuves manquent – qu'il avait été, au début de la Révolution, l'amant de Pauline de Beaumont. Chateaubriand hésitait entre la consternation et la fureur. A Saint-Denis, il assista à un des spectacles les plus cruels de sa carrière : « Tout à coup une porte s'ouvre : entre silencieusement le Vice appuyé sur le bras du Crime, M. de Talleyrand marchant soutenu par M. Fouché ; la vision infernale passe lentement devant moi, pénètre dans le cabinet du roi et disparaît. Fouché venait jurer foi et hommage à son seigneur ; le féal régicide, à genoux, mit les mains qui firent tomber la tête de Louis XVI entre les mains du frère du roi martyr ; l'évêque apostat fut caution du serment. » Quand Chateaubriand, à son tour, après le ministre régicide et l'évêque défroqué, se trouva en face du roi, un étonnant dialogue s'établit entre le souverain restauré et l'écrivain écarté :

– Eh bien, monsieur de Chateaubriand ?

– Eh bien, Sire, Votre Majesté renvoie ses régiments et prend Fouché ?

– Oui, il le faut... Qu'en pensez-vous ?

– Hélas ! Sire, la chose est faite, permettez-moi de me taire.

– Non, non, dites, vous savez comme j'ai résisté depuis Gand ; dites, qu'en pensez-vous ?

– Vous le voulez, Sire, je ne sais que dire la vérité et, puisque Votre Majesté pardonne à ma fidélité, je crois que la monarchie est finie !

Il y eut un grand silence. Le roi reprit :

– Eh bien, monsieur de Chateaubriand, je suis de votre avis.

Cette fois-ci, tout de même, le nom de Chateaubriand apparut sur la liste des ministres d'État sans portefeuille et des pairs de France. Mais quand le roi choisit Richelieu pour diriger le gouvernement, avec Decazes à ses côtés, René s'inquiéta : un soir, chez Mme de Boigne, où il lisait sa médiocre tragédie de *Moïse,* le duc de Richelieu s'était endormi. Chateaubriand avait ri ; c'était Richelieu qui n'avait pas pardonné. Chateaubriand essaya en vain de faire créer à son bénéfice un ministère de la Culture avant la lettre, « un petit département de fantaisie qu'on aurait formé des cultes, des arts, de l'instruction publique et des spectacles ». On ne lui offrit que la place de Fontanes à l'Instruction publique, sans voix au Conseil des ministres. Il refusa avec indignation et bascula d'un seul coup dans l'opposition au régime qu'il avait tant espéré.

Dans *la Monarchie selon la Charte* qu'il publia alors, il explique sa position. A la différence de Ballanche, de Maistre, de Bonald, partisans de l'inégalité entre les hommes et de la monarchie absolue, il défendait la monarchie parlementaire à l'anglaise, l'alternance des partis au pouvoir et la liberté de la presse. En ce sens, il était franchement libéral. Mais, par fidélité, il n'admettait pas que la monarchie restaurée fût administrée par des révolutionnaires repentis ou des bonapartistes ralliés. En ce sens, il était ultra. Tout le reste de sa vie politique, il oscillera entre ces deux aspirations opposées, apparaissant tantôt comme un libéral et tantôt comme un ultra. Chacun des deux partis qui se disputaient alors la France libérée et battue, les modérés et les extrémistes, pouvait dire à bon droit : « Chateaubriand prétend verser de l'huile sur vos plaies, mais c'est de l'huile bouillante. » Et ce monarchiste exaspéré contribuera ainsi à détruire la monarchie qu'il aurait voulu sauver.

Quand, en septembre 1816, avec l'appui du tsar, Decazes réussit à persuader Louis XVIII et Richelieu de dissoudre la Chambre introuvable, l'indignation de René fut à son comble. Il ajouta quelques lignes à *la Monarchie selon la Charte.* « Dissoudre la seule assemblée qui, depuis 1789, ait manifesté des sentiments purement royalistes, c'est une étrange manière de sauver la monarchie !... » Louis XVIII, qui ne voyait et ne jurait que par Decazes, fut aussi irrité par Chateaubriand que Chateaubriand l'était par lui : « Le vicomte de Chateaubriand ayant, dans un écrit imprimé, élevé des doutes sur Notre volonté personnelle manifestée par Notre ordonnance du 5 septembre, le vicomte de Chateaubriand cessera dès ce jour d'être compté au nombre de nos ministres d'État. » « J'en fus quitte, écrit Chateaubriand, pour me remettre sur pied et pour aller, les jours de pluie, en fiacre à la Chambre des pairs. »

En politique comme en amour, à l'époque du dîner chez Mme de Staël mourante, René était peut-être lassé et déçu, mais il était libre. Cette liberté, il la jeta aussitôt, avec passion, avec tout le charme irrésistible qu'il savait déployer pour ce qu'il désirait, aux pieds de Juliette Récamier.

Tous ceux qui, d'un côté ou de l'autre, entouraient les deux amants en train de se rejoindre s'inquiétèrent aussitôt de ce qui se passait. Ballanche proposait une cure, une sorte de régime contre l'amour. Il invitait Juliette à partager son temps, selon des règles très strictes, entre musique et littérature ; il l'engageait dans une traduction de Pétrarque, dans un ouvrage sur Coppet : n'importe quoi pour la distraire de l'épervier qui venait jeter la panique « dans la volière où des oiseaux harmonieux gazouillaient tendrement autour d'une colombe ». Sûr du but à atteindre – écarter l'Enchanteur, devenu le vil séducteur de tant de blancheur immaculée –, il hésitait sur la tactique. Devant la transformation si évidente de Juliette, tantôt il s'indignait et tantôt il s'effaçait. « J'étais tout peiné, tout honteux aujourd'hui, et vis-à-vis des autres et vis-à-vis de moi-même, de ce changement subit de vos manières. Ah ! Madame ! Quels rapides progrès a faits en quelques semaines ce mal qui vous fait craindre vos plus fidèles amis ! » Mais aussi, inversement, tel un papillon de nuit affolé par la lumière et qui volette en tous sens : « Je suis désolé de la conversation d'hier. J'ai bien pensé que je vous avais fait du mal sans profit. Je ne sais, mais il me semble que je ne puis rien pour votre repos, pour votre bonheur, ni même pour votre distraction. Je crois donc que je ferais bien de m'éloigner. Nous causerons de tout cela. J'irai avec vous à la messe, je pense que c'est à celle de midi. Je serai chez vous quelques minutes auparavant. »

De Madrid où il était maintenant ambassadeur de France, Adrien de Montmorency écrivait lui aussi, sans prononcer le nom de Chateaubriand, mais le portrait est transparent : « Ce dont je doute, c'est de la sincérité, de l'attachement d'une personne dans laquelle le soin, l'amour de soi-même, sont si dominants. » Décidément, ni Ballanche ni Adrien de Montmorency ne sont très favorables à René, dont ils admirent le génie, mais dont ils craignent la vanité, l'inconstance, l'égoïsme. Il y a naturellement, dans leurs appréhensions et dans leurs mises en garde, une part d'amitié vraie et de lucidité. Il y entre aussi une part de jalousie et d'envie.

Un peu plus tard, de l'autre côté, en une symétrie comique, mais avec plus de véhémence cette fois que de résignation, les plaintes de Mme de Duras font écho à celles de Ballanche et de Montmorency. Elles s'adressent à un Chateaubriand à qui vient d'être lancée, comme un os à ronger, la légation de France à Berlin : « Mon pauvre frère, cela est bien jeune pour un vieux diplomate. Mettez-vous dans la tête que vous n'avez que moi d'amie, moi seule ! Mais vous êtes comme la poule : vous jetez la perle et préférez le grain de mil... L'affectation et les petites mines doivent l'emporter sur le sincère, simple et solide attachement de mon cœur. » Et encore : « Cher frère, parlons de vous, c'est-à-dire de l'Abbaye ! On dit que vous ne revenez au printemps que pour cette belle, et la dame se pâme en attendant. C'est un de ses meilleurs amis en votre absence qui me l'a dit hier. Il est donc dit que vous ne pouvez vivre sans chaînes ? Combien pourrais-je en compter !... » Avec la lâcheté naturelle des hommes, au lieu de protester avec vigueur contre « l'affectation et les petites mines » prêtées très injustement à Mme Récamier qui n'avait pas besoin de minauder pour triompher, le cher frère répondait à la chère sœur avec une perfidie qui se servait de Céleste pour se venger de Claire tout en pensant à Juliette : « Comment croyez-vous toutes les sottises sur l'Abbaye-aux-Bois ? Si j'obtiens un congé, vous verrez que je reviendrai ici avec Mme de Chateaubriand pour de longues années, ou, ce que je préfère, je m'ensevelirai avec elle dans quelque coin pour qu'on n'entende plus parler de moi. J'en ai assez. » A Berlin comme à Rome, on peut le remarquer en passant, le même mécanisme se mettait à fonctionner : à peine le poste obtenu, on ne songe plus qu'à le quitter. A Pasquier – Pasquier ! – devenu son ministre, il envoie des dépêches inouïes, où la menace est à peine voilée : « Je désire, Monsieur le baron, qu'on m'épargne les tracasseries. Quand mes services ne seront plus agréables, on ne peut pas me faire un plus grand plaisir que de le dire tout rondement. Je n'ai ni sollicité ni désiré la mission dont on m'a chargé. Monsieur le baron, j'ai, grâce à Dieu, autre chose à faire dans la vie qu'à assister à des bals. Mon pays me réclame ; mes amis redemandent leur guide. Je suis au-dessus ou au-dessous d'une ambassade et même d'un ministère d'État. » Un jour, à bout de patience, en marge d'une de ces lettres qui multipliaient conseils et récriminations, Pasquier écrira : « C'est Gros-Jean qui en remontre à son curé. » L'histoire, malgré tout, oubliera le curé et se souviendra de Gros-Jean.

Il y avait quelqu'un de tout aussi inquiet que Ballanche ou que la duchesse de Duras devant les nouvelles amours de Juliette et de René : c'était le cousin d'Adrien, c'était Mathieu de Montmorency. Il avait été l'ami de Mme de Staël et de la Révolution à ses débuts, il était l'ami de Juliette, il était l'ami de René, il était l'ami de Dieu, il était l'ami de tout le monde. Il l'avait montré en apportant, à un moment critique et sur les insistances de Juliette à qui il ne savait rien refuser, une aide décisive à René qui éprouvait pour lui des sentiments mêlés où la gratitude se teintait de méfiance. Privé, par ordonnance royale, de la pension de ministre d'État, Chateaubriand, avant de recevoir enfin la légation à Berlin, était en proie à de graves difficultés d'argent. Il avait dû mettre en vente la Vallée-aux-Loups, épargnée sous Bonaparte, condamnée sous les Bourbons. Le *Journal des Débats* avait publié une petite annonce immobilière et le bon Bertin en avait rajouté : « Nous félicitons d'avance celui qui devra à la faveur du sort la propriété d'une campagne qui, comme celles de Tibur ou d'Auteuil, sera à jamais illustrée par le nom et le souvenir de son premier créateur. » Les acheteurs, malgré ces alléchantes perspectives où les gloires de la Rome antique se mêlaient à celles des temps modernes, ne se précipitant pas, Chateaubriand décida, selon une formule alors assez courante en Allemagne et en Angleterre, de mettre sa maison en loterie :

avec l'aide du précieux et dévoué Le Moine, qui avait été l'homme de confiance de Pauline de Beaumont et qui, aussi intime avec les Chateaubriand que Joubert ou Ballanche ou telle ou telle Madame, était devenu leur « ministre des finances » et leur « premier gentilhomme ordinaire de la chambre », on émit quatre-vingt-dix-billets de mille francs. Le résultat fut catastrophique : sur les quatre-vingt-dix billets, on réussit, à grand-peine, à en placer quatre. La faillite, la ruine, le déshonneur guettaient Chateaubriand quand deux personnes vinrent à son secours : l'une était son neveu Christian, l'arrière-petit-fils de Malesherbes, qui accepta avec générosité de donner sa terre de Malesherbes en garantie aux éventuels prêteurs, l'autre était Mathieu de Montmorency, qui fit mieux encore : il acheta pour cinquante mille francs, plus cent francs de surenchère, la Vallée-aux-Loups à René. Et, pour bien serrer le nœud et arrondir l'intrigue, il invita Juliette, une fois de plus ruinée, elle aussi, de son côté, par les revers de fortune de son mari, à s'installer avec lui dans ce qui avait été la maison de René. Elle accepta.

Tout le monde connaissait à Paris la haute piété de Mathieu, qui était passé du culte de la liberté à la dévotion la plus ardente avant de s'éveiller, avec un appétit surprenant, à toutes les ambitions académiques et politiques. L'enlèvement de Juliette par le plus pieux de ses soupirants suscita tout de même un peu de surprise et de moquerie. « Je me représente votre petit ménage du Val-du-Loup, écrit par exemple Albertine de Broglie, comme le plus gracieux du monde. Mais quand on écrira la biographie de Mathieu dans la *Vie des saints,* convenez que ce tête-à-tête avec la plus belle et la plus admirée femme de son temps sera un drôle de chapitre. » Il est permis de s'interroger sur les sentiments de Chateaubriand, plus qu'à moitié ruiné, voyant la femme qu'il aime vivre dans sa propre maison avec un de ses amis les plus chers qu'il déteste entre tous. Mais la réponse ne fait pas de doute. Ce n'est pas lui qui est inquiet : c'est Mathieu de Montmorency. Au moment d'acheter la Vallée-aux-Loups à la demande de Juliette, il lui avait écrit, mêlant un peu de jalousie à beaucoup d'amitié et de générosité : « Je compte sur votre parfaite discrétion pour ne pas trop souvent recevoir l'ancien propriétaire. »

Trop tard ! Le mal est fait. Impossible à Mathieu de ne pas s'en apercevoir. Il reprend son ton de père confesseur : « Vous laissez errer mon imagination sur des suppositions que je repousse. Daignerez-vous envoyer quelques mots qui me diront si vous n'avez rien fait pour vous rendre complètement malheureuse ? » Ce n'était pas Juliette qui était malheureuse ; c'était Mathieu : « Je ne puis m'accoutumer à ce que, après quatre jours d'absence, quand je viens avec un intérêt bien franc et bien sincère, pour la deuxième fois de la journée, savoir de vos nouvelles, vous me fassiez fermer votre porte et faire un vrai conte par votre femme de chambre pour être plus à votre aise dans votre tête-à-tête avec M. de Chateaubriand. »

Pour obéir peut-être au nouveau propriétaire de la Vallée-aux-Loups, ou pour ne pas céder trop vite aux sentiments qui, malgré Ballanche et Adrien et Claire et Céleste et Mathieu, l'envahissent irrésistiblement, Juliette, pourtant, avait lutté quelque temps. Elle était partie pour Aix-la-Chapelle retrouver le prince Auguste. Le pauvre Ballanche, abandonné à Paris, se promenait sur les quais, regardait passer les nuages et, ne sachant qui était le plus à craindre du prince ou de l'écrivain, se sentait « comme un homme sur le bord d'un précipice ».

Le plus à craindre, bien sûr, était Chateaubriand. Sans poste, sans argent, sans maison, il courait de château en château, à Montboissier chez les Colbert – où le chant d'une grive, ressuscitant des souvenirs qu'il croyait évanouis, annonce déjà la madeleine et les pavés de Proust –, à Montgraham chez les Puisieux, à Noisiel chez les Lévis et encore à Fervaques, là où des amis l'accueillaient, l'entouraient, le consolaient, lui procuraient le gîte et le couvert. Mais il ne pensait qu'à Juliette. Et Juliette ne pensait qu'à lui. Trente ans plus tard, elle avouait ce que, jusqu'alors invincible, elle cachait de toutes ses forces : « Il est impossible à une tête d'être plus complètement tournée que ne l'était la mienne du fait de M. de Chateaubriand ; je pleurais tout le jour. » Dès qu'il le pouvait, René allait la retrouver. Sans doute, malgré la défense de Mathieu, à la Vallée-aux-Loups où elle ne passe que quelques mois, mais aussi au 32 de la rue Basse-du-Rempart, puis au 31 de la rue d'Anjou-Saint-Honoré, enfin dans son appartement de l'Abbaye-aux-Bois, maison religieuse des abords du faubourg Saint-Germain, détruite en 1906, où sa situation de fortune, après la ruine de son vieux mari, l'avait contrainte à se réfugier. Sa vie avait commencé dans un couvent ; elle se terminerait dans un couvent. Mais ce couvent, où, vers le début de ce siècle, des religieuses âgées se souvenaient encore de Mme Récamier et de ses illustres visiteurs, serait le cadre d'un grand amour.

Peut-être n'est-ce pourtant ni à Paris ni à la Vallée-aux-Loups que Juliette, pour la première fois, selon la formule banale qui traîne de *l'Iliade* d'Homère aux films de Marcel Carné, en passant par Dante, par Shakespeare et par Hugo, se donna à René. Il leur arrivait assez souvent d'aller se promener ensemble dans la forêt de Chantilly et un soir d'automne il s'y passa, dans l'ombre, quelque chose d'inoubliable. Pendant des années, René écrit à Juliette : « N'oubliez pas la forêt de Chantilly. » « Et la forêt, y venez-vous ? » « Songez à Chantilly. » Et Juliette, de son côté, dans des moments de mauvaise humeur ou peut-être de jalousie, reproche plus d'une fois à René d'oublier Chantilly. Alors, à son tour, il s'indigne : Oublier Chantilly ! Allons donc ! Est-ce qu'on oublie Chantilly ? Juliette avait plus de chance avec Chantilly que Delphine de Custine avec le petit cabinet dissimulé dans la grotte ornée de deux myrtes superbes.

Devant ces amours mystérieuses, entourées de secret et recouvertes par le temps, il est souvent permis de se demander si elles étaient autre chose qu'une amitié peut-être un peu exaltée. Pour répondre à cette question, nous ne disposons pas seulement de lettres qui constituent autant de présomptions, mais encore d'une preuve à peu près formelle. Amélie Lenormant, la nièce de Mme Récamier, a publié un certain nombre de lettres de Juliette à René. Les originaux de ces lettres ont été ensuite retrouvés. La comparaison des deux versions permet de constater que, par souci des convenances, Mme Lenormant avait coupé plusieurs passages. Ce sont ces phrases supprimées qui éclairent le mystère. Cette fois-ci, par exemple, Chateaubriand n'est plus ministre à Berlin : il est rentré à Paris et il est question qu'il parte pour Londres comme ambassadeur de France : « Ne nous désolons pas d'avance. Si la chose a lieu, nous achèterons pour quelques mois un long et plus sûr avenir. Bonsoir, ange. A demain matin et puis à demain au soir, à huit heures. Je vous aime. » Et un peu plus tard : « Ne vous désolez pas, mon bel ange. Je vous aime, je vous aimerai toujours. Je ne changerai jamais. Je vous écrirai ; je reviendrai vite et quand vous l'ordonnerez. Et puis je serai à vous à jamais. » Et encore : « Vous trouverez ce mot à votre réveil, comme de coutume. Vous verrez que rien ne changera dans notre vie si vous ne changez pas. J'aime mon bel ange pour la vie. » Les lettres de René ne sont pas d'un ami. Elles sont, sans aucun doute possible, d'un amant qui se sait aimé.

Les lettres de Juliette parvenues jusqu'à nous sont moins nombreuses que les lettres de René. Juliette écrivait peu, beaucoup moins que Claire de Duras ou Delphine de Custine, beaucoup moins que René lui-même qui prétendait en vain qu'il détestait écrire. Il y a pourtant un billet de trois lignes qui suffit, à lui tout seul, à lever tous les doutes. L'histoire de ces quelques mots montre, une fois de plus, combien, chez Chateaubriand, la politique et l'amour sont intimement unis. Après la dissolution de la Chambre introuvable, Decazes, au comble de la faveur, avait succédé au duc de Richelieu. Avec l'aide d'ultras, convertis à la politique du pire et qui assuraient préférer des « élections jacobines » à des « élections ministérielles », des libéraux de plus en plus avancés avaient été élus. Devant cette situation, Chateaubriand, chef de l'opposition de droite à la Chambre des pairs, s'entendait avec le Toulousain Villèle, qui menait le même combat à la tête des députés et fondait *le Conservateur :* « Je fis marcher la féodalité au secours de la liberté de la presse, écrit-il dans ses *Mémoires.*

Cela tenait du prodige et ne se reverra jamais. » Du coup, Decazes, directement menacé par ce talent d'extrême droite qui se servait des armes de la gauche, le faisait surveiller par la police, achetait son valet de chambre et interceptait ses lettres. Ainsi parvenaient sur le bureau du directeur des postes, du directeur général de la police, de Decazes et, en fin de parcours, du roi, les lettres – entre autres – de Mme de Lévis, de Mme de Duras et de Mme Récamier.

Le 7 janvier 1819, le mouchard communique un premier billet, très court et presque cérémonieux, où il n'y a de surprenant que l'heure bien matinale du rendez-vous : « Mme Récamier est obligée de sortir demain matin. Elle prie M. de Chateaubriand de lui faire l'honneur de passer demain matin entre huit et dix heures. » Commentaire du mouchard : « Depuis environ trois semaines, Mme Récamier envoie presque tous les jours un billet soigneusement cacheté à M. de Chateaubriand. Le vicomte cache ensuite si bien ces billets que l'observateur n'a pas encore pu en voir un seul. Très souvent, M. Mathieu de Montmorency vient prendre M. de Chateaubriand et tous deux vont ensemble chez Mme Récamier. On ignore la nature et le but de cette liaison. » La conclusion est rassurante : « La correspondance de Mme Récamier avec M. de Chateaubriand va toujours son train, mais ce n'est vraisemblablement que de la galanterie. » Ouf !

Bientôt, cette hypothèse se confirme au-delà de toute espérance. Voici la lettre décisive qui, au lieu de parvenir à son destinataire, aboutit sous les yeux – on dirait du Stendhal dans *la Chartreuse de Parme* – du président du Conseil et du souverain lui-même : « Vous aimer moins ! Vous ne le croyez pas... A huit heures... Il ne dépend plus de moi, ni de vous, ni de personne, de m'empêcher de vous aimer ; mon amour, ma vie, mon cœur, tout est à vous. 20 mars 1819, à trois heures après-midi. » L'écriture est rapide, un peu tremblée, comme émue ; les phrases courtes se précipitent jusqu'à l'épanouissement de la promesse finale. En marge, de la main du mouchard ou du chef de la police, ces quelques mots : « Lettre de Mme Récamier. »

Insatiables, impitoyables, les critiques littéraires, les historiens de la littérature se sont penchés avec avidité sur ce billet du 20 mars. Ils ont découvert une lettre du prince Auguste de Prusse à Juliette Récamier, en date du 7 septembre 1818 – six mois avant le fameux billet. Juliette termine sa cure à Aix, le prince est rentré à Paris après l'avoir revue aux eaux : « Si vous m'écrirai *(sic)* encore : *Mon âme, mon cœur, ma vie, tout doit être à vous,* j'irai vous rejoindre fusse *(sic)* au bord de l'univers. » Ainsi, non seulement la formule vient d'une lettre d'Auguste de Prusse, mais encore elle est tirée d'une lettre disparue, écrite par Juliette, à une date que nous ignorons, à son amoureux prussien. Il y a tout de même une nuance qui ne tient pas seulement au destinataire, mais au mode du verbe : « tout doit être à vous », écrit-elle au prince, et la promesse ne se réalisera pas ; « tout est à vous », écrit-elle à Chateaubriand, et le présent de l'indicatif indique un don accompli. Il y a encore plus fort. Dès 1808, dans une lettre à Benjamin Constant, Germaine de Staël avait déjà écrit : « Mon cœur, ma vie, tout est à vous, si vous le voulez. » Ainsi courent des uns aux autres, comme le furet de la chanson, les promesses du cœur et les mots de l'amour.

Dans les archives départementales du Loiret, M. Pierre Riberette, à qui nous devons la monumentale *Correspondance générale* de Chateaubriand, a découvert tout récemment une seconde lettre d'amour de Juliette à René, postérieure de quelques semaines au billet du 20 mars : « Je sens plus que jamais que je ne puis vivre sans être aimée de vous et que, s'il faut y renoncer, je renonce à tout, je quitte tout. Mais vous m'aimez, vous me le dites, vous ne me tromperiez pas, pourquoi donc nous séparer ? »

La cause est jugée. A peine s'il est besoin de suivre encore le mouchard en train d'accompagner Chateaubriand jusqu'à Rouen, au Havre, à Honfleur et à Lisieux. Lisieux... Tiens ! tiens !... Aux environs de Lisieux, Chateaubriand, d'après le mouchard, se rend chez « la marquise de Gastine ». Il s'agit évidemment de Fervaques et de la marquise de Custine. Il reste deux jours avec Grognon, avec la Reine des roses à la blonde chevelure. Et puis il part pour Orléans : « On ne parla que politique », note avec dédain le mouchard, comme s'il avait enfin compris que, contrairement à ses attentes du début, l'important, c'était l'amour, et le négligeable, la politique.

Sur le chemin du retour, René s'arrêta à Versailles. Mais là, il renvoya le valet de chambre félon et il demeura seul. « Tout annonce, suggère le mouchard, extraordinairement perspicace, qu'il a passé cette journée tête à tête avec Mme Récamier. » Nous sommes en octobre 1819. Peut-être l'anniversaire de Chantilly fut-il célébré à Versailles.

Quelques mois plus tard, le détestable mouchard nous pond encore une note. Il évoque les ennuis d'argent endémiques du grand homme et il ajoute : « Malgré tant de causes diverses de mécontentement, M. de Chateaubriand continue ses intrigues de galanterie, non aujourd'hui avec Mme Récamier, mais avec la femme du musicien Lafon. Il lui écrit tous les jours et reçoit d'elle de tendres billets. » La femme du musicien Lafon !... Combien en avons-nous vues passer, de ces créatures d'un instant, qui n'apparaissent que pour disparaître, comme la belle fille à l'aube aperçue par le narrateur de la *Recherche du temps perdu* à travers la fenêtre du train de Balbec ! Mais, à la différence du narrateur et de sa belle laitière, René a le temps de leur parler, de leur plaire, de marquer à jamais dans leur vie. Femme d'un musicien, ou plutôt d'acteur, Mme Lafon reparaîtra à Londres où son intimité trop évidente avec l'ambassadeur fera jaser les secrétaires avant d'émoustiller Sainte-Beuve, toujours bien renseigné et toujours déplaisant. Elle avait des yeux noirs admirables et, avec Mlle Leverd, alors rivale de Mlle Mars, et Mme Arbuthnot, elle provoquera, de loin, la double jalousie, inégalement ressentie par le séducteur responsable et irresponsable, de la duchesse de Duras et de Juliette Récamier.

Au-delà de ces parenthèses et de ces aventures, c'était Juliette qu'il aimait. Il va la voir, il lui écrit, il lui reproche de ne pas répondre : « Depuis que je suis parti, je n'ai reçu qu'une lettre de vous... Mais que servent les plaintes ? » « Point de lettres de vous par le courrier d'hier. Je ne ferai pas comme vous ; je ne vous accuserai pas. Mais je souffre. » « Pourriez-vous écrire d'une manière un peu moins sèche ? J'aimerais mieux un mot de vous comme autrefois que toute votre politique. » « Je n'ai pas reçu un seul mot de vous. » « Je n'ai plus le courage d'écrire. Encore hier un courrier sans un mot de vous ! Ce silence me désespère. » Le souvenir des rencontres brille avec force dans son cœur : « A la maison de la rue d'Anjou, écrit-il dans ses *Mémoires,* il y avait un jardin, dans ce jardin un berceau de tilleuls, entre lesquels j'apercevais un rayon de lune lorsque j'attendais Mme Récamier. » Jusqu'à la fin de ses jours, jusqu'à ses derniers instants, malgré ses infidélités, il attendra Mme Récamier. Aussi longtemps qu'il le pourra, il ira la rejoindre. Et les plus belles heures de sa vie, il les passera dans la petite cellule carrelée, incommode, à l'escalier très rude, du troisième étage de l'Abbaye-aux-Bois. « La chambre à coucher était ornée d'une bibliothèque, d'une harpe, d'un piano, du portrait de Mme de Staël et d'une vue de Coppet au clair de lune. Sur les fenêtres étaient des pots de fleurs. Quand, tout essoufflé, après avoir grimpé trois étages, j'entrais dans la cellule à l'approche du soir, j'étais ravi. La plongée des fenêtres était sur le jardin de l'abbaye, dans la corbeille verdoyante duquel tournoyaient des religieuses et couraient des pensionnaires. La cime d'un acacia arrivait à la hauteur de l'œil ; des clochers pointus coupaient le ciel et l'on apercevait à l'horizon les collines de Sèvres. Le soleil couchant dorait le tableau et entrait par les fenêtres ouvertes. Mme Récamier était à son piano ; l'*Angélus* tintait ; les sons de la cloche, qui semblait pleurer le jour qui se mourait, *il giorno piangere che si muore,* se mêlaient aux derniers accents de l'invocation à la nuit de *Roméo et Juliette.* Quelques oiseaux se venaient coucher dans les jalousies relevées de la fenêtre. Je rejoignais au loin le silence et la solitude, par-dessus le tumulte et le bruit d'une grande cité. Dieu, en me donnant ces heures de paix, me dédommageait de mes heures de trouble. » La veille même de son départ pour Berlin, avant d'aller une dernière fois l'embrasser après le dîner, René écrit à Juliette ces mots que Charlotte, et Pauline, et Delphine, et Natalie, et Claire, et même Céleste auraient tant voulu recevoir : « Vous seule remplissez ma vie et quand j'entre dans votre petite chambre, j'oublie tout ce qui me fait souffrir. »

Plus tard, bien plus tard, Juliette, de son côté, qui n'avait pas oublié son idylle avec le prince Auguste, avouait à un ami : « Le souvenir des quinze jours d'amour à Coppet et celui des deux premières années de l'Abbaye-aux-Bois avec M. de Chateaubriand sont les plus beaux jours, les seuls beaux, de ma vie. » A sa redoutable amie à qui nous devons tant, à la comtesse de Boigne, grand reporter des cœurs et commère de l'histoire, Juliette, avec une subtilité non dépourvue d'ironie, allait livrer la clé, sans doute, de cette passion enfin partagée entre l'Enchanteur égoïste et l'invincible enchantée : « C'est peut-être le piquant de la nouveauté : les autres se sont occupés de moi, et lui exige que je ne m'occupe que de lui. »

La vie cependant continuait son train. La politique ne s'arrêtait pas. Elle se mêlait inlassablement à l'existence quotidienne et tissait cette étoffe, tantôt douce, tantôt rugueuse, qui constitue nos jours. Le 13 février 1820, sur les marches de l'Opéra, le duc de Berry, second fils du futur Charles X, était assassiné par Louvel. En même temps que le duc de Berry, la politique libérale de Decazes était frappée à mort. Avec une mauvaise foi insigne, les ultras accusèrent ouvertement Decazes de complicité avec l'assassin, Chateaubriand lui-même dégusta à longs traits le vin de la vengeance et régla d'un seul coup les comptes accumulés : « La main qui a porté le coup n'est pas la coupable, écrivit-il dans *le Conservateur*. Ceux qui ont assassiné Monseigneur le duc de Berry sont ceux qui, depuis quatre ans, établissent dans la monarchie des lois démocratiques, ceux qui ont récompensé la trahison et puni la fidélité, ceux qui ont livré les emplois aux ennemis des Bourbons et aux créatures de Bonaparte : voilà les véritables meurtriers de Monseigneur le duc de Berry. »

Sur un point au moins, Louis XVIII partageait les idées de Napoléon : il avait une piètre opinion des capacités politiques de Chateaubriand. « Il y a des hommes qui se croient aptes à tout parce qu'ils ont une qualité ou un talent, disait l'empereur à Metternich. Au nombre de ces hommes se trouve

Chateaubriand qui fait de l'opposition parce que je ne veux pas l'employer. Cet homme est un raisonneur dans le vide, mais doué d'une grande force de dialectique. S'il voulait user de son talent dans la ligne qu'on lui désignerait, il pourrait être utile. Mais il ne s'y prêterait pas, et il n'est dès lors bon à rien. Aussi ne faut-il pas l'employer. Il s'est offert vingt fois à moi ; mais comme c'était pour me faire plier à son imagination, qui toujours le conduit à faux, et non pour m'obéir, je me suis refusé à ses services, c'est-à-dire à le servir. » Et Louis XVIII, avec moins de force et de subtilité, mais avec la même méfiance pour des défauts qui ne sont peut-être que des vertus : « Donnez-vous garde d'admettre jamais un poète dans vos affaires ; il perdra tout. Ces gens-là ne sont bons à rien. » Entre la littérature et le pouvoir, chacun voulant soumettre l'autre à ses exigences opposées, le malentendu est définitif et congénital.

L'article de Chateaubriand dans *le Conservateur* provoqua la fureur et l'indignation du roi. Il écrivit à Decazes, pour qui il nourrissait les sentiments que l'on sait, une lettre étonnante : « Je lis ordinairement, mon cher fils, un peu en diagonale les œuvres de M. de Chateaubriand. Mais, aujourd'hui, je me suis imposé la pénitence de le lire en entier. J'en suis indigné. Je voudrais aller trouver l'auteur, qui est sûrement un jean-foutre (tous les calomniateurs le sont), et l'obliger à signer le désaveu de son infamie. »

A l'époque même où l'ardent monarchiste est au plus mal avec le roi, Victor Hugo, éperdu d'admiration, après avoir écrit sur son cahier d'écolier : « Etre Chateaubriand ou rien », lui dédie son ode sur *le Génie* et reprend contre ses adversaires l'accusation de calomnie :

Quand ton nom doit survivre aux âges,
Que t'importe, avec ses outrages,
A toi, géant, un peuple nain ?
Tout doit un tribut au génie.
Eux, ils n'ont que la calomnie ;
Le serpent n'a que son venin.

Chateaubriand n'avait pas seulement l'appui de Hugo. Il avait aussi et surtout celui, non moins précieux, de Juliette Récamier. Elle se dépensa sans compter pour le réconcilier avec le roi. De sa petite cellule de l'Abbaye-aux-Bois, Juliette régnait sur Paris, plus puissante encore qu'aux temps de ses splendeurs. « Etre protégé par Mme Récamier, explique Sainte-Beuve, fut, pendant plus de trente ans, la plus infaillible des recommandations. Il n'y avait pas jusqu'aux bâtards de son apothicaire et de son postier que cette femme bonne et obligeante ne trouvât moyen de convenablement caser dans les bureaux des ministres. » Ce qu'elle faisait auprès des ministres pour la descendance illégitime de ses modestes relations, elle le fit auprès du roi pour son illustre amant. Les pieds de Decazes, selon la formule de Chateaubriand, lui ayant glissé dans le sang, il fallait le remplacer par un ministre moins libéral. Le roi, qui n'aimait guère les visages nouveaux et qui avait gardé de l'ancien régime le goût des favoris, se rejeta vers Richelieu. Richelieu devait d'autant plus se renforcer à droite que les élections partielles de l'automne 1820 avaient été favorables aux ultras. Mais la droite, c'était Chateaubriand et Villèle, flanqué d'une inséparable potiche qui s'appelait le comte de Corbière. Chateaubriand n'éprouvait qu'une sympathie très mesurée pour le couple Villèle-Corbière, les duettistes inévitables de l'extrême droite. Appuyée sur Mathieu de Montmorency, Juliette réussit tout de même à convaincre René qu'il ne pouvait pas éternellement rester brouillé à la fois avec la gauche au nom des grands principes et avec la droite au nom des sentiments. Elle le persuada d'user de son prestige, qui était grand, pour faire entrer des gens qu'il n'aimait pas dans un ministère qu'il n'estimait guère.

Le duc de Richelieu avait une sœur, Mme de Montcalm, qui nourrissait une admiration éperdue et hargneuse pour Chateaubriand, mais que son physique difforme – elle était bossue – et sa mauvaise santé mettaient à l'abri de toute intrigue sentimentale et de la double jalousie de la maîtresse en titre et de la femme légitime. Entre Juliette, Chateaubriand, Mathieu de Montmorency, amoureux de Juliette, Mme de Montcalm, plus ou moins éprise de Chateaubriand, et le duc de Richelieu s'établit un étonnant roman par lettres, politique et sentimental, qui finit par aboutir à l'entrée de Villèle et de Corbière dans le ministère de Richelieu. Chateaubriand avait été le catalyseur et le courtier désintéressé, du moins en apparence, de cette intrigue gouvernementale aux frontières des idylles. Il fallait bien le récompenser. Il n'y avait plus de fauteuil disponible dans un gouvernement qu'il avait, plus que personne, contribué à composer, mais où, à cause de son génie si évidemment insupportable, personne ne voulait de lui. Mme de Montcalm fut chargée de le tâter pour savoir s'il consentirait à « s'éloigner » et à accepter une ambassade à l'étranger. « Qu'à cela ne tienne, répondit-il avec ce mélange de fureur, d'ambition toujours blessée et d'indifférence qui lui était si propre, qu'à cela ne tienne ! Je suis toujours prêt à partir et j'irais chez le diable dans le cas que les rois eussent quelque mission à remplir auprès de leur cousin ! » C'est ainsi que, mécontent, comme souvent, de lui-même et des autres, et pourtant ravi de rouler pour la première fois avec tous les conforts de l'argent dans une bonne voiture, précédée par Valentin, énorme chasseur polonais, toujours affamé et toujours assoiffé, Chateaubriand n'avait travaillé que pour devenir ministre de France auprès du roi de Prusse. Toute l'opération n'avait été qu'un grand marché de dupes.

Il y avait de l'héroïsme dans les efforts de Juliette. La séparation d'avec René dans le plus fort de leurs amours lui était une souffrance, et c'était elle, pourtant, qui, contre les avis de Céleste, toujours indignée et pour qui un exil devait au moins être sain et agréable, ce qui n'était guère le cas à Berlin où elle ne se rendra pas, avait tout combiné. « Tout est fini, écrit Chateaubriand à Mme Récamier. J'ai accepté selon vos ordres. Je vais à Berlin. Dormez donc : au moins le tourment de l'incertitude est fini. » La séparation d'ailleurs ne devait pas être trop longue ; le comte d'Artois, Richelieu, Mathieu de Montmorency le lui avaient promis : « Soyez donc tranquille. Je passerai ma vie près de vous à vous aimer, et cette courte absence nous laissera sans souci de l'avenir. »

Nous savons déjà une bonne partie de ce qui se passa à Berlin : les lettres trop insistantes et trop longue de Mme de Duras, les lettres trop peu nombreuses et trop courtes, parfois écrites à l'encre sympathique, de Mme Récamier, la correspondance aigre-douce avec le sinueux Pasquier, les badineries mêlées de politique échangées, sur un ton léger, avec Mme de Montcalm. C'est pendant que Chateaubriand est ministre à Berlin qu'intervient aussi une modification dans la troupe que nous avons vu évoluer depuis un demi-siècle déjà sur le théâtre du monde. Jusqu'alors le nombre des acteurs n'avait fait que s'accroître, les jeunes premières s'ajoutant aux jeunes premières et les vedettes se succédant et se chassant les unes les autres. Voilà que, pour la première fois, un compagnon disparaît : Chateaubriand apprit à Berlin la mort de Louis de Fontanes, le compagnon de misère de la jeunesse obscure et l'ami, après Joubert, le plus intime et, en fin de compte, le plus fidèle. L'amant d'Elisa Bacciochi, le formidable mangeur, le grand maître de l'Université impériale avait succombé brusquement en murmurant : « O mon Jésus ! » Dans le Paris de la Restauration, où tant de roues avaient déjà tourné et où la fortune avait connu tant de tournants et de renversements, cette disparition passa presque inaperçue. « Le pauvre Fontanes ! Déjà, quel profond oubli ! Nous avons vu aussi Mme de Staël disparaître avec tout son bruit dans un moment. Qui s'en souvient aujourd'hui ? Travaillez donc pour la renommée ! » Peut-être à cause de la mort de Fontanes, la mission à Berlin marque dans la vie de Chateaubriand comme une ligne de partage. Pour celui qui avait ouvert tant de chemins et commencé tant d'aventures que d'autres poursuivront, maintenant, avec un éclat suprême, il va s'agir de finir.

Le duc de Bordeaux, fils posthume du duc de Berry, allait être baptisé : colectionneur maniaque de toutes les eaux des grands fleuves, Chateaubriand, en un geste ridicule et superbe, offrit pour la cérémonie sa fiole d'eau du Jourdain. Et, fort de l'appui de Juliette, forçant la main à Pasquier, solidement méprisé, il rentra à Paris. Le roi le reçut et lui dit avec courtoisie qu'il pourrait maintenant changer d'habit. Dans le langage codé de la cour, cette aimable afféterie signifiait qu'on lui rendait le ministère d'Etat et surtout le traitement qui lui était lié. Pour faire bonne mesure, à peu près au moment où mourait à Sainte-Hélène le fondateur de l'ordre, on ajouta la Légion d'honneur.

Là-dessus, Villèle et Corbière démissionnèrent du gouvernement Richelieu ; Chateaubriand, trop content de pouvoir s'en aller, les suivit dans leur retraite ; Richelieu – « le sot duc », comme l'appelait Chateaubriand – tomba ; et Villèle, avec toujours Corbière attaché à ses talons, fut appelé par le roi pour diriger le gouvernement : c'était le triomphe de l'extrême droite et des « deux magots » qui l'incarnaient. Chateaubriand, à travers Juliette, avait tout fait pour permettre l'entrée de Villèle et de Corbière dans le cabinet de Richelieu. Maintenant, Villèle au pouvoir, il attendit sa récompense. Coup de théâtre et tempête dans une tasse de thé : les Affaires étrangères, convoitées par René, furent données, non à l'amant, mais à l'amoureux de Juliette – à Mathieu de Montmorency. Trop conservateur pour les libéraux, Chateaubriand était trop libéral pour les conservateurs. Il n'était pas le seul à être prisonnier de ses contradictions : coincée entre Mathieu qui l'aimait et René qu'elle aimait, on peut imaginer Mme Récamier dans ses plus petits souliers. Elle n'était pas au bout de ses peines.

Désireux de faire quelque chose, et pourtant le moins possible, pour l'artisan de son ascension, Villèle fit proposer à Chateaubriand, non pas un ministère avec siège au Conseil, mais la présidence de l'Instruction publique, rattachée à l'Intérieur attribué à Corbière. Dans une lettre à Claire de Duras, René, tremblant de fureur, qui avait cru jusqu'au dernier instant que ses « pauvres diables d'amis » seraient bien obligés de le « recevoir parmi eux », donna libre cours à son indignation : « Croyez-vous qu'ils ont eu cette insolence ! Moi, chef de division sous Corbière ! Les misérables ! Je n'ai jamais été si blessé. Mathieu a déjà perdu la tête de joie. » Derrière la colère politique, plus ou moins justifiée, perce la jalousie amoureuse à l'égard du rival, pourtant inoffensif, malheureux et borné.

Juliette, une nouvelle fois, repartit à l'assaut. Elle qui souhaitait, naturellement, avec ardeur, garder René auprès d'elle fit le siège de Mathieu pour qu'une grande ambassade fût offerte à Chateaubriand. Mathieu, vaincu d'avance par l'Abbaye-aux-Bois, proposa l'ambassade auprès du roi d'Angleterre : c'était le poste le plus important de la diplomatie française. Juliette se désolait de son propre succès. René hésitait, comme d'habitude, assurait que rien ne se ferait et souhaitait que personne n'eût jamais pensé à ces honneurs insuffisants, mais impatiemment attendus. Ayant réussi à convaincre Céleste que le climat anglais était insupportable et que la traversée de la Manche offrait de sérieux dangers, il finit par accepter et alla remercier le roi de ce nouvel os à ronger, plus appétissant, plus savoureux et aussi peu satisfaisant que tous les autres. « Louis XVIII, écrit-il drôlement, consentait toujours à m'éloigner. » Le plus piquant était qu'il remplaçait en Angleterre le duc Decazes : il avait paru naguère trop à droite au favori de Louis XVIII et il prenait sa succession à Londres parce qu'il paraissait maintenant trop à gauche à son successeur à Paris. Tels sont les jeux constants de la politique et de la diplomatie. Ils se mêlaient aux contradictions du cœur. Il partait, bien entendu, plus furieux qu'enchanté. Juliette était consternée : elle s'était sacrifiée à la carrière de son amant. Lui était déjà impatient de revenir. Sa seule consolation et sa seule espérance était de retrouver Charlotte. Nous le savons : il la retrouva. Et il en trouva plusieurs autres.

Il s'embarqua une fois de plus. Et, une fois de plus, la mer, comme pour lui faire honneur, tint à être détestable. C'était un rite, une habitude, une manie. L'ambassadeur de France mit quatorze heures à traverser la Manche, entre Calais et Douvres. Des coups de canon le saluèrent à son débarquement, près de trente ans après le jour sinistre où, inconnu, sans le sou, malade, désespéré, soutenu par Hingant et Gesril, il avait posé le pied sur le pavé de Southampton. Comme il aimait ces contrastes dont étaient tissée sa vie ! Les événements de son existence – si longue, beaucoup trop longue – se faisaient écho les uns aux autres. Trente ans plus tard, il se souvenait de ce qu'il avait été. A peine arrivé à Londres, l'ambassadeur avait quitté les lambris dorés de l'ambassade de Portland Place, ses laquais en livrée, les factionnaires à sa porte, les femmes en toilettes éclatantes qui se pressaient dans ses salons, pour aller en pèlerinage devant les taudis de Great Queen Street et de Marylebone Street où il avait végété sous la Terreur. Il rêva devant le grenier qu'il avait partagé avec La Bouëtardais, le malheureux cousin au vent coulis et à la gueule de travers. Il revit le fantôme, toujours en train de rigoler dans les pires situations, de ce grand escogriffe de Peltier. En passant, dans son carrosse traîné par huit chevaux blancs, devant la pauvre maison où habitait Hingant, l'ambassadeur se pencha vers son secrétaire d'ambassade, le comte de Marcellus, assis à ses côtés, et, tendant le doigt, il lui dit : « Là, mon ami a voulu se tuer ; et moi, j'ai failli mourir de désespoir et de faim. »

Le soir même, un grand dîner réunissait dans le bel hôtel de Portland Place, qui faisait un tel contraste avec le grenier du pauvre La Bouëtardais, tout ce que le Londres de 1822 comptait de plus brillant et de plus élégant. L'ambassadeur d'Autriche levait son verre de tokay à la santé du grand homme : « Nous sommes heureux et fiers de vous avoir parmi nous. » Lady Fitzroy, Mrs Arbuthnot, la belle Mme Lafon, Mlle Leverd, la princesse de Lieven elle-même, malgré ses ricanements, n'avaient d'yeux que pour l'Enchanteur déguisé en diplomate. Le service de porcelaine et d'or brillait de tous ses feux et le grand Montmirel, son Vatel, son Carême, presque aussi célèbre que lui-même, l'inventeur du beefsteak Chateaubriand et du pudding Diplomate, s'était une fois de plus surpassé. Perdu dans ses songes, égaré dans ses souvenirs, l'ambassadeur de France n'écoutait plus personne. Il se répétait inlassablement que, converti en or, le seul dessert de ce souper magnifique aurait largement suffi, un quart de siècle plus tôt, à empêcher son désespoir et le suicide d'Hingant. O destin ! ô fortune !

Ses yeux erraient sur ses hôtes. Il apercevait des princes, des ministres, des ambassadeurs, des femmes d'une beauté merveilleuse. Il rêvait à sa pauvreté et à sa faim de jadis. Et, négligeant les rumeurs insipides des conversations des puissants et des riches, il se murmurait en lui-même que, jadis, c'était le bon temps – le temps atroce et béni de la misère et de la jeunesse.

L'ambassadeur de Sa Majesté très chrétienne, qui aurait « préféré cent fois les galères à cette vie enchantée », revenait vers ses invités. Voici le duc de Wellington, naguère épris de Juliette, en train de promener sa gloire dans les salons de Londres comme un piège à femmes tendu parmi les quadrilles ; voici le marquis de Londonderry, ex-vicomte Castlereagh, ministre des Affaires étrangères, qui, quelques jours plus tard, au comble de la fortune, va se couper la gorge dans une crise de folie – « Tous les Anglais sont fous par nature ou par ton » – après avoir épouvanté le roi George IV en se plaignant, au beau milieu d'une conversation politique, d'un mystérieux jockey, évidemment invisible et qui le suivait comme son ombre : « Je verrai longtemps, écrit René à Claire de Duras, le grand cercueil qui renfermait cet homme égorgé de ses propres mains, au plus haut point de ses prospérités. Il faut se faire trappiste. »

Chateaubriand, à Londres, ne se faisait guère trappiste. S'il s'entendait assez mal, nous le savons déjà, avec la spirituelle et ingrate comtesse puis princesse de Lieven, ses relations étaient assez bonnes, ou peut-être un peu trop bonnes, avec Mme Lafon, déjà entr'aperçue dans les rapports du mouchard de son prédécesseur à Londres, et pour qui se glissent dans la valise diplomatique, selon une déclaration à la douane, « deux petits cartons renfermant des objets de toilette de femme », avec Mrs. Arbuthnot, femme du secrétaire au Trésor, avec la belle Mrs. Elliot, qui avait murmuré en le voyant : « *He looks pretty well for a genius* [1] », avec une jeune actrice du Théâtre-Français, rivale de Mlle Mars dans les rôles de grande coquette, Mlle Leverd. « Allons ! écrit René à Juliette qui venait de se plaindre, j'aime mieux savoir votre folie que de lire des billets mystérieux et fâchés. Je devine ou je crois deviner maintenant : c'est apparemment cette femme dont l'amie de la reine de Suède vous avait parlé. » La reine de Suède, dans cette lettre qui pourrait être signée d'un Proust du XIXe siècle, c'est Désirée Clary, épouse de Bernadotte ; et la femme dont il est question, c'est Mme Lafon. Et à propos d'une autre admiratrice : « Mais, dites-moi, ai-je un moyen d'empêcher Mlle Leverd, qui m'écrit des déclarations, et trente artistes femmes et hommes de venir en Angleterre pour chercher à gagner de l'argent ? Et si j'avais été coupable, croyez-vous que de telles fantaisies vous fissent la moindre injure et vous ôtassent rien de ce que je vous ai à jamais donné ? Vous n'avez pas été ainsi punie, mais convenez qu'après quatre années de manques de parole et de tromperies, vous mériteriez bien une légère infidélité. J'ai vu un temps où vous vouliez savoir si j'avais des maîtresses et vous paraissiez ne vous en soucier. Eh bien ! non, je n'en ai pas ! On vous a fait mille mensonges. Je reconnais là mes bons amis. Au reste tranquillisez-vous ; la dame part et ne reviendra jamais en Angleterre ; mais peut-être allez-vous vouloir que j'y reste à cause de cela ? Soin bien inutile, car je ne puis vivre si longtemps séparé de vous et je suis déterminé à vous voir à tout prix ! Tandis que vous me faites une querelle d'Allemand pour je ne sais qui, Mme de D. me tourmente sur l'Abbaye ; sur ce point, je me sens coupable. Récompensez-moi donc par de douces paroles et un aveu de vos injustices, des maux que vous me faites souffrir. Tant que je vivrai, je vivrai pour vous. »

Merveille de mauvaise foi et merveille d'habileté ! D'abord les responsabilités sont, bien injustement, rejetées par l'ambassadeur sur sa correspondante. Ensuite, quelle chance que Juliette soit jalouse ! le pire, c'est quand elle ne l'est pas. Ah ! bravo ! tout va bien ! Enfin, s'il était coupable, ce ne serait pas grave ; mais, bien sûr, il ne l'est pas. Ou, s'il est coupable, ce n'est qu'à l'égard de Claire de Duras : car il n'est que trop vrai qu'il ment quand il assure à la chère sœur qu'il n'y a rien du tout entre Juliette et lui. Il ment quand il parle à Claire et il dit la vérité quand il parle à Juliette. Il semble pourtant bien que Juliette Récamier ait eu autant de raisons d'être jalouse des dames de Londres que la duchesse de Duras en avait d'être jalouse de Juliette à Paris. En ce qui concerne au moins Mme Lafon, Sainte-Beuve, dans *Mes poisons*, au titre trop éloquent, est du même avis que le mouchard de Decazes :

1. « Il est plutôt bien pour un génie. »

il la compte avec certitude au nombre des maîtresses de René.

La duchesse de Duras et Mme Récamier ont beau mener le même combat contre les rivales de Londres, c'est d'abord entre elles deux, la maîtresse et l'amie, que la lutte reste la plus vive et la compétition la plus ardente. Entre Claire et Juliette, l'une écrivant sans cesse, l'autre n'écrivant jamais, l'une durement rabrouée, l'autre comblée d'égards, c'est à qui servira le mieux, dans son exil doré, le grand homme perdu dans ces brumes de la Tamise, épaissies à plaisir pour éloigner Céleste. L'affaire qui occupe tout le clan, son chef d'abord, et puis tout le harem, si divisé qu'il soit, c'est de transformer Londres en une rampe de lancement pour un poste plus important : représentation de la France à un des congrès de la Sainte-Alliance, ou ministère des Affaires étrangères, ou, peut-être, espoir suprême et suprême pensée, présidence du Conseil des ministres. L'ambassade à Londres ne suffisait plus guère à l'ambition vite lassée, et pourtant dévorante, du génie indivis entre tant de correspondantes aveuglément dévouées. Moins de deux mois après son arrivée à Londres, René écrivait à Claire : « Je ne sais plus ce que j'ai à faire dans ce pays : toutes mes conquêtes sont faites. » Le mot « conquêtes », naturellement, avait un sens politique et, à la rigueur, mondain, mais sous la plume de l'amoureux de Charlotte Ives-Sutton, dans la bouche de l'idole de tant de belles Anglaises ou de jeunes Françaises égarées outre-Manche, il prenait, avec ce qu'il faut d'humour déjà très britannique, une nuance sentimentale. Cœur ou raison, en tout cas, voilà Chateaubriand en train de harceler ses belles amies afin qu'elles lui ouvrent le chemin du retour sur le continent – pour voir chacune d'elles en privé, bien sûr, et se jeter, séparément, à leurs pieds regrettés ; et pour qu'elles, à leur tour, puissent servir sa carrière, Juliette par sa beauté, son charme, son influence, et Claire par ses relations.

A chacune d'entre elles il écrit presque les mêmes lettres, et parfois avec les mêmes mots. Le ton seul, nous le savons, est radicalement différent : sévère avec la duchesse et tendre avec la beauté. L'histoire, ici, frôle dangereusement le vaudeville : il aurait suffi que Claire et Juliette, au lieu de se détester cordialement et d'être jalouses l'une de l'autre, se décident un beau jour à échanger leurs lettres pour que Chateaubriand se retrouve dans une situation aussi inconfortable que le don Juan de Molière entre ses deux paysannes ou, sur un autre registre, que Benjamin Constant entre Juliette Récamier et l'empereur Napoléon de retour de l'île d'Elbe.

Juliette a sur Claire un cœur et un corps d'avance. D'une force d'âme insoupçonnable sous cette enveloppe si frêle, sûre de sa beauté et de l'attachement de René, elle se sert à peine de ses armes, n'écrit que quand il le faut et ne se tourmente guère de sa rivale. La sage amie, en revanche, ne s'incline pas sans combat devant la redoutable idole. Il y a quelque chose de pathétique et d'assez grand, mais de désespéré, dans la dignité blessée de la duchesse : « Une amitié comme la mienne n'admet pas de partage. Elle a les inconvénients de l'amour. Et j'avoue qu'elle n'en a pas les profits, mais nous sommes assez vieux pour que cela soit hors de la question. Savoir que vous dites à d'autres tout ce que vous me dites, que vous les associez à vos affaires, à vos sentiments, m'est insupportable, et ce sera éternellement ainsi. » Éternellement, en effet : le dernier rêve de René ne sera jamais pour Claire.

L'ennemi commun aux deux rivales et à leur commun protégé est en même temps leur ami : c'est Mathieu de Montmorency, ministre des Affaires étrangères. Selon une formule qui fera fortune plus tard, il apparaît à son ambassadeur à Londres – qui, d'une simplicité apparemment hautaine mais véritablement modeste en matière littéraire, se fait une haute idée de ses capacités diplomatiques – comme tout à fait étranger aux affaires étrangères. Et il faut bien reconnaître que ce jugement cruel est à peine exagéré. Du libéralisme à la dévotion et de la dévotion à l'ambition, le pauvre duc, en même temps qu'il grimpait à toute allure tant d'échelons administratifs, politiques et sociaux, avait beaucoup baissé. « Vous n'avez pas d'idée, écrit Mme de Duras, de ce que Villèle pense de la nullité de Mathieu. » Villèle, lui, est épargné, d'abord parce qu'il est d'une autre stature, ensuite parce que, président du Conseil, la décision finale dépend de lui.

Quand l'affaire, enfin, commence à se dessiner et qu'à force de répéter : « Pensez à moi et à mon Congrès ! » Chateaubriand est sur le point de décrocher la timbale tant convoitée de plénipotentiaire à Vérone, la pauvre duchesse de Duras comprend qu'elle a tiré pour une autre les marrons diplomatiques du feu du pouvoir et de l'intrigue. Pensant sans cesse à Juliette avec envie et amertume, Claire, toujours pathétique, écrit à René, en tâchant d'irriter la plaie nommée Mathieu : « Vous saurez la décision par elle ; elle aura cet avantage sur moi ; elle en a bien d'autres... Vous courrez à l'Abbaye en débarquant. L'aviez-vous chargée de la partie de Mathieu dans cette affaire ? Elle ne vous l'a pas beaucoup concilié ; car il a fait, je vous l'assure, une belle résistance. » La résistance était enfin vaincue : René partait pour Vérone.

Mais ce que Chateaubriand entreprend de plus sérieux pendant ses quelques mois de Londres, ce ne sont ni ses fêtes, ni ses dépêches, ni ses intrigues diplomatiques et sentimentales, ni ses efforts parallèles auprès de Juliette et de Claire pour se faire désigner comme plénipotentiaire français au congrès de la Sainte-Alliance, ni ses affaires de cœur ni ses affaires de cour :

ce qu'il entreprend de plus sérieux, c'est la poursuite assidue de la rédaction de ses *Mémoires.* C'est à Londres, en 1822, que fut écrite, d'un seul jet et à la suite, la plus longue partie de ce qui sera plus tard les *Mémoires d'outre-tombe.* Le voyage en Amérique, le retour en France, le mariage, le passage à Paris, l'émigration, la guerre dans l'armée des princes, le séjour en Angleterre et les sept années terribles de 1793 à 1800, avec l'intermède lumineux et tragique de Charlotte à Bungay, furent rédigés sous les ors du somptueux hôtel de Portland Place qui faisait un contraste romanesque et enchanteur avec les récits des temps obscurs.

Peut-être est-il temps de dire ici, avec les mots les plus simples, que les *Mémoires d'outre-tombe* constituent un des cinq ou six monuments majeurs de la littérature française. Si notre langue est ce qu'elle est, les *Mémoires d'outre-tombe* y sont pour quelque chose. Ils se situent quelque part, en beaucoup plus amusant, entre *l'Iliade* et *l'Odyssée, la Divine Comédie, Don Quichotte de la Manche, le Paradis perdu, les Souffrances du jeune Werther* et *Guerre et Paix* de Tolstoï. Dans la prodigieuse lignée qui va de *la Chanson de Roland*, des quatre grands chroniqueurs, de Rabelais et Montaigne jusqu'à Hugo, Balzac et Proust, en passant par Saint-Simon et Jean-Jacques Rousseau, Chateaubriand tient sa place d'abord parce qu'il a écrit les *Mémoires d'outre-tombe*. Rien de ce qui est raconté dans ces pages sur ses amours infidèles n'aurait le moindre intérêt si tous ces visages de femmes n'étaient, à la fois, dissimulés et révélés par les *Mémoires d'outre-tombe*. On aurait tort de s'imaginer que la vie des grands hommes offre quelque modèle que ce soit à ceux qui les admirent. Il ne suffit pas de boire comme Verlaine, de faire la révolution comme Malraux, d'être homosexuel comme Proust, ou couvert de femmes, monarchiste et chrétien comme René de Chateaubriand pour avoir du génie. Il faut d'abord avoir du génie ; ensuite, on se débrouille comme on peut avec une vie quotidienne dont rien ne demeure négligeable à partir du moment où tout y est soutenu par le talent et la passion. Alors, le moindre détail se révèle incomparable ; le moindre secret, irrésistible. C'est quand il y a quelque chose au-dessus de la vie que la vie devient belle.

Chateaubriand avait beaucoup compté sur sa vie pour se tailler une niche dans les souvenirs des hommes. Et, à partir de l'ambassade à Londres, avec le congrès de Vérone, avec le ministère des Affaires étrangères, avec la guerre d'Espagne, avec l'ambassade à Rome, il ne paraît pas très loin de réaliser son rêve et de remplir ses ambitions. Pour son malheur en apparence, pour sa gloire en réalité, il voit bientôt le mur qui borne son destin de diplomate et d'homme d'Etat. La méfiance des Bourbons à l'égard des poètes et en particulier à son égard, sa propre hostilité à l'égard des Orléans lui ferment successivement les portes du pouvoir. Il revient à ses songeries, à l'indifférence passionnée qui avait marqué sa jeunesse. Ne pouvant plus mettre sa grandeur dans sa vie, il va la mettre dans son œuvre. Et, cette fois, dans l'adversité, avec bien plus d'éclat encore que, naguère, dans ses triomphes. Parce qu'elle se heurte à des obstacles intérieurs et extérieurs, parce qu'elle ne va jamais jusqu'au bout de ses grandes espérances, son existence n'est pas le chef-d'œuvre qu'il avait imaginé ; mais de la relation de cette existence et de ses illusions perdues il va faire un chef-d'œuvre, un chef-d'œuvre incomparable, un chef-d'œuvre absolu. La statue de l'écrivain s'édifie peu à peu dans la niche du diplomate que le congrès de Vérone n'aurait pas suffi à sauver dans la mémoire des hommes. Le récit de sa vie l'emporte de loin sur sa vie. Pour Chateaubriand, grâce à la littérature et dans la littérature, c'est le succès qui échoue, et c'est l'échec qui réussit.

Sans doute, d'une façon ou d'une autre, toute littérature est liée à l'échec et à la revanche sur l'échec. Comme son maître Rousseau, comme son disciple Byron, mais aussi comme Balzac, comme Flaubert, comme Proust, René remplace une vie insuffisante et à beaucoup d'égards ratée par un monde imaginaire et par une vie rêvée. Il le fait avec une force, avec une justesse, avec une drôlerie étonnantes. Tout un âge de l'histoire, et l'un des plus troublés et des plus décisifs – la fin de l'Ancien Régime, la Révolution, le Directoire, le Consulat, l'Empire, les deux Restaurations successives, les débuts tumultueux de la monarchie de Juillet –, sert de décor à sa carrière. Et dans ce cadre somptueux, à travers le pouvoir et surtout l'opposition qui lui convient encore mieux et le sert à merveille, se déroulent des aventures où se combinent et s'opposent la surabondance de vie et la mélancolie, la passion, l'indifférence, l'attachement au passé et une prémonition foudroyante de l'avenir, l'infidélité chronique et une fidélité inébranlable.

Le langage, la parole, les mots sont la matière de cet univers comme le goût du pouvoir, le sang, l'argent, la jalousie, l'amour sont la matière de l'autre : c'est ce qu'on appelle le style. Par un mystère insondable, dont ni les dates et lieux de naissance, ni les études, ni les voyages, ni les fonctions, ni les femmes aimées, ni même l'hérédité, les influences subies, les chagrins, les ambitions ne suffisent à fournir les clés, ce style est époustouflant. Ouvrez à n'importe quelle page cette œuvre de près de trente ans que sont les *Mémoires d'outre-tombe* : les formules succèdent aux formules, les portraits aux portraits, l'histoire se fait sous vos yeux et il vous semble de temps en temps apercevoir quelque chose de l'esprit du monde et de l'âme des hommes. Voici Talleyrand : « M. de Talleyrand, en vieillissant, avait tourné à la tête de mort : ses yeux étaient ternes, de sorte qu'on avait peine à y lire, ce qui le servait bien ; comme il avait reçu beaucoup de mépris, il s'en était imprégné, et il l'avait placé dans les deux coins pendants de sa bouche. » Voici, sous la plume d'un légitimiste convaincu et d'un des plus farouches adversaires de Napoléon, un bref tableau comparé de la Restauration et de l'Empire : « Retomber de Bonaparte et de l'Empire à ce qui les a suivis, c'est tomber de la réalité dans le néant, du sommet d'une montagne dans un gouffre. Tout n'est-il pas terminé avec Napoléon ? Aurais-je dû parler d'autre chose ? Quel personnage peut intéresser en dehors de lui ? De qui et de quoi peut-il être question, après un pareil homme ? Comment nommer Louis XVIII en place de l'empereur ? Je rougis en pensant qu'il me faut nasillonner à cette heure d'une foule d'infimes créatures dont je fais partie, êtres douteux et nocturnes que nous fûmes d'une scène dont le large soleil avait disparu. » Voici, il y a cent cinquante ans, une critique des privilèges, une analyse de l'inégalité et une vision fulgurante de la lutte des classes : « La trop grande disproportion des conditions et des fortunes a pu se supporter tant qu'elle a été cachée ; mais, aussitôt que cette disproportion a été généralement aperçue, le coup mortel a été porté. Recomposez, si vous le pouvez, les fictions aristocratiques ; essayez de persuader au pauvre, lorsqu'il saura bien lire et ne croira plus, lorsqu'il possédera la même instruction que vous, essayez de le persuader qu'il doit se soumettre à toutes les privations, tandis que son voisin possède mille fois le superflu : pour dernière ressource, il vous le faudra tuer. » Voici l'annonce du monde industriel, entouré de ses enfants, les loisirs et le chômage : « La société n'est pas moins menacée par l'expansion de l'intelligence qu'elle ne l'est par le développement de la nature brute. Supposez les bras condamnés au repos en raison de la multiplicité et de la variété des machines : que ferez-vous du genre humain désoccupé ? Que ferez-vous des passions oisives en même temps que l'intelligence ? » Et voici, un peu lyrique, mais prémonitoire, un siècle avant Staline, vingt ans avant *le Capital,* le *Manifeste communiste* non encore publié, une description du communisme : « Maintenant quelques mots plus sérieux sur l'égalité absolue : cette égalité ramènerait non seulement la servitude des corps, mais l'esclavage des âmes ; il ne s'agirait de rien de moins que de détruire l'inégalité morale et physique de l'individu. Notre volonté, mise en régie sous la surveillance de tous, verrait nos facultés tomber en désuétude. Car, ne vous y trompez pas : sans la propriété individuelle, nul n'est affranchi. La propriété commune ferait ressembler la société à un de ces monastères à la porte duquel des économes distribuaient du pain. La propriété héréditaire et inviolable est notre unique défense personnelle ; la propriété n'est autre chose que la liberté. L'égalité complète, qui présuppose la soumission complète, reproduirait la plus dure servitude ; elle ferait de l'individu humain une bête de somme, soumise à l'action qui la contraindrait, et obligée de marcher sans fin dans le même sentier. »

Sans les *Mémoires d'outre-tombe*, la carrière, les aventures, les passions de Chateaubriand n'auraient pas grand intérêt. Mais parce que ce chef-d'œuvre est, aujourd'hui encore, capable de donner du plaisir à tous ceux qui savent lire, tout ce qui entoure son auteur, si irritant, si attachant, contradictoire et génial, a quelque chose à nous dire sur le destin d'un homme qui est, à lui seul, à force de grandeur et de faiblesses, comme une espèce d'image minuscule de notre humanité.

« Vous me direz : *Vous avez donc une terrible fureur de ce Congrès ?* Pas du tout. Mais c'est le chemin qui me ramène le plus naturellement, sans démission, sans scène, à la petite cellule. Voilà tout mon secret. Je vais attendre, le cœur bien ému, vos premières nouvelles. Écrivez, écrivez. » Inlassablement, de Londres, René répétait à Juliette – et sans doute disait-il vrai – qu'il la préférait à la politique et qu'il mettait son amour plus haut que ses ambitions. Quelques jours plus tard : « Vous savez ma raison secrète pour désirer le Congrès. Ce voyage me ramenait auprès de vous et c'est là l'idée qui m'occupe éternellement. » Enfin, le 3 septembre 1823, Marcellus rapporte à Londres une promesse formelle de Villèle. Triple cri de victoire, de rancune et d'amour : « L'affaire est faite ! Mais avec quelle mauvaise grâce de la part de Mathieu !... Mais, dites, ne pourriez-vous venir au-devant de moi à Chantilly ? J'aurai soin de vous faire connaître juste le jour et l'heure auxquels je pourrais y arriver. Je vous verrais avant tout le monde, nous causerions : que j'ai de choses à vous dire et que de sentiments je renferme dans mon cœur depuis cinq mois ! L'idée de vous voir me fait battre le cœur. »

Il la revit. Et puis il passa à Vérone, comme plénipotentiaire de la France, deux mois triomphaux, gâtés seulement par la présence de Mathieu de Montmorency, dont l'intelligence et le caractère ne valaient pas, à ses yeux, la vertu sourcilleuse et un peu trop affichée. Mathieu rendait largement à René les sentiments ambigus que celui-ci nourrissait à son égard. Chateaubriand ne décolérait pas d'être en fait, au congrès, sous les ordres de son ministre des Affaires étrangères ; mais le ministre était furieux de se voir surveillé et parfois éclipsé par son ambassadeur. La présidence du Conseil était jusqu'alors partagée entre Villèle et Montmorency. En l'absence de Mathieu, Louis XVIII désigna Villèle pour diriger le cabinet et ce fut Chateaubriand qui apporta à Mathieu les instructions du chef du gouvernement : l'atmosphère n'en fut pas améliorée entre les deux rivaux qui se prétendaient amis.

Paradoxalement, ce ne sera pas Mme Récamier, mais Mme de Duras qui jouera le rôle de confidente du vicomte de Chateaubriand pendant les soixante jours du congrès de Vérone. Il y avait deux raisons principales à cette substitution de compétences. La première était toujours la même : Claire écrivait beaucoup et – grande vedette du muet selon Roger Nimier – Juliette n'écrivait pas ; or les événements devenaient si nombreux et la part qu'y prenait René si importante, si décisive – au moins à ses propres yeux – qu'une brève correspondance ne pouvait y suffire. Vers la moitié du congrès, en un temps où l'ambassadeur n'était pourtant pas encore accablé par les occupations et les responsabilités qui seront les siennes dans les dernières semaines de son séjour, il écrit à Mme de Duras, dont le gendre, le duc de Rauzan, est auprès de lui, en qualité de secrétaire, dans le somptueux palais de la Casa Lorenzi : « Vous voulez tout savoir du Congrès : il faudrait vingt conversations pour vous le faire comprendre. » Onze ans plus tard, passant à nouveau par Vérone pour rejoindre à Venise la duchesse de Berry, Chateaubriand se livre, selon une formule classique héritée d'Homère et de Rabelais et dont Proust, plus tard, se souviendra à son tour, à un appel des morts ; il évoque tous ceux, souverains, princes et ministres, dont les grandeurs l'entouraient et qui ont disparu ; et il ajoute : « En dehors de cette réunion pompeuse, que n'ai-je point encore perdu ? Ma dernière et noble amie, la duchesse de Duras, n'a-t-elle pas emporté dans la tombe les lettres où je lui racontais ce qui se passait sous mes yeux ? »

A Juliette, en revanche, il écrit de Vérone, avec un rien de dépit : « Vous ne vous intéressez guère à la politique. Tout ce qu'il vous importe de savoir, c'est comment je suis avec votre ami : nous sommes fort poliment. » Et la seconde raison de l'abondante correspondance avec Claire et du peu de lettres à Juliette durant le congrès de Vérone c'est, en effet, l'amitié de Juliette Récamier pour Mathieu de Montmorency. Mme Récamier était, à l'égard de ses deux amis, ou plutôt de son ami et de son amant, dans une situation de plus en plus délicate. L'un des deux – et le plus turbulent – à l'étranger, à Berlin ou à Londres, ou même les deux présents à Paris, mais avec elle entre les deux, il lui semblait que la situation pouvait être tenue en main par son charme et son habileté. Le tête-à-tête en son absence, à des centaines de kilométres de Paris, entre les deux amis qui se détestaient cordialement la remplissait d'une crainte qui allait jusqu'à l'angoisse. Tout se passa aussi bien que possible jusqu'au départ de Mathieu qui quitta Vérone vers la fin de novembre et laissa, les trois dernières semaines, le champ libre à René. Juliette, cependant, avait été un peu écartée, sinon de la vie privée, du moins de la vie publique du plénipotentiaire. Mais les formules de dévotion restent identiques à elles-mêmes : « Cette belle Italie ne me dit plus rien. Je regarde ces grandes montagnes qui me séparent de ce que j'aime et je pense comme Caraccioli[1] qu'une petite chambre à un troisième étage à Paris vaut mieux qu'un palais à Naples. Je ne sais si je suis trop vieux ou trop jeune ; mais, enfin, je ne suis plus ce que j'étais, et vivre dans un coin tranquille auprès de vous est maintenant le seul souhait de ma vie. » Ici se manifeste à nouveau, dans la vie et les vœux de René, un retournement dont nous avons déjà décelé quelques symptômes au retour du voyage en Grèce, en Orient et en Espagne : longtemps, il a gémi qu'il ne pensait qu'à aller mourir sur une terre étrangère ; désormais, il ne rêve plus que de se reposer à l'ombre de ce qu'il aime. Ce qu'il aime s'obstine, hélas ! à se manifester assez peu : « Je n'ai plus le courage d'écrire. Encore hier un courrier sans un mot de vous ! Ce silence me désespère. Au nom du ciel, écrivez-moi donc ce que vous voulez faire et ce que je dois devenir ! » C'est d'elle, qui n'écrit jamais, non de Claire, qui écrit tout le temps, que dépend son destin : « Très certainement le Congrès finira dans les premiers jours de décembre, et avant un mois je puis être avec vous dans la petite cellule ; mais si vous voulez venir en Italie, j'y reste à tout prix. C'est à vous à prononcer, à dire : *Venez*, ou *Restez* ; j'attends votre réponse. » Et les lettres à Juliette se terminent, comme toujours, par « A jamais à vous » ou par « A bientôt. Ce mot me console de tout. » Claire est tenue au courant ; mais Juliette est adulée.

Avec la duchesse de Duras, le vicomte de Chateaubriand grimpe jusqu'aux sommets de la plus haute politique. Avec cette ironie qui faisait dire à Joubert qu'il était « bon garçon ». « Il y a tous les soirs une réunion politique chez cette méchante créature, la comtesse de Lieven ; on y chuchote chacun dans un coin, ou bien M. de Metternich raconte tout haut la manière de faire des macaroni. On admire, et on se couche. » L'opinion de l'auteur du *Génie du christianisme* sur le chef de la diplomatie impériale n'était pas très flatteuse : « C'est un médiocre sans fond, sans vues, écrit-il à Mme de Duras, et qui n'a d'empire que sur la faiblesse de Mathieu de Montmorency. » Pour une fois, il n'emploie pas les mêmes mots dans ses lettres à Juliette et à Claire. « J'ai vu l'empereur de

---

1. Le marquis de Caraccioli, ambassadeur du roi de Naples à Paris avant la Révolution.

Russie, écrit-il à Mme Récamier, j'ai été charmé de lui. C'est un prince plein de qualités nobles et généreuses. Mais, je suis fâché de vous le dire, il déteste vos amis les libéraux. En tout, je crois que nous ferons de bonne besogne. Le prince de Metternich est un homme de bonne compagnie, aimable et habile. » Aimable et habile, ou un médiocre sans fond ? L'apparente contradiction se résout sans trop de peine : il aura suffi sans doute de quelques mots flatteurs, d'une attention un peu marquée pour que René change d'avis. Alexandre et Metternich avaient dû le traiter un peu mieux que ne l'avait fait Pozzo di Borgo, l'ennemi corse de Napoléon, conseiller et ami du tsar, dont René dit à Claire : « Pozzo, qui m'accable de caresses, disait de moi l'autre jour, dans un moment d'éloquente indignation : *Cet enfant de cinquante ans qui balbutie de la politique et qu'on a lancé au milieu du Congrès comme une fusée à la Congreve* [1] ! » Ce n'était pas la reine de Sardaigne qui mettait du baume sur l'amour-propre à vif du grand homme : elle lui demandait, avec le plus gracieux sourire, s'il était parent de ce M. de Chateaubriand dont on lui avait vaguement parlé et qui faisait des brochures. Du coup, Mathieu de Montmorency disait de lui à Juliette avec beaucoup de perfidie sous l'apparente sollicitude : « J'ai idée qu'il doit beaucoup s'ennuyer d'après le genre de vie qu'il s'est arrangé et je ne sais s'il trouve son grand désir de venir au Congrès parfaitement justifié. » Pour un imbécile, ce n'était pas si mal vu.

Enfin Mathieu repartit pour Paris, laissant René face à face avec les grands de la terre. Cri de triomphe et de soulagement dans les *Mémoires d'outre-tombe* : « M. de Montmorency étant parti, mon rôle, fort court, augmenta d'importance. » Mathieu avait quitté Vérone pour deux raisons différentes ; la première était politique : il voulait intervenir en faveur du roi d'Espagne menacé par les libéraux, alors que Villèle souhaitait plus de prudence ; la seconde était sentimentale, car, chez Mathieu comme chez René, la politique et le cœur étaient entremêlés : sa femme voulait le rejoindre à Vérone, et il la redoutait comme la peste.

Comme Céleste, mais avec moins de motifs, la vicomtesse, future duchesse, de Montmorency était tombée, sur le retour, éperdument amoureuse de son propre mari. Cette passion inextinguible pour un quasi-vieillard était d'autant plus embarrassante, et pour elle, et pour lui, et pour les spectateurs, que, longtemps négligée par un mari qui ne caressait que les chapelets et ne s'enflammait que pour le Sacré-Cœur, elle avait, peut-être par dépit, fait vœu de chasteté. Elle avait réussi à se faire relever de son vœu par le Saint-Père et elle s'adonnait à

---

1. Sir William Congreve, général anglais, inventeur de la fusée utilisée par les Anglais contre Boulogne en 1806.

l'amour profane avec des fureurs sacrées – ou plutôt à l'amour sacré, car elle ne s'occupait que de son mari légitime, avec des fureurs profanes. Elle avait hésité quelque temps, comme Juliette, à partir pour Vérone. Quand elle annonça son arrivée, Mathieu préféra aller se cacher avec elle à Paris. Jamais l'amour conjugal ne donna autant de satisfaction à M. de Chateaubriand.

Le plus curieux de l'affaire était que, politiquement, Chateaubriand était beaucoup plus près de Mathieu de Montmorency, interventionniste en Espagne, que de Villèle, réticent à l'extrême devant toute aventure. N'empêche : en l'absence de Mathieu, il y avait une place à prendre ; René l'occupa sans vergogne. « C'est, après tout, le seul homme capable du ministère, disait-il de Villèle, et je l'aime cent fois mieux que la sottise envieuse, cafarde et tripotière de Mathieu. »

Tel brille au second rang, qui s'éclipse au premier : le vers célèbre de Voltaire, appliqué successivement à tant d'hommes politiques, ne convenait pas à René. Les trois dernières semaines à Vérone, où il se trouva seul à représenter la France, furent un succès pour lui. Du coup se posa à nouveau la grande question autour de laquelle il tournait depuis plusieurs années : est-ce que... est-ce que, par hasard... est-ce que, par impossible... Bref, un beau matin, au chant des alouettes de Vérone, il se réveilla candidat aux Affaires étrangères du gouvernement Villèle, poste occupé par Mathieu. Juliette, une fois de plus, se retrouvait en première ligne, prise entre les feux croisés de Mathieu et de René. Et, une fois de plus, elle fit merveille. « On me dit, lui écrivit l'autre Montmorency, Adrien, le cousin de Mathieu, que vous vous tirez admirablement de toutes ces difficultés, que vous portez toutes les confidences, que tout le monde est content et que personne n'est trahi. »

Telle une névrose d'existence, le scénario classique est aussitôt entamé : René veut et ne veut pas, il aspire au ministère et il ne parle que de retourner à Londres – retrouver Charlotte Sutton. L'affaire, cette fois-ci, est encore compliquée par la présence de Mathieu : René fait semblant de vouloir se conduire mieux à l'égard de Mathieu que Mathieu ne s'est conduit au sien. A Juliette Récamier : « Vous verrez par la lettre à Villèle, dont je vous envoie la copie, que Mathieu a donné sa démission hier au soir et que Villèle m'a proposé le portefeuille par ordre du roi. Je l'ai refusé. Mathieu ne valait pas ce sacrifice par la manière dont il a été avec moi, mais je devais cela à vous et à ma loyauté. On ne dira plus que je suis ambitieux. » On ne dira plus que je suis ambitieux... euh !... L'argument a toutes les apparences de la sincérité, mais quelque chose en lui laisse encore insatisfait. C'est dans une lettre à Claire de Duras, quelques heures plus tard, qu'éclate toute la vérité : « Enfin,

nous avons l'objet de tous nos vœux : *un ministère refusé ! ! !* »
C'est là que s'exprime toute la réalité profonde de la démarche de René : il faut recevoir, mais il faut mépriser ; il faut tout avoir et tout rejeter. La fameuse formule de Montherlant trouve ici sa racine : « Tout ce qui est atteint est détruit. »

Il se désolait, en apparence, de ces coups de théâtre qui le frustraient de son destin, mais il s'en réjouissait en secret : « Mon existence à scènes, à changements de décorations, est sans cesse menacée du coup de sifflet qui me transporte d'un palais dans un désert, du cabinet des rois dans le grenier des poètes. » Le coup de sifflet, cette fois-ci, prit plutôt l'apparence d'un coup de baguette magique, sur lequel d'ailleurs notre héroïque candidat au sacrifice volontaire n'avait jamais cessé de compter. A Juliette Récamier : « Le roi m'a envoyé chercher à quatre heures et m'a tenu une heure et demie à me prêcher, et moi résistant. Il m'a donné enfin l'ordre d'obéir. J'ai obéi. Me voilà resté auprès de vous. Mais je périrai dans le ministère. A vous ! » Et à Claire de Duras : « Le roi m'a donné l'ordre d'accepter ; j'ai obéi, mais comme un homme qu'on mène à la potence. » Pasquier, qui n'était pas en vain l'amant de Mme de Boigne et qui avait attrapé d'elle un peu de sa méchanceté intelligente, résume assez bien l'affaire, tout en supposant à tort une lassitude là où il y avait plutôt un point d'honneur, un mépris souverain de l'acquis et beaucoup d'indifférence mêlée à l'ambition : « Lorsque le ministère lui fut proposé, il se donna toutes les apparences d'un homme qui en redoute les fatigues et les difficultés. Il fallut lui faire presque violence pour lui faire accepter le pouvoir dont il brûlait de s'emparer. »

Le soir du 1er janvier 1823, deux ans, jour pour jour, après le départ en berline pour la Prusse, Chateaubriand quitta son appartement de la rue de l'Université pour aller s'installer, rive droite, rue des Capucines, où le ministère des Affaires étrangères, situé jusque-là rue du Bac, venait d'être transféré, il y avait un peu plus d'un an. Il trouva encore le temps, dans cette journée triomphante et agitée, d'écrire deux lettres à Juliette. La première était de vœux : « Combien de fois vous ai-je déjà souhaité la bonne année depuis que je vous aime ? Cela fait frémir. Mais ma dernière année sera pour vous, comme aurait été la première, si je vous avais connue. J'ai encore couché rue de l'Université. C'est ce soir que je passe les ponts. J'irai ce soir vous présenter mes respects accoutumés. » La seconde était de promesses : « Je vais ce soir coucher dans ce lit de ministre qui n'était pas fait pour moi, où l'on ne dort guère, et où l'on reste peu. Il me semble qu'en passant les ponts, je m'éloigne de vous, et que je vais faire un long voyage. Cela me crève le cœur. Mais je ferai mentir le pressentiment. Je vous verrai tous les jours, et à notre heure, dans votre petite cellule. Je vous écrirai tous les jours. A vous pour la vie. »

Il faut imaginer Juliette en train de lire le billet, le cœur battant, à l'Abbaye-aux-Bois, et de le retourner, songeuse, entre ses longues mains admirables. Le pressentiment, hélas ! n'était pas mensonger. En passant les ponts, René s'éloignait de Juliette et un long voyage s'annonçait à l'horizon. Il ne la verrait plus tous les jours, à leur heure, dans la petite cellule. Il ne lui écrirait pas tous les jours. Dans la vie du nouveau ministre, après six années de passion amoureuse, à peine égratignées par quelques infidélités qui n'enlevaient rien à personne, une autre femme, très belle, était sur le point de faire son entrée.

5

CORDÉLIA
OU LE POUVOIR

Littérature et pouvoir ne se rencontrent guère...

—

Tout à fait à la fin de sa vie, sur la suggestion...

—

« Mon ange, ma vie, je ne sais quoi de plus encore, je t'aime... »

—

En ce glorieux début d'automne, Juliette souffrait...

—

« Non, vous n'avez pas dit adieu à toutes les joies de la terre... »

—

Rome joue un rôle central dans l'histoire des amours...

—

Sur ces cœurs en déroute planait l'ombre d'un absent...

—

Rien n'échoue comme le succès. Le succès, comme l'amour...

—

Une nouvelle traversée du désert commençait...

—

Ils régnaient, de nouveau, tous les deux...

Littérature et pouvoir ne se rencontrent guère. Il y a le plus souvent entre eux une incompréhension qui peut aller jusqu'à l'antipathie, et parfois à la haine. Le pouvoir est du côté de l'ordre et de la responsabilité ; la littérature, du côté du désordre et de l'irresponsabilité. Le pouvoir commande, la littérature désobéit. Le pouvoir incline tout naturellement à sa perpétuation ; la littérature, à son renouvellement. Sans doute, l'opposition entre littérature et pouvoir a-t-elle été montée en épingle, au XIXe siècle, par le romantisme d'abord, par la sensibilité de révolte et de rupture ensuite : elle souffle en rafale avec Rimbaud et Lautréamont et elle trouve des héritiers tout au long du XXe siècle. En se réclamant du marxisme avant de lutter contre lui, les hérauts de la révolte s'appuient successivement sur le dadaïsme, le surréalisme, la philosophie de l'absurde et quelques autres écoles encore qui n'ont précisément en commun que de rejeter l'ordre établi, incarné par le pouvoir. Mais, à travers les siècles, bien avant le marxisme et le surréalisme, de Marot et Villon à Voltaire et Rousseau, en passant par Rabelais, par Montaigne, paradoxalement par Saint-Simon, en se réclamant peut-être, du côté de la science et de la philosophie, d'un Socrate ou d'un Galilée, la littérature, surtout française, prend l'allure, bien souvent, d'un défi au pouvoir.

A cette grande lignée s'en oppose pourtant une autre : c'est celle qui va de Périclès aux souverains éclairés de l'Europe du XVIIIe. Le pouvoir s'y réconcilie avec la littérature. Jules César – « l'homme le plus complet de l'histoire parce qu'il réunit le triple génie du politique, de l'écrivain et du guerrier » – est son ancêtre, son modèle, son alibi. Marc Aurèle l'illustre à nouveau. Le pape, les rois, l'empereur, les princes de la Renaissance cherchent à s'entourer d'écrivains qu'ils couvrent d'honneurs et d'argent, à l'égal des peintres, des sculpteurs, des musiciens.

Louis XIV, en France, les réduit, au même titre que les grands, en une sorte d'esclavage doré : la création par Richelieu de l'Académie française avait déjà pour but de ramener la littérature du côté du pouvoir au lieu de la laisser s'agiter contre lui. Chateaubriand aura successivement appartenu à ces deux clans bien distincts. Il aura lutté contre le pouvoir et il l'aura incarné. Quand il s'opposait à lui, il aspirait à l'exercer ; et quand, enfin, à force d'efforts, de protections, d'influences, il y était installé, il ne cessait de rêver, en soupirant, à sa liberté sacrifiée.

Ministre des Affaires étrangères ! Le rêve secret du souffre-douleur du cardinal Fesch, de l'opposant à Napoléon, du serviteur fidèle et maltraité des Bourbons, est enfin réalisé. Il prend le duc de Rauzan, le gendre de Mme de Duras, pour directeur de ses affaires politiques et il se met à inonder de sa prose chefs d'État et de gouvernement. « Ma correspondance intime est de ma main et va aux quatre coins de l'Europe. Je n'en laisse le soin à personne. » René avait beaucoup de défauts : il était orgueilleux, vaniteux, égoïste, indifférent, changeant, bourré de contradictions. Il n'était ni mesquin ni paresseux. Le nombre de ses lettres d'affaires est aussi impressionnant que celui de ses lettres d'amour. Il écrit, au nom de la France, avec force, simplicité et fierté. A M. de Marcellus, chargé d'affaires à Londres : « La France répondra à tout et n'a peur de rien. » Au comte de Lagarde, ambassadeur à Madrid : « Je vous invite, Monsieur le comte, à élever le ton au lieu de l'abaisser. » A Canning, quinze jours à peine après sa prise de fonction : « Vous ne sauriez croire tout ce qu'on peut faire parmi nous avec le mot *honneur.* » Au général Guilleminot, chef d'état-major du duc d'Angoulême qui commandait les troupes françaises en Espagne : « Je vous le répète encore, Cadix tombera, et l'affaire d'Espagne réussira. »

De quoi s'agissait-il ? De rétablir sur son trône le roi Ferdinand VII menacé par les libéraux et bientôt détenu à Cadix par les Cortes révoltés. Ferdinand ne ressemblait que de loin à un héros de légende, mais c'était un Bourbon d'Espagne : raison suffisante, aux yeux de Chateaubriand, pour le soutenir et le libérer. Villèle avait compris assez vite que, sur les affaires espagnoles, son nouveau ministre partageait, en plus affirmées encore, les opinions de l'ancien. Les relations entre les deux hommes s'en étaient trouvées aussitôt affectées. Elles ne s'étaient pas améliorées entre René et Mathieu, ulcéré d'avoir été écarté du pouvoir et remplacé par son rival. La gauche libérale française était naturellement hostile à toute intervention française contre les libéraux espagnols. Enfin, l'Angleterre, dirigée par Canning, l'homme des marchands de Liverpool et de Londres, peu enclin par principe et par tempérament à ménager la Sainte-Alliance, voyait d'un mauvais œil les liens se resserrer, avec la bénédiction du tsar, entre les Bourbons de France et les Bourbons d'Espagne. Tout cela faisait beaucoup d'ennemis au vicomte de Chateaubriand qui tirait, bien entendu, de grandes satisfactions d'orgueil de cette hostilité et de sa solitude.

Le 28 janvier 1823, au Louvre, devant une assemblée éblouissante où brille de tout son éclat le nouveau ministre des Affaires étrangères qui a été autorisé par le roi à ajouter quelques phrases au discours du trône, Louis XVIII annonça que « cent mille Français étaient prêts à marcher, en invoquant le nom de Saint Louis, pour conserver le trône d'Espagne à un petit-fils de Henri IV ». La gauche répliqua en attaquant le ministre à la Chambre par la voix du général Foy, chef de file des libéraux, protecteur d'un jeune homme qu'il avait fait engager, pour sa jolie écriture, comme secrétaire du duc d'Orléans et qui s'appelait Alexandre Dumas. La thèse des libéraux était que la France n'avait pas le droit d'intervenir dans les affaires intérieures d'un autre pays. Le 25 février, Chateaubriand répond. Ce sont ses débuts à la Chambre. « J'ai bien peur », écrit-il à Mme de Duras. « De tout temps, déclare-t-il, on a reconnu une exception à cette règle : celle qui veut qu'une nation ait le droit d'intervenir quand ses propres intérêts sont menacés. » Le débat entre Foy et Chateaubriand était la préfiguration de ces querelles qui allaient agiter l'Europe et le monde pendant près de deux siècles, jusqu'à l'autre guerre d'Espagne, jusqu'aux conflits coloniaux, jusqu'à la guerre du Viêt-nam, jusqu'aux interventions soviétiques en Tchécoslovaquie, en Hongrie, en Afghanistan et en Pologne. A ce premier argument, Chateaubriand en ajoutait un second : « N'oubliez jamais que, si la guerre d'Espagne a, comme toutes les guerres, ses inconvénients et ses périls, elle aura pour nous un immense avantage : elle nous aura créé une armée. Il manquait peut-être encore quelque chose à la réconciliation complète des Français ; elle s'achèvera sous la tente. Le roi, avec une généreuse confiance, a remis la garde du drapeau blanc à des capitaines qui ont fait triompher d'autres couleurs ; ils lui réapprendront le chemin de la victoire ; il n'avait jamais oublié celui de l'honneur. » C'est que la guerre d'Espagne était la première manifestation militaire française depuis Waterloo. Elle marquait le retour sur les champs de bataille des troupes du roi de France qui n'avait connu depuis la Révolution que la défaite et l'humiliation. Le but de Chateaubriand était de réussir, au profit de Louis XVIII et à l'épreuve du feu, l'amalgame qu'avaient tenté, avant lui, avec succès, au profit de la Convention, un Dubois-Crancé et un Lazare Carnot et que tentera, après lui, avec le même succès, au lendemain de la Résistance et de la Libération, un de Lattre de Tassigny.

Un député libéral de gauche, Manuel, répondit à son tour

à Chateaubriand. Il traita d'*atroce* le gouvernement de Ferdinand et il fit allusion aux risques que pouvait faire courir à la dynastie la conjonction des périls extérieurs et du mécontentement intérieur. « Ne renouvelez donc pas les mêmes circonstances qui, dans d'autres temps, ont conduit à l'échafaud les victimes pour lesquelles vous manifestez chaque jour un intérêt si vif. Ai-je besoin d'ajouter que le moment où les dangers de la famille royale en France sont devenus plus graves, c'est lorsque la France, la France révolutionnaire, sentit qu'elle avait besoin de se défendre par une énergie toute nouvelle. » Interrompu par des exclamations violentes qui tournèrent en clameurs – « A l'ordre ! à l'ordre !... c'est une infamie !... » – Manuel reprit la parole quelques jours plus tard : « J'ignore si la soumission est un acte de prudence : mais je sais que dès que la résistance est un droit, elle devient un devoir. » Il finit par être exclu de la Chambre. Un détachement de la garde nationale, commandé par le sergent Mercier, ayant refusé de bouger, Manuel fut expulsé par des gendarmes commandés par le colonel de Foucault, descendant d'une vieille famille d'Auvergne. C'est à cette occasion que Victor Hugo écrivit les vers fameux :

Vicomte de Foucault, lorsque vous empoignâtes
L'éloquent Manuel de vos mains auvergnates...

La politique glissait un coin entre le ministre ultra et le futur chantre officiel de la IIIe République, qui avait tant admiré l'auteur du *Génie du christianisme.*

Chateaubriand tenait sa guerre, la guerre d'Espagne, le grand événement politique de sa vie. La guerre n'était populaire ni en Europe ni même en France. N'importe. Non seulement il ne s'en défend pas, mais il la revendique, il la réclame : « On a dit et l'on répète encore, écrit-il, que cette guerre fut imposée à la France : c'est précisément le contraire de la vérité. S'il y a un coupable, c'est l'auteur de ces *Mémoires.* La guerre d'Espagne m'appartient en grande partie, je ne crains pas d'assurer que les esprits politiques m'en feront un mérite, comme homme d'État, dans l'avenir. » Cette guerre qui était la sienne, Chateaubriand la mena avec résolution. De temps en temps, l'inquiétude s'emparait de lui : « Ne chantons pas victoire ; cette catin de fortune me fait une peur effroyable. » Mais il se ressaisissait vite et, l'affaire terminée, il pouvait écrire fièrement : « J'ai toujours été certain du succès définitif de la guerre d'Espagne. Je suis resté au ministère pour la raison que j'ai cette volonté bretonne qui ne recule jamais. Avec une volonté inflexible, on est presque toujours plus fort que l'événement. » Il ne manquait pas d'ajouter, avec sa modestie coutumière : « Nous pûmes nous avouer qu'en politique nous valions autant qu'en littérature. »

Ce serait pourtant une erreur de croire que cette gigantesque entreprise, qui le hissait presque au niveau du tsar ou de Metternich et qui déchaînait contre lui les foudres de Canning et de l'Angleterre, l'occupait tout entier. En ce brûlant été de 1823, René, triomphant, incorrigible, a bien d'autres soucis en tête que la chute de Cadix.

Tout à fait à la fin de sa vie, sur la suggestion et peut-être les ordres de son directeur de conscience, Chateaubriand s'attellera à un ouvrage pieux, à la biographie d'un saint : ce sera la *Vie de Rancé*. « J'ai revu M. de Chateaubriand de plus en plus drapé, écrira Edgar Quinet à sa mère. Pour se mettre au ton de la réaction catholique, il écrit la vie de Rancé à la Trappe. Evidemment, c'est pour s'encapuchonner en finissant. » A près de quatre-vingts ans, Chateaubriand était pourtant assez loin d'être encapuchonné. Sous les rigueurs de la religion affleurent sans cesse, dans la *Vie de Rancé*, les tumultes de l'amour et du libertinage.

Parmi les jeunes femmes qui, au début de l'ouvrage, entourent l'irrésistible duchesse de Montbazon, maîtresse de Rancé avant sa conversion, apparaît Renée de Rieux, dite *la belle Châteauneuf*. D'une beauté merveilleuse, elle avait poignardé par jalousie son premier mari qui lui était infidèle. Son second mari, un Castellane, fut assassiné par le grand prieur de France. Heureusement, avant d'expirer, il eut le temps d'enfoncer un stylet dans le ventre du grand prieur.

La fille de *la belle Châteauneuf* avait hérité de la beauté de sa mère. Elle s'appelait Marcelle de Castellane. La ville de Marseille lui avait servi de marraine. C'est là qu'elle rencontra le duc de Guise et qu'elle devint sa maîtresse. « Marcelle de Castellane lui plut, écrit Chateaubriand ; elle-même se laissa prendre d'amour : sa pâleur, étendue comme une première couche sous la blancheur de son teint, lui donnait un caractère de passion. A travers ce double lis transpiraient à peine les roses de la jeune fille. Elle avait de longs yeux bleus, héritage de sa mère. Elle dansait avec grâce et chantait à ravir. » Pourquoi reproduire ici ce portrait d'une des jeunes femmes qui accompagnent les années folles de l'abbé de Rancé et qui tranchent sur son âge mûr ? C'est que sous les traits et le nom de la maîtresse du duc de Guise, René, en vérité, peint sa propre maîtresse. Elle porte aussi le nom illustre des Castellane et elle est aussi ravissante que la fille blonde et pâle de *la belle Châteauneuf.*

Elle s'appelait Cordélia de Castellane et elle était la fille du banquier Greffulhe. Cette famille Greffulhe, d'origine belge, anoblie sous la Restauration, d'où sont sorties des générations successives de banquiers et de financiers, aura joué, un peu paradoxalement, un rôle considérable dans les lettres françaises. Trente ans après la mort de Chateaubriand, Elisabeth, la fille aînée du prince de Caraman-Chimay et de Marie de Montesquiou, son épouse, tante de l'illustre et vaguement ridicule Robert de Montesquiou, avait épousé une sorte de géant, aux larges épaules, à la barbe blonde, à la fortune fabuleuse, comparé par le peintre Jacques-Emile Blanche à un roi de jeu de cartes, le comte Henri Greffulhe. A court d'argent, les Caraman-Chimay éprouvaient un besoin pressant de redorer leur blason : quelques années après le mariage d'Elisabeth, son frère, le prince Joseph, avait épousé une riche Américaine qui devait faire scandale en filant avec un violoniste tzigane de l'orchestre du Maxim's.

La comtesse Greffulhe, femme du comte Henri, à la fois infidèle et injustement jaloux, passait pour la beauté la plus accomplie de la haute société parisienne de la fin du XIXe siècle. Elle avait des cheveux châtains, des yeux très noirs. Son cousin Montesquiou l'avait dépeinte en deux vers :

La comtesse Henri Greffulhe,
Deux regards noirs dans du tulle.

Le comte Greffulhe fournit à Proust le principal modèle du duc de Guermantes. Pour la duchesse de Guermantes, Proust s'inspira à la fois de la comtesse de Chevigné, née Sade, et de la comtesse Greffulhe, qui prêta aussi quelques-uns de ses traits à la princesse de Guermantes.

Là ne se limitent pas les liens entre Cordélia de Castellane, née Greffulhe, et la *Recherche du temps perdu*, entre Proust et Chateaubriand. Cordélia, grand-tante du comte Henri Greffulhe, avait eu, en 1811, cinq ans avant sa rencontre avec Chateaubriand, une fille qui s'appelait Sophie. Sophie de Castellane eut une vie assez agitée. Sous le règne de Louis-Philippe, elle épousa le marquis de Contades. Sous le second Empire, amie de Mérimée et de l'impératrice Eugénie, elle fut la maîtresse du comte Fleury, ambassadeur à Saint-Pétersbourg. D'un autre de ses innombrables amants, elle eut un fils qu'elle reconnut et garda auprès d'elle, malgré la réprobation du faubourg Saint-Germain. Elle finit par épouser en secondes noces un comte de Beaulaincourt, qui ne tarda pas à mourir. Vers la fin du siècle, deux générations se sont succédé depuis la jeunesse désordonnée de Sophie de Castellane : fille de l'admirable Cordélia dont René était fou, Sophie est devenue une petite dame très laide, de quatre-vingts ans, avec un visage empourpré et de grosses lunettes. Personne ne se souviendrait d'elle et elle n'aurait aucun intérêt si Proust ne l'avait choisie pour modèle immortel de sa Mme de Villeparisis. Il n'est pas surprenant que Mme de Villeparisis – qui emprunte aussi quelques traits à la comtesse de Boigne – dise, dans le roman de Proust : « Je me souviens très bien de M. Molé » et « M. de Chateaubriand venait très souvent chez mon père ».

Les choses ne s'arrêtent pas là. Fille de Cordélia, Sophie de Beaulaincourt, née Castellane, est, à son tour, la grand-tante d'un personnage quasi légendaire : Boni de Castellane. Boni avait des cheveux d'or, un teint rose plein d'éclat, des yeux bleus et froids, un monocle voltigeur, des mouvements brusques et une silhouette élancée : après avoir été l'amant d'une actrice, Mlle Marsy, qu'il avait arrachée des bras du comte Greffulhe et qui prêtera ses traits à Rachel-quand-du-Seigneur, après avoir épousé, pour refaire sa fortune, une Américaine, Anna Gould, qui le quittera pour son cousin, le prince de Sagan, il deviendra Saint-Loup dans la *Recherche du temps perdu.* Souvent, pour des motifs littéraires, est invoquée une filiation Saint-Simon - Chateaubriand - Marcel Proust : ce n'est pas seulement le style, le souvenir, la mémoire, la hantise du temps en train de s'écouler qui unissent le petit Marcel à René de Chateaubriand. Ce sont les Greffulhe et les Castellane.

Le colonel comte Boniface de Castellane s'était engagé à seize ans dans les armées de Napoléon. On le voit à Eckmühl, à Essling, à Wagram, à la Beresina. En 1822, il est nommé colonel des hussards de la garde. Il participe en 1823 à la campagne d'Espagne. Général et pair de France sous Louis-Philippe, il deviendra sénateur et maréchal sous le second Empire. Il était excentrique, généreux, d'une sévérité égale pour ses hommes et pour lui-même, d'une galanterie désuète avec les femmes et une foule d'anecdotes a couru sur son compte. Il serait un peu oublié s'il n'avait eu l'heureuse idée d'épouser Cordélia.

René avait souvent dû aux femmes – à Pauline, à Elisa Bacciochi, à Delphine, amie de Fouché, à Juliette, à Claire surtout – les fonctions qu'il occupait. Cette fois, c'est aux fonctions qu'il occupe qu'il doit la femme pour qui, avec Natalie de Noailles, il éprouve sans doute la passion la plus dévorante de toute son existence. Les femmes aiment le pouvoir, il les attire, il les fascine. Cordélia de Castellane était ardente et sensuelle, elle ne manquait pas de hardiesse : elle se donna presque tout de suite.

Elle s'était déjà donnée, avant René, à d'autres qu'au colonel comte, son mari. Une liaison agitée l'avait déjà unie... à qui donc ? Devinez ! Eh bien ! puisque ce sont toujours les mêmes visages qui apparaissent dans ce carrousel des cœurs, à Mathieu Molé, le jeune compagnon de René dans la petite société de Pauline de Beaumont, le disciple réservé, modeste, plein d'admiration, que l'illustre auteur du *Génie du christianisme* entraînait avec lui, au temps du Consulat, vers la Butte-aux-Lapins.

C'est une figure étonnante que ce Mathieu Molé : il semble sorti tout droit de la *Comédie humaine.* D'une illustre famille de magistrats originaire de Troyes, en Champagne, qui remonte au XVe siècle et qui compte des présidents à mortier, des premiers présidents, des procureurs généraux, des ministres, des gardes des Sceaux, des juristes éminents, Mathieu Molé était le fils du président Molé de Champlâtreux, guillotiné en 1794. Ami de Fontanes, il est nommé par Napoléon auditeur, puis maître des requêtes au Conseil d'Etat, préfet, conseiller d'État, directeur général des ponts et chaussées, enfin ministre de la Justice. Après Waterloo, membre du Conseil d'Etat de Louis XVIII et de la Chambre des pairs, il vote – avec Chateaubriand, hélas ! mais avec moins d'excuses – la mort du maréchal Ney.

« Molé a réussi, écrit Chateaubriand à Mme de Duras, et tous les gens de sa sorte réussissent : il est médiocre, bas avec la puissance, arrogant avec la faiblesse ; il est riche, il a une antichambre chez sa belle-mère où il insulte les solliciteurs et une antichambre chez les ministres où il va se faire insulter. » Ministre de la Marine en 1817, Molé se sépare des ultras en 1821 et entre dans l'opposition au ministère Villèle où siège Chateaubriand. Il se ralliera tout naturellement à la monarchie de Juillet et servira Louis-Philippe comme il avait servi Napoléon et la Restauration. Ministre des Affaires étrangères, président du Conseil, élu à l'Académie française, il incarnera ce conservatisme opportuniste et sceptique qui se situe à l'extrême opposé de la fidélité progressiste d'un Chateaubriand. Sa maxime favorite le dépeint tout entier : « A côté de l'avantage d'innover, il y a le danger de détruire. » Chateaubriand écrit quelque part : « Notre espèce se divise en deux parts inégales : les hommes de la mort et aimés d'elle, troupeau choisi qui renaît, les hommes de la vie et oubliés d'elle, multitude de néant qui ne renaît plus. » René prend place avec évidence parmi les hommes de la mort. Mathieu Molé est le type même de ces hommes de la vie.

Molé avait succédé à René et à Adrien de Montmorency dans l'affection de Natalie de Noailles : elle s'était donnée à lui à l'époque où elle commençait à donner des signes alarmants de dérangement d'esprit. Et puis, ébloui par la beauté audacieuse de Cordélia de Castellane, il était devenu son amant. C'est alors que se produit la rencontre foudroyante entre la femme du colonel des hussards de la garde et le ministre des Affaires étrangères. Ils régnaient l'un et l'autre sur la société de leur temps. Elle avait tout : la grâce, la beauté, la fortune, une situation sociale éclatante ; lui était un génie au sommet du pouvoir. Boniface, Sophie, Mathieu, Claire, Céleste, Juliette, tout s'évanouit d'un seul coup : ils se jetèrent dans les bras l'un de l'autre.

A la seule exception de Juliette Récamier, qui tient une large place dans les *Mémoires d'outre-tombe*, on dirait que les femmes de la vie de Chateaubriand sont citées dans ses souvenirs en proportion inverse de l'amour qu'il leur portait. Ses deux passions les plus vives ont été sans aucun doute Cordélia de Castellane et Natalie de Noailles : leur nom n'apparaît pas dans les *Mémoires d'outre-tombe*. Une liaison ardente l'unira, au seuil de la vieillesse, à Hortense Allart : elle est citée en passant. En revanche, Lucile, parce qu'elle est sa sœur, Charlotte Ives, parce qu'il ne s'est rien passé et qu'elle est, tout compte fait, plus émouvante que compromettante, Delphine de Custine, parce que tout se déroule à l'ombre des châteaux et que l'amour, assez vite, se transforme en amitié, Pauline de Beaumont surtout, parce qu'une mort presque sacrée la transmue insensiblement, au milieu d'un torrent de larmes, en une sorte de sainte profane et en une institution pieuse, ont droit à des développements qui les jettent en pâture à l'immortalité. Ne parlons même pas de Claire de Duras qui aurait tant préféré un peu d'amour caché à la publicité trop voyante des hommages posthumes dont l'accable Chateaubriand dans ses *Mémoires d'outre-tombe* après avoir échangé avec elle une correspondance inépuisable, mais trop intéressante et trop intéressée pour pouvoir prendre place parmi les lettres d'amour.

L'aventure passionnée avec la pauvre Mouche se déroule dans une espèce de clandestinité. Mais les initiés se doutent de quelque chose, Molé, qui succédera à René dans les bras de Natalie, est au courant de presque tout, Sainte-Beuve, très vite, découvrira le pot aux roses dans les jardins de l'Alhambra. Rien de tel avec Cordélia. Jusque dans les premières années du XXe siècle, le mystère le plus profond règne sur les amours du ministre et de la fille du banquier. Cette peste de Sainte-Beuve a bien quelques soupçons, mais aucun nom ne tombe de sa plume acérée : il se contente de parler d'une « fort jolie et très spirituelle dame ». Dans des Mémoires plus ou moins secrets, des souvenirs, des ragots, des fragments de correspondance parus vers le début de ce siècle, commence seulement à apparaître, éclatante et obscure, sous les voiles les plus épais, une certaine Mme de C... Il faudra encore quelque temps, beaucoup de recherches et un peu d'audace pour que le nom de Cordélia de Castellane soit enfin prononcé, révélé, imprimé.

Nous avons des lettres de Pauline, de Delphine, de Claire évidemment, de Natalie à son frère, nous avons les témoignages les plus crus de l'audacieuse Hortense, nous avons même quelques billets – assez rares – de Juliette. Les lettres de

Cordélia font cruellement défaut. Mais nous n'avons pas, grâce à Dieu, à nous contenter du portrait de Marcelle de Castellane dans la *Vie de Rancé.* Nous avons des portraits de Cordélia, conservés par sa famille, où éclate sa beauté. Nous avons quelques lignes d'un autre de ses amants, de Mathieu Molé, où il décrit, sans génie, mais avec toute l'émotion dont il est capable et qui va jusqu'à la contradiction, « ses yeux bleus, son visage angélique, son teint pâle et d'une extrême finesse, ses cheveux blonds que je n'ai vus qu'à elle... Lorsqu'elle souriait et que la blancheur de ses dents étincelait au milieu de ce teint si uni, mais sans pâleur, près de ses blonds cheveux et de ses yeux si parfaits, on se demandait si ce n'était bien là qu'une faible femme ». Plus fortes, plus belles, plus déchirantes, nous avons surtout les lettres de Chateaubriand. Elles ont un ton de passion qui ne se retrouve nulle part ailleurs.

Cordélia de Castellane, dont René ne laissait pas traîner les lettres, si elle en écrivait, conservait avec assez de soin celles de son amant, heureusement retrouvées après tant d'années de secret. Elle allait jusqu'à noter sur chacune d'elles la date, l'endroit où elle l'avait reçue et « quelques autres petits détails ». Lui, peut-être par hâte, ou par souci de discrétion, ou peut-être encore par une sorte de dévotion où se mêlaient, à parts égales, la familiarité et le sacré, ne mettait à ses messages brûlés de tant de feux ni suscription ni signature ; une seule fois, deux lettres : *Ch.* C'est tout. Mais, rapide, hautaine, impossible à confondre, l'écriture ne laisse pas de doute.

Au milieu des devoirs de sa charge, de ses responsabilités écrasantes, de tous les tourments qui l'accablaient, le ministre, à partir de la fin de l'été de 1823, au moment où la guerre d'Espagne est dans sa phase décisive, écrit presque tous les jours, et souvent plusieurs fois par jour, à Cordélia de Castellane. Et, pour la première fois, par écrit du moins et pour ce que nous en savons, il tutoie une maîtresse. Les lettres à Claire de Duras deviennent du coup plus brèves. Dans les lettres à Juliette elle-même – à Juliette ! – apparaissent de nouvelles formules. Elles se terminent toujours par : « Je vous aime et cela me soutient » ou par « A vous ! à vous ! » Mais elles commencent parfois par : « Je n'ai pu écrire ce matin. J'ai été obligé d'aller chez le roi », ou par : « Je n'ai pu écrire hier. J'ai été presque malade, c'est-à-dire très souffrant, et je le suis encore. » C'est que les forces humaines ont des limites et que le temps n'est pas indéfiniment extensible. Deux préoccupations majeures occupent tout entier le vicomte de Chateaubriand : la chute de Cadix, bien sûr, et la chute de Cordélia.

« Mon ange, ma vie, je ne sais quoi de plus encore, je t'aime avec toute la folie de mes premières années. Je redeviens pour toi le frère d'Amélie ; j'oublie tout depuis que tu m'as permis de tomber à tes pieds. Oui, viens au bord de la mer, où tu voudras, bien loin du monde. J'ai enfin saisi ce rêve de bonheur que j'ai tant poursuivi. C'est toi que j'ai adorée si longtemps sans te connaître. Tu sauras tout de ma vie ; tu verras ce qu'on ne saura qu'après moi ; j'en ferai dépositaire celui qui doit nous survivre. Que le Ciel n'ôte pas mon bonheur ! A toi pour la vie ! »
La lettre à Cordélia est du 12 septembre 1823. Parce qu'il faut se méfier de la police et du cabinet noir, elle lui est remise en main propre par le gros et rouge Pilorge, toujours suant et soufflant, mais d'une fidélité à toute épreuve, et qui sert, depuis 1816, et pour de longues années encore, jusqu'à ce sombre matin d'août 1843 où, pour une raison mystérieuse, il est brutalement congédié, de secrétaire très privé au vicomte de Chateaubriand. Il y a bien des choses dans ce message d'amour fou : elles vont d'un comique involontaire à un délire presque effrayant.

En cette fin d'été de 1823, que se passe-t-il en France, en Europe, dans le monde ? Louis XVIII a encore exactement un an à vivre, avant d'entrer en agonie, le 16 septembre 1824, par une chaleur torride et dans une odeur pestilentielle, et de laisser le trône au comte d'Artois. Mais la gangrène, les plaies affreuses, le sacre de Charles X à Reims, avec le concours solennel et actif d'un certain nombre de dignitaires et de maréchaux d'Empire abonnés aux couronnements et aux changements de régime, sont encore tapis dans l'avenir. En cet été 23, l'événement dominant, c'est la guerre d'Espagne, la guerre de Chateaubriand. Après le passage de la Bidassoa, le 7 avril, par une armée de cent mille hommes, sous le commandement, au moins nominal, du duc d'Angoulême, fils aîné du comte d'Artois, frère du défunt duc de Berry et époux de la fille, sauvée du Temple, de Louis XVI et de Marie-Antoinette, les troupes libérales espagnoles avaient été dispersées sans trop de peine. Le 24 mai, les Français avaient pénétré dans Madrid. Le 31 août, le fort du Trocadero, qui commandait Cadix où s'étaient réfugiés les Cortes révoltés contre le roi, tombait. Il n'y avait que trente-cinq morts et une centaine de blessés du côté français : peu de chose pour un double palais, orné de sentences de Paul Valéry, entre une esplanade sur la Seine et une des places les plus connues de Paris. Mais c'était la première victoire importante des troupes françaises depuis les grandes batailles et la défaite finale de l'Empire.

Cette affaire d'Espagne pousse des racines assez profondes dans le passé et ses conséquences s'étendent assez loin dans l'avenir. Manuel n'avait pas tort : Ferdinand VII était un despote incapable et odieux. Les suspects, sous son règne, étaient envoyés au bagne ou bannis sans le moindre jugement. Et, aggravée encore par la révolte des colonies en Amérique du Sud, la détresse financière était telle que la solde des troupes ne pouvait plus être payée. C'est cette situation qui avait permis à Riego, un officier libéral, de soulever en janvier 1820 dans le village de Las Cabezas de San Juan, puis à Cadix, les régiments sur le point de s'embarquer à destination de l'Amérique. C'est à Cadix que se déclenche la révolution espagnole ; c'est à Cadix que, trois ou quatre ans plus tard, à la fin de 1823, après la prise du Trocadero et la libération du roi par les Français, Riego est ignominieusement exécuté. Sa tête, séparée de son tronc, est envoyée à Las Cabezas de San Juan. Et le corps, coupé en quatre quartiers, est dispersé à travers l'Espagne.

Mais les conséquences de la guerre voulue par Chateaubriand se font sentir au-delà de l'Espagne, au-delà de la France, au-delà même de l'Europe. L'origine de la révolte des colonies d'Amérique était le détrônement des Bourbons d'Espagne par Napoléon en 1808. Comme les Espagnols eux-mêmes, les colons d'Amérique avaient refusé de reconnaître l'autorité de Joseph Bonaparte. Ils prirent les armes et formèrent des juntes. Mais, les Bourbons restaurés, le goût de la liberté ne se laissa pas oublier. D'abord antifrançaise et loyaliste, la révolte devint bientôt antiespagnole et séparatiste : sous la direction de Bolivar, de San Martin, d'Iturbide, la guerre de libération commençait. En 1823, presque toute l'Amérique du Sud est indépendante.

Pendant que, soutenu par le tsar, Chateaubriand rétablissait sur son trône Ferdinand VII d'Espagne, les États-Unis et l'Angleterre, s'écartant de la Sainte-Alliance, soutenaient ouvertement l'indépendance américaine. Vous vous rappelez l'hostilité de Canning aux projets de Chateaubriand. C'est que rien ne pouvait être plus profitable à l'Angleterre que l'affranchissement de l'Amérique latine : il ouvrait un immense domaine à l'activité de ses marchands et de ses financiers. Porte-parole des banquiers de la City et des commerçants de Liverpool ou de Manchester, Canning l'avait fort bien compris : « Chaque jour me persuade, écrit-il, que, dans l'état présent du monde, les questions américaines sont, sans aucune proportion, de beaucoup plus importantes pour nous que celles de l'Europe. » En 1823, au moment où la France intervient en Espagne, il annonce son intention de reconnaître les colonies révoltées comme États souverains. Il est pourtant précédé par James Monroe, cinquième président des États-Unis, qui avait le même intérêt que l'Angleterre à voir s'ouvrir les marchés de l'Amérique latine et qui était, en outre, en conflit avec le tsar à propos de l'Alaska. Vers la fin de l'été ou en automne

1823, Jefferson, à qui Monroe avait demandé conseil, écrit au président une longue lettre, d'une importance capitale : « Notre première maxime fondamentale doit être de ne jamais nous laisser entraîner dans les querelles qui troublent l'Europe ; la seconde, de ne pas souffrir que l'Europe se mêle des affaires de ce côté-ci de l'Atlantique. L'Amérique, au nord comme au sud, a des intérêt tout à fait distincts de ceux de l'Europe et qui lui appartiennent en propre. Il faut donc qu'elle ait un système à elle et séparé de celui de l'ancien continent. Tandis que ce dernier travaille à devenir le repère du despotisme, tous nos efforts doivent tendre à faire de notre hémisphère le séjour de la liberté. » Quelques semaines plus tard, dans son message au Congrès du 2 décembre 1823, le président lançait la célèbre déclaration de Monroe où était formulée la doctrine de non-intervention et qui peut se résumer en trois mots : L'Amérique aux Américains.

A l'autre bout du monde, les Grecs se révoltaient contre l'opposition turque. Après la prise de Tripolitsa, en Morée, où douze mille musulmans avaient été égorgés par les Grecs, le massacre de Chio, en 1822, avait bouleversé tous les cœurs : vingt-cinq mille Grecs y avaient trouvé la mort et cinquante mille autres avaient été réduits en esclavage. Au congrès d'Epidaure, la même année, les insurgés avaient proclamé l'indépendance de la Grèce. De toute l'Europe leur venait l'aide des esprits libres et cultivés. Un colonel français, Fabvier, organise la résistance. Un poète anglais, surtout, Byron, débarque à Céphalonie en août 23, quelques mois avant de mourir devant Missolonghi. René est fou de Cordélia.

En France même, la lutte engagée entre Villèle et la Charbonnerie, peuplée d'intellectuels et de militaires libéraux et organisée en ventes, était en train de se terminer par la victoire des Bourbons. A la fin de cette année 1823, Villèle dissoudra la Chambre. Renouvelant l'exploit de la Chambre introuvable, la nouvelle Assemblée ne comptera qu'une quinzaine de députés de gauche et méritera le nom de Chambre retrouvée.

Voilà le décor où naît et se développe la nouvelle passion de Chateaubriand en cette fin de l'été brûlant de 1823. Mais dans ce théâtre si agité, où s'affrontent avec violence des forces inconciliables, il n'est pas un spectateur : il est, dans un des tout premiers rôles, un acteur célèbre et, pour l'instant, triomphant. Au moment pourtant où tombe le Trocadero, bombardé par les troupes qu'il a mises en mouvement, les flammes qui brûlent en lui, ce sont celles de l'amour. La chute des deux places fortes, qui étaient, l'une et l'autre, plus faibles qu'on ne pouvait le croire, fut à peu près simultanée. C'est ce qui donne toute sa force à la lettre du 12 septembre.

Mieux valait, évidemment, qu'elle ne tombât pas sous les

yeux de Mme Récamier et que Juliette ignorât les mots brûlants dont, pour la première fois, et peut-être pour la dernière, se servait le pauvre René, le grand Chateaubriand. « Mon ange, ma vie, je ne sais quoi de plus encore, je t'aime... » Ce qu'il y avait sans doute de pire, c'était l'idée que ce long rêve de bonheur qui s'était incarnée dans tant de visages différents, de Lucile à Natalie et de Charlotte, de Pauline, de Delphine jusqu'à Juliette, aboutissait à Cordélia comme à son achèvement définitif. « Je redeviens enfin le frère d'Amélie ; j'oublie tout... J'ai enfin saisi ce rêve de bonheur que j'ai tant poursuivi. » Cordélia de Castellane était enfin la Sylphide qu'il avait si longtemps adorée sans jamais la connaître. Sur les lèvres infidèles et renégates du poète se formaient silencieusement les paroles effrayantes : mon dernier rêve est aussi mon premier, et, tout entier, il est pour toi.

Mme de C..., naturellement, n'était pas pour peu de chose dans ce délire d'amour. Sa beauté, son audace, sa sensualité si convenable et si violente avaient rendu fou de désir et poussé aux limites indistinctes de la passion et du ridicule l'amant de Juliette Récamier. Elle s'est donnée à lui aussitôt, elle l'a affolé de caresses qu'il ne connaissait pas ou qu'il avait oubliées, elle lui a fait cadeau d'une chaîne d'or qu'il porte comme un talisman. Dans un billet perdu, elle avait évidemment proposé au ministre une fugue au bord de la mer, ce que nous appellerions aujourd'hui un week-end sur la côte. D'où la réponse de l'auteur du *Génie du christianisme*, métamorphosé soudain, d'un coup de baguette magique et par un tour de main, en collégien amoureux : « Oui, viens au bord de la mer, où tu voudras, bien loin du monde. »

Bien loin du monde... Le monde, cependant, ne lâchait pas le ministre. Non seulement Metternich, le tsar, Canning, Ferdinand VII et Riego, les gauchos et les llaneros de l'Amérique révoltée, les Grecs de Chio massacrés, les marchands de coton de la City, les puritains enrichis de la Nouvelle-Angleterre, mais, beaucoup plus près de lui, les obligations de sa charge. Le 20 septembre 1823, huit jours après la lettre du 12, réception magnifique au ministère des Affaires étrangères. Dîner somptueux dans la vaisselle d'argent, laquais à la française, chandeliers d'or à la main, toilettes éclatantes des femmes, uniformes chamarrés et décorations des hommes, conversations insipides ou brillantes, orchestre et bal. Mme de C... y était, au bras de son mari, le colonel comte des hussards de la garde. René, ivre de bonheur, dévoré de chagrin, rongé par la jalousie de l'amant pour le mari, s'éloigne un peu de la foule, croise les bras sur la poitrine, contemple de loin le spectacle et rêve. Où sont Gesril, Hingant, le bon La Bouëtardais avec son vent coulis, l'Hirondelle sous sa pierre de Saint-Louis-des-Français, la pauvre Mouche égarée ? L'autre jour, une ombre – ah ! elle tombait bien... – a surgi du passé : Charlotte, toujours déguisée en lady Sutton et flanquée d'une partie de sa descendance britannique, est venue le voir au ministère, comme elle était passée, il y a un an, à l'ambassade de Portland Place. Dire qu'il avait songé, il y a peu, à aller la retrouver à Londres !... Où trouverait-il le temps, maintenant, entre le tsar et Juliette, entre Canning et Cordélia, sans compter quelques autres, de se pencher sur elle avec toute la douceur et la fidélité exigées ? Les amours du printemps, les amours de l'aube amère ont été sacrifiées aux amours de l'automne, aux amours du soir radieux. Charlotte a quitté Paris en laissant derrière elle une lettre pleine de tristesse où elle se montrait blessée de la froideur de la réception. Il n'a pas répondu. Il n'a pas renvoyé les fragments littéraires du temps de l'Angleterre qu'elle lui avait rendus et qu'il avait promis de lui remettre augmentés. Cette paresse un peu lâche lui laisse un goût de fiel. Mais il ne s'en plaint pas. Il s'en réjouit plutôt. C'est un contrepoison. On dirait qu'il se cache derrière l'outrage à Charlotte pour ne pas s'attarder sur l'outrage bien plus grave qu'il est en train de faire subir à Juliette Récamier : la petite trahison en dissimule une plus grande. Il n'a d'yeux, il n'a de pensée que pour Mme de C...

La voilà, suprême, sublime, obstinément souriante, supérieure à toute passion, toute trace de trouble effacée, aux côtés de son mari. Une étrange douleur, mêlée à un fol orgueil, éclate dans le cœur de René. Elle est à lui. Nul ne le sait. Il la regarde. Elle l'évite. Elle parle, elle danse, elle n'a pas un geste pour lui. La punition des amours interdites est dans l'indifférence – ou dans son apparence. Elle danse. Comme elle est belle ! Elle rit. Comme il l'adore !

Le lendemain matin, 21, au saut du lit, à peine réveillé, balayant de la main les dépêches et les dossiers qui encombrent son bureau, il écrit à Cordélia : « Jamais je ne t'ai vue aussi belle et aussi jolie à la fois que tu l'étais hier au soir. J'aurais donné ma vie pour pouvoir te presser dans mes bras. Dis, était-ce ton amour pour moi qui t'embellissait ? Etait-ce la passion dont je brûle pour toi qui te rendait à mes yeux si séduisante ? Tu l'as vu : je ne pouvais cesser de te regarder, de baiser la petite chaîne d'or. Quand tu es sortie, j'aurais voulu me prosterner à tes pieds et t'adorer comme une divinité. Ah ! si tu m'aimais la moitié de ce que je t'aime ! Ma pauvre tête est tournée. Répare en m'aimant le mal que tu m'as fait. A huit heures, je t'attendrai, le cœur palpitant. » A la même heure, devant Cadix, on se tuait allègrement.

Le jour d'après, 22 septembre, changement d'exercice : les vers remplacent la prose. Comme la tragédie de *Moïse*, qui ne valait pas tripette, ils sont franchement détestables – tous les grands hommes ont leurs faiblesses – mais toujours passionnés.

Cordélia y apparaît sous le nom de Délie et le poète se désole parce que, de jour en jour, Délie devient plus belle et que, de jour en jour aussi, son front à lui se ride et ses cheveux fous grisonnent :

Ainsi qu'un doux rayon quand ton regard humide
Pénètre au fond de mon cœur ranimé,
J'ose à peine effleurer d'une lèvre humide
De ton beau sein le voile parfumé.

Par quelle illusion ai-je pu te séduire ?
N'avais-je point, dans mon dernier soleil,
Caché l'astre de feu qui sur moi semblait luire
Quand d'Atala je peignis le réveil ?

Comment ne pas s'interroger sur le sens de ce galimatias ? La première strophe était médiocre, mais on comprend ce qu'elle veut dire. Malgré le grand soleil d'Atala, la deuxième est d'une obscurité et d'une complication remarquables. Le poète peut se demander à bon droit comment il parvient à séduire. La réponse est claire : par sa prose, peut-être, sûrement pas par ses vers.

Je n'ai point le talent de Virgile et du Tasse ;
Mais, quand le ciel m'eût fait cet heureux don,
Le talent ne rend point ce que le temps efface :
La gloire, hélas ! ne rajeunit qu'un nom.

L'amant de Velleda, le frère d'Amélie,
Mes fils ingrats m'ont-ils ravi ta foi ?
Ton admiration me blesse et m'humilie,
Le croiras-tu ? Je suis jaloux de moi.

Dédaigne, ô ma beauté, cette gloire pompeuse.
Il n'est qu'un bien : c'est le tendre plaisir.
Quelle immortalité vaut une nuit heureuse ?
Pour tes baisers, je vendrais l'avenir.

C'est ce qu'il fait, sans remords : il sacrifie Juliette à Cordélia et une sorte de délire s'empare du ministre des Affaires étrangères, transformé par avance en une réplique plus grandiose de M. Le Trouhadec saisi par la débauche. Dans les derniers vers, d'ailleurs, un peu de dignité reparaît. Ils ne sont pas si loin - mais en beaucoup moins bien - du Corneille de *Suréna* :

... Et le moindre moment de bonheur souhaité
Vaut mieux qu'une si froide et vaine éternité.

Au tout début d'octobre, la forêt remplace la mer, réclamée quinze jours plus tôt par l'insatiable Cordélia : rendez-vous est pris pour une ou deux nuits d'amour parmi les chênes de Fontainebleau. Mais l'histoire, cette fois, refuse de se laisser faire. Le samedi 4 octobre au soir, quelques heures à peine avant de sauter en voiture et de quitter Paris pour Fontainebleau, Chateaubriand est assis à sa table de travail lorsqu'un attaché de cabinet se précipite dans son bureau, une dépêche à la main. La dépêche est évidemment d'une importance capitale ; c'est celle que le ministre attend depuis plusieurs semaines, et plus impatiemment encore depuis la prise, le 31 août, du fort du Trocadero : elle annonce que Cadix est sur le point de se rendre. Cadix ! Les Cortes vaincus, les libéraux abattus, l'Angleterre humiliée, le roi enfin libéré – et par des troupes françaises ! – des mains révoltées et vaguement jacobines de ceux qui le détiennent ! C'est le triomphe de Chateaubriand. Le jeune attaché de cabinet, qui a déjà pris connaissance du contenu de la dépêche et qui cache mal son bonheur d'être le messager de la gloire, se dandine sur ses jambes dans un silence respectueux, un large sourire aux lèvres, et attend l'explosion de joie de l'illustre ministre. Mais stupeur ! que se passe-t-il ? Le ministre se lève lentement, passe une main sur son front, semble désemparé. « C'est bien », dit-il, et, de sa main si lasse, indique au jeune homme qu'il peut se retirer. Le jeune homme ne comprend pas. Quelque chose lui échappe. Il se reproche, avec sérieux, de n'avoir pas suffisamment pénétré les ressorts secrets de la grande politique. Quand une clé nous manque, le comportement des autres nous devient incompréhensible et nous cherchons en vain, au prix de combinaisons compliquées et improbables, l'explication satisfaisante que seule l'évidence cachée fournirait aussitôt. L'attaché essaie de trouver, dans les méandres de la mémoire et de l'imagination, les causes de l'abattement visible de M. de Chateaubriand. Les hypothèses défilent à toute allure sous son crâne : le roi, le tsar, Metternich, ah ! Canning, sans doute !... « Monsieur le vicomte... », commence -t-il, en prenant son courage à deux mains. « Allez ! allez ! » répond René, et le mouvement de la main se fait impérieux vers la porte. Pendant des jours et des jours, des semaines, des mois, peut-être des années, le jeune attaché d'ambassade s'interrogera avec gravité sur le comportement étrange du ministre lors de cette prise de Cadix qui marquait pourtant l'apogée politique de M. de Chateaubriand. Quelque chose se déréglera dans ses idées trop claires sur le monde et la vie. Une sorte de flou s'installera, à ses yeux, au cœur des mécanismes les plus réguliers et les mieux huilés de la psychologie politique. Un mystère et un secret planeront à jamais sur les réactions étranges des grands hommes. Plus tard, sans doute, pour se débarrasser de ce trouble, il s'interrogera sur la puissance intellectuelle et l'équilibre moral du poète égaré dans les jeux de la politique. Il aurait mieux fait de lire un peu les œuvres de M. de Chateaubriand. Peut-être serait-il tombé sur ces phrases éclairantes, destinées aux autres, bien entendu, mais qui pourraient aussi s'appliquer à l'auteur : « Souvent on est plus agité d'une faiblesse secrète que du destin d'un empire. L'affaire légère est, au fond de l'âme, l'affaire sérieuse. Si l'on voyait les puérilités qui traversent la cervelle du plus grand génie au moment où il accomplit sa plus grande action, on serait saisi d'étonnement. »

Le lendemain, 5 octobre, l'homme d'État comblé par le sort des armes et sur les ordres de qui avaient péri pas mal d'hommes jette en hâte sur le papier son désespoir triomphant et un peu désordonné : « Tu vois mon malheur ; je suis forcé de t'obéir et de rester ici pour cet immense événement. Ainsi, je perds cette nuit que j'aurais passée dans tes bras ! Ah ! je puis t'écrire sans contrainte, te dire que je donnerais le monde pour une de tes caresses, pour te presser sur mon cœur palpitant, pour m'unir à toi par ces longs baisers qui me font respirer ta vie et te donner la mienne. Tu m'aurais donné un fils ; tu aurais été la mère de mon unique enfant. Au lieu de cela, je suis à attendre un événement qui ne me donne aucun bonheur. Que m'importe le monde sans toi ? Tu es venue me ravir jusqu'au plaisir du succès de cette guerre que j'avais seul déterminée et dont la gloire me trouvait sensible. Aujourd'hui, tout a disparu à mes yeux, hors toi. C'est toi que je vois partout, que je cherche partout. Cette gloire, qui tournerait la tête à tout autre, ne peut même pas me distraire un seul moment de mon amour... Mais reviens vite ; mais dis-moi que tu ne me puniras pas de mon malheur. Je vais redevenir plus libre ; j'irai partout te retrouver. Si tu m'aimes, ne viendras-tu pas à Fécamp, au bord de la mer, je ne sais où ? Oh ! oui, dédommage-moi ; viens ; pardonne-moi cette délivrance de ce malheureux roi d'Espagne. Je ne sais si tu pourras me lire : je t'écris après avoir écrit à tous les rois et à tous les ministres de l'Europe. Ma main est fatiguée, mais mon cœur ne l'est pas. Il t'aime avec toute l'ardeur, toute la passion de la jeunesse... » La lettre, qu'il faudrait citer tout entière, ne s'arrête pas là ; elle se poursuit sur quatre grandes pages. Le ministre couvre de baisers les doigts, les lèvres, les cheveux de Cordélia. Il a d'ailleurs, grâce à Dieu, entre les mains, une bonne touffe de ces chers cheveux et il promet, par lettre, de les garder, sinon toute la journée – allons, voyons ! nous sommes ministre –, du moins toute la nuit, pressés contre sa bouche et contre son cœur. Au beau milieu de la nuit, pris de remords, il rouvre encore sa lettre et, comme s'il n'en avait pas dit assez, il rajoute un post-scriptum, daté de « minuit ». C'est qu'une seconde dépêche est arrivée. Celle-là annonce la rupture des négociations et l'imminence d'une bataille. Le roi, en outre, a convoqué pour le lendemain, à midi, son ministre des Affaires étrangères. N'importe ! Il réclame sa nuit, la nuit qu'on lui a promise, la nuit pour laquelle il donnerait le monde et sa vie : « La peur de gâter une vie qui est à toi, à toi à qui je dois de la gloire pour me faire aimer, peut seule m'empêcher de jeter tout là, et de t'emmener au bout de la terre. »

De la gloire pour me faire aimer ? Nous avons déjà entendu quelque chose de bien semblable à propos de Natalie : on ne peut pas toujours se renouveler et il faut bien que les mêmes formules servent aux unes et aux autres. Ce qui est nouveau, en revanche, et inouï, c'est l'allusion au fils que Cordélia, dite Délie, aurait pu lui donner. Une sacrée surprise pour qui lit dans *les Natchez :* « J'allais m'exposer à donner la vie, moi qui regardais la vie comme le présent le plus funeste », ou dans les *Mémoires d'outre-tombe* : « Après le malheur de naître, je n'en connais pas de plus grand que de donner le jour à un homme ; je n'ai jamais désiré me survivre. » Il est tout à fait clair ici que René se contredit : ou il trompe ses lecteurs ou il trompait Cordélia. On peut toujours rêver : il n'est pas impossible que la chute de Cadix ait privé l'univers d'un fils de Chateaubriand. Quoi qu'il en soit de ce point qui n'est peut-être pas de détail, Hyacinthe Pilorge reçut des mains du ministre la lettre et son post-scriptum et emporta le tout, dans la nuit, avec « un million de baisers, de caresses et de serments d'amour », vers Cordélia de C...

Ce qu'il y a d'étonnant avec Chateaubriand, comme avec la plupart des écrivains, des artistes, des hommes politiques du XIXe siècle, c'est que nous sommes en mesure de les suivre jour par jour, et parfois heure par heure, à travers leur correspondance. Pour les époques précédentes, à quelques exceptions près, la documentation est beaucoup moins riche. Et, à partir de la fin du premier quart du XXe siècle, le téléphone effacera une bonne partie des traces : le malheureux historien, ou le critique, mettra tous ses espoirs dans des écoutes téléphoniques qu'en dépit de tous les droits de l'homme il souhaitera avec cynisme aussi nombreuses et vigilantes que possible. Le lendemain, donc, du soir où la coalition des événements et des grands de ce monde n'a pas réussi à détourner René d'écrire à Cordélia la longue lettre éperdue que nous venons de lire, il adresse trois lignes à Claire de Duras, sans nouvelles de lui depuis plusieurs jours : « Les rois m'ont empêché de vous écrire hier... » Plus grave encore, le samedi 4 octobre, à cinq heures du soir, quelques minutes après avoir renvoyé le jeune attaché éberlué, René envoie un billet à Juliette Récamier : « Une dépêche télégraphique annonce que le roi d'Espagne est libre. Je vous verrai à neuf heures un moment. » Un moment... bien sûr : encore qu'il ne parte plus, comme prévu, pour Fontainebleau, il n'aura pas beaucoup de temps. Juliette, pourtant, aurait tort de se plaindre : Cordélia a perdu toute une nuit – oserait-on dire, en baissant la voix, que Juliette, grâce à Cadix, a gagné son « moment » sur Cordélia de Castellane ? La chute de Cadix interdit le voyage jusqu'à la forêt de Fontainebleau, mais il est toujours possible de traverser la Seine pour passer quelques minutes dans la petite cellule de l'Abbaye-aux-Bois.

La lettre du 5 octobre réclamait une nuit au bord de la mer et suggérait Fécamp pour remplacer la nuit de Fontainebleau, dégradée en nuit de Cadix et en quelques pauvres instants à l'Abbaye-aux-Bois. Les deux amants se mirent d'accord sur la date du 20 octobre. Catastrophe ! Ils avaient oublié, l'un et l'autre, que le 20 octobre était la date choisie, depuis longtemps déjà, pour la fête annuelle de l'Infirmerie Marie-Thérèse. L'Infirmerie Marie-Thérèse était un « asile pour les vieux prêtres et les dames nobles » fondé, rue d'Enfer, par Céleste de Chateaubriand. Il y avait là, sous le patronage de l'archevêque de Paris et de la duchesse d'Angoulême, fille des souverains guillotinés, un jardin, deux corps de bâtiments, un aumônier, trois religieuses, un infirmier, une servante. Tout cela, malgré les quêtes et les dons, malgré les chocolats fourgués par Céleste à tout-venant en échange de quelque aumône, coûtait assez bon à René, qui ne roulait pas sur l'or. Mais il pensait avec philosophie que ce n'était pas trop cher payé pour occuper Céleste et la tenir à distance de ses multiples activités. Impossible, bien entendu, de ne pas paraître à la fête, qui fut tout à fait réussie. On remarquait plusieurs princesses, une bonne partie de la cour, beaucoup d'ambassadeurs, le nonce, Mgr Fraynissous, archevêque de Paris, et le cher abbé de Bonnevie, chanoine de Lyon et ami des Chateaubriand. Bonnevie !... Que de souvenirs oubliés et soudain ressuscités : c'était lui qui avait reçu à Rome la dernière confession de Pauline en train de mourir. Au milieu de cette foule brillante, quelques dames du monde, telles que la comtesse de Gontaut, faisaient la quête pour l'Infirmerie. On distinguait parmi elles la ravissante comtesse de Castellane, toujours disposée, avec un zèle édifiant, à prêter son rayonnant concours aux œuvres de charité.

L'escapade au bord de la mer n'était que partie remise. Le 25 octobre, Cordélia de Castellane devait partir pour Dieppe. Le 24 octobre, Hyacinte Pilorge lui remettait la lettre suivante : « Huit heures. Pars, bonheur et charme de ma vie, mais pour me retrouver, pour m'enivrer de ton amour, pour me rendre le plus glorieux et le plus heureux des hommes. Dans quelques jours, je serai à tes pieds, je te presserai sur mon cœur ; tu seras seule et je pourrai te couvrir de mes baisers, respirer l'air que tu respires, et vivre de ta vie. Tu as vu comme je t'ai aimée aujourd'hui, tu verras comme je t'aimerai loin de la foule.

Reçois toutes mes caresses et souviens-toi que tu es ma *maîtresse* adorée. Je baise tes pieds et tes cheveux. » Diable ! Quelle vitalité ! Non seulement le ministre annonçait son départ pour Dieppe, qui avait remplacé Fécamp, mais encore il évoquait les chers souvenirs d'une journée qui avait dû être bien remplie. Cordélia, de son côté, après les mots « Huit heures », inscrit au crayon sur la lettre, avec une charmante imprudence : « du soir, vendredi, veille de mon départ pour Dieppe ».

Ce n'est pas tout. Un ministre est surveillé ; il ne se déplace pas comme il veut. Pour expliquer son départ pour Dieppe, René eut une idée géniale. Il se souvint tout à coup de la pauvre Delphine de Custine qui l'invitait inlassablement. Il lui avait écrit : « A l'automne !... » C'était l'automne. Il annonça à qui voulait l'entendre qu'il partait pour Fervaques. Et il partit pour Dieppe.

Cordélia vint à sa rencontre avec la douce intention de finir le voyage ensemble, dans la berline ministérielle. Hélas ! la voiture cassa. Et, puisqu'un malheur n'arrive jamais seul, une estafette, envoyée à la poursuite du ministre, finit par le rejoindre : on le réclamait à Paris pour des affaires étrangères à son cœur passionné.

Le voyage était raté. Raté ? Est-ce si sûr ? Car l'histoire de l'estafette et de la voiture brisée, c'est René lui-même qui la raconte dans une lettre d'excuse désolée à Delphine, où n'apparaît pas, évidemment, la silhouette gracieuse de Cordélia. Tous ces malheurs successifs ne seraient-ils pas inventés pour apaiser Delphine ? « Croiriez-vous que je ne suis pas découragé et que, malgré la mésaventure, si vous prolongez votre séjour à Lisieux, je ne renonce pas à aller vous voir ? » Au point où nous en sommes, il n'est pas impossible que René se ménage encore, sous l'alibi de Delphine, la possibilité d'une nouvelle escapade.

Pour crédule qu'elle fût, Delphine n'accepta pas comme parole d'évangile les explications embrouillées de René. Des bruits commencent à courir. Elle se doute d'une manœuvre. Quelques jours plus tard, le ministre est bien obligé de lui écrire une lettre nouvelle et proprement stupéfiante : « Vous me faites une histoire, dans votre dernier billet, que tout le monde a faite ici. Cela n'a pas le sens commun. J'allais à Fervaques ; j'étais prêt à vous voir lorsque j'ai été rappelé ; et, pour avoir seulement quitté Paris vingt-quatre heures, j'ai trouvé mille contes, à un ou à deux, et politiques, en l'air, comme si les premiers étaient de mon âge et que les seconds... », etc. « Eh bien ! croiriez-vous que, malgré toutes vos injustices et les bavardages publics, je rêve encore de faire, dans ce moment même, une course à Fervaques ? Je ne le pourrai probablement pas ; mais je ne puis me départir de ma douce chimère. » Génial hypocrite, menteur incomparable, René s'obstinait à laisser ouvertes toutes les portes. Il ne se rendra d'ailleurs plus jamais à Fervaques. Trois ou quatre semaines plus tard, c'est la dernière lettre que nous connaissions de René à Delphine : « Ne croyez pas que je vous oublie et que vous n'êtes dans ma vie au nombre de mes plus doux et de mes plus impérissables souvenirs. » Moins de trois ans plus tard, à Lausanne, il entendra passer sous ses fenêtres le dernier convoi de la dame de Fervaques, de la Reine des roses, de la Princesse Sans-Espoir.

Cordélia, Charlotte, Delphine, Juliette... Il y avait bien d'autres femmes encore en train de tourner autour du ministre. De jeunes et de moins jeunes. De temps en temps, on le voyait quitter le ministère au bras d'une femme de quarante ans, aux cheveux noirs, aux yeux de feu, qui était une ancienne muscadine, qui avait beaucoup fait parler d'elle et qui était à la fois assez laide et très belle. C'était une amie de Victor Hugo. Elle s'appelait Mme Hamelin. Et puis il y avait les anciennes affections – et surtout Claire de Duras. Claire, qui, depuis des années, avait tant fait pour René, n'obtenait du ministre que rigueurs et rebuffades. Il avait bien pris, vous vous en souvenez, pour directeur de ses affaires politiques, le duc de Rauzan, gendre de Claire. Mais c'était tout. Il est vrai que, depuis le temps, elle était habituée à être mal traitée : « Il est donc dit que vous ne pourrez vivre sans chaînes ? Combien pourrai-je en compter ? » Impavide, René répondait : « Voulez-vous que je repousse tout ce qui a de la bienveillance pour moi ? Je ne le puis. Il y a dans mon caractère, avec quelque chose de fort, quelque chose de faible. Prenez-moi tel que je suis. » Et elle le prenait tel qu'il était, c'est-à-dire génial et faible. Il semblait s'acharner à vouloir donner raison au mot foudroyant d'une femme de presque autant d'esprit que la comtesse de Boigne, Mme de La Tour du Pin : « Il ne craignait pas le sérail. »

Mais il y avait plus sérieux, il y avait plus grave que le fantôme de Charlotte, les mensonges à Delphine, la folle passion pour Délie, les aventures avec Mme Hamelin, la pathétique amitié avec Claire de Duras. Il y avait l'amour de Juliette.

En ce glorieux début d'automne, Juliette souffrait. En silence. Vous savez ce qu'est Paris. Chateaubriand en était une des vedettes les plus en vue. Il était impossible que sa conduite ne déchainât pas les indiscrétions, les ragots, les calomnies, les médisances. D'innombrables rumeurs parvenaient jusqu'à Juliette. Elle y était habituée. Elle pardonnait volontiers. Elle ignorait souvent, ou feignait d'ignorer, les infidélités répétées de René. Elle savait très bien, par exemple, que Fortunée

Hamelin, l'ancienne merveilleuse aux charmes encore provocants malgré une quarantaine allègrement portée, passait au ministère plus souvent que de raison. Elle fermait les yeux. Elle avait la meilleure part, et elle s'en contentait.

La politique continuait à se mêler inextricablement aux intrigues sentimentales. Mme Récamier jouait dans ce domaine un double rôle, parfois contradictoire, de confidente et de contrepoids. D'un côté, elle était l'égérie du légitimisme, de l'autre, elle était devenue en quelque sorte l'héritière de Mme de Staël et la protectrice attitrée des libéraux. Les écrivains, les poètes, les philosophes se retrouvaient chez elle, de Victor Cousin à Mérimée, de Lamartine à Auguste Barbier –

O Corse à cheveux plats, que ta France était belle
Au grand soleil de Messidor !

Lamartine la dépeint, en ce temps-là, au côté d'une Anglaise de grande réputation, la duchesse de Devonshire, à qui il était allé rendre visite : « Une femme inconnue était debout à côté d'elle, le bras appuyé sur la tablette de la cheminée et chauffant ses petits pieds transis au brasier à demi éteint dans l'âtre... A peine eus-je le temps de voir, comme on voit des groupes d'étoiles dans un ciel de nuit, un front mat, des cheveux bais, un nez grec, des yeux trempés de la rosée bleuâtre de l'âme, une bouche dont les coins mobiles se retiraient légèrement pour le sourire ou se repliaient gravement pour la sensibilité, des joues ni fraîches ni pâles, mais émues comme un velours où court le perpétuel frisson d'un air d'automne. »

C'est à peu près à la même époque, en 1823, qu'avec moins de lyrisme que Lamartine un ami de Stendhal, un compagnon de Victor Cousin, nous donne de Juliette Récamier, chez qui il est reçu, une description brutale : c'est Prosper Mérimée. « Je n'ai connu Mme Récamier que lorsqu'elle avait quarante ans bien sonnés. Il était facile de voir qu'elle avait été jolie, mais je ne crois pas qu'elle ait jamais pu prétendre à la beauté. Elle avait la taille carrée, de vilains pieds, de vilaines mains ; quant à son esprit, on n'a commencé à en parler qu'assez tard, après que toutes ses autres ressources pour plaire étaient devenues inutiles. Elle a eu pendant sa jeunesse une assez méchante réputation ; dans son âge mûr et dans sa vieillesse, elle a posé pour être une sainte ; mais elle n'a jamais été ni une Ninon de Lenclos, ni une Mme de Maintenon. Je crois qu'elle était absolument dépourvue du viscère nommé cœur. »

Tout le talent sec, écorché vif de Mérimée éclate dans ces quelques lignes dont l'injustice doit être mise sur le compte de la jeunesse et du mépris du mode de vie, mi-aristocratique, mi-bourgeois, incarné par Mme Récamier. Mérimée, qui fera plus tard les beaux jours de Compiègne et d'Eugénie de Montijo, était sans doute moins sensible, à vingt ans, au charme discret des salons et de la bourgeoisie intellectuelle. Juger Juliette Récamier très au-dessous de Ninon de Lenclos ou de Mme de Maintenon, passe encore. Mais assurer qu'elle n'avait jamais pu prétendre à la beauté et lui refuser toute espèce de cœur, c'était aller un peu loin. Juliette se vengea joliment de cette dernière accusation en faisant offrir à Mérimée le poste – qu'il refusa – de secrétaire d'ambassade à Londres. Ce n'est pas la seule preuve de sensibilité qu'elle ait jamais donnée. Du cœur, dans cette même année de 1823, elle en avait suffisamment pour le sentir déchiré.

Dès la fin du printemps et le début de l'été, les relations entre Juliette et René s'étaient insensiblement dégradées. Quelque occupés qu'ils puissent être, les hommes trouvent toujours le temps nécessaire quand il s'agit de le consacrer a un amour auquel ils tiennent. Ne croyez jamais le contraire. C'est quand l'amour faiblit que les devoirs d'état deviennent soudain impérieux et qu'il faut bien sacrifier – le cœur déchiré naturellement – ce qu'ils appellent alors le plaisir à ce qu'ils appellent alors le devoir. Tous les jours, René écrivait à Juliette, tous les jours, à heure fixe, il venait la voir dans sa cellule de l'Abbaye. Et puis les obligations étaient devenues si lourdes qu'il avait fallu espacer les visites : « Ne m'en voulez pas, je vous en supplie. Je suis dans un moment déplorable. Entre les deux Chambres où je cours, croyant toujours parler et ne parlant jamais, et les courriers, et les persécutions de l'Europe et de l'intérieur. J'espère que tout cela finira demain. Grâce, mille fois grâce. Plaignez-moi, ne m'en voulez pas, gardez-moi votre angélique bonté. A demain mon pardon, ou plutôt des consolations pour ce que je souffre. » Ou bien : « Encore Conseil ! Les affaires me tueront, surtout si je suis longtemps sans vous voir, mais lundi sera le jour de ma délivrance. Demain, dût l'Europe aller au fond de l'eau, je vous verrai. A vous ! à vous ! » Ou encore et toujours, une semaine ou deux après la double chute de Cadix et de Cordélia : « Je suis sorti trop tard du Conseil pour aller chez vous aujourd'hui. Je crains que ma correspondance d'Espagne ne me retienne au-delà de notre heure. Je vois que les affaires pèsent sur moi plus que jamais. Demain, à huit heures du soir, si vous y consentez, j'irai à la petite cellule, quoique vous ayez été bien rude la dernière fois. A demain ! Je suis bien las et il me prend vingt fois par jour envie de tout planter là. »

Rien n'irritait plus Juliette, qui aimait le calme et l'harmonie, que ces agitations. Leur effet pénible était encore accentué par les pressions exercées constamment sur Mme Récamier à la fois, et en sens inverse, par ses nouveaux amis libéraux, héritiers de Mme de Staël – « vos libéraux », disait René, ou « vos amis » – et par ses vieux amis d'extrême droite, et surtout par Mathieu de Montmorency, désormais flanqué de son gendre, Sosthène de La Rochefoucauld.

Les relations avec les libéraux n'étaient pas toujours commodes. *Le Constitutionnel,* organe de la gauche libérale, accusait Chateaubriand de donner la primeur de ses discours parlementaires à l'Abbaye-aux-Bois. Toujours en cette même année 1823, deux ans avant son assassinat par son garde-chasse et par deux frères, amants, l'un et l'autre, de sa femme, Paul-Louis Courier, prodigieux polémiste de gauche, reprend l'accusation dans son *Livret de Paul-Louis vigneron pendant un séjour à Paris* : « Notez qu'il avait lu cette belle pièce aux dames ; et quand on lui parla d'en retrancher quelque chose, avant de la lire à la Chambre, il n'en voulut rien faire, se fondant sur l'approbation de Mme Récamier. Or dites maintenant qu'il n'y a rien de nouveau ! Avait-on vu cela ? Nous citons les Anglais ; est-ce que M. Canning, voulant parler aux Chambres de la paix, de la guerre, consulte les ladys, les mistriss de la Cité ? » « Les gens de lettres, en général, dans les emplois, concluait sagement Paul-Louis Courier, perdent leur talent et n'apprennent point les affaires. »

A l'extrême opposé, Mathieu ne laissait pas un instant Mme Récamier en paix. Comme René naguère, il ne pensait qu'à rentrer dans le ministère où, aussi heureux en politique qu'en amour, son rival l'avait remplacé. Sosthène de La Rochefoucauld, son gendre, qui avait tous les défauts de son beau-père sans en avoir les qualités et qui y joignait sottise et prétention – directeur des Beaux-Arts, il avait enjoint aux danseuses d'allonger leur tutu et fait dissimuler par des feuilles de vigne de papier les nudités du Louvre – allait encore plus loin. Prenant un peu trop à cœur la cause de son beau-père – et la sienne propre – il aurait voulu chasser Chateaubriand du pouvoir : « Rendez, Madame, écrivait-il à Juliette, un grand, un immense service à votre pays et à votre ami. Décidez-le à donner sa démission. » Et, pour ajouter plus de force à ses arguments, il essayait tout simplement d'acheter l'appui de Mme Récamier, en lui proposant de faire obtenir à son père, M. Bernard, ancien trésorier général, une pension réversible sur sa tête. Juliette, fidèle, résistait. Mais ces pressions l'exaspéraient d'autant plus qu'elle avait le sentiment de pencher vers un ami qui était sans doute son amant, mais qui répondait à ses tendresses par des infidélités. Comme au temps du congrès de Vérone, mais dans une situation inverse, puisque c'était René maintenant qui était ministre, elle se sentait écartelée entre des loyautés opposées et elle repoussait indéfiniment le moment où il lui faudrait choisir pour de bon entre Mathieu, l'ami fidèle, et René, l'amant volage.

Sa nièce Amélie parle avec un peu d'embarras, dans ses *Souvenirs,* de ces labyrinthes politiques et sentimentaux. Elle évoque « la blessure d'amour-propre de M. de Montmorency », elle reconnaît que « l'arrivée de M. de Chateaubriand au pouvoir » avait fait pousser des « épines dans le cercle de ses affections les plus intimes » et elle constate qu'entre René, Mathieu, Sosthène, Juliette et tous les autres « l'agitation était grande dans les âmes ». « L'humeur de l'éminent écrivain, ajoute-t-elle, n'avait pas résisté à la sorte d'enivrement que le succès, le bruit, le monde amènent facilement pour des imaginations ardentes et mobiles. Son empressement n'était pas moindre, son amitié n'était point attiédie, mais Mme Récamier n'y sentait plus cette nuance de respectueuse réserve qui appartient aux durables sentiments que seuls elle voulait inspirer. »

Un beau jour, lasse d'attendre en vain le ministre toujours en train de se décommander, Juliette prit une résolution redoutable : elle quitta l'Abbaye-aux-Bois à l'heure sacro-sainte de la rencontre naguère quotidienne. Il y a un dieu pour les amants, il y a aussi un diable. Ce soir-là, naturellement, René un peu moins pris que d'habitude, quitta son bureau de la rue des Capucines, traversa la Seine, se pointa à l'Abbaye, ne trouva personne à sa stupeur indignée et repartit le cœur peut-être déjà rempli d'une autre et pourtant lourd à cause de celle-là : « J'ai passé trois quarts d'heure seul dans la petite cellule, vous espérant, vous appelant et pourtant heureux de me trouver au milieu de vos livres, de vos fleurs et de tout ce qui vit avec vous ! Il faut pourtant arranger notre vie autrement, car je ne sais que devenir sans vous. Si on avait laissé ce malheureux ministère rue du Bac, je serais à votre porte. Tâchez de m'écrire un petit mot. Comment avez-vous pu sortir à notre heure ? Ne pouviez-vous m'attendre un peu ? Il vous est bien facile de vous passer de moi. Moi, j'avais tout quitté pour venir à vous. » Des signes alarmants de schizophrénie sentimentale se multiplient chez René. La confidence de Juliette à Mme de Boigne vous revient à l'esprit : « Les autres se sont occupés de moi – les autres s'occupent de lui, aurait-elle pu ajouter, et il s'occupe des autres – et il exige que je ne m'occupe que de lui. »

Tout cela, naturellement, n'aurait pas été très grave s'il n'y avait pas eu Cordélia. Charlotte, Delphine, Claire Fortunée étaient peut-être irritantes – aussi irritantes que Canning et le tsar. Mais c'était la folle passion, sensuelle et physique, pour Mme de C... qui allait bouleverser la situation et mener à des extrémités apparemment irréparables.

« Non, vous n'aurez pas dit adieu à toutes les joies de la terre ; si vous partez, vous reviendrez bientôt, et vous me retrouverez tel que j'ai été et tel que je serai toujours pour vous. Ne m'accusez pas de ce que vous faites vous-même. Je vous aime de toute mon âme, et rien ne pourra m'empêcher de vous aimer, ni votre parti, ni votre injustice. » Cette lettre de René à Juliette est du 25 octobre. A quoi s'occupe Chateaubriand ce samedi 25 octobre ? Des affaires de la France, naturellement, et de celles de l'Europe ; il liquide la guerre d'Espagne ; il prépare ses dépêches à M. de Talaru, son ambassadeur de Madrid ; il commence à avoir des ennuis avec l'odieux Ferdinand VII qui, à peine libéré, inaugure une politique de vengeance et de réaction. Mais il a d'autres soucis en tête : c'est le jour du départ pour Dieppe de Mme de C... Déjà, il ne pense plus qu'à se forger des alibis – Fervaques !... Delphine !... – pour pouvoir aller la rejoindre sans déclencher un scandale. Et voilà que Juliette lui fait une scène et lui fait part d'un projet qui, tout à la fois, le soulage et l'épouvante. La veille, vendredi, pendant qu'il écrivait à sa « maîtresse adorée » – c'est-à-dire à Cordélia – la lettre où il lui baisait les pieds et les cheveux, Juliette, de son côté, lui écrivait la lettre à laquelle il répond samedi. Cette lettre, nous ne l'avons pas, mais il est facile de deviner son contenu ; elle y disait adieu à toutes les joies de la terre et elle lui annonçait sa décision irrévocable de quitter Paris et de partir pour l'Italie.

Cette décision, en un sens, arrangeait bien René. En un autre sens, elle le contrarie, et peut-être elle le désespère : il ne détestait pas avoir deux fers au feu – et parfois un peu plus – et, à sa manière, il aimait toujours Juliette. Il la retient pourtant assez mollement, alors qu'elle espérait peut-être un élan, un cri qui aurait tout aboli et qui l'aurait gardée auprès de lui. A qui sait lire entre les lignes, il oublie au contraire le présent, il l'efface, il l'abolit au profit du passé et de l'avenir : « Si vous partez, vous reviendrez bientôt et vous me retrouverez *tel que j'ai été* et *tel que je serai* toujours pour vous. » Il ne parle pas de *ce qu'il est* dans l'instant de la passion irrésistible qui l'agite : autant dire que le présent est à Mme de C...., mais que l'avenir, comme le passé, pourra être de nouveau à Mme Récamier.

Il faut imaginer ici, au seuil d'une correspondance pathétique qui marquera une quasi-rupture entre les deux amants, les sentiments de Juliette en train de lire ces lignes. Elles ne pouvaient que l'enfoncer dans sa résolution de s'en aller. Les dés étaient maintenant jetés : il lui était impossible de revenir en arrière. René dut le sentir. Trois jours plus tard, le départ de Juliette définitivement acquis, il lui écrit une nouvelle lettre où il va un peu plus loin – dans un cynisme touchant et dans une contrevérité évidente, que le temps seul, par un second renversement, pourra transformer à nouveau en vérité : « Vous voyez bien que vous vous êtes trompée. Ce voyage était très inutile. Si vous partez, vous reviendrez au moins promptement et vous me retrouverez à votre retour tel que vous m'aurez laissé, c'est-à-dire le plus tendrement, le plus sincèrement attaché à vous. Je suis bon *à l'user* ; je ne me lasse jamais, et si j'avais plus d'années à vivre, mon dernier jour serait encore embelli et rempli de votre image. A quatre heures et demie, je serai dans la petite cellule qui sera la mienne pendant votre absence. »

Etait-il bon *à l'user ?* Comme l'avait dit jadis la sage duchesse d'Arenberg il n'était pas bon, en tout cas, à aimer. Mais le comble est que son dernier jour sera encore, en effet, embelli et rempli, comme il l'annonce sans vergogne par l'image de Juliette. Tels sont les privilèges et la chance du génie quand il se mêle à la séduction.

Les choses, maintenant, vont se précipiter. Le 2 novembre, comme dans un film presque trop bien construit, presque trop beau, deux personnages majeurs de la comédie sentimentale et sociale de l'époque quittent Paris en même temps, l'un par la route de l'ouest, l'autre par la route du sud-est : dans sa voiture qui, à l'usage au moins de Delphine, devait à la fois casser et être rattrapée par un messager du ministère – mais cassa-t-elle vraiment ? et fut-elle vraiment rejointe ? – René s'en va vers Dieppe, et non pas vers Fervaques, retrouver Cordélia ; dans sa berline de voyage, flanquée d'une chaise de poste où sont assis, en chiens de faïence, un jeune homme et un plus vieux, également amoureux d'elle, et admis à tour de rôle à venir s'asseoir dans la berline aux côtés de leur idole, Juliette Récamier, pensive, désespérée, s'en va vers l'Italie. Vingt ans plus tôt, René, amoureux de Delphine et aimé de Pauline, avait suivi cette même route. Escortée du jeune Ampère et du fidèle Ballanche, comme de la passion naissante et de la passion résignée, Juliette l'empruntait à son tour. Elle ne pensait qu'à René.

René, ce jour-là, ne pensait qu'à Cordélia. Mais, sur la route de Normandie, à la veille de quatre nuits d'amour avec Délie, l'irrésistible monstre écrit encore à Juliette ces lignes qu'il envoie à Lyon pour qu'elles la rattrappent au vol : « Craignant toujours de vous faire quelque peine lorsque vous comptez pour rien les miennes, je vous écris ce mot sur les chemins de peur de manquer votre passage à Lyon. Je serai jeudi à Paris et vous n'y serez plus : vous l'avez voulu. Me retrouverez-vous à votre retour ? Apparemment, peu vous importe. Quand on a le courage, comme vous, de tout briser, qu'importe en effet l'avenir ? Pourtant, je vous attendrai ; si j'y suis, vous me retrouverez tel que vous m'avez laissé, plein de vous, et n'ayant pas cessé de vous aimer . »

Les femmes savent ce qu'elles ignorent, elles devinent ce

qu'elles ne savent pas. Il lui écrivit encore plusieurs lettres pendant qu'elle descendait vers Rome : deux fois à Lyon, une fois à Turin, une fois à Florence. Comme si elle était en train de le voir, aux côtés de Cordélia, dans sa voiture peut-être cassée, à Dieppe, à Paris, son nouvel amour entre les bras, elle ne répondait pas. Un beau jour pourtant, un jour sinistre de novembre, il reçut un court billet. Il venait de Chambéry. Le ton était glacial. Il commençait par : « Monsieur ».

Jadis, il y avait de longues années, René, brouillé pour des raisons d'argent où se mêlait le sentiment avec Delphine de Custine, lui avait aussi écrit une lettre qui commençait par : « Madame ». Plus encore que l'autre, la grande, la politique, l'histoire du cœur se répète. Voilà que c'était lui qui recevait la flèche : « Monsieur ».

René marqua le coup. Il écrivit à son tour – en des termes de nouveau stupéfiants : « J'ai reçu votre billet de Chambéry. Il m'a fait une cruelle peine. Le *Monsieur* m'a glacé. Vous reconnaîtrez que je ne l'ai pas mérité. Pour jamais à vous. » Il n'y avait que l'homme des *Mémoires d'outre-tombe* pour oser tracer cette phrase inouïe : « Vous reconnaîtrez que je ne l'ai pas mérité. » Et il faut avoir écrit les *Mémoires d'outre-tombe* pour qu'elle lui soit pardonnée.

Rome joue un rôle central dans l'histoire des amours auxquelles nous nous sommes attachés. Juliette, victime en quelque sorte de son amitié pour Mme de Staël, s'y était réfugiée à la fin de l'Empire. René, veuf de Pauline, y avait vécu dans son chenil à puces, avant d'y retourner comme ambassadeur de France. Juliette, fuyant René, y arriva le 15 décembre 1823. Il faisait froid et gris. Rome, présence éclatante, était un lieu d'absence.

Le motif officiel, et en fait le prétexte, du voyage de Juliette Récamier n'était ni les lamentations de Mathieu de Montmorency et de son gendre Sosthène, ni la légèreté de Fortunée Hamelin, ni la passion dévorante de Cordélia de Castellane – ni l'infidélité de René : c'était la santé de sa nièce, Joséphine Cyvoct, qu'elle avait rebaptisée Amélie, la future Mme Charles Lenormant à qui nous devons tant de détails sur Mme Récamier. Amélie était frêle, elle toussait un peu, sa santé donnait à tous, et surtout à sa tante qui l'avait fait venir de Belley une douzaine d'années plus tôt et qui l'aimait tendrement, les plus vives inquiétudes. Le climat de Rome lui fit un bien fou. Elle se rétablit complètement, se maria deux ans plus tard et mourut guérie, vers l'extrême fin du siècle, à l'âge de quatre-vingt-dix-ans. Elle n'était pas seule à accompagner Juliette. Nous avons déjà vu, dans leur chaise de poste, le vieux Ballanche et le jeune Ampère. Débarrassés du gêneur de génie, ils étaient enchantés et inquiets.

En juillet 1813, Ballanche, voyageant jour et nuit, était venu passer une semaine à Rome aux côtés de Juliette Récamier. Rappelé par son père, il était reparti à peine arrivé en s'écriant, le cœur brisé à l'idée de quitter son idole : « Ville de saint Pierre, je ne te dis pas adieu ! » Dix ans plus tard, sous un ciel menaçant, avec son bégaiement tenace et son visage concassé, l'éternel exilé du bonheur était presque heureux : il entrait dans Rome sur les pas de Juliette. Il n'était pourtant pas seul avec elle : un jeune rival l'accompagnait.

Ce nouveau venu pour nous est un Lyonnais, comme Juliette et comme Ballanche. Il a à peine plus de vingt ans. Il s'appelle Ampère : il est le fils d'André-Marie Ampère. André-Marie Ampère était un illustre savant qui devait survivre à au moins deux titres dans la mémoire de la postérité : prenant place dans la troupe restreinte des inventeurs d'une science nouvelle, il est à l'origine de l'électrodynamique ; et sa distraction légendaire fait de lui le modèle de tous les intellectuels rêveurs égarés sur cette terre. D'innombrables anecdotes couraient sur son compte. Un jour, dans la rue, préoccupé par un problème d'algèbre, il se trouve tout à coup devant une sorte de tableau noir. Il sort de sa poche le morceau de craie qui ne le quittait jamais et se met à inscrire des équations sur le panneau en face de lui. Soudain, les équations s'ébranlent et se mettent lentement en route. Ampère, la craie à la main, absorbé dans ses calculs, les suit sans s'inquiéter et continue de tracer ses chiffres et ses signes sur la surface ambulante tout en marchant dans la rue à la stupeur des passants : le prétendu tableau noir était en réalité une ardoise ou un pan de bois poli accroché aux flancs d'un omnibus et destiné en principe aux indications du service. Un autre jour, sur le pont des Arts, en face de l'Institut, il ramasse une pierre à la forme et aux couleurs remarquables. Minéralogiste averti, il la contemple quelques instants. Puis, craignant d'être en retard à son cours, il tire sa montre de son gousset. Il est temps, en effet, de retrouver ses élèves. Alors, pressant le pas, il glisse la pierre dans son gilet et jette négligemment sa montre par-dessus le parapet. A ses cours à Polytechnique ou au Collège de France, il se servait régulièrement de son mouchoir pour effacer le tableau noir. Les rires de l'assistance le tiraient de son rêve. Il souriait, posait le mouchoir, s'emparait du chiffon, s'en servait rapidement et le fourrait dans sa poche.

Ce grand distrait était un grand savant. Son père, négociant, juge de paix, avait été guillotiné à Lyon en 1793. Elevé selon les principes de l'*Emile* de Rousseau, il avait tout appris tout seul et était devenu botaniste, musicien, mathématicien, physicien et chimiste. Il avait émis de remarquables *Considérations sur la théorie mathématique du jeu*, avait enseigné l'analyse mathématique et la mécanique à Polytechnique, la physique au Collège de France, la philosophie à la Sorbonne. En 1814, pendant que l'Empire tombait, il avait redécouvert la fameuse loi d'Avogadro sur les gaz, formulée l'année précédente, à son insu, par le chimiste et physicien italien. Enfin, l'électrodynamique, le galvanomètre, le premier télégraphe électrique sont son œuvre ; et, avec Arago, il invente l'électro-aimant. Savant et distrait, Ampère était un homme de cœur. A vingt ans, en herborisant à la manière d'Emile, il avait aperçu, assises dans un pré, deux jeunes filles qui lui parurent ravissantes et dont l'une surtout le bouleversa. Il réussit à savoir son nom : elle s'appelait Mlle Caron. Il résolut sur-le-champ de l'épouser. Mais il n'avait ni fortune, ni situation, ni nom. Il travailla d'arrache-pied, donna des répétitions, trouva des ressources. Et, trois ans plus tard, il épousait Mlle Caron. Elle devait mourir assez vite. Mais Jean-Jacques était né.

« Son père, homme de génie, homme de bien, mais sans règle et sans suite dans les habitudes journalières de la vie, ne put guère qu'exciter et secouer la jeune intelligence de son fils, sans la diriger. » Jean-Jacques s'aperçoit assez vite que la « chimie manufacturière », vers quoi le pousse son père, l'ennuie à mourir. Il rêve d'être « quelque chose », mais il ne veut devenir ni « un apothicaire savant » ni « un marchand ». En 1816, à quinze ans, élève de Henri-IV, il décroche au concours général un accessit de version latine ; le second prix s'appelle Jules Michelet. L'année suivante, premier prix de philosophie : « Le rôle du principe de causalité dans la démonstration de l'existence de Dieu. » La mère disparue, le père et le fils menaient côte à côte et face à face une vie touchante et studieuse : « Quel bon hiver, écrivait le fils à son père, nous allons passer ensemble, isolés du monde par la rue Saint-Victor qui nous entoure comme un fleuve de boue, et par les cimes glacées de l'Esplanade ! Que de philosophie, de physique, de lectures et d'études ! » Ce joli programme allait être bousculé par l'irruption brûlante de Juliette dans la vie de Jean-Jacques.

Le 1er janvier 1820, l'illustre physicien demanda à Mme Récamier la permission d'amener son fils Jean-Jacques, alors âgé de dix-neuf ans, à l'Abbaye-aux-Bois. C'était un an, jour pour jour, avant le départ de Chateaubriand pour Berlin, un mois et demi avant l'assassinat du duc de Berry. René était je ne sais où. Il y avait là, en revanche, Ballanche, Mathieu de Montmorency et quelques autres intimes. Ce fut, comme souvent avec Mme Récamier, le coup de foudre immédiat et définitif et le début d'un grand amour malheureux qui ne s'achèvera que par la mort : par fidélité à Juliette, Jean-Jacques ne se mariera jamais. Bien des années plus tard, il écrira à Juliette : « C'est le jour de l'an que je vous ai vue pour la première fois. Ce moment où je vous vis paraître tout à coup, en robe blanche, avec cette grâce dont rien jusque-là ne m'avait donné l'idée, ne sortira jamais de mon souvenir. » Un de ses camarades de l'époque disait la même chose plus drôlement : « De fait, après cette soirée, le vif rejeton de l'inventeur de l'électricité dynamique a, comme on dit, un coup de marteau. »

Provoqué par la visite de son physicien de père à une beauté sur le déclin qui avait plus de deux fois son âge, le coup de marteau avait été préparé par tout le mouvement des idées et par des tonnes de littérature. Jean-Jacques avait lu Rousseau, Gœthe, Senancour et Chateaubriand. C'était surtout dans le héros d'*Obermann*, de Senancour, sorte de René en déroute et démultiplié, « qui ne sait ce qu'il est, ce qu'il aime, ce qu'il veut, qui gémit sans cause, qui désire sans objet, et qui ne voit rien sinon qu'il n'est pas à sa place, enfin qui se traîne dans le vide et dans un désordre infini d'ennuis », que Jean-Jacques s'était reconnu. Juliette Récamier concentra d'un seul coup sur sa tête encore ravissante tous ces rêves épars et vagues. Le fils du physicien botaniste et philosophe ne s'en relèvera plus. « Ah ! écrit-il à un ami, quelques jours après la rencontre de l'Abbaye-aux-Bois, il y a des moments où il me semble, comme à Werther, que Dieu a détourné sa face de l'homme et l'a livré au malheur, sans secours, sans appui. Je suis triste, inquiet... Je ne suis pas sorti hier, je ne sortirai pas aujourd'hui. J'apprends des mots anglais, des particules, des règles, que sais-je ? toutes les saloperies dans lesquelles je me plonge pour oublier les tristes réalités de la vie. L'homme est ici-bas pour s'ennuyer et mourir. » Et encore, quatre mois plus tard : « La semaine dernière, le sentiment de malédiction a été sur moi, autour de moi, en moi. Je dois cela à lord Byron. J'ai lu deux fois de suite le *Manfred* anglais. Jamais, jamais de ma vie, lecture ne m'écrasa comme celle-là : j'en suis malade. » C'était surtout de Juliette, qui aurait pu être sa mère, que Jean-Jacques était malade. Dans son Journal, romantique et naïf, il note successivement : « Mme Récamier jouait du piano au fond de la chambre. Elle n'avait pas de collerette. Je me suis enivré d'amour. » Puis : « Elle faisait de la musique, elle me regardait de temps en temps avec un peu de tendresse. Je suis sorti enivré. » Enfin : « Ce soir, il y avait beaucoup de monde, Mme Récamier, charmante ; moi, consumé de désir. » Que de choses dans ces quelques lignes, insignifiantes et terribles ! On croit voir surgir devant soi, tout à coup très peuplée, la petite cellule de l'Abbaye, avec, dans un coin, à l'écart, loin des sommités du moment, un jeune homme rêveur et triste.

C'était l'époque de la folle passion entre Juliette et René. Chateaubriand occupait la première place, et peut-être la seule, dans le cœur de Mme Récamier ; mais elle ne cessait de maintenir de front, enrôlés dans la cour d'amour, subjugués par ses charmes, envoûtés par ses maléfices, obtenant juste assez pour ne pouvoir s'en aller, trois ou quatre amoureux insatisfaits et pâmés. Selon une formule assez peu délicate, Mme Récamier se conduisait avec le jeune Ampère « comme une veuve qui se serait prise d'affection pour un jeune chien ». Absent ou présent, tout cela tournait naturellement autour de Chateaubriand et de son amour partagé pour Juliette. Il était la clé qui ouvrait les serrures compliquées de ces caractères malheureux et de ces cœurs déchirés.

Paraît Mme de C... Juliette se met à souffrir. Elle se décide à partir, à quitter Paris qui lui devient odieux. A qui pense-t-elle pour l'accompagner, pour meubler son veuvage et sa solitude italienne ? A Mathieu, naturellement, à Ballanche, à Jean-Jacques. Mathieu de Montmorency, ancien ministre des Affaires étrangères, duc, pair de France, candidat à l'Académie française, dévoré d'ambition et confit en dévotion, peut difficilement la suivre sans déclencher un scandale. D'autant plus – ou d'autant moins – que son cousin Adrien, duc de Laval, épris, lui aussi, de Juliette, est ambassadeur à Rome. Non, même pour se venger de René avec la dernière cruauté, Mathieu, c'est impossible. Reste Ballanche ; reste Jean-Jacques. Elle leur propose à l'un et à l'autre de venir avec elle en Italie. On verra bien la tête que fera René, à Dieppe ou à Paris, entre Delphine et Claire, aux côtés de Céleste, dans les bras de Délie.

L'inventeur de l'électrodynamique avait beau être distrait et absorbé dans ses travaux, il s'inquiéta un peu de l'avenir de son fils. Ce voyage à Rome avec une beauté quadragénaire ne lui disait rien qui vaille. Il prit conseil auprès de Ballanche. Il lui confia ses réticences. Il lui parla de son fils, naturellement fou d'enthousiasme à l'idée de suivre Juliette au pays de Virgile, de Dante et de Pétrarque. Hésitant sur ce qu'il devait autoriser ou défendre et sur ses devoirs de père à l'égard d'un fils dont le destin se jouait, il eut une formule admirable : « Au moins, demanda-t-il à Ballanche, au moins, a-t-il du génie ? » Hélas ! du génie, il n'y avait que Chateaubriand pour en avoir. On dirait une partie de billard, sentimental et cruel, aux boules blanches innombrables, et dont les boules rouges s'appelaient René, Cordélia et Juliette.

A Rome, Juliette s'installa – où donc ? A deux pas du Pincio et de la place d'Espagne où était morte Pauline, dans les bras de René. Au n° 65 de la via del Babuino, déniché à son intention par la seconde duchesse de Devonshire, elle reconstitue une réplique de l'Abbaye-aux-Bois. Elle prend avec elle Amélie et Ballanche, qui a atteint l'âge canonique et dont personne n'ignore qu'il est inoffensif. Il s'agit tout de même de respecter les convenances. Elle relègue le jeune Ampère au vicolo dei Graeci, d'ailleurs tout voisin. Son prénom de Jean-Jacques fait un peu trop penser au jeune Jean-Jacques Rousseau auprès de Mme de Warrens. Quelle horreur ! On a bien débaptisé Joséphine Cyvoct pour l'appeler Amélie. On baptise Edouard le jeune Jean-Jacques Ampère.

La quarantaine largement dépassée, Juliette, à Rome, fait encore sensation. Un autre français de Rome, peintre, romancier, critique d'art, historien, journaliste, qui s'agrégera bientôt au petit clan de Juliette et qui tombera éperdument amoureux, non pas d'elle, pour une fois, mais de sa nièce Amélie, Delécluze, raconte, dans un style un peu prétentieux qui agaçait Sainte-Beuve, son apparition sur la terrasse d'un palais, au milieu de quelques-unes des plus belles femmes de Rome : « Au moment où elle parut, des hommes se retirèrent pour lui faire passage et leur admiration fut telle qu'elle rappela à plus d'un assistant celle des vieillards troyens qui, à la vue de la beauté d'Hélène, s'expliquèrent la guerre acharnée qu'on se faisait à cause d'elle. » Il suffit à Juliette de faire son entrée à Rome, sous un ciel gris et bas, pour qu'un torrent d'amour s'y précipite avec elle. « Auprès de Mme Récamier, murmure J.-J. Ampère, il fallait faire comme elle ; le cœur passait avant tout. »

Le cœur, le cœur, le cœur. Il faut se méfier un peu : une espèce de nausée vous prendrait volontiers. Sous les pas de Juliette, à Rome comme à Paris, les amours fleurissent comme des herbes folles, comme des plantes vénéneuses. Pendant que René se débat, en France, entre sa maîtresse, ses Madames et sa femme légitime, un prodigjeux roman intime, selon la formule de Sainte-Beuve, s'écrit en Italie autour de Mme Récamier.

Un personnage important de ce roman est l'ambassadeur de France en personne. Adrien de Montmorency est une vieille connaissance. Il est toujours amoureux de Juliette Récamier. Comme Ballanche, comme Ampère, il le restera jusqu'à la mort. Au seuil de l'agonie, il lui écrira encore : « On m'arracherait plutôt le cœur que le souvenir de vous avoir tant et si longtemps aimée. » Ce diplomate mondain finit par l'emporter aux points sur son cousin Mathieu. Toujours bègue, très myope, infiniment courtois, mais distrait, Adrien était une sorte de grand seigneur original et sceptique d'un extrême raffinement. Il se promenait à travers ses salons, une lorgnette à la main, avec l'air de pousser une reconnaissance en terrain inconnu. Il saluait avec étonnement des personnes de haut rang qu'il avait lui-même invitées quelques jours auparavant et paraissait n'avoir qu'une idée très imprécise du rôle que pouvaient bien jouer chez lui et ses hôtes et lui-même. Il posait le plus souvent des questions saugrenues qui semblaient tomber de la lune autant que celui qui les posait. Il était impossible de paraître moins renseigné sur les êtres et les événements que cet ambassadeur de France. Ce surprenant détachement à l'égard de la vie sociale, politique et quotidienne s'unissait à un esprit vif. Nous avons déjà lu quelques-unes de ses lettres, désarmantes et exquises. D'une femme affligée d'un long nez, il disait : « Il faut longtemps la ménager, car si elle se fâchait, elle vous passerait son nez au travers du corps. » Avec Juliette, qui l'avait attiré et repoussé comme tous les autres, il ne cessa jamais d'être parfait, mettant à sa disposition, non seulement un cœur dont elle ne voulait pas, mais des voitures, des équipages, un personnel, des salons dont elle se servait volontiers.

Une autre maison où Juliette se rendait souvent pour exercer ses ravages bienveillants était le palais Torlonia, place de Venise. Le maître de maison était ce même Torlonia, ami de Jacques Récamier, auquel le banquier parisien avait adressé René à l'époque du Directoire et sur qui étaient tirées les lettres de change de Pauline. Entre-temps, le banquier Torlonia était devenu duc de Bracciano et prince romain, et il s'était mis à rivaliser de somptuosité avec les têtes couronnées de l'époque. C'était, lui aussi, un personnage étonnant. Fils d'un chaudronnier auvergnat du nom de Tourlougne, il avait longtemps parcouru l'Europe, comme simple colporteur et brocanteur, à la suite des armées de la République. Devenu leur fournisseur attitré, il s'était établi à Rome. Il y avait acquis, comme homme d'affaires de l'ambassadeur Basseville, du général Miollis, de Mme Laetitia, puis du roi d'Espagne et du prince de Godoy, une fortune considérable et il y avait fondé une maison de banque d'une prospérité et d'une puissance exceptionnelles. On racontait qu'il conservait précieusement dans un étui de velours une vieille cuiller d'étain : « C'est dans cette cuiller-là que j'ai mangé la soupe pendant tout le temps que j'ai été un pauvre homme. » Dans le palais de la place de Venise, il donnait des fêtes éblouissantes, auxquelles participaient souvent près d'un millier d'invités. Stendhal assistera à plusieurs de ces bals auxquels il ne trouvait qu'un seul défaut : la présence du maître de maison, « un petit vieillard inquiet, au gilet trop long ». « Malgré soi, écrit Stendhal, on fait attention à cette figure : on y voit trop qu'il est incapable de jouir des belles choses qu'il a réunies autour de lui et cela en paralyse l'effet. »

C'est au palais Torlonia que se déroula un bal qui devait rester célèbre dans les annales mondaines de Rome et où Juliette Récamier se prêta à une comédie politique et sentimentale qui frôla le scandale. A l'occasion des cérémonies religieuses de la semaine sainte de 1824, Juliette avait retrouvé à Rome Hortense de Beauharnais qu'elle n'avait plus revue depuis les Cent-Jours. L'ancienne reine de Hollande venait de s'installer en Italie sous le nom de duchesse de Saint-Leu. En dépit de ses sentiments antibonapartistes, Mme Récamier se sentit aussitôt une vive sympathie pour la souveraine déchue. Nourrie par le souvenir d'Eugène de Beauharnais, jadis vaguement amoureux de Juliette à qui il n'avait jamais voulu rendre une bague qu'il lui avait prise, cette sympathie se changea bientôt en une affection plus profonde et, du côté au moins de la reine Hortense, en un attachement passionné qui semble parfois assez proche de l'amour. Avec Germaine de Staël, Hortense de Beauharnais fut, en tout cas, l'amie la plus intime et la plus tendre de Juliette Récamier. Les opinions de Juliette, son intimité avec l'ambassadeur de France, le goût aussi, si développé, de l'aristocratie romaine pour toutes les sortes de ragots ne lui permettaient pas de fréquenter trop ouvertement la belle-fille de Napoléon. La duchesse avait bien invité Juliette à venir lui rendre visite au palais Ruspoli, sur le Corso, où elle vivait avec son fils, le futur Napoléon III ; Juliette n'avait pas osé s'y rendre. Elles étaient alors convenues de se rencontrer, comme par hasard, au Colisée. Juliette arrivait, flanquée de Jean-Jacques ; et Hortense, de son fils. Pendant que les deux femmes se promenaient au milieu des ruines, tendrement enlacées à l'abri des regards, les deux jeunes gens s'éloignaient un peu et conversaient entre eux. Etonnant tableau ! Sur les lieux mêmes de la dernière promenade de Pauline et de René, la maîtresse de Chateaubriand et la belle-fille de Napoléon, qui était aussi sa belle-sœur – et peut-être sa maîtresse –, se serraient furtivement les mains, pendant que le fils de l'inventeur de l'électrodynamique discutait avec un empereur.

Bientôt, Juliette et Hortense ne se cachèrent plus guère. Elles allaient se promener, ensemble, et seules, aux thermes de Titus, sur l'Aventin plus désert encore en ces temps-là qu'aujourd'hui, le long de la via Appia où elles ne rencontraient que les fantômes des pauvres morts allongés sous les dalles des monuments funéraires. Pour comblée qu'elle fût de la tendresse de Juliette, Hortense souffrait de n'être reçue nulle part et d'être tenue à l'écart de toutes les fêtes, tant françaises que romaines. Elle se désolait surtout de n'avoir aucune relation avec le duc de Laval, ambassadeur de Louis XVIII qui lui avait pourtant accordé le titre de duchesse de Saint-Leu. C'est alors que Juliette eut une idée dont elle fit part aussitôt à Hortense enchantée.

Le prince Torlonia donnait un bal masqué où se rendait tout ce qui avait à Rome de la fortune, de la beauté, de l'illustration ou un nom. Adrien de Montmorency était naturellement présent, au milieu des princesses, des ambassadeurs, des banquiers, des ministres, déguisés en fermières ou en arlequins. Tout à coup, le duc aperçoit devant lui deux jeunes femmes masquées, vêtues identiquement d'un domino de satin blanc garni de dentelles. Le seul détail qui les distingue est que l'une porte un bouquet de roses et l'autre une guirlande des mêmes fleurs. Le domino à la guirlande se trouve à plusieurs reprises sur le chemin de l'ambassadeur. La converstion s'engage. L'ambassadeur reconnaît la voix si familière du domino : c'est Juliette Récamier. Elle soulève son masque un instant : c'est bien elle. Ils échangent quelques mots et ils dansent ensemble. La foule des masques les sépare. Ils se perdent dans la foule bigarrée et bruyante. Une demi-heure ou trois quarts d'heure plus tard, l'ambassadeur entrevoit à nouveau, autant que sa myopie et sa maladresse suprêmement élégantes le lui permettent, le domino à la guirlande de roses parmi le tourbillon des robes et des uniformes. Il se précipite. Elle fuit. Il la rattrape. Elle se dérobe. Enfin il la saisit presque violemment par le bras. Elle s'arrête, le regarde. Un trouble le saisit : jamais Juliette ne l'a contemplé si longuement, avec tant d'insistance. La musique, autour d'eux, ne permet guère les paroles. Il lui serre doucement la main. Elle se laisse aller vers lui. Ils dansent. Interminablement. Lorsque la danse, enfin, s'achève, le domino à la guirlande prend le bras de l'ambassadeur de Sa Majesté très chrétienne. Et tous deux, enlacés un peu plus étroitement que ne l'exige le protocole, font le tour des salons qui s'ouvrent les uns sur les autres. Ils passent entre les laquais qui tiennent leurs flambeaux à la main. Ils passent devant les altesses et les ambassadeurs d'Espagne, de Russie, d'Autriche. Des saluts s'échangent. Un murmure s'élève sur leurs pas. C'est qu'ils ont grande allure tous les deux, l'aristocrate français à la fin de race incomparable et la déesse masquée. S'entraînant mutuellement, l'ambassadeur et le domino finissent par s'arracher à la foule trop bruyante. Ils traversent encore quelques salles, parviennent à un petit salon où ils sont enfin seuls. Sans échanger un mot, l'ambassadeur prend dans ses bras le domino consentant. Et leurs lèvres se frôlent dans un simulacre de baiser.

Soudain, au loin, à l'autre bout d'une galerie interminable, paraît l'autre domino blanc, celui au bouquet de roses. Il danse, lui aussi, avec une grâce sans pareille. De temps en temps, il semble à l'ambassadeur que le regard de la danseuse s'attarde un peu sur lui. Une sorte de malaise le prend. Juliette... Ses yeux se portent, tour à tour, d'un domino à l'autre, du domino à la guirlande au domino au bouquet. Juliette... Le doute s'empare de lui.

– Madame..., murmure-t-il en penchant sa haute taille vers le domino à la guirlande.

Le domino le regarde, à travers son masque. Les yeux sont beaux, troublants... Mais sont-ce ceux de Juliette ?

– Madame..., répète d'une voix plus forte Adrien de Montmorency.

Le domino à la guirlande esquisse un semblant de révérence. Le duc relève aussitôt la jeune femme immobile. Elle semble attendre un verdict. Il la reprend dans ses bras, avec un trouble qu'il ne cache pas. Lentement, avec cette courtoisie exquise qui se mêlait chez lui au scepticisme et à la grâce timide, il lui enlève son masque : c'était la reine Hortense qui avait échangé son bouquet contre la guirlande de roses de Juliette Récamier.

Cette familiarité presque intime entre l'ambassadeur de Louis XVIII et la belle-fille de Napoléon fit les délices de Rome. Il n'y eut que la princesse de Lieven, qui se trouvait à Rome elle aussi afin de mieux continuer à jouer son rôle de fée Carabosse aux côtés de Juliette comme de René, pour suffoquer d'indignation. Elle trouvait la plaisanterie exécrable et entreprit d'ameuter la société romaine contre ce scandale inouï. C'est qu'elle était aussi méchante et rancunière que spirituelle. Et, selon la formule de Mme Récamier, « la politique ne l'abandonnait jamais, même au bal ».

Pendant le séjour de Juliette à Rome, Eugène de Beauharnais mourut à Munich d'une attaque d'apoplexie. Dès qu'elle apprit la nouvelle, Juliette, bannissant toute prudence, et peut-être toute convenance, se précipita au palais Ruspoli et se jeta, en larmes, dans les bras d'Hortense éplorée. Jamais la reine Hortense ne devait oublier le tendre attachement qui l'unissait à Juliette. Quand elle mourra, en 1837, elle léguera par testament à Mme Récamier, en souvenir sans doute de tant de roses échangées, le voile de dentelles qu'elle portait le jour de la semaine sainte où elle l'avait rencontrée dans l'ombre harmonieuse de Saint-Pierre-de-Rome

Autour de Mme Récamier, tous les cœurs battaient. Et les romans d'amour poussaient comme du chiendent. Il faudrait parler ici d'une foule de personnages surprenants, telle la vieille comtesse d'Albany, qui avait épousé le prétendant Charles-Edouard, comte d'Albany, avant de vivre en Italie avec le poète Alfieri, puis avec le peintre François Fabre ; telle aussi la seconde duchesse de Devonshire, née Elizabeth Hervey, qui avait longtemps composé avec le duc et la première duchesse, née Georgiana Spencer, un illustre ménage à trois, d'une beauté accablante, avant d'épouser elle-même le duc à la mort de Georgiana et de se réfugier à Rome à la mort de son mari ; tel encore le cardinal Consalvi, secrétaire d'État de Pie VII, pour qui la duchesse de Devonshire nourrit une telle passion qu'elle ne se déplace jamais sans un portrait le représentant : « Je crois que nous devrions recevoir la duchesse, écrit à sa sœur la fille de Georgiana, mais je ne sais pas où nous pourrons suspendre Consalvi. » C'est de lui que Chateaubriand écrit dans ses *Mémoires* : « Le cardinal Consalvi, souple et ferme, d'une résistance douce et polie, était l'ancienne politique romaine vivante, moins la foi du temps et plus la tolérance du siècle. » Dans la vie, ou parfois la mort, de tous et de toutes, la beauté, l'esprit, le charme irrésistible de Juliette auront joué un rôle.

Dans le cercle restreint autour de Juliette Récamier, parmi les peintres, les sculpteurs, les poètes dont elle s'entoure, un autre roman intime s'ébauche entre Amélie, alias Joséphine, Édouard, alias Jean-Jacques, et Delécluze. A sa première rencontre avec Amélie, Delécluze est frappé par la foudre. Hélas ! si Jean-Jacques a vingt-deux ans de moins que Juliette, Delécluze en a vingt-quatre de plus qu'Amélie. De cette situation de vaudeville sortent des douleurs tamisées, des souffrances en demi-teinte. Amélie a beau témoigner à Delécluze l'indifférence la plus manifeste, il parvient à se persuader que cette froideur apparente n'est qu'un chef-d'œuvre d'éducation. Les illusions des cœurs épris trouvent ici une éclatante illustration. Un beau soir, Delécluze pénètre dans le salon de la via del Babuino. Amélie, qui regarde par la fenêtre, le voit entrer et aperçoit au même instant une procession en train de déboucher de la place d'Espagne. Elle s'écrie : « Ah ! voilà M. Delécluze, quel bonheur, une procession ! » Tout un rêve d'amour s'édifie sur une erreur de ponctuation. Le moindre sourire de politesse, le moindre indice inventé suffit à combattre, en Delécluze, tant d'attitudes plus que réservées. « Elle a bien vite vu que je l'aime, note-t-il avec mélancolie et avec aveuglement, et, soit par coquetterie, soit par affectation de sentiment, elle n'a jamais cherché à user de l'avantage qu'elle avait sur moi. »

Comme dans une pièce de théâtre bien conduite, Jean-Jacques Ampère, de son côté, passe, avec Juliette, par des épreuves rigoureusement parallèles. Mais il a deux excuses que n'a pas Delécluze. D'abord, il est bien plus jeune ; ensuite, Juliette Récamier est plus habile à le tenir en haleine que l'innocente Amélie. Aveugle sur son propre cas, chacun des deux amoureux reste parfaitement lucide sur les folies de l'autre. Par un mécanisme un peu étrange et tout à fait naturel, une sorte de rivalité finit par s'établir entre eux, qui ne sont pas en concurrence. « Ce pauvre Delécluze est fou, note Ampère avec une clairvoyance à usage strictement externe. A quarante-trois ans, avec du sens, de l'expérience, il se trompe sur lui et sur elle. A cause de quelques compliments, il s'est monté la tête à fond. Il ne s'est pas aperçu de l'impossibilité qu'on voulût de lui. » Et Delécluze, en écho, juge fort sagement Jean-Jacques : « Il n'a pas quinze ans, il fait des scènes d'enfant. Sa situation est incroyable, personne ne la croirait, il se déconsidère. » Et de lui conseiller, à la fureur d'Édouard, de prendre une jeune maîtresse qui lui apprendra bien d'autres voluptés qu'une beauté mûrissante, trop illustre et inaccessible. Le roman intime se termine différemment pour l'homme dans la force de l'âge et pour l'adolescent. Delécluze abandonna :

« J'espère, dit-il en quittant Rome, que je suis tout à fait rendu à la raison. » Amélie, deux ans plus tard, épousa Charles Lenormant, un jeune archéologue qui sera l'exécuteur testamentaire de Chateaubriand. Jean-Jacques resta prisonnier de sa folle passion et de ses rêves impossibles. Pendant vingt ans encore, il poursuivit auprès de Juliette son apprentissage de vieux garçon. Mérimée, lié avec Ampère et toujours dur pour Mme Récamier, parle en termes cruels de cet amour condamné : « Un de mes amis intimes a été amoureux d'elle très violemment. C'était un homme d'un caractère très passionné, très capricieux, très original. Petit à petit, elle l'a façonné de telle manière qu'il est devenu doux, bénin, poli et médiocre comme tout le monde. » Son mot de la fin est encore pire et jette une lueur effrayante sur le pauvre cœur des hommes : « Quand elle est morte, il m'a paru qu'il en éprouvait une sorte de soulagement. »

Sur ces cœurs en déroute planait l'ombre d'un absent. Dans le cercle des familiers de Mme Récamier, chacun, et surtout Juliette elle-même, ne cessait de s'interroger, avec curiosité, avec animosité ou sympathie, parfois avec angoisse, sur le sort de Chateaubriand. Que devenait-il ? Où en était-il de sa carrière politique, sentimentale et littéraire ? Il accomplissait avec un zèle parfois mal récompensé sa tâche ministérielle, il s'occupait de Cordélia et il écrivait à Juliette.

Sa guerre d'Espagne avait comblé le ministre de fierté. Il la tenait pour son « *René* en politique » – c'est-à-dire pour un chef-d'œuvre. Mais, une fois de plus, les étranges réactions d'une famille royale à laquelle il s'était dévoué corps et âme l'avaient peiné et déçu. Non seulement les Bourbons, infatués de leur passé et oublieux de leurs échecs, s'imaginaient que tout leur était dû, mais encore la gloire de Chateaubriand et l'usage sans doute immodéré qu'il lui arrivait d'en faire commençaient à leur porter ombrage : ils lui firent sentir, peut-être inconsciemment, que le mérite de la guerre et de la libération du roi d'Espagne ne revenait pas au ministre des Affaires étrangères, mais à la couronne de France. Le comte d'Artois se montra hautain ; de peur de voir oubliées les vertus guerrières du duc d'Angoulême, la duchesse, son épouse, se comporta à peu près comme si le ministre n'existait pas ou comme s'il était transparent : « Je reçus sur la tête, écrit Chateaubriand avec une modestie vengeresse, un seau d'eau froide qui me fit rentrer dans l'humilité de mes habitudes. »

Fille de Louis XVI et de Marie-Antoinette, ce qui suffisait à la parer aux yeux de Chateaubriand d'une auréole de martyre, qu'elle méritait, et de vertus sublimes, qu'elle n'avait pas, la duchesse d'Angoulême n'était pas très intelligente. Elle ne pardonnera jamais à l'auteur des *Mémoires d'outre-tombe* une phrase qu'elle n'avait pas comprise. Pendant la campagne d'Espagne, un boulet était tombé très près du duc d'Angoulême et le prince avait été couvert de débris et de terre. « Pourquoi, écrit Chateaubriand, ce boulet le manqua-t-il ? » Il s'agit, évidemment, de la plus banale des interrogations métaphysiques. La fille de Louis XVI y vit, un peu bizarrement, l'expression d'un vœu déçu. La duchesse d'Angoulême était peu vive et peu gracieuse. Chateaubriand le savait, le constatait, en souffrait et faisait des efforts méritoires pour hisser au-dessus d'elle-même « cette victime immortelle, tombée de toute la hauteur des siècles ».

L'ensemble de l'ingrate famille, que les malheurs n'avaient guère assagie, Chateaubriand la servait avec grandeur, mais sans trop de souplesse et sans cette humilité qu'il prête avec drôlerie à ses habitudes d'orgueil et de vanité. Avec Louis XVIII lui-même, qui détestait pourtant, en partisan farouche des classiques, la nouvelle école romantique, il ne s'entendait pas trop mal, en dépit des souvenirs liés à l'affaire Decazes : « Sa Majesté s'endormait souvent au Conseil, et elle avait bien raison ; si elle ne dormait pas, elle racontait des histoires. Elle avait un talent de mime admirable ; cela n'amusait pas M. de Villèle, qui voulait faire des affaires. M. de Corbière mettait sur la table ses coudes, sa boîte à tabac et son mouchoir bleu ; les autres ministres écoutaient silencieusement. Moi, je ne pouvais m'empêcher de me divertir des récits de Sa Majesté ; le roi était visiblement charmé. Quand il s'aperçut de son succès, avant de commencer une histoire, il y cherchait une excuse, et disait avec sa petite voix claire : *Je vais faire rire M. de Chateaubriand.* »

M. de Chateaubriand riait. Il se prenait pour Richelieu, se croyait inamovible, rechignait à enfiler un habit doré et à se mettre une épée au côté pour aller rendre visite au roi, et préférait une promenade à Saint-Julien-le-Pauvre à « la joie ineffable d'envisager l'auguste régnant ». C'est qu'il avait d'autres soucis que ceux du protocole et de plus hautes ambitions. La guerre d'Espagne n'était, dans son esprit, que la préface d'un plan grandiose. Avec l'aide du tsar Alexandre et contre l'Angleterre, il rêvait de la réunion des Églises, de la création en Amérique latine de « monarchies représentatives sous des princes de la maison de Bourbon », de la révision des « odieux traités de 1815 » et de l'annexion de la rive gauche du Rhin. Le tout serait payé d'un appui à la Russie contre Constantinople, ce qui permettrait, du même coup, de s'assurer la sympathie des libéraux philhellènes. Pour jeter les bases de cette négociation extraordinairement ambitieuse, qui assurait, à ses yeux, la pérennité de la dynastie et le prestige de la France, il prévoyait déjà une conférence dans une ville neutre d'Allemagne.

L'ampleur de ces desseins tourmentait un peu tout le monde. L'Angleterre, naturellement, qui voulait garder sous sa tutelle commerciale les nouvelles républiques de l'Amérique espagnole et qui ne tenait pas du tout à voir la France sur le Rhin. Villèle, qui s'inquiétait des aspirations de son ministre des Affaires étrangères et qui craignait un marché de dupes entre le commerce britannique et les illusions bourboniennes de René dans des Amériques de rêve : « Moi, disait-il avec réalisme et perfidie, je ne mets pas de poésie dans les affaires. Tous ces beaux pays de là-bas ne seront bientôt qu'un marché anglais si Chateaubriand continue encore une année à correspondre en tête à tête avec Canning. » Les ministres, qui supportaient de plus en plus difficilement la hauteur, le manque de familiarité, le génie de Chateaubriand. Le roi lui-même, enfin, qui voulait surtout mourir en paix.

De temps en temps, laissant Villèle traiter les affaires quotidiennes, Chateaubriand allait entretenir Louis XVIII, dans le plus grand secret, de ses immenses ambitions. Il le trouvait seul, assis à une petite table. Quand le ministre entrait, le roi se dépêchait de cacher dans son tiroir les lettres confidentielles et les notes mystérieuses qu'il était toujours en train d'écrire, avec des airs de conspirateur et à l'aide d'une grosse loupe. Ils parlaient littérature. Louis XVIII aimait les lettres et parlait le latin couramment. On allait jusqu'à chantonner en chœur quelques rimes de vaudevilles :

On peut parler plus bas,
Mon aimable bergère...

Et puis, profitant de la bonne humeur royale, Chateaubriand glissait quelques mots sur la frontière du Rhin. Le roi allongeait les lèvres, poussait de petits soupirs, levait un doigt de sa main droite à la hauteur de son œil, regardait son ministre et lui faisait un signe amical de la tête, qui signifiait n'importe quoi – peut-être : « Nous nous reverrons » et peut-être : « Allez-vous-en. » Chateaubriand sortait, plein d'une confiance aveugle, du cabinet royal.

Ces desseins ambitieux ne détournaient pas René de ses amours contradictoires. Il continuait, mais avec une irrégularité croissante, à envoyer à Juliette des lettres dont quelques-unes sont déchirantes : « Depuis votre départ, mon travail s'est accru, et je n'ai trouvé que dans cette ennuyeuse occupation une triste distraction à votre absence. Je n'ai pas passé une seule fois auprès de l'Abbaye : j'attends votre retour.

Je suis devenu poltron contre la peine : je suis trop vieux et j'ai trop souffert. Je dispute misérablement au chagrin quelques années qui me restent ; ce vieux lambeau de ma vie ne vaut guère le soin que je prends de lui. » Se dissimulant derrière le poids des affaires et les incertitudes de la poste, c'est lui maintenant qui répond en une seule fois à deux ou trois lettres de Juliette ; et c'est elle qui, de Rome, lui reproche de l'oublier. Il se défend un peu mollement : « Vous parlez de mes triomphes et de mon oubli. Ne croyez ni aux premiers ni au second. » La séparation commence à faire sentir ses effets destructeurs. A son neveu Paul David, qui avait, lui aussi, été amoureux d'elle, Juliette envoie des aveux où revient inlassablement, comme un leitmotiv, son aspiration au calme après tant de tempêtes. Paris, vu de Rome, lui paraissait insupportable : « Je crains d'y retrouver des agitations qui me sont odieuses. Je reçois des lettres douces, on se plaint de mon absence, on demande mon retour ; mais avec une personne qui manque de vérité, on ne sait jamais vivre, et je suis absolument déterminée à ne plus me remettre dans toutes ces agitations. » Et, quelques semaines plus tard : « Si je retournais à présent à Paris, je retrouverais les agitations qui m'ont fait partir. Si M. de Chateaubriand était mal pour moi, j'en aurais un vif chagrin ; s'il était bien, un trouble que je suis résolue à éviter désormais. » Le dernier billet que nous connaissons de Chateaubriand à Juliette exilée est du 9 avril 1824. Il ne compte que trois lignes. La lettre précédente se terminait par ces mots : « Revenez ; c'est mon refrain. »

Il y eut pourtant d'autres lettres adressées à la fugitive par son volage amant. Mais elles ont disparu. « Sa correspondance avec Mme Récamier, nous confie Mme Lenormant, devint beaucoup moins fréquente. En outre, par un accident que je déplore et que je ne puis m'expliquer, les lettres en petit nombre que M. de Chateaubriand lui adressa à cette époque si grande de sa vie publique manquent toutes à la collection. Regrettable lacune ! » Avec sa coutumière et malveillante subtilité, Sainte-Beuve propose à cette disparition une explication assez vraisemblable : « Ses lettres à Mme Récamier manquent et font défaut ; elles n'ont pas été retrouvées, nous dit-on, avec les autres papiers ; elles devaient renfermer trop d'éclats de colère et de haine vengeresse, ce qui sans doute les aura fait dès longtemps supprimer. »

Colère ? haine vengeresse ? Contre les Bourbons sans doute. Et nous verrons pourquoi. Impossible de croire que ce fût contre Juliette : on se demande qui, de René ou de Juliette, aurait eu le droit de se plaindre : après le départ de Mme Récamier, au milieu des plans grandioses pour la France et les Bourbons, la liaison se poursuivait avec Cordélia de Castellane. Quinze jours après avoir confié à Juliette qu'il était trop vieux, qu'il avait trop souffert et qu'il disputait misérablement au chagrin les quelques années qu'il lui restait à vivre, il écrivait à Cordélia : « J'ai reçu ta longue lettre. Je t'en remercie. Je l'ai portée toute la journée sur mon cœur. Tu me feras dire le moment où je pourrai aller baiser tes beaux pieds. A toi ! à toi ! » Il était encore assez jeune pour cette gymnastique amoureuse.

Assez jeune, oui, et peut-être même un peu trop. Selon le schéma le plus classique, celui qu'avait connu Delphine, victorieuse de Pauline et menacée par Natalie, Cordélia se mettait à être jalouse de Fortunée Hamelin, qui n'avait ni sa grâce, ni sa jeunesse, ni sa beauté, mais qui plaisait au ministre. Vingt ans plus tard, à peu près au moment où nous le suivons dans sa promenade quotidienne de la rue du Bac à l'Abbaye-aux-Bois et retour, René, septuagénaire, écrira à Fortunée, sexagénaire : « Aimez-moi toujours comme quand vous veniez me chercher aux Affaires étrangères. » Pensez-vous que cela faisait l'affaire de la belle Mme de C... ? Elle connut à son tour les affres de la jalousie qu'elle avait inspirée à Juliette Récamier. Et voici que René est obligé de lui écrire : « Je ne veux pas vous laisser vous coucher sur une mauvaise pensée. Soyez sûre que tout ce qu'on a pu vous dire de cette Mme H... est faux ; et vous pouvez être aussi sûre que je ne la reverrai de ma vie. Demain à une heure, je serai chez vous. Bonne nuit et mille hommages. Ch. » « Bonne nuit et mille hommages... » : le ton a déjà changé. Il ajoute dans la lettre qu'il est bien fatigué : le Conseil des ministres ne s'est terminé qu'à dix heures. La fatigue, les affaires, les hommages, la formule : « Soyez sûre que... », tout cela n'est pas bon signe. Et le vouvoiement remplace déjà le tutoiement. Peut-être ne s'agit-il là que d'un vouvoiement de tendresse, mais encore quelques semaines, quelques jours, et le vouvoiement se substituera définitivement au tutoiement. La dernière lettre à Cordélia où il la tutoie encore est du 24 avril 1824. Enfer et damnation : quinze jours exactement après la dernière lettre qui nous soit parvenue à Juliette émigrée ! Tout claquait en même temps entre les doigts du menteur. Et tout prenait tout à coup une allure mystérieuse et tragique : « Samedi 24, en me levant. J'ai trouvé ton billet en rentrant à onze heures et demie. Il m'a fait un grand bien, mais il ne m'a pas complètement rassuré. S'il t'arrivait un accident, je ne me le pardonnerais de ma vie. Comment es-tu ce matin ? Cette tempête m'a bien fait faire des souhaits cette nuit. Si nous avions été au bord de la mer !. » Un accident ? Quel accident ? Laissons lecteurs et lectrices rêver sur ce mystère. Et rêvons en même temps sur ce grand amour de la mer et de ses tempêtes qui semble laver d'un coup le souvenir de l'Enchanteur de toutes ses accumulations de petitesses. Il était menteur et magnifique, il était mesquin et généreux. A Dieppe déjà, avec Délie, il espérait une tempête. Et dix ans plus tôt, à une autre des ses amies, malheureuse et fidèle, à Mme de Duras, qui se trouvait... où cela ?... mais à Dieppe, naturellement, il écrivait avec splendeur : « Dites à la mer toutes mes tendresses pour elle. Dites-lui que je suis né au bruit de ses flots, qu'elle a vu mes premiers jeux, nourri mes premières passions et mes premiers orages, que je l'aimerai jusqu'à mon dernier soupir et que je la prie de vous faire entendre quelques-unes de ses tempêtes d'automne. » Oui, il faut toutes les vagues de la mer et toutes ses tempêtes d'automne pour balayer de notre mémoire et du cœur de Chateaubriand nos soupçons trop justifiés.

Quelques mois encore plus tard, après des événements qui sont encore devant nous, il écrit à Délie : « Mme de Chateaubriand vient de partir. Je dînerai chez vous ; je serai chez vous à cinq heures. Nous ferons nos arrangements pour nos voyages. A vous pour la vie. » Chateaubriand, à cette date, n'est déjà plus ministre. Juliette est en train de quitter Rome pour s'établir à Naples. Céleste, à son tour, est sur le point de s'enfuir vers Neuchâtel, vers la Suisse, vers n'importe où. Et René vouvoie Délie. Pour la vie ? Rien n'est moins sûr.

Rien n'échoue comme le succès. Le succès, comme l'amour, va souvent au succès ; mais souvent aussi il le fuit. C'est de sa fortune même, et de sa bonne fortune, que naît l'échec de Chateaubriand. Villèle, Mathieu de Montmorency, Sosthène de La Rochefoucauld, le roi lui-même – et Cordélia – en seront les artisans.

Sosthène de La Rochefoucauld poursuivait inlassablement ses campagnes contre Chateaubriand et en faveur de son beau-père, qui le laissait faire assez volontiers. Juliette Récamier n'était plus là pour amortir les coups et pour rétablir l'équilibre, comme elle savait si bien le faire, entre ses amis opposés. Le clan Montmorency s'efforçait d'ailleurs de la retenir loin de Paris. Et elle ne trouvait plus les forces nécessaires pour défendre un amant qui l'avait trop déçue. « Tout sera possible à M. de Villèle, lui écrivait à Rome, avec une perfide habileté, Sosthène de La Rochefoucauld ; et il en profitera sans doute. Cependant au milieu de tout cela il y a tant de choses pénibles et qui seraient affligeantes pour vous que j'allais vous écrire pour vous engager à ne pas revenir en ce moment. Votre santé succomberait à tant d'agitations. » L'hostilité des Montmorency et des La Rochefoucauld contre Chateaubriand ne se limitait plus à des querelles personnelles ; elle prenait des allures plus franchement politiques. Quelque légitimiste qu'il fût, Chateaubriand incarnait l'attachement à la Charte et aux libertés parlementaires. Pour beaucoup d'aristocrates impatients de revenir à un ancien régime sans concession, le moment était venu de balancer par-dessus bord toutes ces fadaises libérales où ils voyaient la marque, à peine dissimulée, de l'esprit révolutionnaire. Les Montmorency, les La Rochefoucauld n'étaient pas seuls dans cette conspiration. Ils avaient des alliés haut placés en la personne du comte d'Artois et de la comtesse du Cayla, respectivement frère et favorite du roi Louis XVIII qui voulait d'abord et avant tout la paix du ménage et en famille. La hauteur, la capacité de mépris, la suffisance parfois du ministre des Affaires étrangères lui valaient pas mal d'ennuis. Et ses amours illégitimes elles-mêmes redoublaient l'hostilité de la Congrégation à laquelle était lié étroitement Mathieu de Montmorency, impatient de se venger non seulement des succès politiques de Chateaubriand au sein du gouvernement, mais des succès sentimentaux de René auprès de Juliette Récamier.

Juliette n'était plus là, mais Cordélia était là. Et il n'est pas sûr que son influence, indirectement au moins, ait été très heureuse. Paris supporte mal les succès trop éclatants et se retourne assez vite contre ses favoris. Des bruits fâcheux se mettaient à courir. On ne gouverne pas impunément : pour la première fois dans la vie de René, la rumeur l'attaquait non sur des affaires de cœur, mais sur des affaires tout court. On racontait que le comte Greffulhe, père de Cordélia et banquier, avait souscrit largement à un emprunt lancé en Espagne par les Cortes et acheté un nombre de titres qui ne prêtait pas à rire. De là à soutenir que Mme de C..., sa fille, s'était donnée au ministre des Affaires étrangères, défenseur d'un roi d'Espagne prisonnier et vainqueur des Cortes, moins par amour que par amour filial et pour tenter d'obtenir la reconnaissance par Ferdinand VII des emprunts des Cortes, il n'y avait qu'un pas à franchir. Il fut sauté avec allégresse et avec ce goût du scandale qui anime bien souvent le public parisien.

Ferdinand VII était un despote et, à peine rétabli sur le trône, il se jeta dans une politique de vengeance et de réaction. Chateaubriand dut agir vigoureusement sur notre ambassadeur à Madrid, M. de Talaru – mari de cette Mme de Talaru que nous avons vue pousser si loin le sens de la famille –, pour ramener le souverain restauré, sinon à plus de libéralisme, du moins à plus de justice et de compréhension. Le 11 décembre 1823, le jour même où il écrivait à Cordélia qu'il rêvait d'aller baiser ses beaux pieds, le ministre envoyait à M. de Talaru une dépêche moins alanguie et beaucoup plus vigoureuse : « Vous êtes un vrai roi, car vous disposez de quarante-cinq mille hommes et, en mêlant l'adresse à la force, vous vous ferez obéir. » Cette pression libérale sur le roi Ferdinand à travers notre ambassadeur pouvait être interprétée par des esprits malveillants comme un des éléments d'une manœuvre qui visait surtout à faire reconnaître les mesures financières adoptées par les Cortes révoltés. L'ambassadeur se serait acquitté de sa mission avec une telle brutalité que le roi d'Espagne, furieux, aurait écrit au roi de France pour se plaindre en bloc, avec beaucoup d'ingratitude, non seulement de ses Cortes, mais de Chateaubriand qui l'avait fait libérer et de l'ambassadeur Talaru. Et Louis XVIII, ulcéré, aurait décidé de se séparer de ce ministre plus ou moins prévaricateur par passion amoureuse et qu'il avait su bien juger du temps de l'affaire Decazes.

Colportées de bouche à oreille, puis par des Mémoires plus ou moins suspects, toutes ces accusations étaient sans doute calomnieuses et injustes. Mais c'était déjà trop qu'elles aient pu être seulement imaginées et formulées. Homme à bonnes fortunes, ministre triomphant, génie de l'expression et de l'imagination, Chateaubriand prêtait encore le flanc aux attaques par une vanité enfantine et de surprenantes petitesses. Peut-être parce qu'il n'avait jamais cessé d'avoir des revanches à prendre sur une jeunesse difficile, il était sensible à ces honneurs qu'il passait son temps à faire semblant de mépriser. Ministre des Affaires étrangères, libérateur du roi d'Espagne, ami du tsar Alexandre, une pluie de plaques et de cordons s'était abattue sur lui. Il avait la Toison d'or, l'Annonciade, la grand-croix de l'ordre du Sauveur. Le tsar lui fit parvenir le grand cordon de Saint-André. Du coup, fureur de Villèle qui ne l'avait pas reçu. Pour apaiser son Premier ministre, et pour faire pièce à Chateaubriand, Louis XVIII conféra à Villèle le fameux cordon bleu, objet de toutes les concupiscences. Du coup, fureur de Chateaubriand. Pour calmer toutes ces aigreurs, il fallut obtenir à la fois le cordon bleu pour le ministre et le cordon de Saint-André pour le président du Conseil. Les grands hommes ne passent pas leur temps à s'occuper de grandes choses.

L'affaire du milliard des émigrés était plus sérieuse. Il s'agissait de convertir la rente de 4 pour 100 en rente à 3 pour 100, émise à soixante-quinze francs, le bénéfice de l'opération étant affecté à une indemnité versée aux émigrés dont le patrimoine avait constitué des biens nationaux. Comment faire avaler aux Chambres une loi pareille ? Assez facilement en ce qui concernait la Chambre des députés : Chambre retrouvée, nouvelle Chambre introuvable, elle était composée en partie de bénéficiaires de la loi nouvelle. En régime démocratique comme dans les autres, c'est une assez bonne façon de gouverner que de faire adopter les lois par ceux auxquels elles profitent. Bizarrement, les pairs se montrèrent plus réticents : la loi fut repoussée à trente-quatre voix de majorité, sans que Chateaubriand, qui représentait le gouvernement, ait pris la parole pour la défendre. Chateaubriand sentait bien que son attitude avait quelque chose d'ambigu. Pour la rattraper, il évoqua la possibilité d'une démission collective du cabinet, où il serait naturellement solidaire du président du Conseil. Villèle comprit, ou fit semblant de comprendre, que son ministre le poussait dehors pour venir ensuite le remplacer.

Le dimanche 6 juin, jour de la Pentecôte, Chateaubriand, confiant, encore amoureux de Mme de C..., se réveilla assez tôt après avoir dormi assez mal. Il remuait dans sa tête les détails d'un grand dîner de plus de quarante personnes qu'il donnait le soir même, avec l'aide du grand Montmirel ramené de Londres à Paris, au ministère des Affaires étrangères. Le soleil se levait, l'aube murmurait dans le petit jardin, les oiseaux gazouillaient, les cloches annonçaient la Pentecôte. Une hirondelle tomba, par la cheminée, dans la chambre : le ministre sortit de son lit pour lui ouvrir la fenêtre. Il la suivait du regard en pensant, malgré lui, qu'il aurait voulu s'envoler avec elle. Et il se mit à sourire de son insatisfaction perpétuelle et de ses imaginations.

A dix heures et demie, il se rendit à la messe, aux Tuileries. L'idée lui vint d'aller saluer le comte d'Artois au passage et il se dirigea vers le pavillon de Marsan. Les salons étaient presque vides. Un aide de camp de Monsieur l'aborda et lui dit d'un ton embarrassé :

– Monsieur le vicomte, je n'espérais pas vous rencontrer ici ; n'avez-vous rien reçu ?

– Non, répondit Chateaubriand avec une sorte de majesté outragée, que pouvions-nous recevoir ?

– J'ai peur que vous ne le sachiez bientôt.

Intrigué, mais à peine préoccupé, le ministre, qui en avait vu d'autres, alla écouter la messe dans la chapelle. Il était absorbé dans les beaux motets de la Pentecôte lorsqu'un huissier vint s'incliner devant lui :

– Monsieur le vicomte, il y a une personne qui insiste pour vous voir d'urgence dans la salle des maréchaux.

Chateaubriand se lève, suit l'huissier, pénètre dans la salle des maréchaux et y aperçoit Hyacinthe Pilorge, le rouge des grandes occasions sous ses favoris roux, qui se jette sur lui et lui tend une lettre en balbutiant :

– Monsieur n'est plus ministre !

La lettre est de Villèle. Le duc de Rauzan, directeur des affaires politiques et gendre de Claire de Duras, l'a ouverte et n'a pas osé l'apporter. Elle est rédigée en ces termes :

« Monsieur le vicomte, j'obéis aux ordres du roi en transmettant de suite à Votre Excellence une ordonnance que Sa Majesté vient de rendre. »

Et voici l'ordonnance :

« Louis, par la grâce de Dieu, etc.

» Nous avons ordonné et ordonnons ce qui suit :

» Le sieur comte de Villèle, président de notre conseil des ministres, est chargé par intérim du portefeuille des Affaires étrangères, en remplacement du sieur vicomte de Chateaubriand. »

Ces quelques lignes devaient peser d'un poids énorme sur les épaules des Bourbons et, six ans plus tard, contribuer à leur chute. Bertin, le fidèle Bertin, le Bertin d'Ingres et de Pauline, se fit recevoir par Villèle et lui déclara que si réparation n'était pas faite à Chateaubriand, le *Journal des Débats* déclencherait les hostilités contre le gouvernement. « Vous avez renversé Decazes en faisant du royalisme, répliqua Villèle avec une perspicacité à laquelle les événements allaient se charger de donner raison ; pour me renverser, il vous faudra faire la révolution. » Quelques jours plus tard, Chateaubriand ouvrait le feu dans les *Débats*. Il prenait la tête de cette contre-opposition, qui, au sein du parti royaliste, allait devenir l'alliée objective de l'opposition républicaine et orléaniste aux Bourbons. Monarchiste et chrétien, il ne pardonnait pas à la couronne qui l'avait mis à la porte, selon ses propres mots, comme s'il avait pris la montre du roi sur la cheminée. Il redevenait tout à coup l'adolescent violent qu'il avait été en Bretagne, aux côtés de Gesril, l'écolier révolté qui se battait au collège avec le préfet des études, celui qui écrivait avec une sorte de fureur : « Je me sentais disposé à faire tout le mal qu'on attendait de moi. » Contre les Bourbons, pendant six ans, jusqu'à leur chute finale, il portera coup sur coup. « Les ministres sont mes ennemis, je suis le leur. Je leur pardonne comme chrétien, mais je ne leur pardonnerai jamais comme homme. » Il savait fort bien que cette attitude était en contradiction avec la plupart de ses principes. Qu'y faire ? Il s'en moquait. « Il serait mieux d'être plus humble, plus prosterné, plus chrétien. Malheureusement, je suis sujet à faillir ; je n'ai point la perfection évangélique : si un homme me donnait un soufflet, je ne tendrais pas l'autre joue. » A l'image de pas mal de chrétiens, Chateaubriand unissait à l'infidélité sentimentale un goût assez vif pour la vengeance. Il y joignait de l'allure, du panache, un sens ironique de la grandeur. « L'immense dîner prié », auquel l'illustre Montmirel avait consacré tant de génie, fut replié dans le petit appartement de la rue de l'Université. Casseroles, lèchefrites, bassines furent nichées dans tous les coins par le maître et ses marmitons. Puis, des excuses ayant été envoyées à tous les invités, René se mit à table entre Céleste et un vieil ami.

Peut-être, en goûtant du bout des lèvres les merveilles de Montmirel, songeait-il avec amertume à l'hostilité des hommes qui n'avait cessé de le poursuivre et que seule avait pu combattre la tendresse des femmes qui n'avaient cessé de l'aimer. Pauline l'avait servi auprès de Fontanes et de Bonaparte ; Delphine, auprès de Fouché ; Claire de Duras, auprès du roi, de Richelieu, de Villèle ; Juliette Récamier, auprès des Montmorency. Mais il avait lassé en même temps, par sa folle passion pour Cordélia de Castellane, et Mme de Duras et Mme Récamier. A l'instant du péril, il s'était retrouvé seul. Parce qu'il savait se tenir, parce que, dans l'échec comme dans le succès, il avait une haute idée de lui-même, parce qu'il allait bientôt écrire : « Craindre pour une place ou la pleurer est une maladie dont je serais honteux comme d'une gale », il se tourna vers les deux chattes qu'il avait ramenées du ministère avec lui, entre Montmirel et les lèchefrites : « Le temps est passé, leur dit-il, de faire les grandes dames ; il faut maintenant songer à prendre les souris. »

Une nouvelle traversée du désert commençait. Elle sera dure et longue. Le désert, cette fois-ci, n'était plus impérial : il était bourbonien. On n'est jamais trahi que par les siens. « Ma chute fit grand bruit », écrit Chateaubriand dans ses *Mémoires*. C'était vrai. Mais rien n'étouffe le bruit de la gloire comme l'adversité. Très vite, la rue de l'Université, où, pendant quelques jours, attirée par l'odeur du sang et par la perspective d'un rétablissement toujours possible, avait encore défilé une « foule condoléante », devint étrangement calme.

Juliette et René ne s'écrivaient plus. Cordélia s'éloignait : elle préférait le succès à l'échec. Bientôt elle partira pour l'Italie avec Horace Vernet, le peintre, avant de se transformer en une dame d'œuvres respectable et un peu forte et de renouer avec Mathieu Molé, à la carrière éclatante et terne, une liaison très calme, bien faite pour effacer le souvenir ardent de René. Elle, qui aura suscité les cris de passion les plus fous, elle n'aura passé dans la vie de René que pour accompagner sa gloire, et peut-être pour la détruire. Il n'y avait pas que l'oubli pour isoler René. La mort frappait à coups redoublés. C'est à cette époque-là qu'à deux ans de distance disparaissent deux de ses amies les plus constantes et les plus malheureuses : Delphine de Custine et Claire de Duras. Nous avons vu déjà le dernier convoi de la Princesse Sans-Espoir passer à Lausanne, sous les fenêtres de René. Quinze jours avant de mourir à Nice, la duchesse de Duras envoyait à Chateaubriand, qu'elle avait tant aimé et servi et qui l'avait tant fait souffrir, une dernière branche de laurier. Elle expira en pensant à lui, qui était tout pour elle sans qu'elle fût rien pour lui : « Je ne le verrai plus ici-bas ! »

Mon Dieu ! Lucile, Pauline, Delphine, Claire s'enfonçaient dans la nuit éternelle ; Natalie était folle, enfermée dans sa maison de santé de la rue du Rocher ; Charlotte et Cordélia disparaissaient à jamais ; Juliette se taisait. René restait tout seul en face de la personne la plus improbable et peut-être – peut-être ? – la plus étrangère à sa vie et à ses rêves : sa femme.

De toutes les femmes qui jalonnent et encombrent la vie de René, Céleste, par la force des choses, aura duré le plus longtemps. Mais ce serait une erreur de ne lui accorder que ce seul avantage. Elle présente plus d'intérêt que bien des maîtresses passagères de René. A défaut de beauté, elle a de l'esprit, du caractère. Elle compte plus qu'on ne pourrait le croire dans la carrière de Chateaubriand. Elle ne constitue pas, à elle seule, un de ces chapitres brûlants de la chronique de l'Enchanteur. Mais elle l'accompagne tout au long de sa vie. Et elle l'aime.

Pour son malheur, Céleste Buisson de La Vigne aimait son mari. Passionnément. A la folie. Et, comme toutes les femmes qui l'aimaient, René la fit souffrir. Les innombrables billets de Céleste au brave M. Le Moine, révélés par Maurice Levaillant, finissent, après avoir amusé, par faire venir les larmes aux yeux. René écrit à Le Moine pour l'entretenir de ces affaires d'argent qui furent son tourment le plus constant. Il haïssait ces éternelles discussions avec les librairies et les créanciers, dont il disait à Mme de Duras : « On passe très bien deux heures avec cela, comme avec la torture ! » René avait le génie de susciter des dévouements : Joubert, Fontanes, Chênedollé, Bertin, Hyde de Neuville, dans une certaine mesure Ballanche, et beaucoup d'autres encore, lui furent obstinément attachés. M. Le Moine appartient, plus que personne, à la troupe de ces fidèles inébranlables. A plusieurs reprises, il permet de survivre au génie désespéré. Et les billets de René à Le Moine constituent l'épopée de ses embarras financiers et des miracles successifs qui finissent par le tirer d'affaire. A ce même Le Moine, Céleste, de son côté, adresse aussi – avec esprit – des appels au secours. Mais ce n'est pas d'argent qu'il s'agit : c'est de la solitude du cœur.

« Je suis malade et veuve : venez donc dîner avec moi. » Ou : « Venez dîner avec moi : je suis seule et triste. » Ou encore : « Je ne vous offre pas le denier, mais le dîner de la veuve ! » C'est une litanie inlassable où reviennent sans cesse les mêmes mots : *triste, seule, veuve,* comme autant de cris de désespoir et d'accusation à peine voilée contre l'Enchanteur vu du côté des coulisses et de la cuisine. La cuisine joue un grand rôle : elle sert à dissimuler sous l'esprit, qu'elle manie assez bien, les désarrois de Céleste : « Des pieds de veau et un pigeon, en voulez-vous ?... » « Bien qu'il n'y ait point de douceurs à dîner, voulez-vous venir en partager les rigueurs ? » « Un melon, une charlotte et une carpe ; tout cela à votre service à six heures précises ; mais venez ! » *Mais venez !* Entre la carpe et les pieds de veau, il y a peu de mots plus déchirants.

Certains billets vont plus loin, et montrent franchement la plaie au lieu de la dissimuler : « Je crains que vous ne soyez enrhumatisé. Si vous ne criez pas vos reins, et ne craignez pas la pluie, venez dîner avec moi. M. de Chateaubriand dîne au Rocher de Cancale. Je suis une pauve veuve abandonnée. » En 1822, à peu près à l'époque où Chateaubriand est ambassadeur à Londres : « Je dîne encore seule aujourd'hui ; mais je reste chez moi à manger une fraise de veau : venez m'aider à n'en pas laisser. M. de Chateaubriand va à Saint-Cloud : il ne déteste plus que sa maison et ne se conduit plus que par les conseils de Mme de Duras. » L'année d'avant, l'année d'après, avec Juliette ou Cordélia, la pauvre Céleste aurait eu bien d'autres raisons de se plaindre qu'avec Claire de Duras, en fin de compte inoffensive. Et voici un billet, à l'écriture inégale et heurtée, sur lequel – on le comprend – M. Le Moine lui-même a écrit : *important* et marqué la date du 25 juin 1825 – c'est-à-dire un peu plus d'un an après le renvoi du ministère : « Venez dîner, je vous en prie : je suis malade et noire à mourir. Je suis seule. M. de Chateaubriand dîne chez une de ses *amantes*. » C'est Céleste elle-même qui souligne ce dernier mot, s'efforçant de cacher sous les apparences de la plaisanterie un désespoir trop réel. 1825 : de quelle nouvelle maîtresse pourrait-il bien s'agir ? De Juliette Récamier enfin rentrée à Paris ? D'une autre encore – et moins sérieuse ? Bien malin qui en décidera.

De ces quelques lettres choisies presque au hasard et des mensonges de René entre Pauline et Delphine, ou entre Delphine et Cordélia, ou entre Cordélia et Juliette, risque de surgir l'image d'un Enchanteur décevant, pitoyable, odieux, et parfois monstrueux. A beaucoup de charme, de générosité et de génie, il unit non seulement un égoïsme farouche, mais une duplicité indéfiniment renouvelée qui n'était peut-être que l'expression d'une nature fondamentalement déchirée et contradictoire. Avec Céleste, en tout cas, à qui, d'une certaine façon, il était très attaché, il se conduit avec une impertinence qui frôle la muflerie. C'est qu'elle porte en elle une tare impossible à pardonner : elle est sa femme. Il détestait le mariage. Dans un texte étonnant où apparaissent, en quelques lignes, deux contradictions essentielles, l'une sentimentale, l'autre politique, il s'explique une fois pour toutes : « On me maria malgré mon aversion pour le mariage, afin de me procurer le moyen de m'aller faire tuer au soutien d'une cause que je n'aimais pas. » Par un étrange paradoxe, parce qu'il était contracté avec une mineure à une époque très troublée, ce mariage réticent avait pu apparaître en même temps comme un enlèvement. Mais c'était, en vérité, un mariage d'argent où ce qu'il y avait de passion ne pouvait être découvert que dans l'attitude un peu trouble de la sœur du marié. Le comble est que l'argent disparut aussitôt et que du mariage d'argent il ne resta que le mariage. Et, parce qu'il n'y avait pas d'argent, il n'y avait plus moyen de se dégager du mariage. C'est ce qu'éclaire très bien ce passage surprenant des *Mémoires d'outre-tombe* : « Oh ! argent que j'ai tant méprisé et que je ne puis aimer quoi que je fasse, je suis forcé d'avouer pourtant ton mérite. Source de la liberté, tu arranges mille choses dans notre existence où tout est difficile sans toi. Excepté la gloire, que ne peux-tu pas donner ? Quand on n'a point d'argent on est dans la dépendance de toutes choses et de tout le monde. Deux créatures qui ne se conviennent pas pourraient aller chacune de son côté : eh bien ! faute de quelques pistoles, il faut qu'elles restent là en face l'une de l'autre à se bouder, à se maugréer, à s'aigrir l'humeur, à s'avaler la langue d'ennui, à se manger l'âme et le blanc des yeux, à se faire, en s'enrageant, le sacrifice mutuel de leurs goûts, de leurs penchants, de leurs façons naturelles de vivre : la misère les serre l'un contre l'autre et, dans ces liens de gueux, au lieu de s'embrasser, elles se mordent. »

Il n'y a déjà rien de très aimable pour la femme de l'auteur dans cette analyse économique de la servitude conjugale. Il y a plus cruel encore dans le portrait qu'il trace d'elle, avec une apparente courtoisie, mais où seuls les éloges apparaissent équitables : « D'un esprit original et cultivé, écrivant de la manière la plus piquante, racontant à merveille, Mme de Chateaubriand m'admire sans avoir jamais lu deux lignes de mes ouvrages ; elle craindrait d'y rencontrer des idées qui ne sont pas les siennes ou de découvrir qu'on n'a pas assez d'enthousiasme pour ce que je vaux. » Le plus perfide cependant et le plus juste à la fois est dans les quelques lignes où, à son habitude, il s'occupe de lui-même, mais, pour une fois, avec une franchise qui a quelque chose d'effrayant : « Somme toute, lorsque je considère l'ensemble et l'imperfection de ma nature, est-il certain que le mariage ait gâté ma destinée ? La contrainte de mes sentiments, le mystère de mes pensées ont peut-être augmenté l'énergie de mes accents, animé mes ouvrages d'une fièvre intense, d'une flamme cachée qui se fût dissipée à l'air libre de l'amour. » Peut-on mieux dire, et plus clairement, que jamais Céleste n'a été aimée de René ? Mais aussi, d'une certaine façon, qu'elle lui était indispensable ? Indispensable pour l'ordre, pour la continuité, pour la contrainte sans doute, peut-être aussi pour la liberté : paradoxalement, Céleste le protégeait des autres femmes et de leurs tentations d'encerclement. Il est permis de penser que, tout bien pesé, il y a plus de vérité pour sa femme que pour lui-même dans sa réflexion orgueilleuse et désabusée : « Les hommes de ma sorte doivent-ils se marier ? La vérité de leur nature est une vérité de chimère, de misère et isolement, qui n'est pas assez sainte pour les autels de la famille. »

Après la chute de Chateaubriand, à plusieurs reprises, Céleste, qui savait tout cela, essaya de le fuir, de s'éloigner des turpitudes de « Paris-Babylone » et de se libérer d'un joug qui, parmi tant de tourbillons, avait été trop dur. Que pensez-vous qu'il se passa ? Que René la laissa partir et qu'il se réjouit enfin de sa liberté retrouvée ? Bien sûr que non : il lui courait après et il la ramenait de force et à coups de charme dans son semblant de foyer où il se hâtait, naturellement, de l'abandonner à nouveau. Le nez trop long, la poitrine plate, le corps menu et frêle, elle n'était pas jolie. Mais elle avait de l'esprit et du caractère, elle était l'habitude et la paix au milieu des « Madames » souvent un peu lassantes ; et, dès qu'elle n'était plus là, il se mettait bizarrement à avoir besoin d'elle. Elle, dès qu'il était absent, s'inquiétait de la santé de René, de sa vie quotidienne, de ses amours bien entendu, et exigeait des nouvelles ; mais lui, de son côté, par faiblesse peut-être, par désir d'avoir la paix, mais aussi par attachement, lui écrivait presque chaque jour. Elle l'ennuyait à mourir et il semble en même temps avoir eu plus de mal à se passer d'elle qu'il ne l'aurait lui-même souhaité.

Malade, la poitrine et les nerfs touchés, excédée de politique, exaspérée par les frasques de René, Céleste était déjà partie pour la Bretagne pendant que M. de Chateaubriand siégeait au gouvernement. Les fuites, après la disgrâce, à Neuchâtel en 1824, puis à Toulon en 1826, furent beaucoup plus sérieuses. Chaque fois, René, en train de se débattre dans des ennuis d'argent sans fin, se jeta à sa poursuite. Une espèce de cercle vicieux finissait par s'établir : elle partait parce qu'elle était malade ; mais elle n'était malade que de lui, dont elle ne pouvait pas se priver : « Timide et tremblante pour moi seul, ses inquiétudes renaissantes lui ôtaient le sommeil et l'envie de guérir ses maux : j'étais sa permanente infirmité et la cause de ses rechutes. » Il va même presque jusqu'à se vanter, avec une inconscience qui épouvante, qui jette une ombre sur sa mémoire, de pouvoir « lui faire cracher le sang à volonté pendant deux jours de suite. » Et puis il se ressaisissait, il avait honte, il se mettait tout à coup à se rappeler ses devoirs, il s'inquiétait surtout de cette paix quotidienne à quoi il aspirait plus qu'à tout : « Chez moi, écrit-il à propos précisément de son mariage, l'homme public est inébranlable, l'homme privé est à la merci de quiconque se veut emparer de lui, et pour éviter une tracasserie d'une heure, je me rendrais esclave pendant un siècle. » Et encore : « Un *comme vous voudrez* m'a toujours débarrassé de l'ennui de persuader personne. » Il n'est pas tout à fait interdit de penser que c'est par une sorte d'indifférence égoïste où l'habitude et l'attachement s'équilibraient à peu près qu'après avoir épousé Céleste par faiblesse et sans amour il lui écrivait chaque jour quand elle n'était pas avec lui et qu'il la ramenait chez lui quand elle essayait en vain de le fuir.

C'est que fuir l'Enchanteur n'était pas si facile. Après un séjour d'un an et demi à Rome, puis à Naples, puis à nouveau à Rome, Juliette Récamier se préparait à regagner Paris. Encore à Rome, le 16 juin 1824, elle avait appris la chute de Chateaubriand. Elle n'était pas rentrée à Paris pour le consoler, elle ne lui avait même pas écrit : comme pour s'éloigner davantage, elle était partie pour Naples. Là, deux événements principaux l'avaient surtout occupée. D'abord, elle avait renvoyé Jean-Jacques Ampère à Paris, en prenant soin, tout de même, de lui briser le cœur. Pendant de longues années, il suffira au pauvre Édouard de regarder une bague qu'elle lui avait donnée pour se mettre à pleurer. Et, de Naples, acharnée ou inconsciente, Juliette lui envoyait à Rome ces quelques lignes bien imprudentes pour un convalescent : « Je vous écris pendant que vous êtes encore là, mais je veux que vous trouviez ce petit billet en arrivant à Rome ; demain vous serez parti et je vais me trouver encore plus triste et plus isolée que jamais. Adieu, adieu ; vous écrirez tous les jours et je vous promets un petit mot tous les courriers jusqu'à mon retour. » Les boulons étaient bien serrés pour éviter tout risque, toute ombre, toute velléité d'indépendance.

C'est à Naples aussi que Juliette se livra à une activité moins contestable : elle fit la connajssance d'un jeune archéologue, Charles Lenormant, et, par une jolie pensée, au lieu de se l'attacher à elle-même, elle le réserva à Amélie. Les deux jeunes gens se fiancèrent à Rome, au retour. Voilà enfin une note de fraîcheur au milieu de tant de troubles. Et puis, un beau jour de printemps, toute la petite troupe reprit, en passant par Venise, le chemin de Paris. On vit dans des couloirs d'auberge Ballanche, fidèle au poste, philosopher avec des valets ahuris et des soubrettes effrontées. Le dimanche 29 mai 1825, Juliette entrait à Paris et retrouvait l'Abbaye. René n'était pas là : il assistait, à Reims, au sacre de Charles X.

C'est qu'il n'y avait pas, pour s'en aller, que les maîtresses de l'Enchanteur. Un peu plus de trois mois après avoir renvoyé Chateaubriand, Louis XVIII était mort dans une affreuse odeur de gangrène. En présence de Talleyrand, à qui son titre de grand chambellan permettait de voir mourir les rois, M. de Damas avait murmuré au comte d'Artois : « Sire, le roi est mort. » Puis, s'avançant vers la foule des courtisans qui attendaient dans un salon voisin, le comte de Blacas avait lancé : « Messieurs, le roi ! » Et Charles X était entré.

Les relations de René avec le comte d'Artois n'étaient guère meilleures qu'avec le feu roi lui-même. Il vit pourtant dans le changement de souverain l'occasion de rentrer en grâce.

A l'avènement de Louis XVIII, il avait publié *De Buonaparte et des Bourbons* ; à l'avènement de Charles X, il écrivit *Le Roi est mort : vive le Roi !* Le sacre eut lieu à Reims le dimanche 29 mai, pendant que Juliette Récamier faisait son entrée à Paris. Entouré des maréchaux d'Empire ralliés à la monarchie et qui commençaient à avoir l'habitude de ce genre de cérémonie, Charles X reçut l'hommage de ses nouveaux sujets. Comme tous les chevaliers du Saint-Esprit, Chateaubriand eut à s'agenouiller devant lui. Le roi éprouva quelque difficulté à enlever ses gants pour saisir entre ses mains les mains de Chateaubriand. Il lui dit en riant : « Chat ganté ne prend pas de souris. » Toute sa vie, René avait manqué de cet esprit de circonstance qui fait les reparties vives et les mots historiques. Il n'avait rien répliqué, jeune homme, aux platitudes de Louis XVI sur les péripéties de la chasse royale ; il s'était tu devant Bonaparte ; il n'avait guère séduit Louis XVIII. Il ne sut quoi répondre à Charles X. Le sacre lui apparut aussitôt comme une parade vaguement ridicule où il se mêlait avec une hauteur méprisante à la foule des courtisans. Les choses, côté cour, commençaient mal.

Elles ne se présentaient pas beaucoup mieux côté jardin. Mme de Duras, avant de mourir, avait écrit dans une lettre : « M. de Chateaubriand oublie tout, et surtout ceux qu'il aime, le tien n'est rien pour lui. Il faut l'aimer quand même, mais ne jamais compter sur ce qui exige un sacrifice. Et voilà ce qui fait que toutes les personnes qui l'ont aimé ont été malheureuses, quoiqu'il ait de l'amitié et surtout beaucoup de bonté. » A son retour de Rome, Juliette Récamier semble partager la déception de Claire de Duras. A Jean-Jacques Ampère elle avait déjà confié : « M. de Chateaubriand n'est pas susceptible d'affection, mais d'habitude. » Avec un autre confident, plus tard, elle est plus dure encore et, sachant pourtant par expérience combien René sait se sacrifier quand il est amoureux, elle se rapproche du jugement de Mme de Duras : « M. de Chateaubriand a beaucoup de noblesse, un immense amour-propre, une délicatesse très grande ; il est prêt à faire tous les sacrifices pour les personnes qu'il aime. Mais de véritable sensibilité, il n'en a pas l'ombre ; il m'a causé plus d'une souffrance. » Mais voyez comme il est difficile de se faire une opinion à peu près équitable : sur le point de la capacité de sacrifice de René, Claire et Juliette sont en désaccord – pour des raisons assez évidentes ; voici que le confident même à qui s'adressait Juliette la contredit maintenant sur le point de la sensibilité : « M. de Chateaubriand, dont la tenue fière et la dignité un peu dédaigneuse ont fait quelquefois suspecter la sensibilité, avait le cœur le plus ouvert. » A chacun de se forger son propre diagnostic à travers la variété et l'opposition des jugments. Ce qui est sûr, c'est qu'après tant de mois d'éloignement et de silence le retour de Juliette dans la ville de René allait être une épreuve.

Le sacre à peine terminé, Chateaubriand monte dans la même voiture que Mathieu de Montmorency et roule vers la capitale. A Paris l'attend un choc sentimental d'une extrême violence : il reçoit un mot de Mme Récamier qui, à peine arrivée, l'invite à venir la voir. Il n'hésite pas un instant. Le jour même de son retour de Reims, le mardi 31 mai, à l'heure sacramentelle, il pénètre à nouveau, le cœur battant comme à vingt ans, dans la petite cellule de l'Abbaye-aux-Bois. C'est une des émotions les plus vives de sa carrière de séducteur. Il monte l'escalier après avoir salué quelques religieuses qui retrouvent avec une joie naïve le grand homme qui leur manquait. Il avance, il hésite, il ferme les yeux un instant, il frappe, il pousse une porte : Juliette Récamier est enfin devant lui. Les larmes leur viennent aux yeux. Ils se jettent, sans un mot, dans les bras l'un de l'autre.

Et puis, ils se dégagent. Ils se regardent longuement. Les ombres de Charlotte, de Claire, de Delphine, de Cordélia, de Jean-Jacques, de Ballanche, des deux Montmorency s'évanouissent d'un seul coup. Ils se tiennent par la main comme deux enfants qui jouent, ou peut-être qui se reposent après avoir trop joué. René regarde Juliette : elle a beaucoup de cheveux blancs. Juliette regarde René : il a beaucoup de rides. Mais ils sentent leur cœur qui se remet, comme jadis, à battre à l'unisson. Ils n'ont pas besoin de parler : ils se sont déjà retrouvés. Quelque chose de très fort se mêle à leur tendresse : ils ont pitié l'un de l'autre.

Ils se regardent. Ils s'aiment. Ils ont pitié l'un de l'autre. Ils vont s'asseoir aux mêmes places ou quelque deux ans plus tôt ils avaient coutume de s'asseoir. Dix-huit mois de défiance, de jalousie, de mensonges, de chagrin s'abolissent d'un seul coup. Ils s'aiment. Ils vont vieillir ensemble.

On peut donner de ces retrouvailles une interprétation romantique. On peut aussi ironiser. On peut se laisser aller à une émotion où un peu de résignation commence à se mêler au bonheur retrouvé. Écoutons plutôt les mots dont se sert Amélie pour raconter, sur le mode le plus simple, ce regain d'une tendresse mûrie par les chagrins : « Il accourut le jour même, à son heure accoutumée, comme s'il fût venu la veille. Pas un mot d'explication ou de reproches ne fut échangé ; mais, en voyant avec quelle joie profonde il reprenait ses habitudes interrompues, quelle respectueuse tendresse, quelle parfaite confiance il lui témoignait, Mme Récamier comprit que le ciel avait béni le sacrifice qu'elle s'était imposé, et elle eut la douce certitude que désormais l'amitié de M. de Chateaubriand, exempte d'orages, serait ce qu'elle avait voulu qu'elle fût, inaltérable, parce qu'elle était calme comme la bonne conscience et pure comme la vertu. »

Une amitié exempte d'orages, calme comme la bonne conscience, pure comme la vertu... Hé ! Amélie, ne nous emballons pas. Nous ne sommes pas au bout de nos peines et de nos voluptés. Mais, enfin, après tant de malheurs, Juliette et René avaient fini par se retrouver. Et ils ne se quitteront plus.

Ils régnaient, de nouveau, tous les deux, chacun à sa façon et ensemble, sur Paris fasciné. Revenue à Chateaubriand, Mme Récamier faisait entrer ses admirateurs à l'Académie française comme dans une maison de retraite. A la fin de 1825, avec l'aide de l'immortel dramaturge François Roger et la neutralité bienveillante de Chateaubriand, elle fit élire Mathieu de Montmorency. Il était temps : quatre mois plus tard, le vendredi saint, le vieux rival de René, le mentor grognon de Juliette, rendait le dernier soupir au milieu d'une prière à Saint-Thomas-d'Aquin.

Le moins qu'on puisse dire est que l'élection de Mathieu ne s'imposait pas : il n'avait guère pour lui que son nom et l'amitié de Juliette. La presse se déchaîna. Un recueil anonyme, intitulé *Biographie des Quarante de l'Académie française*, ménagea Chateaubriand, mais traita « Mme R...r » de « Circé de l'Abbaye-aux-Bois » et attaqua assez violemment le malheureux Mathieu : « Il ne manquait plus à M. de Montmorency que le titre d'académicien ; son histoire est maintenant complète : semi-républicain en 1789, marguillier de paroisse sous le gouvernement impérial, jésuite en 1821, restaurateur de l'Espagne en 1822, ministre disgracié, puis académicien : *abyssus abyssum avocat.* » L'Académie dans son ensemble n'était pas mieux traitée : « Elle s'est placée elle-même, par l'organe de ses muets, hors de la littérature et des besoins du moment. »

Sur les pas de Chateaubriand, héros de l'opposition libérale contre Villèle, après avoir été, avec Villèle, le chef de l'opposition ultra contre Decazes et Richelieu, s'élevait un concert de louanges. En France surtout, la situation d'opposant est assez favorable aux écrivains. René en profitait largement et rédigeait dans le *Journal des Débats* des articles qui auraient pu paraître dans les organes libéraux, dans *la Minerve* ou dans *le Constitutionnel*. « Quel que soit le sort réservé à la France, allait-il jusqu'à dire, je ne me séparai jamais des trois principes qui font la base de tous mes ouvrages : la religion, la liberté et le trône légitime. Je ne suis point républicain, quoique je voie très bien que le monde va à la République par l'incapacité des uns et par la supériorité des autres et quoique mon esprit conçoive parfaitement cette espèce de liberté populaire, inconnue des anciens, qui nous arrive de force par le perfectionnement de la société. « Du coup, *l'Ami de la Religion* ou *l'Etoile* l'attaquaient avec violence et l'accusaient de prendre la haute idée qu'il se faisait de ses talents « pour un signe évident de vocation à l'autorité ». La *Gazette de France* se moquait de « ces phrases à grands fracas qu'on admire au collège ». Même avec des préoccupations plus strictement littéraires, des voix discordantes s'élevaient ici ou là. Dans une revue anglaise, Stendhal, sous un pseudonyme, se gausse de la « boursouflure » du monarchiste libéral, du plus classique des romantiques, et l'appelle joliment « notre grand hypocrite national ».

C'est ensemble surtout que Juliette et René sont le centre de Paris et de ce monde littéraire qui existait alors avec force. Aidée de Charles Lenormant, Juliette Récamier copiait sur le manuscrit de l'auteur les *Souvenirs d'enfance et de jeunesse* qui deviendront plus tard les trois premiers livres des *Mémoires de ma vie*, puis des *Mémoires d'outre-tombe*. De temps en temps, Mme Récamier, qui avait échangé, vers cette époque, sa cellule du troisième étage pour un appartement au premier étage où pouvait tenir plus de monde, organisait des soirées. On écoutait de la musique. On conversait. Talma disait des vers. René lisait quelques pages. Dans le salon de l'Abbaye-aux-Bois, au-dessous du célèbre tableau de Gérard représentant *Corinne au cap Misène* sous les traits embellis de Mme de Staël, se retrouvaient des duchesses, des peintres, des libéraux, des admirateurs de René et des amoureux de Juliette. Il y avait naturellement le jeune Ampère, le vieux Ballanche, Benjamin Constant et, jusqu'à sa mort, Mathieu de Montmorency. Un jour, la duchesse d'Abrantès amena un inconnu : il s'appelait Honoré de Balzac. Lorsque la lecture était finie, on apportait le thé :

– Monsieur de Chateaubriand, voulez-vous du thé ?

– Je vous en demanderai.

Ausitôt, un écho se répandait dans le salon :

– Ma chère, il veut du thé.

– Il va prendre du thé.

– Donnez-lui du thé.

– Il demande du thé !

Et dix dames se mettaient en mouvement pour servir l'idole. Lorsque Juliette était malade, on se réunissait dans sa chambre. Hors d'une courtoisie rigoureuse et guindée – « Tout transparent qu'il est par nature, disait jadis Joubert en parlant de René, il est boutonné par système » –, il n'y avait ni protocole, ni règles fixes, ni esprit de cénacle, ni opinions obligatoires. La maîtresse de maison ne demandait qu'une chose à ceux qu'elle recevait : c'était de marquer de la déférence pour M. de Chateaubriand et de le laisser régner. Il régnait.

Il régnait, non seulement sur le salon de Mme Récamier, mais, ce qui était plus important, sur l'opinion publique. Villèle l'y aidait : il avait commis l'imprudence de rétablir la censure. On commençait à supprimer, dans les articles sur l'auteur du *Génie du christianisme*, les épithètes trop flatteuses. On n'annonçait plus ses brochures. Chateaubriand se sentait atteint dans ses intérêts d'écrivain comme dans ses opinions. A M. Le Moine, il recommande, de Suisse où il a été rejoindre Céleste, de faire hâter par son éditeur la parution de ses œuvres complètes « avant que la censure soit établie, et je suppose qu'elle le sera. Alors, les annonces dans les journaux indépendants deviendront impossibles, et on lâchera contre l'ouvrage la meute des journaux ministériels ». Pour éviter ce désastre, Chateaubriand se déchaîne. Villèle voulut encore durcir le contrôle de la presse par la fameuse loi qui augmentait le droit de timbre sur les journaux et exigeait le dépôt à la direction de la librairie de tout écrit cinq jours au moins avant sa mise en vente. Casimir Périer proposa par dérision un projet plus court : « L'imprimerie est supprimée en France au profit de la Belgique » ; l'opposition traita le projet de « loi de haine et de vengeance » ; Chateaubriand, de « loi vandale ». Un député de droite, en réponse, parla de la presse comme de « l'arme chérie des ennemis de la religion et de la dynastie, des amis du protestantisme, de l'illégitimité, de la souveraineté du peuple » et de l'imprimerie comme de « la seule plaie dont Moïse oublia de frapper l'Égypte ». Le garde des Sceaux Peyronnet qualifia le projet de « loi de justice et d'amour ». Des polémistes ironiques firent un sort à la formule. Le projet de loi dut être retiré. Hué par la garde nationale, désavoué par la Chambre, Villèle finit par tomber.

Le successeur de Villèle aurait dû être Chateaubriand. Il se situait exactement à ce carrefour de la Charte et de la légitimité où était tombé le gouvernement. Mais Villèle veillait. Il ne voulait à aucun prix être remplacé par le chef de la défection, par le meneur de la contre-opposition royaliste, par celui qu'il regardait comme un traître et « qui, disait-il, me répugne plus qu'aucun autre ». Il n'eut pas beaucoup de mal à convaincre Charles X, qui éprouvait une sympathie assez mince pour ce monarchiste libéral. On lui proposa vaguement la Marine ou l'Instruction publique. Il répondit que, chassé des Affaires étrangères, il ne rentrerait que par les Affaires étrangères et suggéra quelques noms, dont celui de Hyde de Neuville, le vieil ami de Grenade du temps de Natalie. Le nouveau cabinet est constitué dès les premiers jours de 1828.

Martignac est président du Conseil. Portalis garde des Sceaux, Hyde de Neuville et La Ferronays, liés avec René, reçoivent la Marine et les Affaires étrangères. Chateaubriand n'a rien du tout. « Il fut si furieux, raconte Mme de Boigne, qu'il en pensa étouffer ; il fallut lui mettre un collier de sangsues, et, cela ne suffisant pas, on lui en posa d'autres aux tempes. Le lendemain, la bile était passée dans le sang et il était vert comme un lézard. »

En 1820, il avait fait un ministère et on l'avait laissé de côté ; en 1828, il en défaisait un autre et on le laissait encore de côté. Pour que la névrose d'existence politique fût achevée, il fallait que la parenté entre les deux situations allât encore plus loin. En 1820, il avait rendu service : on l'éloignait. En 1828, il gênait : on l'éloigna à nouveau. Martignac comprit assez vite qu'il ne pouvait avoir contre lui en même temps, à la Chambre, l'opposition libérale et la contre-opposition des amis de Chateaubriand et qu'il avait besoin des voix de ceux qui, sous l'influence de René, constituaient la défection royaliste. De nouveau, on pressentit le grand homme. Mais, cette fois, il avait non seulement ses exigences, mais ses amis libéraux, qui étaient souvent ceux de Juliette. Benjamin Constant ne lui faisait plus peur, ni Royer-Collard, ni le maréchal Sébastiani, Corse, soldat de l'Empire, père de la fameuse duchesse de Praslin qui sera assassinée par son mari – et libéral. Malheureusement, pour Charles X, l'heure n'était pas arrivée de faire participer au pouvoir cette famille de pensée qui aurait peut-être – peut-être – pu éviter aux Bourbons de tomber pour la troisième fois. Et pourtant, il fallait désarmer Chateaubriand et le faire rentrer dans le bercail du soutien au gouvernement. Il n'y avait pas d'autre solution que de lui offrir, une fois de plus, une ambassade qui aurait le double avantage de le rapprocher du gouvernement et de l'en éloigner. On lui proposa, sinon la plus importante, du moins la plus prestigieuse, la plus belle, celle qui pouvait le mieux séduire son imagination catholique et ses rêves à la fois de retraite et de puissance : Rome.

Jadis, après Berlin, qu'on lui avait jeté comme un os, il était parti pour Londres parce qu'il y était attiré par le souvenir de sa misère et par celui de Charlotte. L'image de Pauline mourante et du cardinal Fesch hautain traversèrent son esprit. Il allait avoir soixante ans. La vieillesse approchait. « Je me sentis saisi du désir de fixer mes jours, de l'envie de disparaître, même par calcul de renommée, dans la ville des funérailles, au moment de mon triomphe politique. » Il accepta.

Il y avait un problème sérieux, dont une fois de plus Juliette Récamier était seule à détenir la clé : l'ambassadeur de France à Rome était Adrien de Montmorency-Laval, le cousin de Mathieu, celui qui traînait avec lui, comme un mal héréditaire, une passion respectueuse et malheureuse pour Juliette. René avait déjà pris, dans les drames, la place de Mathieu aux Affaires étrangères ; allait-il prendre de force la place d'Adrien à Rome ? Avec netteté et élégance, il déclara qu'il n'était pas question pour lui de partir pour Rome si le duc de Laval ne quittait pas le poste de son plein gré.

Juliette Récamier était l'intermédiaire rêvée pour cette négociation délicate. Elle se dépensa sans compter. Le flambeau de l'activisme passionnel était tombé des mains de Mme de Duras. Juliette reste seule dans la course. Elle met les bouchées doubles. Elle écrit à Adrien, elle lui explique le coup, elle obtient son accord : « Le langage que vous faites tenir à votre ami, lui répond-il, les propos tenus que vous citez sont bien différents de ceux que le public lui attribue. Malgré les apparences, c'est vous qui devez avoir raison. » Les choses pour Juliette, pour René et pour le duc furent encore facilitées par un de ces mouvements en forme de spirale ascendante ou descendante que connaissent bien tous les familiers des mécanismes diplomatiques : il faut une place pour Chateaubriand, on l'envoie à Rome ; mais Rome est occupé par Adrien de Laval ; que faire du gêneur ? eh bien ! on va l'envoyer à Vienne ; mais l'ambassade de Vienne est occupée... ; celui-là, on l'envoie n'importe où.

Tout le monde n'était pas satisfait de cette combinaison. Chateaubriand, l'ultra, passait presque maintenant pour un dangereux libéral. Le Vatican avait hésité un instant à donner son agrément. Opposant un vif démenti à ceux qui s'imaginent que la presse d'aujourd'hui est plus combative et plus brutale que celle d'hier, la très traditionnelle *Gazette de France* allait plus loin dans la réserve ou plutôt dans l'hostilité : « Le noble pair est aujourd'hui l'un des hommes les plus discrédités dans tous les partis. Son esprit n'a pris aucune maturité avec l'âge. Nous n'éprouvons qu'une consolation, c'est de voir s'éloigner un homme qui excite les alarmes des amis de l'ordre. » Il les excitait même si fort que la même *Gazette* prédisait avec inquiétude le retour en fanfare du héros de la légitimité devenu le héros de la liberté : « M. de Chateaubriand est las de voir la fortune de César et son génie pâlir devant l'étoile de M. de Martignac. Il reviendra, qu'on le lui permette ou non, et le ministère de conciliation sera prêt pour le jour où il débarquera à Fréjus ou à Golfe-Juan. » Aucun éloge, aucun honneur ne pouvait faire plus de plaisir à René que cette attaque et cette perfide allusion où il était enfin comparé au seul héros digne de lui et qu'il n'avait jamais combattu que pour se hisser à la même hauteur : Napoléon Bonaparte.

Il partit par la route qu'il avait déjà empruntée comme jeune secrétaire de l'ambassade à Rome, puis comme plénipotentiaire de la France au congrès de Vérone. Il passa par Villeneuve-sur-Yonne, et les ombres de Joubert et de Pauline de Beaumont se levaient sur ses pas. Il traversa Lausanne où il se souvint de Delphine et de son convoi funèbre. Une mélancolie, un secret désespoir sont ses compagnons de voyage. Ils ne sont pas apaisés par la présence de Céleste qu'il n'était pas question, cette fois, comme à Berlin ou à Londres – ou à Rome il y a vingt-cinq ans –, de laisser derrière lui : « Je ne fus pas plus tôt parti avec Mme de Chateaubriand que ma tristesse naturelle me rejoignit en chemin. » Parmi tous ces souvenirs, de passion et de chagrin, heureusement, il y a Juliette. Ah ! il ne descend pas vers Rome dans les mêmes sentiments où elle y fuyait cinq ans plus tôt : alors, ils étaient tous les deux aux bords de la rupture, et chacun, maintenant, a l'esprit tout plein de l'autre. « Je ne vous dis rien de moi, écrivait Juliette à une amie avec une discrétion exquise, quelque temps avant le départ de René, ma vie est toujours la même, je vois M. de Chateaubriand tous les jours, je lui crois un véritable attachement pour moi ; et vous savez si mon cœur est à lui ! » Le départ pour Rome creuse en elle « un vide affreux ». Il s'emploie à la rassurer et il trouve des mots irrésistibles : « Voici ma première bonne lettre. Elle vous appelle à Rome ou me ramène à Paris. Croyez que rien dans la vie ne pourra plus me distraire et me séparer de vous. Je vous aimerai tant, mes lettres vous le diront tant, je vous appellerai à moi avec tant de constance que vous n'aurez aucun prétexte à m'abandonner. Songez qu'il faut que nous achevions nos jours ensemble. Je vous fais un triste présent que de vous donner le reste de ma vie, mais prenez-le, et si j'ai perdu des jours, j'ai de quoi rendre meilleurs ceux qui seront tous pour vous. »

De Paris avant de partir, de Fontainebleau deux fois, de Villeneuve-sur-Yonne deux fois, de Dijon, de Pontarlier, de Lausanne, de Brigue, de Milan, plusieurs autres fois encore, il lui envoie sans discontinuer des messages de fidélité. De Fontainebleau : « Je vous écris maintenant d'une petite chambre d'hôtel, seul et occupé de vous. Vous voilà bien vengée, si vous aviez besoin de l'être. Je vais à cette Italie le cœur aussi plein et aussi malade que vous l'aviez quelques années plus tôt. » De Villeneuve-sur-Yonne, après l'évocation de Joubert et de Pauline : « Si vous ne me restiez pas, que deviendrais-je ? » De la frontière suisse, enfin : « Je vous écris dans une méchante chaumière pour vous dire qu'en France et hors de France, de l'autre côté comme de ce côté-ci des Alpes, je vis pour vous et je vous attends. »

Avant de retrouver Juliette et de mourir dans ses bras comme il l'avait promis, l'ambassadeur du roi très chrétien allait pourtant encore connaître, dans cette Rome où il était allé s'ensevelir aux côtés de Céleste avec mélancolie et superbe, quelques surprenantes aventures.

6

HORTENSE OU LE PLAISIR

Rome exerçait sur René une sorte de fascination où entrait de la magie...

—

L'ambassadeur de France ne passait pas son temps à se promener...

—

La semaine sainte, à Rome, est une suite ininterrompue...

—

Le jeudi 16 avril, l'ambassadeur de France n'avait pas chômé...

—

Rome, soudain, redevenait belle et René, comme par miracle...

—

A la fin du printemps de 1829, la France, pour ne pas changer, était vaguement mécontente...

—

A Paris l'attendaient le roi, le prince de Polignac et Céleste...

—

Bien des choses plus importantes que de fragiles amours...

Rome exerçait sur René une sorte de fascination où entrait de la magie. De temps en temps, peu sûr de ses capacités en matière de bonheur, il lui arrivait de s'imaginer que la Ville éternelle avait perdu pour lui de son éclat et de ses attraits. Et puis la fièvre des ruines le reprenait, et le charme des tombeaux, et le goût des solitudes. Sainte-Beuve le décrira plus tard, au déclin de sa longue vie, enfermé dans un mutisme obstiné dont il ne sortait que pour parler de Rome avec vivacité et splendeur. Comme Londres, le contraste l'enchantait entre son humilité passée et sa magnificence présente : « En 1803, un jeune secrétaire, traité comme un chien par son ambassadeur, avait été relégué dans un chenil plein de puces pour y signer des rapports ; en 1828, ce jeune secrétaire était devenu lui-même l'ambassadeur ; et ses titres : pair de France, ministre d'État, chevalier des ordres du Saint-Esprit, de la Toison d'or, de Saint-André de Russie, de l'Aigle noir de Russie, de la Très Sainte Annonciade, du Christ du Portugal, remplissaient plusieurs lignes des journaux romains. » En une démarche désormais familière, les grandeurs d'établissement le grisaient et l'accablaient. Il passait en quelques instants d'une exaltation d'orgueil au plus profond abattement. Il était, plus que jamais, l'homme des contradictions. Quelques jours à peine après son arrivée, il supplie déjà Juliette de le rejoindre à Rome, ou, mieux encore, de mettre tout en œuvre pour le faire revenir à Paris. « Ecrivez-moi vite, écrivez et venez, mais surtout que je revienne vite auprès de vous. Qu'ai-je besoin de tout ceci ? » Trois jours plus tard : « Venez vite, ou trouvez le moyen de me rappeler vite. » Presque chaque lettre à Juliette – et elles sont nombreuses – contient la même litanie : « Je suis bien triste. Venez. » Ou : « Tâchez donc de me faire revenir. »

La vie diplomatique de Rome, un peu étriquée, l'ennuie à périr. A peine installé sur le Corso, non loin de la place d'Espagne, au palais Simonetti, grande bâtisse imposante, mais un peu sombre, où l'avaient déjà précédé le cardinal de Bernis et le duc de Laval, il s'interroge sur ce qu'il fait là : « Toujours même disposition de ma part : de l'ennui de la solitude je suis tombé dans celui des dîners et des visites. Définitivement, il est clair que je ne puis supporter la vie du monde ; elle m'était en tout temps odieuse, mais mes cinq ans de retraite ont achevé de me rendre incapable des devoirs de la société. Je me demande sans cesse à quoi bon cette perte de temps, cette nécessité de voir des gens avec lesquels je n'ai aucun rapport, cette nécessité de livrer les dernières années de ma vie aux bêtes et aux caquetages de la médiocrité ? Et tout cela, pourquoi ? Pour un but que je ne veux point atteindre, puisque je n'ai aucune ambition et que je n'aspire qu'à me retirer. » Au cher M. Le Moine, qui continue, de loin, à gérer ses maigres affaires, il écrit à peu près la même chose qu'à Juliette : « Soyez sûr que nous ne serons pas longtemps ici ; mon parti est pris. Je veux finir mes voyages, et aller mourir dans mon coin auprès de mes vieux amis. » Mais enfin, comme à l'époque du départ pour Berlin, ni l'encens des honneurs ni même les conforts de l'argent ne sont tout à fait à dédaigner. Il a beau assurer qu'il n'a besoin de rien et qu'un morceau de pain arrosé d'une cruche de la fontaine de l'*Aqua felice* lui suffit largement, ni Céleste ni lui n'ont de faible pour ce qu'il appelle joliment « le ménage chétif ». Pour elle, et surtout pour lui, les *ricevimenti* romains ont des charmes incomparables : « J'avais donné des bals et des soirées à Londres et à Paris, mais je ne m'étais pas douté de ce que pouvaient être des fêtes à Rome. Elles ont quelque chose de la poésie antique qui place la mort à côté des plaisirs. »

La mort. Il l'avait toujours aimée. La Ville éternelle le comblait. « La mort semble née à Rome. Il y a dans cette ville plus de tombeaux que de morts. Je m'imagine que les décédés, quand ils se sentent trop échauffés dans leur couche de marbre, se glissent dans une autre restée vide, comme on transporte un malade d'un lit dans un autre lit. On croirait entendre les squelettes passer durant la nuit de cercueil en cercueil. »

Dans la capitale des tombeaux et des morts, l'ambassadeur se levait chaque jour vers cinq heures et demie, prenait son petit déjeuner à sept heures, travaillait dans son cabinet et écrivait à Juliette de huit heures à midi. A midi, il allait se promener deux ou trois heures parmi les ruines, ou à la Villa Borghèse, ou autour de Saint-Pierre. De temps en temps, avant ou après la promenade, il allait rendre une visite à une dame romaine, à un cardinal ou à un ambassadeur. Il rentrait vers cinq heures, s'habiller pour la soirée. Il dînait à six heures. A sept heures et demie, il sortait pour assister à une soirée avec Mme de Chateaubriand ou recevait chez lui quelques amis choisis. Il se couchait à onze heures. Quelquefois, la nuit, il retournait encore, malgré les voleurs et la malaria qu'il se plaisait à narguer, dans ses chères solitudes. « Qu'y fais-je ? Rien : j'écoute le silence, et je regarde passer mon ombre de portique en portique, le long des aqueducs éclairés par la lune. »

Il retrouvait la société fréquentée par Mme Récamier lors de ses deux séjours romains, et d'abord le prince Torlonia qui poursuivait la série de ses bals somptueux. Plus encore que des Italiens, on y voyait des Anglais et surtout des Anglaises, venues passer à Rome les mois rendus insupportables par les brouillards de la Tamise. « J'y ai rencontré tous les Anglais de la terre ; je me croyais encore ambassadeur à Londres. Les Anglaises ont l'air de figurantes engagées pour danser l'hiver à Paris, à Milan, à Rome, à Naples, et qui retournent à Londres après leur engagement expiré, au printemps. Les sautillements sur les ruines du Capitole, les mœurs uniformes que la *grande* société porte partout sont des choses bien étranges. Ce qu'il y a de vraiment déplorable ici, ce qui jure avec la nature des lieux, c'est cette multitude d'insipides Anglaises et de frivoles dandys qui se tiennent enchaînés par les bras comme des chauves-souris par les ailes, promènent leur bizarrerie, leur ennui, leur insolence dans nos fêtes et s'établissent chez vous comme à l'auberge. Cette Grande-Bretagne vagabonde et déhanchée, dans les solennités publiques, saute sur vos places et boxe avec vous pour vous en chasser. Tout le jour, elle avale à la hâte les tableaux et les ruines et vient avaler, en vous faisant beaucoup d'honneur, les gâteaux et les glaces de vos soirées. Je ne sais comment un ambassadeur peut souffrir ces hôtes grossiers et ne les fait pas consigner à sa porte. »

Malgré ces affectations de fureur, René lui-même se laissait faire sans trop de manières : il se voyait bien obligé de recevoir les *gentlemen* et surtout les *ladies* qui se pendaient à sa sonnette et usaient de tous les subterfuges pour obtenir des interviews. Romantique et éloquent, espèce de Malraux avant la lettre, il s'y montrait très brillant et émerveillait son public par des considérations éblouissantes sur la place de l'art dans l'histoire des civilisations. Ces morceaux de bravoure ne lui coûtaient pas beaucoup : ils étaient appris par cœur. Il y avait deux variantes principales : l'une partait du musée du Vatican, du *Laocoon*, de l'*Apollon du Belvédère*, et de ce torse antique dont Michel-Ange, devenu aveugle, aimait à palper les formes ; l'autre s'appuyait sur le Capitole, sur le *Gladiateur mourant* et sur les différentes représentations de Vénus. Les deux itinéraires se rejoignaient dans une vaste comparaison entre la Grèce et Rome où l'ambassadeur s'arrangeait pour glisser quelques souvenirs de ses pèlerinages en Orient et, dans le cas d'une auditrice, quelques compliments bien tournés et parfois audacieux. De temps en temps, une jeune femme réussissait mieux que les autres à retenir son attention. Telle cette

Anglaise, pourtant plutôt laide, qui s'approcha de lui à travers la foule et lui murmura à l'oreille avant de disparaître : « Je vous plains, monsieur de Chateaubriand, vous êtes bien malheureux. »

Le mercredi était jour de réception au palais Simonetti. Accouraient les Français de passage ou installés à Rome, les artistes, les élèves de la Villa Médicis, les ambassadeurs, tous les cardinaux de la terre, et une foule de grandes dames romaines, russes, autrichiennes ou anglaises. La soirée s'achevait souvent par un bal et un souper. L'ambassadeur se montait volontiers la tête sur l'éclat de ses fêtes et avait tendance à les considérer comme des événements d'une importance prodigieuse. C'est qu'il se mettait au centre de tout et qu'à Rome comme à Paris le monde tournait autour de lui : de sa vanité peut-être, et de son génie.

Il n'y a pas de grand homme pour son valet de chambre. Dans la vie quotidienne, Chateaubriand avait plus de peine à maintenir son image à l'abri des interrogations et des ironies. Au début du XIXe siècle, une ambassade comme celle de Rome était somptueusement montée. Le personnel comptait plus de vingt domestiques : cochers, valets de pied, femmes de chambre, marmitons, avec en prime Montmirel, vétéran de l'ambassade de Londres et du ministère des Affaires étrangères. Le gros et rouge Hyacinthe Pilorge régnait sur ce petit monde. Né à Fougères, aîné d'une famille de quinze enfants, successivement au service de deux sœurs de René qui avaient épousé des gentilshommes de Fougères, d'un manque de distinction exceptionnel, un peu porté sur le vin, mais d'un esprit assez vif et d'un dévouement à toute épreuve, il jouait auprès de l'ambassadeur le rôle de secrétaire intime et aidait l'ambassadrice, souffrante, de mauvaise humeur, embarrassée par cette immense bâtisse inconfortable, transformée en logis de célibataire par le duc de Laval, à mener la maison. Le désordre financier auquel René s'était habitué l'avait suivi à Rome. L'ambassadeur était couvert de dettes qui avaient contribué à lui faire accepter un poste pourvu d'un gros traitement. Mais ce poste, à son tour, réclamait un train de vie auquel Chateaubriand n'entendait pas se dérober. Quand, après la révolution de Juillet, il rendra visite, à Prague, à Charles X exilé, le roi l'interrogera en riant :

– Je crois, mon cher Chateaubriand, que vous n'êtes guère plus riche que moi. Mais vous étiez à Rome un magnifique seigneur ?

– J'ai toujours mangé consciencieusement ce que le roi m'a donné, il ne m'en est pas resté deux sous. Je suis gueux comme un rat. Je vis pêle-mêle avec les pauvres de Mme de Chateaubriand. Quand je passe par une ville, je m'informe d'abord s'il y a un hôpital ; s'il y en a un, je dors sur mes deux oreilles : *le vivre et le couvert, en faut-il davantage* [1] ?

– Oh ! ça ne finira pas comme ça. Combien, Chateaubriand, vous faudrait-il pour être riche ?

– Sire, vous y perdriez votre temps. Vous me donneriez quatre millions ce matin que je n'aurais pas un patard ce soir.

– A la bonne heure ! dit le roi en lui mettant la main sur l'épaule. A la bonne heure ! Mais à quoi diable mangez-vous votre argent ?

– Ma foi, Sire, je n'en sais rien, car je n'ai aucun goût et ne fais aucune dépense : c'est incompréhensible !

Au palais Simonetti, les problèmes financiers étaient réduits à leur plus simple expression : il y avait un grand sac d'argent où tout le monde puisait au fur et à mesure des besoins. Quand le sac était vide, c'est un jeûne général, qui faisait contraste avec la munificence des *ricevimenti.* Il arrivait au pauvre Hyacinthe de crier misère. On l'avait même entendu se vanter, « par plaisanterie, probablement, d'avoir tordu le cou au perroquet favori de Mme de Chateaubriand afin de le vendre à un empailleur et d'en donner le prix à quelque joli modèle de la Villa Médicis ». Tel maître, tel valet : pourquoi le secrétaire de l'Enchanteur n'aurait-il pas pu, lui aussi, courir derrière des sylphides ?

Le personnel diplomatique était composé de trois secrétaires d'ambassade, M. Bellocq, M. Desmousseaux de Givré et M. de Ganay, flanqués d'une ribambelle de jeunes attachés, parmi lesquels le duc de Montebello, fils du maréchal Lannes, et surtout le comte Othenin d'Haussonville qui, soixante ans plus tard, vers la fin du XIXe siècle, académicien et important, devait raconter, dans un recueil de souvenirs intitulé un peu platement *Ma jeunesse*, les mornes soirées familiales du palais Simonetti. Quand il n'y avait ni *ricevimento* à l'ambassade de France ni souper suivi d'un bal dans une ambassade étrangère ou dans quelque demeure romaine, l'ambassadeur avait coutume de garder longuement le silence et de se poster tout droit devant la glace, les jambes écartées, le dos légèrement voûté, les deux coudes appuyés sur la tablette de la cheminée, les mains croisées sur son large front. Il se contemplait ainsi, pendant une demi-heure ou une heure, sans faire aucun mouvement et sans laisser le moindre son sortir de ses lèvres. Céleste, derrière lui, tricotait en silence, échangeant de temps en temps, par-dessus ses aiguilles, quelques regards aigus et quelques rares paroles avec l'abbé Delacroix, attaché à Saint-Louis-des-Français et gardien, en quelque sorte, du tombeau de Pauline. Muets, piqués sur leur chaise, partagés entre l'ironie de leur âge et le conformisme de leur caste, M. Desmousseaux et M. d'Haussonville assistaient à cette scène étonnante.

---

1. La Fontaine : *Le Rat qui s'est retiré du monde.*

Ambitieux et mondain, le jeune Othenin surtout ne se tenait pas d'impatience. Il aurait voulu entendre l'auteur des *Martyrs*, du *Génie du christianisme* et de l'*Itinéraire* raconter sa vie politique, ses expériences littéraires et ses aventures sentimentales. Il pensait naïvement qu'un grand écrivain est toujours et nécessairement le plus brillant des causeurs et il dissimulait avec peine une déception un peu vexée devant cette obstination de silence. L'ambassadeur cependant poursuivait sans se lasser sa contemplation inspirée. Dans le miroir du palais Simonetti passaient, à travers son propre visage indéfiniment observé, toutes les ombres du passé. Il revoyait Lucile sur les landes de Bretagne, il entendait le pas de son père dans l'escalier de Combourg, il serrait dans ses bras Pauline en train de mourir à quelques pas à peine du palais Simonetti. A travers le miroir où il apercevait, très loin, le caquetage catholique, insipide et silencieux de Céleste et de son abbé, il partait pour Bungay, pour Fervaques, pour Dieppe, pour Grenade avec la folle, pour Chantilly avec Juliette et il revivait ses passions, interdites et sublimes, inconstantes et fidèles. Toute sa vie, ramassée, lui apparaissait d'un seul coup. Elle était minuscule et immense.

Le comte Othenin d'Haussonville aurait préféré, à son usage, une conversation générale sur des idées élevées. Il ressentait une sorte de soulagement quand Hyacinthe Pilorge entrait avec un jeu d'échecs et que l'ambassadeur, se détournant enfin de lui-même et de ses rêves et de son image dans le miroir, s'asseyait devant M. Desmousseaux de Givré. La partie s'engageait. Elle se terminait, presque invariablement, par la défaite de René. Elle confirmait dans sa conviction M. Othenin d'Haussonville. Allons ! M. de Chateaubriand n'était pas aussi fort que la rumeur l'assurait.

Plus que les *ricevimenti,* plus que le jeu d'échecs, plus même que ses stations interminables et rêveuses devant le grand miroir du palais Simonetti, ce qu'aimait Chateaubriand, c'était ses longues promenades à travers les ruines de Rome et de la campagne romaine. Il n'y avait pas de chemin entre deux haies qu'il ne connût mieux que les sentiers de Combourg ou les ruelles de Saint-Malo. Du haut du Monte Mario où s'élève aujourd'hui l'hôtel Hilton de Rome, il découvrait tout l'horizon jusqu'à Ostie, jusqu'à la mer. A travers les architectures écroulés et transformées en fermes, il apercevait des jeunes filles sauvages, effarouchées et grimpantes comme leurs chèvres. Il observait les oiseaux qu'il avait toujours aimés, il herborisait au tombeau de Cecilia Metella, envahi d'anémones et de résédas, il faisait à pied le tour des murailles de Rome et, dans les constructions des âges successifs, il lisait, à travers les siècles, l'histoire de la reine du monde païen et de l'univers chrétien. En passant devant l'une ou l'autre des vieilles églises de Rome, il entendait souvent chanter. Alors, il entrait, il se mettait à genoux, il priait, le cœur tout près de la poussière et du repos sans fin.

Il entreprenait des fouilles avec un enthousiasme d'enfant. Il rêvait d'être lui-même enterré dans cette terre romaine qu'il éventrait à la recherche de trésors hypothétiques qui n'existaient sans doute que dans ses espérances, mais qui contribuaient à nourrir son imagination enfiévrée : « Peut-être rendrai-je mon argile à la terre en échange de la statue qu'elle me donnera ; nous ne ferons que troquer une image de l'homme contre une image de l'homme. »

Il aimait surtout à se promener au clair de lune dans la campagne romaine et à guetter ce chant voilé du rossignol qui semble vouloir charmer le sommeil des morts plutôt que les réveiller. Quand il rentrait, son vieux cœur apaisé et brûlant, de ses expéditions nocturnes, il se disait qu'il l'aimait de nouveau passionnément, cette Rome si triste et si belle dont il s'était cru lassé. Et il se répétait les mots, tirés des *Mémoires d'outre-tombe*, qui sont gravés aujourd'hui sur une plaque de marbre le long des murs de Saint-Onuphre, au sommet du Janicule : « Si j'ai le bonheur de finir mes jours ici, je me suis arrangé pour avoir à Saint-Onuphre un réduit joignant la chambre où Le Tasse expira. Aux moments perdus de mon ambassade, à la fenêtre de ma cellule, je continuerai mes *Mémoires*. Dans un des plus beaux sites de la terre, parmi les orangers et les chênes verts, Rome entière sous mes yeux, chaque matin, en mettant à l'ouvrage, entre le lit de mort et la tombe du poète, j'invoquerai le génie de la gloire et du malheur. »

L'ambassadeur de France ne passait pas son temps à se promener ou à écrire de belles lettres à Juliette Récamier : il lui arrivait aussi de travailler. Modérément. Jusqu'à un événement considérable qui éclate comme un coup de tonnerre dans le ciel serein de Rome : le 10 février 1829, le pape meurt. Pie VII était décédé en 1823, quand Chateaubriand était ministre des Affaires étrangères ; Léon XII disparaît quand le même Chateaubriand, à qui il avait aussitôt accordé sa confiance, est ambassadeur à Rome. Quelque triste et amèrement ressentie que puisse être la circonstance, la mort d'un pape, un conclave, le choix d'un nouveau pontife sont une aubaine pour tout ambassadeur à Rome. Chateaubriand se jeta sur l'occasion avec un réel chagrin et une sorte d'allégresse.

« Toutes les joies du carnaval, grâce à Dieu, sont finies, écrit-il à Juliette quelques heures après le décès. Plus de dîners, plus de bals. Les Anglais partent et vont danser à Naples et à Florence. Me voilà maintenant chargé d'une grande mission. Il m'est impossible de savoir quel en sera le résultat et quelle influence elle aura sur ma destinée. »

Les choses se passèrent le mieux possible dans des conditions pourtant difficiles : à Paris, La Ferronays, malade, avait quitté le gouvernement, et le ministère des Affaires étrangères, pour lequel on avait murmuré à nouveau le nom de Chateaubriand, avait été confié, par intérim, à Portalis, que René n'aimait pas. Il s'agissait de ne pas faire la moindre faute et l'ambassadeur, prudent, s'entoure de mille précautions dans ses dépêches au ministre : « Je n'ai ni argent à donner ni places à promettre. Les passions caduques d'une cinquantaine de vieillards ne m'offrent aucune prise sur elles. J'ai à combattre la bêtise dans les uns, l'ignorance du siècle dans les autres ; le fanatisme dans ceux-ci, l'astuce et la duplicité dans ceux-là ; dans presque tous l'ambition, les intérêts, les haines politiques, et je suis séparé par des murs et par des mystères de l'assemblée où fermentent tant d'éléments de division. A chaque instant, la scène varie ; tous les quarts d'heure, des rapports contradictoires me plongent dans de nouvelles perplexités. Ce n'est pas, Monsieur le comte, pour me faire valoir que je vous entretiens de ces difficultés, mais pour me servir d'excuse dans le cas où l'élection produirait un pape contraire à ce qu'elle semble promettre et à la nature de nos vœux. »

L'ambassadeur se dépense sans compter. Il fulmine l'exclusive – c'est-à-dire l'opposition formelle du roi de France – contre le cardinal Albani, candidat de l'Autriche. Par un trou percé dans le mur, il s'adresse au conclave et fait aux cardinaux un petit discours libéral. Il se démène, il s'agite. Laissé pratiquement sans instructions par un ministre négligent ou peut-être désireux de refiler les risques à d'autres, et plus particulièrement à un ambassadeur qu'il déteste, il doit prendre tout seul des décisions importantes et ses responsabilités.

Divine surprise ! Le 31 mars, le cardinal Castiglioni est élu pape sous le nom de Pie VIII. Il figurait, à un rang médiocre, sur une liste de favoris dressée par l'ambassadeur. Triomphe sans modestie – et au bord du ridicule – de l'ambassadeur victorieux : « J'ai l'œil à tout. Pas un mot imprudent à reprendre dans mes conversations avec les cardinaux. Rien ne m'échappe ; je descends aux plus petits détails. D'un regard d'aigle, j'aperçois... » Et patati, et patata. « De là, montant plus haut et arrivant à la grande diplomatie, je prends sur moi de donner l'exclusion à un cardinal, parce qu'un ministre des Affaires étrangères me laissait sans instructions et m'exposait à voir nommer pour pape une créature de l'Autriche. Je me procure le journal secret du conclave. Si un *carbonaro* remue, je le sais, et je juge du plus ou moins de vérité de la conspiration ; si un abbé intrigue, je le sais, et je déjoue les plans que l'on avait formés pour éloigner les cardinaux de l'ambassade de France. Etes-vous content ? Est-ce là un homme qui sait son métier ? » René lui-même dut sentir qu'il attigeait un peu : il publie ce passage dans ses *Mémoires* sous le titre de *Présomption*.

Présomption, en effet. A Rome, comme il se doit, la roche Tarpéienne, une fois de plus, était près du Capitole. A peine élu, le nouveau pape choisit pour secrétaire d'État le cardinal Albani contre qui Chateaubriand avait lancé l'exclusive. Portalis ne laissa pas passer l'occasion d'adresser à son ambassadeur une dépêche désagréable à laquelle, à son tour, Chateaubriand répondit en des termes assez vifs et acérés jusqu'à l'insolence : « Cette dépêche dure, rédigée par quelque commis mal élevé des Affaires étrangères, n'était pas celle que je devais attendre après les services que j'avais eu le bonheur de rendre au roi pendant le conclave, et surtout on aurait dû un peu se souvenir de la personne à qui on l'adressait. » Dans la même lettre à Portalis, Chateaubriand annonçait son départ de Rome, en congé, et son retour à Paris.

La lettre à Portalis est des premiers jours de mai. Le mois d'avril, grâce à Dieu, et surtout la semaine de Pâques, avaient été plus gais, plus agités et plus gais, pour l'ambassadeur de Sa Majesté très chrétienne.

La semaine sainte, à Rome, est une suite ininterrompue de cérémonies religieuses. Jusqu'ici, nous avons suivi Chateaubriand année par année ou parfois mois par mois ; il nous faudra maintenant le suivre jour par jour, et presque heure par heure. René avait beau écrire à Juliette : « Je n'ai d'autre idée que vous » et : « Je suis bien malheureux sans vous », il se devait d'abord de remplir les devoirs de sa charge. Les occupations officielles de l'ambassadeur à Rome étaient multiples et diverses. Elles ne se limitaient pas aux visites au Saint-Père et aux conversations, interminables et subtiles, avec les cardinaux. A côté de la vie mondaine et artistique, des salons des princesses romaines et de la Villa Médicis, il y avait Saint-Louis-des-Français, les œuvres françaises, les moines français. Le roi de France était chanoine de Saint-Jean-de-Latran et son ambassadeur, parfois revêtu de l'aumusse, le représentait dans sa stalle à diverses cérémonies : « Samedi, je serai transformé en chanoine. Cela enchantait le duc de Laval, et moi je suis au supplice. Vous sentez comme tout cela me va et quelle occupation pour moi ! Enfin, il faut subir mon sort. De fête en fête, j'arriverai, j'espère, à la bonne, à la véritable : je vous retrouverai. Cette espérance m'empêche de mourir sous le poids de mes honneurs. » La semaine sainte, en attendant, l'accaparait tout entier.

Cette semaine sainte s'ouvrait sous de triples auspices : l'élection du nouveau pape, l'intérim de Portalis aux Affaires étrangères et les rhumatismes de René. « Je n'ai point voulu vous parler de ma santé, parce que cela est extrêmement ennuyeux. Mais elle n'est pas bonne depuis que je suis à Rome. Je suis arrivé souffrant et mes souffrances ont augmenté. » Maux de tête et rhumatismes étaient encore accrus par l'incertitude où le laissaient les nouvelles de Paris. Tantôt La Ferronnays se remettait et reprenait son poste, tantôt le duc de Laval quittait Vienne pour le remplacer, tantôt c'était Chateaubriand qui était nommé ministre et tantôt Portalis transformait son intérim en ministère définitif. C'était cette dernière solution qui finissait par l'emporter, mais, dans tout l'intervalle, René, entre deux migraines et deux attaques de rhumatismes ou peut-être de goutte, s'agitait autant pour la succession de La Ferronnays que pour celle de Léon XIII. Les dépêches se succédaient entre Rome et Paris, entre Paris et Rome, en partie par télégraphe optique et en partie par courrier à cheval. « La rapidité de ces communications est prodigieuse. Mon courrier est parti le 31 mars à huit heures du soir, et le 8 avril, à huit heures du soir, j'ai reçu la réponse de Paris. » Quelques jours plus tard, dans son numéro du 11 avril 1829, le *Journal des Débats* faisait écho, avec quelques divergences de dates, à l'émerveillement de René : « La nouvelle de l'élévation de Pie VIII au trône pontifical partit de Rome le 31 mars à huit heures du soir par un courrier et arriva le 4 avril à Toulon à quatre heures du matin. Quatre heures après, elle était parvenue à Paris par le télégraphe. A onze heures, on avait fait réponse. Le courrier, reparti de Toulon à une heure après-midi, était de retour à Rome le 7 avril à huit heures du soir. Ainsi, la nouvelle de l'exaltation de Sa Sainteté est arrivée à Paris en quatre-vingt-quatre heures et il a fallu seulement huit jours à l'ambassade de France pour recevoir la réponse à ses dépêches. Neuf cents lieues ont été parcourues en soixante-dix heures, en défalquant vingt heures perdues. Il n'y a peut-être jamais eu aucun exemple d'une telle rapidité. »

Le progrès des communications et l'agitation politique ne suffisent pas à combler les vœux de l'ambassadeur : « Je n'ai plus deux jours de suite de bonne santé ; cela me fait enrager, car je n'ai le cœur à rien au milieu de mes souffrances. J'attends pourtant avec quelque impatience ce qu'on dira, ce qu'on fera, ce que je deviendrai... Quand cesserai-je de vous parler de toutes ces misères ? Quand n'aurai-je plus à vous dire que tout mon bonheur est en vous, quand ne m'occuperai-je plus que d'achever les *Mémoires* de ma vie, et ma vie aussi, comme dernière page de ces Mémoires ? J'en ai besoin, je suis bien las. Le poids des jours augmente et se fait sentir sur ma tête ; je m'amuse à l'appeler un rhumatisme, mais on ne guérit pas de celui-là. Un seul mot me soutient quand je le répète : A bientôt. »

Le samedi 11 avril, pourtant, les rhumatismes évaporés, l'ancien pape oublié, le nouveau pape couronné, les combinaisons ministérielles pour une fois négligées, René écrit à Juliette une lettre légèrement tronquée dans les *Mémoires d'outre-tombe* et qui marque le début de la semaine sainte fabuleuse : « Nous voilà au 11 avril. Dans huit jours nous aurons Pâques, dans quinze jours mon congé, et puis vous voir ! Tout disparaît dans cette espérance ; je ne suis plus triste ; je ne songe plus aux ministres et à la politique. Vous retrouver, voilà tout. Je donnerais le reste pour une obole. Demain, nous commençons la semaine sainte. Je penserai à tout ce que vous m'avez dit. Que n'êtes-vous ici pour entendre avec moi ces beaux chants de douleur ! Et puis nous irions nous promener dans ces déserts de la campagne de Rome, maintenant couverts de verdure et de fleurs. Toutes les ruines semblent rajeunir avec l'année : je suis du nombre. » C'est le printemps. René va mieux. De nouveau, il est gai. Il ne cesse de penser à Juliette. Mais il a tort d'ajouter qu'il donnerait tout le reste pour une obole.

Quatre jours plus tard, le mercredi saint 15 avril, Chateaubriand assiste, dans la chapelle Sixtine, à l'office des Ténèbres. C'était la première fois qu'il passait la semaine sainte à Rome, la première fois qu'il écoutait le fameux *Miserere* d'Allegri qui constituait, depuis de longues années déjà, avec ses cierges qui s'éteignent peu à peu, le clou de la cérémonie du mercredi saint. En 1803, il était arrivé à Rome après la semaine sainte ; en 1804, il était déjà parti. En 1829, il sortit de la chapelle Sixtine profondément impressionné par ce qu'il avait vu et entendu. Le soir même, encore bouleversé, il écrivait une lettre célèbre à Juliette Récamier

Né à Rome en 1587, mort en 1640, Gregorio Allegri doit surtout sa gloire à son *Miserere*. Montesquieu, Mozart, Gœthe, Mme de Staël, Stendhal, plus tard Taine et les Goncourt évoquent, chacun à leur façon, l'impression que leur a laissée l'œuvre fameuse d'Allegri. A chacun d'entre eux se rattachent une foule d'anecdotes. Il semble que Stendhal n'ait connu que par ouï-dire la musique divine dont il parle à plusieurs reprises. Un génie de quatorze ans l'avait écoutée, en revanche, avec une attention passionnée : au cours de son voyage à Rome en avril

1770, Mozart, accompagné de son père, était allé entendre l'office des Ténèbres à la chapelle Sixtine. Jaloux de la musique d'Allegri, célèbre à travers l'Europe entière et évidemment hors de prix, le Saint-Père avait défendu, sous peine d'excommunication, la libre circulation et la publication de la partition. L'enfant écouta deux fois, le mercredi saint et le vendredi saint, l'œuvre fameuse et interdite. Et puis, rentré chez lui, il la reconstitua et l'écrivit de mémoire.

Juliette Récamier, après Mme de Staël, avait, à plusieurs reprises, entendu le *Miserere*. Lors de son premier séjour, l'absence de Pie VII, emprisonné par Napoléon, empêchait la cérémonie de se dérouler à la Sixtine. C'est dans la chapelle du chapitre de Saint-Pierre que fut célébré l'office du mercredi saint de l'année 1813. Le *Miserere*, en ce temps-là, était encore exécuté par les fameux castrats du Vatican. Leur voix aiguë avait quelque chose de surnaturel. Nous avons déjà vu Mme Récamier, émue et comme transportée, assise derrière un homme incapable de retenir ses sanglots : c'était le chef de la police des troupes d'occupation, le baron de Norvins. A son second séjour, fuyant René amoureux de Cordélia, elle était aux côtés d'une femme qui nourrissait pour elle une tendresse exaltée : Hortense de Beauharnais, duchesse de Saint-Leu, reine déchue de Hollande. A Chantilly, où elle avait succombé aux charmes de l'Enchanteur, à l'Abbaye-aux-Bois, à la Vallée-aux-Loups, où, malgré l'interdiction de Mathieu de Montmorency, il lui était arrivé de recevoir Chateaubriand dans la demeure qui avait été la sienne, rue Basse-des-Remparts, rue d'Enfer ou dans quelque salon parisien, Juliette, plus d'une fois, avait parlé à René de cette cérémonie si impressionnante. Le seul récit de cette grandeur mélancolique avait frappé l'amateur de ruines qui n'aimait la beauté que mêlée au tragique. Maintenant, à son tour, à l'ombre de Michel-Ange, sous la voûte prodigieuse de la chapelle Sixtine, l'ambassadeur triomphant et exilé évoquait le souvenir de la femme qu'il aimait par-dessus tout et qui lui avait, la première, dépeint avec des mots cette musique déchirante. Quand s'élève dans le soir qui tombe le *Miserere* d'Allegri, Juliette Récamier, abandonnée à Paris, est présente en esprit à Rome aux côtés de René.

Il sort bouleversé de la chapelle Sixtine. Il rentre chez lui, au palais Simonetti. Il se jette à sa table, prend du papier, sa plume et écrit à Juliette.

Rome, mercredi 15 avril 1829.

Je commence cette lettre le mercredi saint au soir, au sortir de la chapelle Sixtine, après avoir assisté à Ténèbres et entendu chanter le *Miserere*. Je me souvenais que vous m'aviez parlé de cette belle cérémonie, et j'en étais, à cause de cela, cent fois plus touché. C'est vraiment incomparable. Cette clarté qui meurt par degrés, ces ombres qui enveloppent peu à peu les merveilles de Michel-Ange ; tous ces cardinaux à genoux ; ce nouveau pape prosterné lui-même au pied de l'autel où, quelques jours avant, j'avais vu son prédécesseur ; cet admirable chant de souffrance et de miséricorde s'élevant par intervalles dans le silence et la nuit ; l'idée d'un Dieu mourant sur la croix pour expier les crimes et les faiblesses des hommes, Rome et tous ses souvenirs sous la voûte du Vatican. Que n'étiez-vous là avec moi ! J'aime jusqu'à ces cierges dont la lumière étouffée laisse échapper une fumée blanche, image d'une vie subitement éteinte. C'est une belle chose que Rome pour tout oublier, pour mépriser tout et pour mourir. Au lieu de cela, le courrier demain m'apportera des lettres, des journaux, des inquiétudes. Il faudra vous parler de politique. Quand aurai-je fini de mon avenir et quand n'aurai-je plus à faire dans le monde qu'à vous aimer et à vous consacrer mes derniers jours ?

La même lettre apparaît dans les *Mémoires d'outre-tombe*. Mais le style en est transformé, des modifications interviennent et le souci de la publication se substitue à l'effusion spontanée de la tendresse et de l'émotion. La comparaison des deux textes pourrait constituer la plus étonnante leçon de littérature et de critique :

Mercredi saint, 15 avril.

Je sors de la chapelle Sixtine, après avoir assisté à Ténèbres et entendu chanter le *Miserere*. Je me souvenais que vous m'aviez parlé de cette cérémonie et j'en étais, à cause de cela, cent fois plus touché.

Le jour s'affaiblissait, les ombres envahissaient lentement les fresques de la chapelle et l'on n'apercevait plus que quelques grands traits du pinceau de Michel-Ange. Les cierges, tour à tour éteints, laissaient échapper de leur lumière étouffée une légère fumée blanche, image assez naturelle de la vie que l'Écriture compare à *une petite vapeur*. Les cardinaux étaient à genoux, le nouveau pape prosterné au même autel où quelques jours avant j'avais vu son prédécesseur ; l'admirable prière de pénitence et de miséricorde, qui avait succédé aux lamentations du prophète, s'élevait par intervalles dans le silence et la nuit. On se sentait accablé sous le grand mystère d'un Dieu mourant pour effacer les crimes des hommes. La catholique héritière sur ses sept collines était là avec tous ses souvenirs ; mais, au lieu de ces pontifes puissants, de ces cardinaux qui disputaient la préséance aux monarques, un pauvre vieux pape paralytique, sans famille et sans appui, des princes de l'Église sans éclat, annonçaient la fin d'une puissance qui civilisa le monde moderne. Les chefs-d'œuvre des arts disparaissaient avec elle, s'effaçaient sur les murs et sur les voûtes du Vatican, palais à demi abandonné. Des étrangers curieux, séparés de l'unité de l'Église, assistaient en passant à la cérémonie et remplaçaient la communauté des fidèles. Une double tristesse s'emparait du cœur. Rome chrétienne en commémorant l'agonie de Jésus-Christ avait l'air de célébrer la sienne, de redire pour la nouvelle Jérusalem les paroles que Jérémie adressait à l'ancienne. C'est une belle chose que Rome pour tout oublier, mépriser tout et mourir.

D'une version à l'autre, deux séries d'altérations sautent aux yeux : les protestations d'attachement et de fidélité à Juliette sont gommées dans les *Mémoires*, et la tonalité d'amertume et de désenchantement est fortement accentuée pour aboutir à la dernière phrase qui, de simple réflexion esthétique dans la lettre originale, est haussée à la dignité d'une conclusion historique.

Le fidèle Marcellus nous a laissé quelques notes sur la rédaction de ce texte célèbre. Au même titre qu'un Joubert, qu'un Chênedollé, qu'un Julien Potelin, qu'un Le Moine, il est un de ces témoins qui jalonnent, dans des situations différentes, la carrière de Chateaubriand. C'est par lui que nous savons que l'auteur avait écrit d'abord « ... s'élevait par intervalles dans la nuit et le silence ». Mais il sentit aussitôt qu'il fallait finir la phrase par une consonne et par une désinence masculine : « ... dans le silence et la nuit ». Marcellus nous apprend aussi que René avait d'abord écrit, pour désigner les Anglais détestés qui reparaissent dans ces lignes : « de curieux étrangers ». Il avait ensuite – et il avait bien fait – interverti les deux mots : « des étrangers curieux ».

Une troisième version de la lettre à Juliette devait être publiée, à la fin de 1831, dans la *Revue européenne*. La révolution de Juillet avait entraîné la chute définitive de la monarchie légitime : il fallait rendre un peu d'espérance aux lecteurs bien-pensants de la *Revue européenne* et les encourager dans leur foi ébranlée. Mais il était évidemment inutile de les tenir informés de la vie sentimentale agitée de l'ambassadeur de France : la troisième mouture efface toute trace de Juliette, qui disparaît dans la trappe d'une pieuse et discrète dévotion. La conclusion pessimiste de la lettre et des *Mémoires* est balancée en revanche par la proclamation d'une foi en la régénération du christianisme et en son destin d'éternité : « Une double tristesse s'emparait du spectateur... Mais ce n'était là qu'une transformation, non une fin. Le christianisme retournera à l'obscurité des cryptes qu'avaient reproduite nos basiliques du Moyen Age ; il se replongera dans le tombeau du Sauveur pour y rallumer son flambeau, ressusciter au jour glorieux d'une nouvelle Pâque, et changer une seconde fois la face de la terre. »

Dépouillé de toutes les effusions sentimentales de la lettre à Juliette, littérairement moins réussi que le texte des *Mémoires d'outre-tombe*, l'article de la *Revue européenne* a un caractère didactique et prosélytique : il s'agit de réconforter les esprits et de faire œuvre de propagande. Chateaubriand s'efforce d'y être clair et précis : il rappelle que l'œuvre de Michel-Ange dans la chapelle Sixtine est le *Jugement dernier* et il donne les noms des deux papes qu'il a vus se succéder : Léon XII et Pie VIII. Mais qui veut faire l'ange fait la bête : les souvenirs se brouillent un peu et le mercredi saint 15 avril en vient à se transformer mystérieusement en un jeudi saint 16 avril.

De la lettre originale à l'article de la *Revue européenne* en passant par les *Mémoires d'outre-tombe*, l'image de Juliette Récamier s'efface toujours davantage : de ces pages réversibles et à usages multiples, indéfiniment reprises, travaillées et modifiées, elle finit par être expulsée. La lettre du mercredi saint a quelque chose de symbolique : dans l'existence de son correspondant comme dans l'histoire de la lettre, Juliette Récamier joue un rôle à éclipses. Elle est liée de très près au déclenchement de l'émotion, et puis elle s'efface peu à peu ; on l'invoque et on l'oublie ; sa présence si chère, si ardemment désirée au sein même de l'absence romaine, entre le brûlant souvenir de Pauline de Beaumont et la présence importune de Céleste de Chateaubriand, est bientôt écartée.

Ce n'est pas seulement, en effet, dans une suite de correspondance et de textes littéraires que Juliette rentre dans l'ombre : à la fin de cette fameuse semaine sainte de 1829, le grand homme perd la tête. Le cœur des hommes est obscur, incertain et changeant – et d'abord celui de René. Quelques heures à peine après le *Miserere* de l'office des Ténèbres et la grande lettre d'amour et de littérature à Juliette Récamier, à la veille des offices solennels du dimanche de Pâques, le samedi saint 18 avril exactement, une figure nouvelle se précipite en tempête dans la vie sans répit de l'ambassadeur très chrétien : c'est une jeune femme ambitieuse et jolie. Elle vient d'écrire un roman qui ne vaut pas un clou. Elle s'appelle Hortense Allart.

Le jeudi 16 avril, l'ambassadeur de France n'avait pas chômé. Il avait assisté le matin à l'office du jeudi saint, il avait encore écrit une lettre à Juliette Récamier, en réponse à quelques lignes, en date du 3 avril, qu'elle lui avait adressées, il s'était occupé des indulgences sollicitées du pape par la veuve de Mathieu de Montmorency pour son hospice de Bonnétable, il s'était inquiété, à nouveau, de la succession de La Ferronnays aux Affaires étrangères, il avait préparé la visite à Rome de son prédécesseur, Adrien de Montmorency-Laval, qui avait, de Vienne, annoncé sa venue, il avait enfin pris ses dispositions en vue de son propre départ en congé et de son retour imminent à Paris. Dans sa lettre à Juliette, il était revenu sur une vieille querelle qui les divisait depuis deux mois : dans le cloître de Saint-Onuphre, était-ce à l'ombre d'un chêne vert ou de deux orangers que reposait Le Tasse ? Juliette tenait pour le chêne et René pour les orangers. La dispute, en vérité, portait sur un malentendu : le cloître s'ornait d'orangers et les Romains montraient dans le jardin un vieux chêne que la légende appelait l'*arbre du Tasse*. Toujours dans la même lettre, il opposait, une fois de plus, sa correspondance abondante aux rares lettres de Juliette : « Voilà comment nos attachements sont faits. J'aime mieux le mien. » Entre-temps, il avait souvent repensé à la belle cérémonie de la veille et à la longue lettre à Juliette sur le *Miserere*, sur les splendeurs de Rome et sur la fin de toutes choses : il n'en était pas vraiment mécontent.

Le déjeuner achevé, il se préparait à quitter le palais Simonetti et à monter en voiture pour une promenade dans la campagne ou pour aller rejoindre ses chères fouilles, lorsque Hyacinthe Pilorge lui apporta un pli. René ouvrit la lettre, courut à la signature et sourit : le nom lui était familier. La lettre lui était adressée par cette petite créole de Saint-Domingue que son esprit, ses talents, son allure endiablée et la fortune de son banquier de mari avaient lancée jadis à toute allure dans la société trouble du Directoire, que l'on avait surnommée « la jolie laide », qui venait naguère le chercher au ministère des Affaires étrangères et qui s'appelait Mme Hamelin. Fortunée Hamelin lui recommandait chaleureusement une jeune femme de lettres, très jolie, disait-elle, à qui elle avait confié sa lettre et qui venait de descendre à Rome, chez sa sœur Sophie, dans un vieux couvent désaffecté de la via delle Quattro Fontane.

Le soir même, à son retour de promenade, René écrivit quelques lignes à Mlle Hortense Allart. Ce nom lui disait quelque chose. Elle était une cousine de Delphine Gay, la future femme d'Émile de Girardin, elle s'intéressait à la littérature malgré son très jeune âge, elle menait une vie assez libre et elle passait, en effet, pour assez jolie. Deux ans plus tôt, à l'Abbaye-aux-Bois, chez Juliette Récamier, la conversation était tombée sur Delphine Gay ; de là, elle était passée à sa cousine, Hortense Allart. « Elle est à Florence, elle vit là, avait dit Ballanche. Qui donc m'en a parlé ?... » « Écrit-elle quelque chose en Toscane ? » avait demandé quelqu'un. « Oh ! je suppose, avait répondu distraitement le bon Ballanche, coutumier de ce genre d'impair, qu'elle a produit quelque chose ! » Tout le monde avait éclaté de rire : il était de notoriété publique qu'Hortense Allart venait d'avoir un enfant qu'elle élevait ouvertement à Florence. Tout cela paraissait d'assez bon augure à l'ambassadeur de France. Il appela Othenin d'Haussonville et lui demanda d'aller déposer via delle Quattro Fontane la lettre qu'il venait d'écrire.

M. le comte était habitué à ce genre de commissions. Il s'en acquittait scrupuleusement, mais avec une espèce de répugnance. Il lui semblait que l'ambassadeur n'avait pas à s'intéresser de trop près aux belles personnes de Rome et qu'il ne lui appartenait pas à lui, attaché d'ambassade au seuil d'une longue carrière qu'il espérait glorieuse, de lui servir d'intermédiaire, en quelque sorte de rabatteur, et peut-être de ruffian. C'était déjà bien assez de remettre à l'ambassadeur les lettres de la charmante princesse Falconieri : elle habitait la merveilleuse villa Mellini, du plus admirable XVe siècle, sur le monte Mario, et elle était visiblement éprise de l'Enchanteur qui ne la regardait pas ; ou de porter d'immenses bouquets à la jeune comtesse del Drago dont le nom résonnait souvent dans les salons du palais Simonetti, et à qui René faisait la cour, malgré ses yeux en boules de loto. Dès le lendemain matin, pourtant, pendant que l'ambassadeur vaquait à ses occupations et allait assister à l'interminable office du vendredi saint, Othenin d'Haussonville remplissait son office via delle Quattro Fontane. Il aperçut la destinataire. Il dut s'avouer qu'elle lui paraissait ravissante. Tout en sachant fort bien que l'ambassadeur n'allait pas tarder à exercer son droit de cuissage moral, il poussa l'audace jusqu'à lui faire deux doigts de cour. Il l'invita à dîner. Elle l'éconduisit en riant.

Le lendemain, samedi saint 18 avril, l'ambassadeur était à sa table de travail en train d'écrire, comme toujours, sa lettre quasi quotidienne à Juliette Récamier : « Le courrier extraordinaire parti avant-hier 16 vous a porté une lettre bien triste. Hier, vendredi saint, j'ai cru que j'allais mourir, comme votre meilleur ami [1]. Vous m'auriez trouvé au moins ce trait de ressemblance avec lui et peut-être vous nous auriez aimés ensemble. Aujourd'hui, je suis très bien ! Je ne puis rien concevoir à cet état de santé. Est-ce une humeur de goutte vague ? Est-ce un avertissement de me préparer et la mort me touche-t-elle de temps en temps avec la pointe de sa faulx ? Vous me trouverez bien changé, j'ai pris cent ans, et c'est un siècle d'attachement que je mets à vos pieds », lorsqu'on frappa à la porte. C'était de nouveau Hyacinthe Pilorge, ou peut-être un de ces innombrables valets de pied du palais Simonetti, qui annonçait une visite : la visiteuse était Hortense Allart.

René aimait plus que tout ces débuts d'aventure où l'incertitude se mêlait à l'espoir. Il brûlait maintenant de l'envie de rencontrer la jeune personne dont Fortunée Hamelin lui parlait avec tant d'éloges et presque de gourmandise. Il se sentait soudain tout à fait bien, léger, heureux de vivre. Les cent ans dont il venait de se plaindre et la mort en train de le guetter s'évanouissaient d'un seul coup. Il prit une fleur dans

1. Mathieu de Montmorency, mort brusquement, deux ans plus tôt, à Saint-Thomas-d'Aquin, pendant l'office du vendredi saint.

un vase, la passa dans sa boutonnière et descendit dans le salon où la visiteuse attendait.

Il la vit. Dès le premier coup d'œil, ce fut, non pas un coup de foudre ni un éblouissement, mais une sorte d'épanouissement de bonheur et de plaisir, une révélation sensuelle. Elle était très jolie, aussi blonde que Cordélia était brune, avec un regard bleu plein de gaieté, des traits fins et réguliers dans un ovale allongé, un charme animé et impossible à décrire, tant sa physionomie était vive et changeante. Le dos tourné à la fenêtre, où entrait, un peu voilé, tout le printemps romain, elle paraissait entourée de lumière. Elle avait le teint pur et délicat, le cou mince, les épaules ravissantes sous une robe légère. Droite et mince, elle était de taille moyenne, avec un très grand air sans aucune affectation, des manières élégantes, simples et riantes, des mouvements très rapides et très spontanés. René remarqua aussitôt ses mains fines et longues, d'une beauté remarquable, avec des doigts si délicatement fuselés que, comme dans les contes de fées, elle aurait pu se servir pour coudre d'un minuscule dé d'enfant. Ses pieds étaient étroits et très petits. La masse de ses cheveux était relevée sur sa tête et René les vit, en esprit, se dérouler jusqu'à terre. Elle avait quelque chose de charmant, d'éveillé, de souriant et, en même temps, de volontaire, de sensuel et de souverain.

Elle était à peine intimidée. Lui déploya aussitôt toutes les batteries de sa formidable coquetterie. Quelques mois plus tôt, il avait écrit à Juliette : « J'ai ri de vos recommandations. Ne craignez rien, je suis cuirassé... Pouvez-vous maintenant douter de moi, et n'ai-je pas réparé depuis trois mois toute la peine que j'avais eu le malheur de vous faire dans ma vie ? » Il fit la roue parce qu'elle lui plaisait et parce qu'elle représentait la nouveauté dans l'ennui pesant de Rome et la simplicité dans tant de magnificence. Il se montra charmant et charmé. Elle le trouva agréable, gracieux, encore presque beau. Ils parlèrent assez longtemps. Elle n'avait pas lu grand-chose de ses œuvres politiques et religieuses. Mais, sur le conseil avisé de Fortunée Hamelin, elle avait avalé en toute hâte *Atala* qui avait déjà, jadis, bouleversé Mme de Beaumont. Elle en parla sans sottise, avec une admiration de bon ton qui enchanta l'Enchanteur. L'ambassadeur traita sa visiteuse avec une courtoisie empressée qui la fit rire et la conquit. Il avait au cœur cette crispation légère et cet élan qu'il connaissait si bien. Elle avait vingt-huit ans. Il lui demanda de la revoir. Elle quitta le palais Simonetti triomphante et vaguement émue.

Le lendemain était le dimanche de Pâques. Le matin, l'ambassadeur fut requis par les cérémonies religieuses. Elles furent superbes et longues. Après le déjeuner, face à face avec Céleste, Hyacinthe Pilorge vint demander à Son Excellence si elle désirait la voiture pour sa promenade coutumière dans la campagne romaine. Non, non, elle ferait quelques pas à pied autour de l'ambassade ou du côté de la Villa Médicis. Aux environs de deux heures, René se leva en effet et fit part à Céleste de son intention de sortir pour une heure ou pour deux. Il prit sa canne, ses gants, n'oublia point la fleur au revers de sa redingote et, discrètement parfumé, se dirigea vers les hauteurs du Quirinal. Soudain, comme par hasard, il se retrouva via delle Quatro Fontane, en face du vieux couvent désaffecté où Mlle Allart habitait chez sa sœur Sophie. Il entra, monta l'escalier. Sur le mur de l'escalier figurait encore une vieille inscription pieuse : « *Pens'all'Eternità* – Pense à l'éternité ! »

Mlle Allart, ce jour-là, n'était pas chez elle. Pendant que l'ambassadeur montait au Quirinal en venant du Corso, elle descendait des Quattro Fontane vers Sainte-Marie-Majeure. En rentrant, le soir, elle trouva un mot de René. Elle le lut avec un sourire où se mêlaient la surprise devant une visite si rapide, l'amusement, presque l'ironie et déjà un peu de tendresse pour le vieil homme éperdu. Elle s'assit à sa table et lui écrivit aussitôt son regret de l'avoir manqué. Et puis elle sortit de nouveau avec des amis et se promena, dans la nuit pascale, parmi les illuminations de Rome et les orchestres de la place Saint-Pierre.

René revint. Il revint plusieurs fois. Il revint tous les jours. Il lisait, en montant, l'inscription fatidique : *Pens'all'Eternità*. Il ne pensait qu'au présent. Il faisait la cour à Hortense, se jetait à ses pieds, lui baisait les mains. Elle était émue et flattée. Elle venait de finir un roman qui était l'histoire d'une liaison et qui s'appelait *Jérôme*. Elle lui remit le manuscrit, il le dévora en une nuit et déclara que l'œuvre – à peu près illisible – était admirable et que l'auteur avait du génie. C'était exagéré : elle avait de beaux cheveux. Elle savait très bien qu'il la flattait parce qu'il avait envie d'elle. Elle savait aussi qu'il aimait beaucoup les femmes. Ni cette hâte dans la passion ni cette indifférence profonde ne déplaisaient à la jeune femme qui n'avait pas froid aux yeux et qui professait qu'une femme ne connaît vraiment que les hommes qui ont été ses amants. Elle céda presque tout de suite et, les yeux bien ouverts, avec beaucoup de décision, elle se donna à lui, qui avait plus du double de son âge. Ce fut rapide, charmant, un peu ridicule, et presque touchant. Le samedi 25 avril, une semaine exactement après la première rencontre au palais Simonetti, fidèle à la recette qui dissimule les secrets sous l'aveu des évidences impossibles à cacher et l'entraînement clandestin sous les apparences de la réserve, René écrit à Juliette : « La fameuse Mlle Allart m'est arrivée de la part de Mme Hamelin. Elle m'a paru fort extraordinaire, assez jolie, spirituelle, mais d'un esprit peu naturel. Elle fait un nouveau roman et part pour

Naples. » Vanité de la psychologie ou volonté d'étouffer un enthousiasme trop spontané : George Sand, un peu plus tard, mettra l'accent, au contraire, sur l'extrême naturel de Mlle Allart. Hortense, en attendant, ne partait pas pour Naples : elle restait à Rome pour l'instant, et si elle partait pour quelque part, ce n'était que pour Paris. Elle caressait déjà l'idée d'y retrouver l'ambassadeur en train de quitter Rome de son côté et de rentrer en France. Le surlendemain de la visite d'Hortense au palais Simonetti, le lendemain de la visite de René via delle Quattro Fontane, le lundi de Pâques 20 avril, Chateaubriand, après avoir parlé un peu de politique française et de politique romaine, écrivait à Mme Récamier : « Il serait bien mieux de vous redire ce que le temps ne peut changer, ce qui est vrai à toutes les minutes, ce qui est à l'abri de tous les événements, de tous les caprices et de toutes les volontés des hommes ; c'est que je vous aime, et que je n'ai besoin que de votre attachement pour être heureux. » Allons ! une fois de plus, ne soyons pas trop sévères pour le pauvre René. Hortense était si jeune, si gaie, si vive. Et elle avait un cou de déesse entre les deux accroche-cœur qui tombaient de son chignon.

Rome, soudain, redevenait belle et René, comme par miracle, se portait à merveille. Les choses cependant ne s'arrangeaient pas si bien. Quelques jours avant la visite d'Hortense, il s'était décidé à demander un congé. Pas de chance : il l'avait obtenu. Le congé, désormais, ne lui convenait plus du tout. Le 29 avril, il écrit à son ami Marcellus : « Si Mme de Chateaubriand veut aller à Paris toute seule, je pourrais bien passer ici mon été. Je regrette Rome. » On ne le comprend que trop bien. Mais il était pris au piège : se méfiant des souris, la Chatte ne se souciait pas de laisser le Chat derrière elle. C'est alors que René, retournant la situation, avait demandé à Hortense de le rejoindre à Paris.

Il y avait pourtant encore une chose à faire avant de quitter la Ville éternelle : c'était d'y donner une grande fête pour frapper les esprits et pour laisser dans les annales du plaisir et du monde une trace comparable à celle que laissait, dans l'église de San Lorenzo in Lucina, le monument à la mémoire de Poussin : « F.-R. de Chateaubriand à Nicolas Poussin, pour la gloire des arts et l'honneur de la France. » Ainsi, dans trois endroits au moins, le souvenir de Chateaubriand resterait vivant à Rome : à Saint-Louis-des-Français, grâce à la mort de Pauline ; à San Lorenzo in Lucina, grâce au génie de Poussin ;

à la Villa Médicis, grâce à la fête somptueuse donnée le 29 avril, deux semaines après le *Miserere* et dix jours après Pâques, en l'honneur de la grande-duchesse Hélène de Russie, princesse wurtembourgeoise, belle-sœur du tsar Nicolas.

La première annonce de cette fête apparaît dans la même lettre où René parle d'Hortense à Juliette avec un rien d'hypocrisie : « Je m'occupe de donner à la grande-duchesse Hélène, mardi prochain [1], une petite fête dans les jardins de l'Académie. Ces jardins sont déjà à eux seuls une fête, et surtout dans cette saison. Nous aurons un déjeuner, de la musique dans les bosquets, les danses du pays, une improvisatrice, des proverbes, un ballon. Vous voyez que le temps sera rempli. Après quoi, le rideau s'abaisse ; je ferme ma porte et je vous attends dans ma solitude où je vais vous retrouver. » Oui.

Les choses se passèrent aussi bien ou peut-être même mieux que prévu : un violent orage éclata sur Rome vers midi. C'était une catastrophe ; elle enchanta René. Pendant que l'ambassadrice, consternée, essayait de réparer les dégâts avec l'aide du personnel et de transporter à l'intérieur de la Villa Médicis les festivités prévues pour le plein air, l'ambassadeur, les bras croisés, accoté dans un coin, la mèche en bataille, un sourire amer et extasié aux lèvres, contemplait le désastre. Il y retrouvait comme un écho de ses grandes tempêtes de Bretagne. L'harmonie des cors et des hautbois, dispersés par l'ouragan, avait quelque chose du murmure de ses forêts américaines. Le vent avait déchiré la tente du festin et traînait à travers le jardin des lambeaux de toile et des guirlandes, comme pour donner une image de tout ce que le temps ne cesse jamais de balayer dans nos vies. « Les groupes qui se jouaient dans les rafales, les femmes dont les voiles tourmentés battaient leurs visages et leurs cheveux, la *sartarella* qui continuait dans la bourrasque, l'improvisatrice qui déclamait aux nuages, le ballon qui s'envolait de travers avec le chiffre de la fille du Nord, tout cela donnait un caractère nouveau à ces jeux où semblaient se mêler les tempêtes accoutumées de ma vie. » Devant les invités stupéfaits, au son de la musique de Rossini, René riait à l'orage.

Le désastre, en vérité, avait été moins complet que Chateaubriand ne le raconte dans les *Mémoires d'outre-tombe*. La fête avait été repliée à temps dans les salons de la Villa et la signora Rosa Taddei, célèbre improvisatrice, membre de l'Académie tibérine et de celle d'Arcadie, avait pu déclamer à l'abri sur le thème d'Attilius Regulus et chanter les états d'âme du voyageur, sur un canevas de Son Excellence. Entre les lancers de ballons, les danses populaires, les éclats de voix de la cantatrice, les invités assistaient à une représentation

---

1. Chateaubriand fait, comme souvent, une erreur de date : la fête de la Villa Médicis se déroula le mercredi 29 avril.

de proverbes de Carmontelle. Le tout, malgré l'orage, ou à cause de l'orage, avait été très réussi et la presse du lendemain ne tarit pas d'éloges. Othenin d'Haussonville a beau répéter que la vie quotidienne, autour de l'ambassadeur, était passablement monotone et fort ennuyeuse, il a beau assurer que « M. de Chateaubriand exagère singulièrement l'effet produit à Rome par ce qu'il appelle l'éclat de ses fêtes », le souvenir du passage de la grande-duchesse Hélène à la Villa Médicis par une journée d'orage ne s'est pas effacé. Peut-être parce que les vents soufflent plus fort encore dans les pages des *Mémoires d'outre-tombe* que sur Rome et ses jardins en ce matin d'avril. Qu'importe ! Le récit de la fête fait partie de la fête. Et, comme souvent chez Chateaubriand, il est à peine inventé. René était un menteur presque toujours véridique. C'est ce qu'on appelle un poète.

Sa rêverie, ce jour-là, était nourrie par le spectacle d'une foule de jeunes femmes ravissantes. Leur beauté l'enivrait. Maudissant son automne et son monceau d'années, il regardait rouler sous ses yeux, au son de la musique répandue par les orchestres, ces flots de fleurs, de plumes, de diamants et de grâce. La mort, naturellement, se mêlait au plaisir. Elles aussi, si belles, si gaies, si vivantes, elles finiraient par se heurter à l'angoisse et à l'oubli. « Au bout de la route, elles tomberont dans ces sépulcres toujours ouverts ici, dans ces anciens sarcophages qui servent de bassins à des fontaines suspendues à des portiques ; elles iront augmenter tant de poussières légères et charmantes. »

La fête tirait à sa fin. La tempête s'apaisait. Ayant reconduit la grande-duchesse et la plupart des invités, René laissa à Céleste, à Othenin, à Hyacinthe Pilorge, aux attachés et au personnel le soin de mettre un peu d'ordre dans les vestiges des plaisirs et, montant en voiture, il partit pour le Colisée, puis pour la place Saint-Pierre. Les deux lieux sacrés étaient déserts. Sur les gradins de l'amphithéâtre, sous la colonnade du Bernin, René resta longtemps à rêver.

Les yeux encore éblouis des beautés de la fête, il songea à sa vie. Elle était toute pleine de visages et de corps de femmes. Comme il les avait aimées ! La politique, la littérature, la religion l'avaient occupé pendant un demi-siècle. Mais que pesaient Canning, et La Harpe, et Talleyrand, et Bonaparte, et le roi, et le Saint-Père lui-même, auprès de tant de souvenirs de tendresse et d'amour qui se confondaient avec lui ? Dans cette ville même, où la mort semblait partout présente, Pauline de Beaumont s'était éteinte entre ses bras. Dans cette ville même, où l'amour se mêlait à la mort, une jeune femme de vingt-huit ans venait, quelques heures à peine plus tôt, de se jeter dans sa vie. Pauline, Hortense, Céleste, la jolie del Drago avec ses yeux globuleux, la charmante Falconieri (qu'il ne regardait pourtant jamais), tant d'autres encore, aux noms irrésistibles : la Lante, la Lozziano, l'Altieri, la Zagarola ou la Palestrina, formaient autour de lui comme une ronde enchantée. Et, dans le fond de son cœur, inconstant et fidèle, la mieux aimée : Juliette. Il se mettait à sourire, du fond de sa mélancolie. Juliette ! Il pensait aussi aux autres, à celles qui n'étaient plus là. A Claire, à Charlotte, à Delphine, à la pauvre Mouche, qu'il avait tant aimée. A Cordélia, encore, qu'il avait aussi tant aimée. Aux inconnues, aux oubliées, à Mme Lafon et à Mme Bail, à Mrs. Arbuthnot et à Mlle Jeanne Leverd, à Mme de Belloy, que nous n'avons même pas rencontrée et qui, à Londres, jadis, avait été sa première maîtresse. Il pensait à l'inconnue qui l'avait pressé contre sa poitrine dans une fenêtre de Combourg, à Mme Rose Todon, aux côtés de qui il avait passé des heures délicieuses et angoissantes dans une étroite chaise de poste, à Mme de Chastenay, qui, couchée dans son lit, avait tendu ses bras nus vers l'adolescent épouvanté. Il pensait à des femmes qu'il ne connaissait même pas, qu'il n'avait jamais vues – et qu'il aimait déjà dans l'espérance et par la puissance formidable de l'imagination.

C'est qu'il ne se contentait pas, dans son cabinet de travail du palais Simonetti, de recevoir Hortense et d'écrire à Juliette. Il entretenait aussi, avec au moins deux femmes, une correspondance assidue qui était toute pleine d'attente et de promesses amoureuses. La première n'était plus toute jeune et s'appelait Mme de Vichet ; la seconde avait vingt ans, ou peut-être un peu plus, et se prénommait Léontine.

Le 24 novembre 1827 n'est pas une date éclatante de l'histoire du monde, ni même de la vie publique ou privée du vicomte de Chateaubriand. C'est pourtant le jour où, un an avant Rome, de la rue d'Enfer, à Paris, René répond, coup sur coup, à quelques minutes d'intervalle, à deux lettres qu'il vient de recevoir et qui ouvrent, l'une et l'autre, deux épisodes parallèles de notre histoire littéraire.

La marquise de Vichet avait cinquante ans. Et un fils lieutenant de chasseurs. Elle assurait qu'elle était laide – ce qui était assez vrai – mais elle écrivait des lettres d'amour à M. de Chateaubriand et elle l'appelait « ami chéri ». René se refusait à croire, jusqu'à plus ample informé, à cette laideur proclamée et gardait dans son cœur le projet, caché mais ferme, de la conquérir un jour. Quand il partit pour Rome, il lui écrivit avec simplicité : « Venez à moi. » C'était une espèce de manie. En 1803, il avait invité, pêle-mêle, Lucile, Delphine, Céleste elle-même et Pauline – qui fut la seule à venir, mais c'était pour mourir. En 1828, la même injonction avait été adressée à Juliette et à la pauvre marquise. Il était inutile d'insister auprès de Céleste et auprès d'Hortense : l'une et l'autre, à des fins différentes, étaient déjà sur place. Effarouchée, inquiète d'avoir été trop loin, la marquise s'était claquemurée dans son château du Vivarais, aussi antique qu'elle-même. Entre René et elle, il y avait un malentendu : lui voulait en faire sa maîtresse et elle insistait, pitoyable, pour ne devenir que sa sœur. Mais René, avec Claire, sans parler de Lucile, avait déjà une expérience un peu trop longue des sœurs. Toute l'aventure, du coup, prend une allure un peu comique. Du côté de la duègne amoureuse, mais aux yeux baissés, c'est l'amour avec des si : « Vous me demandez si je voyagerais en Italie dans le cas où vous iriez ; mais peut-être, si j'étais un oiseau, je m'envolerais après vous ; si j'étais un jeune garçon, je deviendrais votre secrétaire ou votre page, si j'étais la parente ou l'amie de Mme de Chateaubriand, je quitterais tout pour la suivre. Mais étant ce que je suis, comment pourrais-je avec convenance voyager seule en pays étranger ? » Et encore : « Le cœur de Mme de Chateaubriand vous appartient : dites-lui que vous avez une dernière sœur, priez-la de m'aimer et elle m'aimera ; alors, je pourrai faire avec vous deux le voyage de Rome. » Un oiseau, un secrétaire, un page, une sœur, une amie de Céleste... Oh ! là, là ! A la garde ! Décidément, Mme de Vichet était d'abord une raseuse.

Léontine de Villeneuve, par son âge, aurait pu, sans aucune peine, être la fille de la marquise et la sœur du lieutenant. Chateaubriand, dans ses *Mémoires*, essaie de nous faire croire qu'elle avait seize ans : elle en avait un peu plus d'une vingtaine, ce qui était déjà assez peu pour un ambassadeur, un ministre, un académicien, un pair de France sexagénaire. De son château d'Hauterive, au fond de son Tarn natal, avec une jeune amie, aussi exaltée qu'elle-même, elle avait envoyé une première lettre à l'idole gigantesque et lointaine. Œuvre de Léontine de Villeneuve et de Coraly de Gaïx – voici déjà, dissimulée derrière le romantisme naissant, l'ombre d'Octave Feuillet et du pire Marcel Proust –, ce premier message n'arriva jamais à son destinataire : il fut intercepté par les parents de Léontine, à bon droit alarmés par un tel délire d'amour. Quelque temps plus tard, à la veille du départ de l'ambassadeur pour Rome, récidive de la jeune Léontine. Par des voies détournées et assez compliquées, grâce à la complicité d'un parent parisien, elle réussit à faire parvenir à René un témoignage d'admiration, signé « Adèle de X... » Les débuts de cette correspondance répondent aux canons les plus classiques : « Je ne sais en vérité, Monsieur, pourquoi je vous écris ; mille autres avant moi ont fatigué les hommes illustres de leurs correspondances anonymes... » Elle savait pourtant très bien pourquoi elle écrivait : « C'est vous qui avez développé dans mon âme les premiers germes de l'enthousiasme. Je n'étais rien ; je n'étais qu'une jeune fille élevée dans la retraite, lorsqu'un jour vos écrits sont venus m'ouvrir une source de jouissances inconnues... » Comment René, blasé et pourtant ébloui, n'aurait-il pas répondu à cette réplique vivante et exquise de la Bettina de Gœthe ? Non moins traditionnellement que sa correspondante, il s'entoure pourtant de toutes les précautions nécessaires. Méfiance : Adèle ne serait-elle pas un garçon ? Enfin, le 24 novembre, jour de la première lettre à la marquise de Vichet, il répond, de la même encre, avec une impatience retenue qui fait trembler sa grande écriture endiablée et hypocrite, à la groupie déchaînée, à la jeune retraitée du Sud-Ouest : « Ne désirez rien pour moi, Mademoiselle, que le repos et, s'il se peut, l'oubli : j'ai peur de m'être brouillé un peu avec ce dernier ; s'il voulait se réconcilier avec moi, je lui consacrerais avec joie le reste de ma vie... Si nous nous rencontrons un jour, Mademoiselle, je verrai sans doute quelque jeune et belle Occitanienne, pleine de grâce et de nobles sentiments comme sa lettre ; vous verrez un vieux bonhomme tout blanc par la tête et qui n'a plus du chevalier que le cœur. »

Malgré la timidité apparente de l'une et les réserves feintes de l'autre, la correspondance se poursuivit et une dizaine de lettres, furieusement romantiques, pleines d'ennui et de lassitude, d'exaltation pourtant et déjà d'une jalousie qui n'attendait même pas l'amour pour se manifester, furent échangées de part et d'autre. « Vous vous plaignez de vos rêveries comme d'un mal ; gardez-les plutôt : que vous resterait-il après elles ? Moi qui suis parvenu à l'âge des réalités, je regrette tous les jours mes songes ; je ne le dis pas tout haut pour ne pas avoir l'air d'un fou ; mais je donnerais toute la sagesse de ces longues années pour un moment de ma jeunesse. » Comment la jeune fille, à son tour, n'aurait-elle pas été enflammée par ces mots tombés de la plume de l'idole et où se retrouve, un peu affaibli, l'écho des poèmes à Cordélia ? Elle s'enhardit de plus en plus. Du coup, le génie prend peur, résiste, du moins en apparence, et parle du malheur et de la malédiction qu'il répand autour de lui. Il sait très bien, naturellement, que cette fuite apparente ne peut qu'enferrer un peu plus sa mystérieuse correspondante : « Je ne peux donner le bonheur à personne, parce que je ne l'ai pas ; il n'était pas dans ma nature, il n'est plus de mon âge... Toutes les personnes qui se sont données à moi s'en sont repenties ; toutes en ont souffert ; toutes sont mortes de mort prématurée ; toutes ont perdu plus ou moins la raison avant de mourir. » Voilà Lucile, Charlotte, Pauline, Claire, Delphine, la pauvre Mouche ravalées au rang d'appât en forme d'hydre étincelante pour la jeune Léontine. Dès le début de 1828, il apprend le nom de l'anonyme. Il la repousse et il l'attire : « Je ne vous aime point, dites-vous, et, vous, vous m'aimez. Voulez-vous prendre le mot dans toute son étendue ? Comment voulez-vous d'abord que j'exprime ce que je sens pour une femme que je ne connais pas ?

De la reconnaissance pour vos bontés, de l'attendrissement et de la réciprocité pour une amitié si simplement et si généreusement offerte, enfin un certain attrait indéfinissable qu'on éprouve toujours dans des relations de cœur et de confiance avec une jeune femme, voilà sincèrement ce que j'éprouve pour Léontine... » Un pas de plus encore dans la séduction masquée et moralisatrice, dans la captation à peine réticente de la jeune personne qui n'a pas froid aux yeux : « La religion, la morale, l'ordre recommandent le mariage ; un honnête homme ne peut parler que dans ce sens ; voilà ce que ma probité m'oblige à dire. Mais, d'un autre côté, l'indépendance absolue faisant le fond de mes goûts et de mon caractère, je m'abstiendrai toujours de répondre lorsqu'on m'interrogera et je ne dirai jamais à Léontine : Mariez-vous. Je ne puis ni conseiller contre ce devoir ni vaincre une antipathie. » Se marier..., c'était pourtant à quoi l'Occitanienne, malgré sa folle passion, était en train de se préparer. Et, quand le projet prendra corps, le génie, malgré sa morale et ses cheveux blancs, se mettra à souffrir. Il ne criera pas à la trahison, il dénouera doucement les liens qui s'étaient créés entre eux, il la poussera lui-même dans les bras du comte de Castelbajac, bientôt président de chambre à la cour de Toulouse et membre de l'Académie des Jeux floraux. Mais, jusqu'à ses derniers jours, il ne l'oubliera plus.

A Rome, après les tourbillons de la Villa Médicis, au pied de ce Colisée où Pauline mourante se serrait contre lui ou sur la place Saint-Pierre, les phrases mélancoliques et ardentes de ses lettres à l'Occitanienne lui reviennent à l'esprit et aux lèvres. Un promeneur attentif aurait pu observer, dans le soir romain qui tombe, le spectacle surprenant d'un vieil ambassadeur qui, au sortir d'une fête où, dans l'éclat des pierreries, des étoffes, des splendeurs et des vanités, s'est pressée toute la ville, se récite à lui-même ses paroles désenchantées et toujours enchanteresses : « Bonjour, ma belle Léontine, mon sylphe, ma charmante inconnue, aimez-moi et écrivez-moi... Vive ma chevelure grise puisque vous l'aimez ! Vous ne voulez pas que je vous parle de mariage et vous m'en parlez toujours. Pour ma conscience, mariez-vous ; pour mon amour, ne vous mariez jamais !... Léontine, je vous verrai, je vous aime trop, je suis un vieux fou... Le rendez-vous que vous m'avez promis sur la terre, je vous le demanderai dans le ciel. »

Parmi tant d'ombres légères, ou présentes ou absentes et qui s'ignoraient les unes les autres, le départ approchait, et le retour à Paris. Après avoir pensé à Polignac, à Adrien de Montmorency, à quelques autres encore, et à Chateaubriand lui-même, pour remplacer La Ferronnays aux Affaires étrangères, le roi avait fini par nommer Portalis qui assurait déjà l'intérim. Chateaubriand le détestait, et le nouveau ministre lui rendait de tout cœur ces sentiments d'hostilité. C'en était trop. René avait demandé un congé ; l'irruption d'Hortense l'avait fait hésiter à quitter Rome ; la nomination de Portalis l'y décida tout à fait. Il partait. Il retrouvait son désir de retraite et de disparition éclatante. « Maintenant mon parti à prendre est le plus simple, le plus calme et le plus noble du monde. Je n'envoie pas ma démission ; je ne fais aucun bruit ; j'ai un congé ; j'en profite pour aller paisiblement à Paris. Au moment où je réussissais à faire nommer le Souverain Pontife désiré par Sa Majesté, il croit devoir aller chercher un ministre hors de toute probabilité politique. Il me fallait peut-être cette dernière leçon pour apaiser les dernières bouffées de mon orgueil. Je la reçois en toute humilité et j'en profiterai. » Voilà deux fois le mot « dernier » aux côtés du mot « orgueil ». Savait-il déjà, avait-il deviné que la fête prodigieuse de la Villa Médicis serait la dernière de sa vie, la dernière où l'amour, la somptuosité, la puissance et la gloire avaient dansé en rond autour de lui ? Quelques années plus tard, traversant le Wurtemberg, saluant tout naturellement le souvenir de la « fleur gracieuse et délicate maintenant enfermée dans les serres du Wolga », il ajoutait : « Je n'ai conçu qu'un seul jour le prix du haut rang et de la fortune : c'est à la fête que je donnai à la jeune princesse de Russie dans les jardins de la Villa de Médicis. Je sentis comment la magie du ciel, le charme des lieux, le prestige de la beauté et de la puissance pouvaient enivrer, et les ruines de Rome ajoutaient à l'éclat de ma fête ce que les souvenirs de la mort ajoutent aux joies d'un festin. Représentant de l'héritier de François Ier et de Louis XIV, j'ai eu le songe d'un roi de France. »

Chateaubriand quitta Rome le 16 mai 1829. Le jeudi 14, il envoya un mot à Juliette : « C'est toujours samedi prochain, après-demain 16, que je pars. Ce mot-là dit tout pour moi puisque c'est pour vous voir. Je vous écrirai samedi *un dernier mot* par la poste en partant. » Ce même jour, 14, Mme Récamier écrivait à Chateaubriand une lettre que nous connaissons grâce à la censure autrichienne qui l'avait interceptée pour la remettre à Metternich : « Eh bien, voilà M. Portalis aux Affaires étrangères ! J'espère que cette lettre ne vous trouvera plus à Rome, mais, si vous y étiez encore, je ne pense pas du moins que vous y restiez après la nomination de M. Portalis. La lettre où vous m'annonciez le départ de Mme de Chateaubriand m'avait mis la mort dans l'âme. Je cherchais ce qui pouvait vous retenir, je croyais entrevoir... Mais votre lettre d'hier me fait s'évanouir les noires chimères qui m'apparaissaient sous les formes les plus séduisantes pour me désoler... Pour moi, je suis ravie du choix de M. Portalis ; il était difficile d'en faire un qui fût désapprouvé plus généralement, et puis vous arrivez et tout est pour le mieux ! » Lettre bien intéressante parce que, mêlant une fois de plus la vie privée à la vie publique, elle se réjouit d'une nomination peu heureuse, mais qui ne fait que hâter le retour de René ; bien intéressante surtout parce que l'ombre d'Hortense y apparaît furtivement, mais avec évidence.

Le 16 mai, c'est le « dernier mot » promis, la dernière lettre romaine de René à Juliette : « Cette lettre partira de Rome quelques heures après moi et arrivera quelques heures avant moi à Paris. Elle va clore cette correspondance qui n'a pas manqué un seul courrier et qui doit former un volume entre vos mains. La vôtre est bien petite. En la serrant hier au soir et voyant comme elle tenait peu de place, j'avais le cœur mal assuré. J'éprouve un mélange de joie et de tristesse que je ne puis vous dire. Pendant trois ou quatre mois je me suis déplu à Rome ; maintenant j'ai repris goût à ces nobles ruines, à cette solitude si profonde, si paisible et pourtant si pleine d'intérêt et de souvenirs. Peut-être aussi le succès inespéré que j'ai obtenu ici m'a attaché ; on paraît me regretter vivement. Chère amie, je vais vous chercher, je vais vous ramener avec moi à Rome. Ambassadeur ou non, c'est là que je veux mourir auprès de vous. J'aurai du moins un grand tombeau en échange d'une petite vie. Je vais pourtant vous voir. Quel bonheur ! Adieu, j'ai déjà fait plusieurs lieues vers vous. »

Huit jours plus tard, le dimanche 24 mai, de Lyon, René écrivait encore à Juliette : « Lisez bien cette date, elle est de la ville où vous êtes née ! Vous voyez bien qu'on se retrouve et que j'ai toujours raison. C'est Hyacinthe que j'envoie en avant qui vous remettra ce billet. Maintenant, est-ce moi qui vous emmènerai à Rome ou vous qui me garderez à Paris ? Nous verrons cela. Enfin, à jeudi. Le cœur me bat à la pensée de vous retrouver dans votre petite chambre. A jeudi ; je n'ose croire à ce mot. Il n'y a que huit jours que je voyais encore les montagnes de la Sabine et je vois celles du Bourbonnais. Du Tibre au Rhône, du Rhône dont vos premiers regards ont embelli les ondes ! Je vous aime. A jeudi. »

René n'était pas seul à sentir battre son cœur. « L'arrivée de M. de Chateaubriand, confiait Juliette à sa nièce Amélie, ranime ma vie qui me semblait prête à s'éteindre. » Malgré tous ses soupçons et sa sensibilité si vive, elle ignorait, grâce à Dieu, qu'elle n'était pas la seule à guetter, impatiemment, avec crainte et espérance, le retour de l'ambassadeur : cachées derrière tous les charmes et les prestiges de l'inconnu, la marquise de Vichet et la jeune Léontine étaient nichées quelque part dans les pensées du grand homme. Elle ignorait surtout que le départ de Rome avait été moins dur que prévu : René avait réussi à arracher à Hortense la promesse formelle de le rejoindre à Paris. René arriva à Paris le jeudi 28 mai. Quelques jours à peine plus tard, tout au début de juin, Hortense Allart, pour plus de commodité, s'installait rue d'Enfer, à quelques pas de l'Infirmerie Marie-Thérèse, asile de sainteté pour les vieux prêtres infirmes et les dames nobles appauvries, où René et Céleste avaient élu domicile.

A la fin du printemps de 1829, la France, pour ne pas changer, était vaguement mécontente. Le roi la tirait à droite, grommelait contre la Charte et regrettait Villèle. Les Français, en secret, étaient plutôt centre gauche. Charles X n'en avait cure et faisait attaquer Martignac et son propre gouvernement dans des journaux à sa solde. Mme Récamier, toujours sage, et plus avisée que René, craignait par-dessus tout que, Martignac renvoyé, le roi n'offrît à Chateaubriand de rentrer, comme ministre des Affaires étrangères, dans un ministère d'extrême droite qui lui paraissait d'avance condamné. « Je suis plus troublée, disait-elle, de la situation dans laquelle il va se trouver que je ne suis heureuse de le revoir. » A peine arrivé, elle souhaitait son départ de Paris et son retour à Rome où elle gardait l'espoir de le rejoindre loin des tumultes de la politique.

René, cependant, avait bien d'autres soucis. La politique l'intéressait, mais moins que l'espoir de nouvelles amours. Le jour même de son retour à Paris, il écrit en toute hâte à Mme de Vichet qui avait quitté pour Paris son vieux château du Vivarais : « Vous voilà donc obligée de me donner un rendez-vous, dites-moi l'heure et le jour de la fin de vos illusions. » Il ne croyait pas si bien dire. La marquise sentit le danger et répondit, affolée : « Ne parlez pas d'illusions, cela me fait mal. Je n'en ai jamais eu, mais je crains les vôtres. » Elle non plus, hélas ! ne croyait pas si bien dire. Ils se virent chez elle, le 30 mai, à une heure. L'esprit tout plein d'Hortense et de ses vingt-huit ans, il la trouva bien vieille ; elle le trouva bien jeune : « Vous êtes plus jeune que je ne croyais. Vous paraissez plus jeune que vous n'êtes, et nos lettres sont inconvenantes. » Quelle raseuse ! René ne songe déjà plus qu'à se débarrasser de l'encombrante marquise. Trop tard ! Ils se revoient encore le surlendemain, 1er juin, et, malgré son âge, ses hésitations, ses scrupules, la marquise est conquise : « Je vous ai revu aimable, doux et triste, lui écrit-elle le lendemain ; vous m'avez dit souvent : je vous aime tendrement ! Mon cœur est presque consolé. » Non seulement elle est convenable, mais encore elle est collante. A nouveau : quel ennui ! Après tant de lettres et de rêves, la désillusion, cette fois, aura été plus rapide que jamais. Avec autant de hâte qu'il avait mis, quelques jours plus tôt, à la voir dès son retour, René lui envoie un billet qui met brutalement fin à une aventure avortée. L'ambassadeur sexagénaire a d'autres chats à fouetter. Outre la politique et la littérature, Juliette, Hortense, Léontine suffisent largement à l'occuper. Chacune à sa façon et avec ses armes propres.

Juliette, très sagement, s'efforce de le détourner de la politique, dont elle n'attend rien de bon et où elle craint ses éclats, vers la littérature. Ce qui, à cette époque et depuis plusieurs mois, agite Chateaubriand, c'est sa tragédie de *Moïse*. A plusieurs reprises, dans ses lettres de Rome, entre le récit de ses *ricevimenti*, des considérations sur le ministère et des protestations de tendresse, il recommande à Juliette de s'occuper de son *Moïse* : « Je n'ai plus qu'une *ambition*, celle de faire applaudir ou siffler *Moïse*. » Ou : « Voyez-vous, ce qu'il y a de mieux, c'est de vous aimer toujours davantage ; c'est d'aller vous retrouver le plus tôt possible. Si mon *Moïse* descend bien de la montagne, je lui emprunterai un de ses rayons pour reparaître à vos yeux tout brillant et tout rajeuni. » Tout de suite après son retour, dès le mois de juin, Juliette Récamier organise à l'Abbaye-aux-Bois une lecture de *Moïse*. Elle se dépense sans compter, et peut-être un peu trop, jusqu'à provoquer chez plusieurs, et par exemple chez Sainte-Beuve, une certaine irritation devant tant d'agitation littéraire et d'efforts concertés. Différentes relations de l'événement sont parvenues jusqu'à nous. Henri de Latouche le raconte dans un article célèbre de la *Revue de Paris*. Des *Mémoires poétiques* anonymes le mettent en vers médiocres, mais curieux. Lamartine surtout, nous en laisse le récit coloré et franchement malveillant dans son *Cours familier de littérature*.

Chateaubriand et Lamartine entretenaient des relations solennelles et suivies. Ils se rencontraient souvent chez Mme Récamier, échangeaient de grands saluts avec affectation et s'envoyaient à la tête des compliments dithyrambiques dont aucun des deux ne pensait le premier mot. L'auteur de *Jocelyn* et des *Méditations poétiques* n'avait pas de sympathie pour l'auteur des *Martyrs* : « Je le voyais à la messe l'autre jour ; figure de faux grand homme ; un côté qui grimace. » Chateaubriand, de son côté, n'avait pas plus d'indulgence pour Lamartine.

Nous avons déjà vu, plus d'une fois, René en train d'arriver, tous les jours, à la même heure, à l'Abbaye-aux-Bois. Il entre. Juliette est encore seule, René s'avance sur les dessins du tapis à fond beige, sous les deux grands portraits de Gérard et de Girodet, entre la pendule Régence en bronze doré sur la cheminée de marbre blanc et les bergères, les chaises, les tabourets, le guéridon en palissandre et citronnier décoré de sphinx ailés et de palmes sculptées, déjà tout disposés pour recevoir les invités. René traîne avec lui, dans un grand foulard de soie noire soigneusement plié dont il se sert comme d'un cabas, le manuscrit des *Mémoires* dont il va poursuivre la lecture devant Juliette rêveuse. Un jour, quelques années plus tard, pendant que René déplie le foulard, deux visiteurs privilégiés arrivent dans le salon avant l'heure officielle de la réception publique : c'est Lamartine et Sainte-Beuve. *Jocelyn* venait de paraître.

– Je vous lis, monsieur, dit Juliette à Lamartine avec un sourire enchanteur, nous vous lisons, nous vous devons bien des plaisirs ; M. de Chateaubriand surtout est bien charmé...

René, poussé par Juliette sur le devant de la scène, se tait obstinément. Il a pris entre ses dents le foulard noir déplié et, en un geste familier et maniaque, il tire dessus sans un mot. C'est ce que ses proches appellent en riant : « sonner la cloche ». Pour couvrir son mutisme, Juliette et Lamartine échangent fadaises et compliments sous l'œil perçant de Sainte-Beuve. De temps en temps, Juliette se tourne vers René et quête une approbation, un jugement, un mot. Mais il sonne en silence la cloche du foulard de soie. Sans se laisser abattre, Juliette poursuit ses efforts.

– On vous a fait, monsieur, dit-elle à Lamartine avec son plus radieux sourire, des critiques bien peu fondées, sur le mariage des prêtres, et sur le style... qui est si pur, si charmant !

Lamartine entre sans trop de façon dans cet éloge de lui-même. Il interrompt Juliette :

– Le style ! c'est précisément ce que j'ai soigné le plus ! C'est fait à la loupe. A quelle lecture en êtes-vous ?

– A la première, avoue Juliette.

– C'est qu'on ne goûte bien le livre qu'à la seconde.

– Mais dès cette première fois même, insiste Juliette, sans oser lever les yeux sur René et Sainte-Beuve, je n'ai pas de peine à comprendre combien il y a de beautés qui doivent gagner sans doute à être relues.

Sainte-Beuve suit la scène avec une malice ravie. Plus tard, entre deux coups de patte à René, il jugera sévèrement « l'incohérence » des propos de Lamartine. Enfin, le poète se lève, au soulagement de Juliette. On le raccompagne jusqu'à la porte. A peine est-il sorti, après avoir laissé retomber la portière du second salon, que, lâchant le foulard qu'il tenait entre les dents, René se laisse aller, hausse les épaules, éclate :

– Le grand dadais !

Le grand dadais assistait donc, en juin 1829, à la lecture mémorable de la tragédie de *Moïse* dans le salon de Juliette : « On s'arrachait depuis six semaines les billets d'invitation à cette mystérieuse soirée. Toutes les grandes dames de Paris, tous les poètes, tous les orateurs, tous les étrangers, tous les journalistes sollicitaient ; leurs noms passaient au crible d'un scrutin-épuration des amis de la Maison avant d'être admis. On voulait être sûr qu'aucun profane ou qu'aucun incrédule au génie du lieu ne se glisserait dans le cénacle pour en troubler ou pour en divulguer les mystères. La piété, l'adoration étaient obligées. La froideur même dans le culte aurait paru un blasphème contre ce dieu des femmes... La soirée mémorable arriva ; nous perçâmes difficilement la foule (confidentielle cependant) qui obstruait de bonne heure le large escalier du couvent de l'Abbaye-aux-Bois. Nous entrâmes : toute la gloire et tout le charme de la France était là. »

Après les sourdes rumeurs de la vaste cour, réveillée par le bruit des équipages et la demi-voix des entretiens sur les marches, qui faisait penser au recueillement d'une entrée d'église, Lamartine, debout entre deux portes d'où il voyait la foule des spectateurs silencieux ou bourdonnants, eut le sentiment de pénétrer dans « une académie qui tiendrait séance dans un monastère. C'était une cour, mais un peu vieille cour ; les meubles étaient simples et usés ; quelques livres épars sur les guéridons, quelques bustes du temps de l'Empire sur les consoles, quelques paravents du siècle de Louis XV en formaient tout l'ornement. Au-dessous du tableau de Corinne figurait, comme un Oswald [1] vieilli, M. de Chateaubriand. Il dissimulait, derrière les paravents et les fauteuils des femmes, la disgrâce de ses épaules inégales, de sa taille courte, de ses jambes grêles ; on n'entrevoyait que le buste viril et la tête olympienne. Cette tête attirait et pétrifiait les yeux. Des cheveux soyeux et inspirés sous leur neige ; un front plein et bombé de sa plénitude ; des yeux noirs comme deux charbons mal éteints par l'âge ; un nez fin et presque féminin par la délicatesse du profil ; une bouche tantôt pincée par une contraction solennelle, tantôt déridée par un sourire de cour plus que de cœur ; des joues ridées comme les joues de Dante par les années qui avaient roulé dans ces ornières autant de passions ambitieuses que de jours ; un faux air de modestie qui ressemblait à la pudeur ou plutôt au fard de la gloire, tel était l'homme principal au fond du salon, entre la cheminée et le tableau. Il recevait et il rendait les saluts de tous les assistants avec une politesse embarrassée qui sollicitait visiblement l'indulgence. Un triple cercle de femmes, presque toutes femmes de cour, femmes de lettres ou chefs de partis politiques divers, occupait le milieu du salon. On y avait laissé un vide pour le lecteur. »

Voilà René bien arrangé. En France surtout, dans le monde littéraire comme ailleurs, les confrères sont rarement bienveillants. Et entre Lamartine et Chateaubriand il n'y avait pas seulement une rivalité littéraire : il y avait aussi une opposition politique. Dans un style un peu douteux, Juliette Récamier elle-même n'était pas épargnée : « Mme Récamier était visiblement fébrile par l'inquiétude du succès de la lecture

1. Personnage de *Corinne ou l'Italie*, de Mme de Staël.

pour le grand homme. Il redescendait dans une nouvelle arène par une insatiabilité de gloire littéraire. Son amie s'agitait d'un groupe du salon à l'autre pour donner le mot d'ordre du jour à tous les conviés ; ce mot d'ordre était silence, attention, enthousiasme pour tout le monde, et pour les journalistes en particulier, écho complaisant chargé de reporter le lendemain à toute l'Europe un tonnerre d'applaudissements convenus, et pas une critique. C'était un spectacle touchant et triste à la fois que cette beauté célèbre devenue sœur de charité d'une vanité vieillie et malade, et allant quêter de groupe en groupe une fausse monnaie de gloire. »

La lecture commença. Le récitant devait être l'acteur et musicien Lafon, mari de cette même Mme Lafon que nous avons déjà vue, à Paris, puis à Londres, aux côtés de René et, en vérité, dans ses bras. On lui avait remis trop tard le manuscrit de *Moïse* et il avait à peine eu le temps de le lire et de se préparer. Il s'acquitta si mal de sa tâche, avec tant d'hésitations et d'erreurs, que René prit sa place. « M. de Chateaubriand, impatienté et humilié d'entendre ânonner ses vers par un lecteur qui avait peine à les lire, arracha, à la fin, le manuscrit des mains du grand acteur et voulut les lire lui-même. Malgré la faiblesse et la monotonie de sa propre voix, l'effet fut plus saisissant, mais non plus heureux. Les vers, balbutiés par l'auteur lui-même, tombaient essoufflés dans l'oreille. On souffrait de ce que devait souffrir le poète lui-même ; on assistait à un supplice presque aussi pénible à contempler qu'une torture physique ; on détournait la tête, on baissait les yeux. M. de Chateaubriand, excédé de vains efforts, rejeta enfin le manuscrit à l'acteur, qui acheva la lecture au bruit des applaudissements. Il y avait plus de bienséance que d'émotion dans ces applaudissements ; les mains battaient sans le cœur ; on payait en complaisance pour Mme Récamier et en respect pour un grand écrivain le privilège qu'on avait eu d'assister à cette demi-publicité d'initiés dans un salon tenu par la beauté et décoré par le génie. »

Lamartine, en ce temps-là, n'a pas encore quarante ans. Il a vingt ans de moins que Chateaubriand. Et *Moïse*, en vérité, malgré les espoirs et les illusions de René, est très loin d'être un chef-d'œuvre. « C'était un écho de Racine et de David, ce n'était ni David ni Racine ; c'étaient leurs ombres, un pastiche d'homme de génie, mais un pastiche. » D'où la dureté de Lamartine qui parle un peu plus loin de « culte des soleils couchants » et de « commisération pour le grand indigent et pour sa tendre quêteuse ». « On se retira avec une émotion factice, mais avec un respect réel ; on laissa M. de Chateaubriand, peu satisfait, se consoler avec Mme Récamier et avec ses familiers les plus intimes des petits déboires de la soirée. » En un mot comme en mille, la soirée et *Moïse* étaient un échec. Quelque grand qu'il puisse être, la vie d'un écrivain, comme celle d'un séducteur, est faite de plus d'échecs que de succès.

Il accumulait les chagrins : non seulement *Moïse* était mal accueilli, mais la politique le décevait ; les espérances de ministère s'éloignaient ; Portalis, aux Affaires étrangères, « semblait masquer la place plutôt que la remplir » ; le roi, à son avis, suivait une pente fatale ; obérées par ses somptuosités romaines, ses finances privées, une fois de plus, lui causaient les pires soucis – et il avait trouvé, à son retour, M. Le Moine au lit. Quelques jours plus tard, le « ministre des finances », le « premier gentilhomme de la chambre » mourait et allait reposer à jamais dans le cimetière Montparnasse encore tout neuf et tout proche de la rue d'Enfer. C'était un ami de plus, et précieux, qui allait rejoindre les Fontanes et les Joubert – Joubert était mort cinq ans plus tôt – et les belles « Madames » disparues. Grâce à Dieu, il restait encore à René des espérances de bonheur. Celles qui l'occupaient le plus, en cette dernière année de la légitimité bourbonienne, si vénérée et si décevante, s'appelaient Hortense et Léontine.

La marquise de Vichet disparue dans une trappe, René s'était résigné à repartir pour Rome avec Céleste. Il comptait y attirer, autour de Juliette Récamier, une véritable cour de jeunesse et de beauté, y achever ses *Mémoires* et y finir ses jours, soit « dans une cellule proche de la chambre où Le Tasse expira », soit au petit palais Caffarelli, sur le Capitole, qu'il envisageait de louer, à titre privé, au ministre de Prusse. Il suivit, pour se rendre à Rome, le chemin des écoliers. Sachant que Léontine de Villeneuve devait passer l'été dans les Pyrénées avec sa famille, il décida, sous prétexte d'aller prendre des eaux, de se rendre à Cauterets. De là, il regagnerait Nice où il avait donné rendez-vous à Céleste, et ils descendraient ensemble vers l'Italie. « Tout mon voyage jusqu'aux Pyrénées fut une suite de rêves. » Je pense bien. Non seulement il allait voir l'Occitanienne sans visage qui lui écrivait depuis des années, mais encore, sur le chemin, il s'était réservé une gâterie : il avait invité Hortense à venir le rejoindre à Étampes.

Étampes est, en profane, ce que Grenade ou surtout Chantilly avaient été dans le sacré – ou dans le quasi-sacré : une halte dans la course des jours, un souvenir pour toujours, un de ces noms de lieux où un peu de lui-même, à des degrés très divers de hauteur et de passion, allait rester attaché. Bien des années plus tard, Hortense Allart devait publier un petit livre audacieux où elle ne cachait rien, ou presque rien, de sa vie : *les Enchantements de Prudence*. Elle raconte dans ces pages la rencontre d'Étampes : « Il allait partir pour prendre les eaux des Pyrénées. Il me demanda de me rencontrer sur sa route à Étampes, et je partis pour le trouver là. » A l'auberge d'Étampes, ils prirent deux chambres, naturellement. Elle le vit entrer chez elle, ils se jetèrent dans les bras l'un de l'autre, le vieillard et la jeune femme, et il lui dit à la hâte qu'il allait éloigner ses gens avant de revenir dîner avec elle dans la chambre qu'elle occupait. Il rentra dans son appartement et vint bientôt la retrouver. Le dîner fut charmant. Ils jouaient le rôle et avaient l'air de deux jeunes amants fugitifs et cachés. C'était un mélange de *Manon Lescaut* et de *Suzanne et les vieillards*. René était heureux, riait, disait mille choses aimables et tendres. Elle avait cessé d'être intimidée – si elle l'avait jamais été – et elle se sentait très éprise. Lui se montrait impatient d'atteindre la nuit et la plaisantait sur sa froideur. Après le dîner, il sortit, rentra de nouveau chez lui pour quelques instants pendant qu'on desservait. Et puis il revint, pour la nuit, dans la chambre où Hortense l'attendait. Elle devait confier plus tard à Sainte-Beuve que le sexagénaire s'était conduit avec bravoure et que l'honneur du vicomte lui avait par trois fois procuré du plaisir. Le lendemain, elle rentrait à Paris, avec mélancolie. René continuait sa route vers les Pyrénées et vers Cauterets. C'était le plein été. Le soleil brillait sur la route dans un ciel sans nuages que troublait à peine le sillage de poussière soulevée par la voiture où rêvait Chateaubriand.

Cauterets, sur l'étroit gave du même nom, était, au début du siècle dernier, un bourg d'un millier d'habitants. Connues, comme la femme chez Vialatte, depuis la plus haute antiquité, ses eaux, sulfureuses et salines, attiraient chaque année des centaines de curistes. Sous le prétexte de soigner leurs bronches, leur peau, leurs troubles de toutes sortes qui ne disposaient pas encore des remèdes et des vogues d'aujourd'hui, les La Rochefoucauld, les Broglie, les Castelbajac s'y retrouvaient volontiers pendant les mois d'été. Léontine de Villeneuve y occupait, avec une tante qui lui servait de chaperon, un petit appartement. Il semble que ce soit chez la duchesse de La Rochefoucauld que René aperçut pour la première fois celle qui avait si longtemps été sa correspondante mystérieuse, sans nom d'abord, puis sans visage. Tout de suite, il vient la prendre chez elle pour de longues promenades sur le sentier escarpé qui court entre les sapins tout au long du torrent. Elle a, non pas seize ans, mais vingt-six, une taille, selon les témoignages, élancée ou boulotte, des yeux noirs et ardents, un teint doré, et surtout, à défaut de vraie beauté, une fraîcheur enivrante. Elle écrit des vers détestables, elle nourrit pour son dieu une admiration, une vénération, une adoration exaltées – et elle est sur le point de se marier avec un jeune magistrat. Dans le fracas du torrent, l'étrange couple se laisse aller aux confidences et aux délires. Chacun est émerveillé de la présence de l'autre et chacun, en même temps, s'en veut de tromper l'autre – René parce qu'il a le sentiment d'abuser de la jeunesse et de l'inexpérience, Léontine parce qu'elle sait très bien que son destin est déjà tout tracé. Mais ils rêvent tous les deux et ils se laissent aller à la griserie de leurs folles confessions. Dans les cinq ans qui suivent vont paraître, pêle-mêle, les *Poésies*, et les *Nuits* de Musset, les *Harmonies poétiques* de Lamartine, les *Feuilles d'automne* et les *Chants du crépuscule* de Victor Hugo, *le Rouge et le Noir* de Stendhal, *On ne badine pas avec l'amour, le Lys dans la vallée, Hernani* de Hugo, et *Antony* du jeune Dumas, puis la *Confession d'un enfant du siècle. Il ne faut jurer de rien*, les *Voix intérieures*, *la Chute d'un ange, Ruy Blas* et *la Chartreuse de Parme* : peut-être, à leur façon, avec un mélange d'ivresse, de pureté, de dissimulation, René et Léontine ouvrent-ils, au bord tumultueux du gave de Cauterets, la grande époque du romantisme. Elle se jette au cou du génie ; il se jette aux pieds de la jeunesse. Et, naturellement, ils se manquent. Baignés de larmes, fous l'un de l'autre, pleins d'espoir et d'illusions, ni l'un ni l'autre ne croit vraiment à ses songes et à ses sentiments, ni d'ailleurs à ceux de l'autre. Elle lui offre de le suivre à Rome, d'y être sa secrétaire, sa servante, sa compagne spirituelle et mystique. Pour éviter tout scandale, elle s'enfermerait dans un couvent. Il se laisse tenter, il l'invite dans son palais romain, comme il y avait invité jadis ou naguère la pauvre Pauline de Beaumont ou la pauvre marquise de Vichet, elle en deviendra le bon ange, la Sylphide réincarnée, la fée. Ils s'exaltent de plus en plus, ils enfourchent leurs chimères, ils s'envolent parmi les nuages des délires et de la mauvaise foi – jusqu'à ce qu'ils retombent sur le sol dur de la réalité : il est ambassadeur, pair de France, marié, et il a soixante ans ; elle en a vingt-six – et elle est fiancée.

Ce qu'il y a de plus redoutable chez Chateaubriand en particulier et chez les écrivains en général, ce n'est pas leur suffisance, leur égoïsme ou leur indifférence à tout ce qui n'est pas leur œuvre : c'est que le chagrin et la souffrance leur sont encore un aliment et que le bien et le mal, chez eux, ne se distinguent pas l'un de l'autre. De l'épisode de l'Occitanienne, Chateaubriand allait tirer quelques pages d'un romantisme échevelé, où l'on pourrait trouver des traces de Rousseau ou de Hugo et presque l'annonce de Lautréamont. Elles sont connues sous le titre d'*Amour et vieillesse*, mais Sainte-Beuve leur a donné le beau nom de *la Confession délirante*. Peu de textes de Chateaubriand ont donné naissance à autant de commentaires. Avec le passage célèbre sur l'origine du *Génie du christianisme* – « Je n'ai point cédé, j'en conviens, à de grandes lumières surnaturelles... j'ai pleuré et j'ai cru » –, avec la description de M. de Chateaubriand père dans le château de Combourg, avec la lettre à Juliette sur le *Miserere* d'Allegri, avec quelques pages sur les forêts et la lune, il constitue un des fragments les plus fameux de Chateaubriand. Un critique érudit – M. Baldensperger – a cru y retrouver l'écho lointain de l'amour de René pour la jeune Charlotte Ives. Avec l'immense majorité des commentateurs, souvent éberlués, il nous semble voir plutôt dans *la Confession délirante* l'ombre de l'Occitanienne. Au thème de l'inconstance et de la mortelle indifférence de l'amant s'unit l'image cruelle de la jeunesse de l'amante : « Vois-tu, quand je me laisserais aller à une folie, je ne suis pas sûr de l'aimer demain. Je ne crois pas à moi. Je m'ignore. La passion me dévore et je suis prêt à me poignarder ou à rire. Je t'adore, mais dans un moment j'aimerai plus que toi le bruit du vent dans ces roches, un nuage qui vole, une feuille qui tombe. Puis je prierai Dieu avec larmes, puis j'invoquerai le néant... Si tu me dis que tu m'aimeras comme un père, tu me feras horreur ; si tu prétends m'aimer comme une amante, je ne te croirai pas. Dans chaque jeune homme, je verrai un rival préféré. Tes respects me feront sentir mes années ; tes caresses me livreront à la jalousie la plus insensée... Objet charmant, je t'adore, mais je ne t'accepte pas. Va chercher le jeune homme dont les bras peuvent s'entrelacer aux tiens avec grâce ; mais ne me le dis pas. Fuis environnée de mes désirs, de ma jalousie, de (...)[1] et laisse-moi me débattre avec l'horreur de mes années et le chaos de ma nature où le ciel et l'enfer, la haine et l'amour, l'indifférence et la passion se mêlent dans une confusion effroyable. » Texte capital, non seulement pour l'aventure avec l'Occitanienne, mais pour la compréhension de toute la vie sentimentale et de toute l'œuvre de l'Enchanteur.

Dans les *Mémoires d'outre-tombe* eux-mêmes, l'image de la « fleur charmante que je ne veux point cueillir » apparaît dans une lumière moins tourmentée, où une espèce de résignation moralisante l'emporte sur le désespoir. On y voit « la naïade du torrent » s'attacher aux pas du poète et s'obstiner à le suivre à tout prix : « Je fus obligé de la reporter chez elle dans mes bras. Jamais je n'ai été si honteux : inspirer une sorte d'attachement à mon âge me semblait une véritable dérision ; plus je pouvais être flatté de cette bizarrerie, plus j'en étais humilié, la prenant avec raison pour une moquerie. Je me serais volontiers caché de vergogne parmi les ours, nos voisins. »

Lorsque, vers le milieu du siècle, oublieuse des lettres qu'elle avait signées « Adèle de X... », la comtesse de Castelbajac, née Léontine de Villeneuve, lut les *Mémoires d'outre-tombe*, elle s'estima offensée. Il se passa très exactement ce qu'avait prévu et redouté celui qui, avec drôlerie, s'appelait lui-même « feu René ». Elle rappela que Chateaubriand, à quelques années près, aurait pu être son grand-père. Elle lui reprocha d'avoir

---

1. Lacune dans le manuscrit.

laissé entendre qu'elle s'était offerte à lui. Elle enferma dans une cassette les lettres de René et ses propres confidences. Et, sans trop se souvenir que sa vie tout entière avait peut-être dépendu d'un seul mot de René, elle demanda à ses héritiers de publier le tout si la rumeur venait à se répandre « que c'était elle qui était désignée sous ce nom de l'Occitanienne ». La comtesse de Saint-Roman, sa petite-fille, allait répondre à son vœu et offrir au public, outre les *Mémoires de l'Occitanienne, le Roman de l'Occitanienne et de Chateaubriand*. Entre-temps, l'Enchanteur, devenu vieux, devait revoir deux fois celle qu'il avait enchantée et qui allait le renier – ou du moins prendre ses distances avec un peu de cruauté mêlée de comme-il-faut : une fois dans le Midi en 1838, et une dernière fois à Paris, à la veille de sa mort. C'est la scène que nous avons vue, rue du Bac, tout au début de ces pages, entre la lettre du fils de Charlotte Sutton et la chanson de Natalie dans le *Dernier Abencerage*. A l'Occitanienne de passage à Paris en compagnie de son mari, le séducteur incorrigible murmure d'une voix brisée : « Je vous ai bien aimée ; je vous aime toujours ! »

Soudain, dans les premiers jours d'août de cette dernière année de la monarchie légitime, la politique revient en force, bouleverse le petit monde aristocratique qui prend les eaux à Cauterets et interrompt brutalement la romance sentimentale : confirmant des rumeurs depuis longtemps dans l'air, *le Moniteur* annonce que le roi vient de renvoyer le ministère Martignac, jugé opportuniste, exagérément conciliateur et presque libéral, et qu'il appelle au pouvoir Jules, prince de Polignac. Celui-là, au moins, n'était pas suspect de libéralisme. Courageux, loyal, consciencieux, le deuxième fils de l'amie de Marie-Antoinette était malheureusement borné par tous les préjugés de sa famille et de sa caste. Profondément hostile à la Charte, ignorant des aspirations des Français, il prétendait recevoir directement ses inspirations de la Sainte Vierge, mais n'en profitait pas pour suivre une ligne de conduite très précise. « M. de Polignac est très résolu, écrivait *le Globe*, mais il ne sait pas à quoi. » Proche de Chateaubriand, le *Journal des Débats* du bon Bertin était beaucoup plus dur : « Voilà encore la cour avec ses vieilles rancunes, l'émigration avec ses préjugés, le sacerdoce avec sa haine de la liberté qui viennent se jeter entre la France et son roi !... Que feront-ils cependant ? Vont-ils chercher un appui dans la force des baïonnettes ? Les baïonnettes aujourd'hui sont intelligentes : elles connaissent et respectent la loi... Malheureuse France ! malheureux roi ! » Bertin, poursuivi par le gouvernement et condamné en première instance, fut acquitté par la cour d'appel.

Chateaubriand, à Cauterets, dans ses sapinières sentimentales, comprit aussitôt la gravité de l'événement. Il la comprit d'autant mieux qu'un de ses amis intimes, Clausel de

Coussergues, qui avait été à ses côtés au moment de l'exécution du duc d'Enghien, du départ pour Gand sous les Cent-Jours, de son éviction du ministère en 1824, et qui était avec lui à Cauterets, avait écrit en vain à Polignac pour demander qu'un ministère fût confié à Chateaubriand. Exclu du gouvernement, René, évidemment, se sentait plus libre pour l'attaquer. Plus libre, et presque trop : d'innombrables voix s'élèvent aussitôt autour de lui pour le presser de donner sans retard sa démission d'ambassadeur à Rome.

Sur le fond du problème, il n'avait aucune hésitation : « J'avais bien éprouvé des changements de fortune depuis que j'étais au monde, mais je n'étais jamais tombé d'une pareille hauteur. Le souffle du sort n'effaçait pas seulement mes illusions, il enlevait la monarchie. Mon parti fut pris à l'instant, je sentis que je me devais retirer. » Mais le sacrifice était dur. Les autres, comme d'habitude, l'assumaient à sa place avec une sérénité et une force d'âme admirables : tous se jetaient sur lui pour l'inviter avec fermeté à démissionner sur-le-champ. Le duc de Broglie, qui était de passage à Cauterets, n'était pas parmi les moins acharnés à le harceler. Juliette, qui passait l'été à Dieppe avec Ballanche, confiait à Amélie ses réserves sur le nouveau gouvernement, où elle voyait « des dangers pour la France, ou du moins une direction inquiétante » ; et elle supposait, de loin, que René serait acculé à donner sa démission. Seule Léontine lui conseillait de se soumettre à la volonté du roi, de ménager Polignac et de repartir pour Rome comme il l'avait prévu et comme si de rien n'était.

Aux conseils des amis qui n'avaient rien à perdre s'ajouta bientôt une avalanche de lettres : « Toutes m'enjoignaient d'envoyer ma démission. Des personnes même que je connaissais à peine se crurent obligées de me prescrire la retraite. Je fus choqué de cet officieux intérêt pour ma bonne renommée. Grâce à Dieu, je n'ai jamais eu besoin qu'on me donnât des conseils d'honneur. En fait de devoir, j'ai l'esprit primesautier. » Ceux qui lui dictaient sa conduite n'étaient pas tous prêts eux-mêmes à imiter cet exemple ; et ceux-là même qui se retirèrent avaient souvent une fortune qui rendait le sacrifice moins pénible. Ce n'était pas le cas de Chateaubriand : il n'avait que des dettes et aucun de ces revenus qui permettaient aux autres de parler haut et de donner des leçons qui ne leur coûtaient guère. « Avec ma personne, pas tant de façons ; on était rempli pour moi d'abnégation, on ne pouvait jamais assez se dépouiller pour moi de tout ce que je possédais : “Allons, Georges Dandin, le cœur au ventre ; corbleu ! mon gendre, ne forlignez pas ; habit bas ! jetez par la fenêtre deux cent mille livres de rente, une place selon vos goûts, une haute et magnifique place, l'empire des arts à Rome, le bonheur d'avoir enfin reçu la récompense de vos luttes longues et laborieuses. Tel est notre bon plaisir. A ce prix, vous aurez notre estime. De même que nous nous sommes dépossédés d'une casaque sous laquelle nous avons un bon gilet de flanelle, de même vous quitterez votre manteau de velours, pour rester nu. Il y a égalité parfaite, parité d'autel et d'holocauste." Et chose étrange ! dans cette ardeur généreuse à me pousser dehors, les hommes qui me signifiaient leur volonté n'étaient ni mes amis réels ni les copartageants de mes opinions politiques. »

Au milieu de tous ces remous et malgré sa fureur contre les prodigues de « conseils catoniens qui appauvrissent celui qui les reçoit et non celui qui les donne », sa décision était prise. Il fit ses adieux à Léontine, quitta Cauterets et, au lieu de partir pour Rome, remonta vers Paris, remettre sa démission à M. de Polignac. Le plus cruel n'était pas le sacrifice matériel, mais la renonciation au bonheur qu'il s'était promis à Rome pour le reste de sa vie. Non, il ne finirait pas ses *Mémoires* à l'ombre de l'arbre du Tasse, il ne mourrait pas à Saint-Onuphre, sur les pentes du Janicule, ni au palais Caffarelli, au sommet du Capitole. Ni Juliette, ni Léontine, ni Hortense, ni aucune autre ne viendrait plus le rejoindre parmi ces tombes en ruine qu'il avait tant aimées et qu'il ne reverrait plus. Une nouvelle fois, comme après l'exécution du duc d'Enghien ou après son renvoi des Affaires étrangères, sa vie était brisée d'un seul coup. Et, cette fois-ci, sans aucun doute, c'était la fin des palais, des hochets d'une gloire si méprisée et pourtant encore si chère, de l'existence facile et de la carrière publique. Il était trop vieux pour Léontine, trop célèbre, trop chargé d'honneurs et de responsabilités – et ces responsabilités et ces honneurs, il allait les déposer, encore dans la force de l'âge, aux pieds de cette monarchie qu'il avait voulu sauver et dont tant d'erreurs et de folies l'obligeaient à se séparer. Comme la vie était étrange, improbable et cruelle ! « Lorsqu'à Lourdes, au lieu de tourner vers le Midi et de rouler vers l'Italie, je pris le chemin de Pau, mes yeux se remplirent de larmes. »

A Paris l'attendaient le roi, le prince de Polignac et Céleste, qui avait la tête tournée d'être ambassadrice, aimait la représentation, les titres et la fortune, détestait la pauvreté et le ménage chétif et méprisait ces susceptibilités, ces excès de fidélité et d'immolation qu'elle regardait « comme de vraies duperies dont personne ne vous sait gré ». L'attendait aussi Hortense Allart. Sans parler de Juliette qui, rentrant des bains de Dieppe, ne tardait pas beaucoup à regagner Paris. C'est à elle, plutôt qu'à Céleste, que René confiait ses troubles et le fond de son cœur : « Elle était plus capable d'entrer dans des regrets dont l'espoir que j'avais de l'emmener à Rome avec ses amis augmentait beaucoup l'amertume. Je ne lui cachai pas l'irritation que m'avaient causée les conseils des hommes qui faisaient si bon marché de moi, de ces hommes auxquels, après tout, je ne devais rien, et qui m'avaient offensé en ayant pu me croire capable de demeurer sous un ministère qui menaçait les libertés de la France. Certes, ils ne se seraient pas avisés de me demander la permission de rester avec M. de Polignac, s'ils y avaient trouvé le moindre intérêt. Il me fallait toujours jeûner, veiller, prier pour le salut de ceux qui se gardaient bien de se vêtir du cilice dont ils s'empressaient de m'affubler. J'étais l'âne saint, l'âne chargé des arides reliques de la liberté : reliques qu'ils adoraient en grande dévotion, pourvu qu'ils n'aient pas la peine de les porter. Je jetai de colère mon chapeau à terre, et je tombai moi-même sur un sofa dans une violence étouffée que Mme Récamier ne m'avait jamais vue. »

Le sacrifice était consommé. René, à petites étapes, pour mieux prendre le temps de réfléchir, était arrivé à Paris le 27 août. Dès le lendemain, il demandait à voir le roi. Ce fut Polignac qui le reçut dans le grand cabinet qu'il connaissait si bien. Le prince accourut au-devant de lui, lui serra la main avec effusion, lui passa un bras autour de l'épaule et se mit à marcher avec lui de long en large, d'un bout à l'autre du cabinet. « Pourquoi, lui dit-il, ne voulez-vous pas être dans les affaires avec moi comme avec La Ferronnays et Portalis ? Ne suis-je pas votre ami ? Je vous donnerai à Rome tout ce que vous voudrez ; en France, vous serez plus ministre que moi, j'écouterai vos conseils. Votre retraite peut faire naître de nouvelles divisions. Vous ne voulez pas nuire au gouvernement ? Le roi sera fort irrité si vous persistez à vouloir vous retirer. Je vous en supplie, cher vicomte, ne faites pas cette sottise. »

Chateaubriand répondit sur l'impopularité du ministère et sur son attachement aux libertés : « J'étais assez embarrassé dans cette réplique, car au fond je n'avais rien à objecter d'immédiat aux nouveaux ministres ; je ne pouvais les attaquer que dans un avenir qu'ils étaient en droit de nier. M. de Polignac me jurait qu'il aimait la Charte autant que moi ; mais il l'aimait à sa manière : il l'aimait de trop près. » M. de Marcellus assure, dans ses *Souvenirs*, qu'un autre argument fut évoqué à demi-mot : « Toute cette opposition finira, aurait dit Polignac, si nous nommons Mme de Chateaubriand duchesse. » Le cher vicomte tint bon, il résista à toutes les pressions, à toutes les menaces, à toutes les séductions et maintint sa démission. Quand il quitta M. de Polignac, renfermé « dans cette confiance imperturbable qui faisait de lui un muet éminemment propre à étrangler un empire », René n'était plus ambassadeur. Dans les jours suivants, la presse légitimiste attaqua Chateaubriand, et la presse libérale, à sa grande amertume et pourtant à sa joie, lui tressa des lauriers et le porta aux nues : « Un des plus beaux génies de l'Europe n'a manqué ni à lui-même ni à sa renommée. » Voilà qui lui faisait une belle jambe. Heureusement, restait Hortense.

La liaison entre Hortense et René commençait à faire parler d'elle. A l'automne de 1829, faisant allusion aux événements politiques, auxquels il ajoutait, pour les pimenter un peu, des potins parisiens, Barante écrivait à Rémusat : « Chateaubriand est généralement assez découragé. Il s'est avisé d'être l'amant de Mlle Allart – vous savez qui c'est ? – qui cherche à se faire ici une certaine existence et un salon de gens d'esprit. Elle vient de Rome, où elle a fait un roman, intitulé *Jérôme*, sur son aventure avec M. Sampayo. » A peu près exactement à la même date, à quelques jours à peine de distance, Hortense, de son côté, écrivait de Paris à un ami, Gino Capponi, marquis florentin et lettré qui lui avait fait la cour lors de son séjour à Florence : « *Je suis la plus heureuse femme du monde.* Comment ? Pourquoi ? Devinez-le si vous pouvez. »

Pour parler comme Barante, cette jeune Hortense Allart sur qui nous sommes tombés à Rome, à l'ambassade de France d'abord, puis dans le couvent désaffecté de la via delle Quattro Fontane, avant de la voir reparaître, dans tous ses états, dans une auberge d'Étampes et enfin rue d'Enfer à Paris – vous savez qui c'est ? C'était une femme étonnante, qui était ravissante, qui écrivait, qui fut l'amie de Béranger, de Stendhal, de George Sand, du Père Enfantin, le successeur de Saint-Simon, la maîtresse, parmi beaucoup d'autres, de Sainte-Beuve et de Chateaubriand – et qui n'avait pas froid aux yeux. Elle était la fille d'un personnage singulier, lui-même fils d'un greffier : il s'appelait Nicolas-Jean-Gabriel Allart. Vers la fin de la Révolution, sous le Directoire, ce Gabriel avait ouvert un cabinet d'affaires où fréquentaient toutes sortes de gens, parfois un peu douteux, viveurs, libellistes, intermédiaires, ministres, et tout ce qui faisait la fête à Paris dans cette période déchaînée. La vraie passion de Gabriel était le théâtre. Il était l'ami de Talma. Du nord de l'Italie, où les événements avaient fait de lui un « préposé aux contributions, finances et confiscations », il envoyait une lettre adressée « à François Talma, artiste du théâtre de la République, le premier de son art, rue de la Loi, à Paris ». Avec naïveté ou ironie, il y oppose son « assez beau talent » à la gloire de son ami : « Ta réputation court l'Europe, mon cher, et la mienne Vicence et son arrondissement ! » C'était chez Talma que Gabriel Allart avait rencontré une jeune actrice dramatique, déjà assez connue, pas très belle de visage, mais d'une taille et surtout d'une voix merveilleuse, qui s'appelait Mlle Desgarcins. La passion du théâtre avait jeté Gabriel aux pieds de Mlle Desgarcins. Quand elle apprit, un peu plus tard, qu'elle avait une rivale (« elle ne se trompait que quant au nombre », écrit un mémorialiste), elle se donna dans la poitrine « un petit coup d'un petit couteau qui teignit sa chemise d'une goutte de sang ». On la sauva sans trop de peine, mais sa fin devait être aussi tragique que les rôles où elle triomphait. Après avoir inspiré de tendres sentiments à notre ami Fontanes, elle fut attaquée par des bandits venus pour la voler. Ils la menacèrent de mort et la laissèrent ligotée toute une nuit dans une cave. Peut-être dut-elle son salut à sa voix irrésistible qui finit par désarmer ses assassins. Ils ne la tuèrent pas. Ils se contentèrent de la terroriser. Mais la frayeur avait été trop vive : quelques mois plus tard, elle mourait folle.

Les passions tumultueuses ne déplaisent pas aux jeunes filles : débarrassé par ces drames de Mlle Desgarcins, Gabriel Allart épousait une jeune Savoyarde d'une grande beauté, issue d'une famille bourgeoise anoblie par Victor-Amédée, roi de Sardaigne, à la fin du XVIIIe siècle : Marie-Françoise Gay. Orpheline de père et de mère dès l'âge de dix-sept ans, Marie-Françoise avait quitté Chambéry avec son frère Sigismond pour aller chercher à Paris une fortune incertaine en ces temps troublés. Sous la vague protection de l'abbé Grégoire, elle fréquente des hommes de lettres tels que Ducis ou Marie-Joseph Chénier, va écouter à l'Opéra la musique de Cherubini et se met à traduire, pour vivre, les romans d'Ann Radcliffe qui jouissent alors d'une grande vogue. Pour faire plus anglais, elle signe ses traductions : Mary Gay. Le 19 frimaire an VII, elle épouse Gabriel. Le 7 septembre 1801, au bruit du canon qui célèbre la paix de Lunéville, Hortense Allart naît à Milan où Gabriel fait partie d'une « Commission extraordinaire de liquidation ». Chateaubriand a trente-trois ans. Il met la dernière main au *Génie du christianisme*, dans le lit de Pauline de Beaumont, à Savigny-sur-Orge.

L'oncle et parrain d'Hortense, Sigismond Gay, avait été nommé par Napoléon receveur général du département de la Roer – ou de la Ruhr : c'est ainsi que naquit à Aix-la-Chapelle la fameuse Delphine Gay, cousine germaine d'Hortense Allart, qui devait devenir plus tard la femme de cet Émile de Girardin qui a au moins deux titres à une célébrité douteuse : journaliste de premier plan, il invente la publicité ; et, en 1836, il tue en duel son confrère Armand Carrel, fondateur du *National*. La mère de Delphine avait une réputation d'esprit dont hériterait sa fille et qui allait parfois jusqu'à mettre en péril la carrière de Sigismond. Entre elle et l'empereur Napoléon, de passage à Aix-la-Chapelle, sur les traces sans doute de son prédécesseur Charlemagne, s'engagea un jour une conversation restée fameuse :

– Il paraît que vous écrivez, madame ! Vous a-t-on dit que je n'aimais pas les femmes de lettres ?

– Oui, Sire, mais je ne l'ai pas cru.

– Et qu'avez-vous fait depuis que vous êtes ici ?

– Trois enfants, Sire !

On retrouve dans cet échange comme un écho de la réponse faite au même Napoléon par Aimée de Coigny :

– Est-il vrai, madame, que vous aimez beaucoup les hommes ?

– Oui, Sire, surtout quand ils sont bien élevés.

Hortense rencontra coup sur coup Mme Hamelin, qui devait l'introduire auprès de Chateaubriand, et un jeune Portugais riche, à la jolie figure et à l'âme religieuse, qui s'appelait le comte Sampayo. Fils d'une Irlandaise, catholique fervent, tourmenté de rêves mystiques et marié, Sampayo avait vingt-quatre ans. Il s'adonnait avec autant de ferveur à l'amour profane qu'à l'amour sacré. Hortense tomba éperdument amoureuse et se jeta sans ses bras. Quelques mois plus tard, elle partait pour Florence, donner le jour discrètement à ce Marcus Allart que nous avons déjà vu surgir dans ses langes, au détour d'un quiproquo, parmi des rires étouffés : c'est autour de lui que tournait distraitement cet innocent de Ballanche dans le salon de Mme Récamier. Encore un peu de temps et la pauvre Hortense, abandonnée par son comte portugais, trop ardent et mystique, racontait ses malheurs dans un livre qu'elle appelait : *Jérôme*. C'est le manuscrit de ce roman qu'elle confiait à René via delle Quattro Fontane et où le vieil ambassadeur, l'esprit brouillé par les sens, ou peut-être plutôt hypocrite et malin, ne sachant que trop bien comment traiter les jeunes femmes ivres de littérature, trouvait à tort du génie.

Chateaubriand n'était ni le premier ni le dernier écrivain à pénétrer, grâce aux mots, dans la vie d'Hortense Allart. Elle s'était adressée à Béranger pour essayer de dénicher un imprimeur à *Gertrude*. Mais, amant ingrat et père indigne, Sampayo le mystique était intervenu en sens contraire auprès du chansonnier. Un peu plus d'un an avant la rencontre avec Chateaubriand, Hortense écrit de Rome à Stendhal pour lui recommander sa *Gertrude* : « Sur les réclamations de M. Sampayo, il (Béranger) a cessé de s'en occuper, étant, comme vous savez, d'un caractère faible et timide... Veuillez me rendre ce service qui ne vous coûtera que quelques mots et qui m'obligerait infiniment, car je veux absolument que *Gertrude* soit imprimée à Paris. On ne saura pas, si vous voulez, que c'est vous qui vous en êtes mêlé, et toutes les conditions me seront bonnes. » Financière ou sentimentale, cette dernière précision est un peu ambiguë. Le lendemain, pour l'encourager, elle ajoute un post-scriptum : malgré son interdiction par les autorités ecclésiastiques, *Gertrude* a un grand succès à Rome et elle reçoit des lettres de huit pages. Stendhal ne semble pas avoir été insensible à ces objurgations puisque, un mois et demi plus tard, M. Bayle (avec une faute d'orthographe), 71, rue de Richelieu, reçoit une nouvelle et interminable missive d'Hortense : « J'ai reçu votre lettre avant-hier, Monsieur, et dans mon transport je vous dis que vous êtes un homme *charmant ;* j'appelle cela de l'esprit et de l'activité... La secousse de l'impression et de la critique est ce qui fait travailler, et, depuis votre lettre, j'ai déjà avancé un ouvrage et mis un autre en train... » Seigneur ! quelle énergie ! Le nouvel ouvrage était *Jérôme*. Celui-là, ce ne serait plus Stendhal, mais Chateaubriand lui-même qui allait s'en occuper. De Cauterets, le 3 août 1829, entre deux promenades, main dans la main, avec l'Occitanienne, il envoie à Pilorge une lettre où il parle de Juliette et de Céleste et où figurent cette allusion à *Jérôme* et cette recommandation à l'endroit de son propre éditeur, Ladvocat : « Tracassez Ladvocat pour en finir avec Mme Allart. »

Lui, René, en tout cas, n'en finissait pas avec Hortense. Impossible d'être tout à fait sûr que, mal écrit, médiocre, encore inférieur à *Gertrude*, *Jérôme* lui ait vraiment plu ; l'auteur, en revanche, lui plaisait. En sortant du ministère des Affaires étrangères où il venait de remettre sa démission à Polignac, avant de regagner son Infirmerie par le boulevard des Invalides, Chateaubriand se rendit directement chez Hortense, qui avait quitté la rue d'Enfer pour la rue Godot, près du boulevard des Capucines. Juliette, au retour de Cauterets, avait eu droit au spectacle de la mauvaise humeur et de la fureur de René devant l'inéluctable décision ; Céleste était vouée à la résignation désolée et pointue devant la pauvreté retrouvée ; Hortense avait le meilleur rôle : tendre, ardente, enjouée, elle était la consolatrice.

Tout au long de l'automne, de l'hiver et encore du printemps qui précèdent la révolution de 1830, René se console avec Hortense de ses déboires et de ses chagrins. Hortense, à nouveau, avait déménagé. Elle s'était installée cette fois en plein faubourg Saint-Germain, rue de l'Université. René passait presque chaque jour. « Il venait me voir régulièrement et notre affection s'établit. Mon amour prit un nouvel éveil, il fut vif, continuel. C'était l'automne, le temps de la tendresse et de la mélancolie. Sa pensée, son génie, son visage, son amour s'emparèrent de ma vie. Je voyais sa sincérité, il ne doutait pas de la mienne. Je n'avais à son sujet nulle inquiétude. Sa vie était ordonnée d'une façon qui me répondait de lui ; il était tenu chez lui et dans le monde par des liens tyranniques : deux femmes âgées, dont je n'étais pas jalouse (la sienne et une autre), le gardaient comme pour moi seule. » L'*autre*, dans ces lignes inouïes et stupéfiantes de lucidité ou de cynisme, comme vous voudrez, c'est naturellement Juliette. Seigneur ! gardez-nous de savoir ce que disent et écrivent lorsque nous ne sommes pas là ceux ou celles que nous aimons et qui aiment le plus. Et ne parlons même pas de ces choses obscures et troubles qu'on appelle des pensées.

René et Hortense allaient souvent se promener ensemble du côté du Champ-de-Mars. C'était la campagne, en ce temps-là, et ils marchaient longuement à travers des espaces interminables de sable et de terre inculte qu'ils comparaient en riant à la campagne romaine. En continuant un peu plus loin, ils tombaient sur des vaches gardées par une vieille femme qui avait fini par les connaître, qui les saluait de loin et qui leur donnait du lait. Ils le buvaient avec délices, entourés des ombres de Rousseau et de Marie-Antoinette et de tant de rêves secrets d'enfance et de sauvagerie.

Il leur arrivait de rentrer à pied par les Champs-Élysées. Ils parlaient de mille choses, sans fin, mêlant à leurs propos beaucoup de gaieté et de folies. Un jour, un enfant bruyant qui jouait et courait se jeta dans les jambes de René. « Amuse-toi, pauvre petit, lui dit Chateaubriand en l'attrapant entre ses bras, tu ne sais pas ce qui t'attend ! » « Il voulait, note Hortense, il voulait dire la vie. »

Ils traversaient les ponts qui enjambent la Seine et il leur semblait marcher au milieu des eaux de la rivière. Dans les belles journées de l'automne ou du printemps, c'était un spectacle enivrant. René s'accoudait au parapet du pont, regardait couler le fleuve et disait à Hortense qu'il ne demandait plus rien à la vie que de s'asseoir au soleil. Il était sincère, comme toujours. Il avait passé son existence à jurer, avec une profonde indifférence, qu'il ne voulait plus rien et à désirer autre chose avec une ardente passion.

Il se mettait à parler de son âge et de sa mort. Les yeux d'Hortense se mouillaient de larmes. Alors, il la serrait contre lui et il prenait du plaisir à ce léger chagrin. A Rome déjà, quand il entrait dans le salon de la via delle Quattro Fontane après avoir lu dans l'escalier l'inscription flamboyante *Pens'all'Eternità*, il se plaignait de son âge. « Vous voudriez toujours avoir vingt ans ! » plaisantait Hortense au bord des larmes. « Non, répondait René, cinquante ! » Forain s'est souvenu du mot dans un de ses dessins de vieux viveurs : « Ah ! si j'avais encore mes soixante-cinq ans ! »

Parfois, la nuit, sortant d'un dîner officiel, René venait voir Hortense avec toutes ses décorations sur son habit de gala et la Toison d'or autour du cou. Le matin ou l'après-midi, ils allaient au Louvre ensemble, visiter les galeries de sculpture antique. Elle s'arrêtait devant un buste d'Alexandre le Grand, où le conquérant a la tête un peu penchée sur l'épaule : elle trouvait que René ressemblait à Alexandre. Presque tous les jours surtout, après le déjeuner, le sosie d'Alexandre venait faire sa sieste chez la jeune femme.

Le soir, quand il était libre, ils allaient dîner ensemble près du Jardin des Plantes. Lui venait de la rue d'Enfer ; elle, de la rue de l'Université. Ils se retrouvaient sur le pont d'Austerlitz. Une espèce d'impatience et de joie élémentaire les habitait tous les deux. Elle voyait de loin son beau et charmant sourire, son allure toujours soignée, son air de fête. Lui s'enchantait de la jeunesse de la blonde silhouette, immobile sur le pont. Ils marchaient de long en large au-dessus du fleuve, en échangeant quelques mots, des nouvelles, de tendres déclarations, des promesses imprudentes. Et puis ils entraient dans le Jardin des Plantes et se promenaient sous les grands arbres qui lui rappelaient l'Amérique et qu'il avait toujours aimés.

Le soleil couché, ils gagnaient un restaurant où ils avaient leurs habitudes et qui existe encore aujourd'hui. Il s'appelait l'Arc-en-ciel. Ils montaient au premier étage, où leur était réservé un cabinet particulier qui donnait sur le boulevard et sur la campagne. On les servait vite et assez bien. Le dîner était gai ; René, heureux comme un enfant. « Il avait de l'appétit et tout l'amusait. » Il reprochait à Hortense de picorer dans son assiette et de ne pas boire assez. Ils parlaient de politique, de littérature, de Rome et de l'Italie. « Il disait que c'était une contrée, un peuple, une race supérieure aux autres. » Elle l'attaquait sur la guerre d'Espagne qu'il réclamait comme sienne. La première fois, à Rome, il avait été surpris de sa véhémence libérale. A la table de l'Arc-en-ciel, il se défendait en riant et exposait sans se lasser sa thèse de l'alliance nécessaire entre ses deux fidélités : la monarchie légitime et la liberté.

Il revenait encore sur son âge, la mort, la fin de tout ici-bas, et ces joies imprudentes où il s'abandonnait. Hortense se jetait à son cou et lui faisait en pleurant des promesses de fidélité. Il lui mettait un doigt, puis un baiser sur les lèvres et lui disait qu'elle était trop jolie et trop jeune pour répondre de ces serments et qu'elle ne pouvait pas savoir ce qui l'attendait dans l'avenir. Hortense rêvait un instant et répondait, avec une cruauté inconsciente et lucide, qu'il avait sûrement raison.

Alors, il faisait monter du champagne pour animer, disait-il, la froideur de la jeune femme. Ils buvaient tous les deux. A leurs souvenirs, à leurs amours. Elle se mettait à fredonner des chansons de Béranger : *Mon âme, la Bonne Vieille, le Dieu des bonnes gens, le Grenier.* René écoutait, ravi, ces vers de mirliton qui comportaient plus d'un trait contre les rois et les prêtres, mais dont un des thèmes majeurs était le temps qui passe et l'amour qui s'enfuit. Echauffé par le champagne, il lui arrivait de reprendre en chœur, en levant son verre, les passages qui lui plaisaient :

On vous dira : Savait-il être aimable ?
Et sans rougir, vous direz : Je l'aimais !

ou :

Apparaissez, plaisirs de mon jeune âge
Que d'un coup d'aile a fustigés le Temps !

Hortense n'avait même pas besoin d'attendre le temps qui passe et d'être devenue une vieille dame pour avouer sa tendresse. Et elle ne rougissait pas quand René, sous l'effet du vin et des chansons, lui murmurait à l'oreille qu'il attendait de sa séductrice les plaisirs les plus charmants. Il se faisait de plus en plus vif, amoureux, pressant. « Et dans cet endroit solitaire, ajoute sans vaine pudeur et avec une vraie simplicité l'irrésistible Hortense Allart, il faisait ce qu'il voulait. »

Quand, bien des années plus tard, au lendemain de la chute du second Empire, encouragée par George Sand, Hortense Allart, devenue Mme de Méritens, livra au public le récit sans fard de ces débordements, ce fut un beau tapage. L'histoire est assez amusante. Tout à la fin de l'été de 1872, après les drames de la guerre et de la Commune qui l'avaient profondément secouée, George Sand était à Nohant lorsqu'elle reçut un volume dont la couverture grise et nue ne portait aucune indication ni aucun nom d'éditeur. Elle l'ouvrit et tomba sur un titre singulier : *les Enchantements de Madame Prudence de Saman l'Esbatx*. A peine l'avait-elle parcouru qu'elle reconnut dans le récit des relations entre Prudence et René des pages publiées par Sainte-Beuve, une douzaine d'années plus tôt. Quand elles avaient paru, la rumeur publique avait soupçonné le critique d'avoir forgé des Mémoires apocryphes. Voilà que tout apparaissait authentique – et peut-être au-dessous d'une vérité historique encore atténuée. George Sand ne mit pas longtemps à deviner le nom de l'auteur qu'elle connaissait depuis longtemps et, le 24 septembre 1872, elle écrivait à Hortense : « Où êtes-vous, astre errant ? Il y a des siècles que vous ne m'avez écrit. Je viens de lire ce livre étonnant. Vous êtes *une très grande femme.* Voilà le résumé de mon opinion. Voulez-vous que je vous la dise à vous ou que je fasse en toute liberté un article dans *le Temps*, où je donne un feuilleton bimensuel, les mardis ? Je vous admire et je vous aime. » Un post-scriptum réclamait des précisions sur l'anonymat : « Votre livre est-il imprimé pour vos amis seulement, ou bien sera-t-il publié ? Et défendez-vous qu'on vous nomme ? »

Prudence – ou Hortense – ne disait pas tout et ne donnait qu'une moitié de son identité. Son mari, son ex-mari, portait le nom surprenant de Napoléon-Louis-Frédéric-Corneille de Méritens de Malvézie de Marcignac l'Asclaves de Saman et l'Esbatx – d'où le titre un peu mystérieux des *Enchantements*. Elle ne détestait pas, en revanche, la publicité littéraire. Elle sauta donc avec joie sur l'offre de George Sand et le 16 octobre 1872 paraissait dans *le Temps*, sur douze colonnes, un feuilleton signé George Sand. Il commençait par ces mots : « *Les Enchantements de Madame Prudence de Saman l'Esbatx*, tel est le titre bizarre d'un des livres les plus curieux que j'aie lus. » Et il se terminait ainsi : « Choque-t-il la morale ? Dans cette situation particulière et avec ce fonds de grande loyauté et de parfaite tolérance qui caractérise Madame de Saman, nul n'est autorisé à lui jeter la pierre et, pour mon compte, tout en faisant, en théorie, certaines réserves que je n'ai point à dire ici, je lui jette une couronne de roses à feuilles de chêne. »

La couronne autour du cou, Hortense alla porter ses *Enchantements* au coin de la rue Aubert et de la place de l'Opéra, chez l'éditeur Michel Lévy. Il colla, en guise de préface, l'article de George Sand, légèrement remanié, et lança l'ouvrage à grand fracas, comme il savait le faire, dans les premières semaines de 1873.

Ce livre ne fut pas accueilli par tout le monde avec l'enthousiasme de George Sand. La presse de droite se déchaîna. Armand de Pontmartin, critique alors célèbre et aujourd'hui oublié, n'aurait peut-être pas dit grand-chose si Prudence s'était contentée de se laisser enchanter par un Béranger, un Thiers, un Sainte-Beuve, bourgeois voltairiens et plus ou moins de gauche. Mais Chateaubriand ! « Cette grandiose figure de défenseur d'une religion, de créateur d'une poésie, de précurseur d'une révolution littéraire, d'ordonnateur des pompes funèbres d'une monarchie vaincue », quel chagrin, quelle honte de le voir travesti, à soixante ans, en « un vicomte bohème, royaliste et catholique pour rire, enfoncé jusqu'au menton dans cette coterie dominée par Béranger, abusant des fiacres, lévite du *Dieu des bonnes gens*, courant les guinguettes, fredonnant des chansons, donnant rendez-vous à l'objet de sa flamme sur le pont d'Austerlitz, ou dans une allée du Jardin des Plantes, acceptant des rivalités que son âge rendait ridicules, une promiscuité qui aurait dû révolter son orgueil et où se perdaient les derniers restes de sa dignité, j'allais dire de son honneur ; infidèle tout ensemble à sa femme – ceci ne comptait pas –, à Madame Récamier, à son nom, à son passé, à sa gloire, à l'exemple qu'il nous devait en échange de notre enthousiasme et de nos hommages. »

Barbey d'Aurevilly, qui ne devait pourtant pas faire preuve, tout au long des tumultes de sa vie et de ses œuvres, d'autant de vertu et de pudibonderie, fut plus brutal encore. Il dénonçait « la négation de Dieu », « l'insulte à Jésus-Christ », « les prières hystériques au Dieu-Nature » et, par-dessus tout, « le Saint-Sacrement de l'Amour ». Et il ajoutait, pour faire bonne mesure : « Il n'y a rien à dire sur ces vieilles billevesées et je n'aurais pas ramassé ce livre s'il n'avait pesé que cela. Mais

Chateaubriand !... Déjà de cette amère comédie on savait quelque chose. Sainte-Beuve, qui aimait conduire ces eaux corrompues dans les détours sinueux des *coteaux modérés* de sa littérature, en avait filtré quelques gouttes dans son livre sur Chateaubriand, écrit – pour déshonorer l'auteur des *Martyrs* – après sa mort, bien entendu. Il tenait de l'enchanteresse Prudence ces détails qui l'enchantèrent. Mais qui m'attristent, moi, quand ils me montrent l'auteur du *Génie du christianisme*, sur le bord de sa vie, en bonne fortune de cabaret, avec une maîtresse, y chantant le *Dieu des bonnes gens* de Béranger. Les compagnons d'Ulysse marchant à quatre pattes devant Circé me font un effet moins violent que cette porcherie. N'est-ce pas là quelque chose d'ignoble et d'affreux dont la mémoire du grand poète religieux en prose restera éternellement souillée et que tous les efforts futurs de la critique et de l'histoire qui l'essuieront ne pourront pas effacer ? Chateaubriand ayant pour table d'amphithéâtre le lit encore chaud d'une maîtresse qui l'y dissèque par volupté de ressouvenir et d'orgueil d'avoir été à lui ! Une femme de l'ancienne société française qui se vante après l'amour, comme les lâches après la guerre ! Voilà ce qui m'a fait m'arrêter devant ce livre, signe des temps, et pour le montrer simplement du doigt. Mais que je plains sincèrement, mon Dieu ! les maris, les fils ou les filles des femmes (si elles en ont) qui écrivent de ces livres-là. »

L'article tomba sous les yeux de Marcus Allart. Le fils d'Hortense et de Sampayo n'était plus le nourrisson dont parlaient jadis en riant les amis de Ballanche et de Juliette Récamier : il provoqua aussitôt son auteur en duel et lui envoya ses témoins. Barbey d'Aurevilly n'avait aucune intention de se battre à propos d'un de ses textes, même un peu agressif : il aurait passé sa vie sur le pré. Il refusa de constituer des témoins. Alors, le fils d'Hortense décida d'aller le chercher lui-même à la rédaction du *Constitutionnel* où l'ancien roi des ribauds, le dandy catholique et normand avait succédé à Sainte-Beuve. Il s'y précipita dans un grand état d'exaltation. Un huissier, puis un rédacteur lui indiquèrent en vain que l'auteur d'*Une vieille maîtresse* et du *Chevalier des Touches* n'était pas au journal. Il crut que Barbey d'Aurevilly se dérobait encore. Il voulut s'assurer que l'écrivain ne se dissimulait pas derrière les piles de journaux et de livres et il pénétra de force dans les bureaux. Une fois dans la place, il se prit de querelle avec un journaliste du nom de Matagrin qui se trouvait là par hasard et il le laissa pour mort sur le plancher. Marcus fut condamné en correctionnelle à un mois de prison et à deux cents francs de dommages-intérêts envers la victime innocente des droits de la critique et des brûlantes relations entre l'Enchanteur et l'Enchantée.

René et Hortense ne se contentaient pas d'aller boire du

champagne à l'Arc-en-ciel et d'y reprendre en chœur des chansons de Béranger. Hortense servait d'intermédiaire entre Chateaubriand et Béranger. Une sorte de troc s'organisait : Chateaubriand voterait pour le chansonnier à l'Académie et Béranger, en échange, écrirait une chanson sur l'auteur des *Martyrs*. L'un et l'autre faisaient assaut de mines et de coquetteries. « M. de Chateaubriand sort de chez moi, écrivait Béranger à Hortense. Non, je ne dois pas être de l'Académie, quoi que M. de Chateaubriand puisse dire. Je lui ai chanté *le Juif errant* ; il a voulu que je lui répétasse. Il m'a paru en être très content. J'en suis bien aise car j'aime cette chanson. » Et Chateaubriand à Béranger : « Je suis aussi vieux que votre admirable *Juif errant* – malheureusement, je ne peux plus courir comme lui et je ne serai pas chanté par vous !... » Les liens noués, grâce à Hortense Allart, entre le républicain Béranger et le légitimiste Chateaubriand ne furent pas du goût de tout le monde. Chateaubriand parle dans les *Mémoires d'outre-tombe* d'une lettre qu'il avait reçue d'un chevalier de Saint-Louis : « Réjouissez-vous, Monsieur, d'être loué par celui qui a souffleté notre roi et notre Dieu. »

Il arrivait aussi aux deux amants de travailler ensemble et l'auteur de *Jérôme* servait de secrétaire à l'auteur des *Martyrs*. Hortense raconte dans *les Enchantements de Prudence* qu'un jour, à la campagne, René était en train de lui dicter une page célèbre de la préface à ses *Études historiques* : « La croix sépare deux mondes... », etc., quand, brusquement, il s'interrompit, la regarda et lui jeta : « Je mourrai sur ton sein, tu me trahiras et je te pardonnerai. » René imaginait déjà, dans l'avenir, les futures trahisons de Prudence à son égard ; il ne pensait pas un seul instant à sa propre trahison, dans le présent, à l'égard de Juliette – pour ne rien dire de Céleste.

Hortense caressait l'idée d'un voyage en Italie – peut-être à Lugano – avec Chateaubriand. Les préoccupations politiques réduisirent ces projets à néant. « Vous parlez de mon bonheur, écrit-elle à une amie anglaise qui habitait Milan, je vous trouve bien plus heureuse : vous pouvez épouser votre amant ; il est à vous seule ; rien ne vous sépare ; vous visitez à l'automne un pays délicieux avec lui ; il est jeune et vous fait espérer de longs jours avec lui. Je vous envie souvent, moi, condamnée à des amours toujours contrariées, et liée aujourd'hui à un homme si plein d'affaires, de gloire, de charges, si occupé des Chambres, des lettres, des hommes, qu'il n'a que le tiers de sa vie pour l'amour. » René se fit-il de son côté des réflexions du même ordre ? Sentait-il Hortense se détacher de lui et son orgueil si vif en fut-il soudain froissé ? Etait-il lui même un peu fatigué de sa jeune maîtresse ? « Peut-être, écrit Hortense avec une ombre de mélacolie, peut-être il m'aimait moins. » Un jour qu'après avoir visité un appartement du côté de la Bièvre, non loin de Chateaubriand, elle se disait accablée de tristesse et des langueurs du printemps, René lui proposa d'aller passer quelques semaines en Angleterre. Elle sauta sur l'occasion. « Ce fut son imprudence, s'il m'aimait. » A peine arrivé à Londres, elle ne mit pas longtemps à tomber sur celui qui, après Sampayo et René, et avant pas mal d'autres, allait devenir le grand amour de son existence agitée : il s'appelait Henry Bulwer Lytton. « Pourquoi, écrivait-elle à Sainte-Beuve, pourquoi une femme ne pourrait-elle pas aimer comme vous autres ? Ne dites donc pas qu'il ne faut pas dépasser trois amants dans toute sa vie. Ne mettez pas des nombres. »

Diplomate, écrivain politique, ministre à Washington, ambassadeur à Constantinople, mêlé de près à la fameuse affaire des mariages espagnols qui compromit quelque temps l'entente franco-britannique, Henry Bulwer Lytton était le frère du fameux auteur des *Derniers Jours de Pompéi*. Il était beau. Il aimait les chevaux. Il avait une allure et des manières suprêmement élégantes. Hortense en devint folle. Dans une lettre à Capponi, avec beaucoup de santé, elle appelle Henry son « premier amant ». Un peu plus tard, dans une autre lettre au même Capponi, elle s'explique là-dessus avec sa simplicité coutumière : « Je n'ai été femme que pour un Anglais. Jamais avant. Ou, du moins, troublée avant, mais jamais ravie et vaincue. » Impossible d'être plus franche, plus claire, plus naturelle. On se demande si Barbey d'Aurevilly aurait été soulagé ou au contraire indigné davantage par cet aveu dépouillé d'artifice.

Quand Hortense revint d'Angleterre, elle revit Chateaubriand. Elle lui avait envoyé de Calais une lettre pleine de subtilité où figuraient ces vers de *Phèdre* qui sonnaient comme un aveu :

Vous êtes offensé. La fortune jalouse
N'a pas en votre absence épargné votre épouse ;
Indigne de vous voir et de vous approcher,
Je ne dois désormais songer qu'à me cacher.

D'après elle au moins, René souffrit beaucoup. Il se rendit chez elle. Il l'accabla de reproches, s'indigna de se voir préférer un étranger obscur, menaça de se suicider – et lui proposa de l'épouser.

– Si vous me quittez, disait-il, ce sera trois amants à votre âge, trois amants à ce jeune âge ! Et un Anglais ! Quoi ! vous me quittez pour un Anglais, l'ennemi de notre pays, cette race hostile qui ne nous entend pas ! C'est très mal, un Anglais !

Troublée, touchée, attendrie, elle répondait doucement.

– Vous m'aimez ! reprenait-il. Je le vois, oublions tout...

Alors elle résistait, ne lui laissait guère d'espérance, parlait d'un adieu irrévocable.

– Irrévocable, pourquoi ? disait-il avec fureur. Qui vous

empêche de revenir à moi ? Oubliez ce voyage, laissez cet Anglais. Que s'est-il passé ? Je l'ignore, je ne le demande pas. Restez.

Elle souriait.

Il explosait.

– Qu'a donc dit, qu'a donc fait cet Anglais, qu'il vous domine à ce point ? En quoi êtes-vous si liée à lui ?

Elle se taisait. Il sortit furieux.

Le soir même de cette scène, il lui écrivit une lettre pour lui donner rendez-vous le lendemain, à la campagne, dans un endroit désert. Elle vint. Il lui dit qu'il avait des palpitations, qu'il était malade, qu'il ne pouvait plus marcher. Il la flatta avec habileté, en la prenant par son faible. Il avoua qu'il s'était peut-être trop peu occupé de *Jérôme* et qu'il n'avait pas assez organisé sa vie autour d'elle. Il l'assura qu'en allant vivre en Angleterre elle perdrait un talent que lui seul était capable de soigner et de développer. Il murmura que, dans la nuit, il avait cherché des armes et pensé à mourir. « Il me dit que cet Anglais m'avait parlé de mariage. Si c'était cela que je voulais, lui-même serait libre un jour ; si son nom avait quelque prix, il me l'offrait. Si j'aimais l'Italie, c'est le pays justement où il voulait aller vivre et mourir. » Evoquant les accents d'une passion éperdue, Prudence-Hortense a une formule un peu ridicule : « J'avais vu les éclairs de la volupté, d'une volupté noble, pour laquelle j'étais née. »

Ils se revirent encore. Ils retrouvèrent le pont d'Austerlitz, le Jardin des Plantes, l'Arc-en-ciel. La mélancolie des choses terminées s'ajoutait à une tendresse qui ne cessait de survivre à l'infidélité. C'était comme la caricature de leurs premières rencontres. Elle lui avait fait donner « sa parole de chevalier de Saint-Louis » de ne pas se jeter sur elle. Dans la voiture, au retour, René, à nouveau, se montra entreprenant. Mais l'amour avait eu son temps ; l'amitié le remplaçait. Hortense se servit un peu de René pour rendre Henry jaloux, comme elle s'était servi d'Henry pour rendre René jaloux. La balance n'était pas égale entre le plus jeune et le plus vieux : « Je n'aimais qu'Henry, devait-elle écrire plus tard avec ce mélange de cynisme et de naïveté où elle excellait : quelques infidélités à peine, si je les lui avais faites pour l'oublier, me l'avaient rendu charmant. » Pendant près de vingt ans, entre des lettres de Thiers, de Béranger, de Sainte-Beuve, Hortense reçut encore de René des billets affectueux et parfois éblouissants et elle lui en envoya. De loin, quand il est, par exemple, à nouveau en Suisse avec Céleste, son amour reprend un peu de cette dignité et de cette hauteur qu'il semblait avoir perdues dans les récits de Prudence : « Je vous écris encore sur les chemins du monde ; toujours errant, toujours vous me retrouverez. Ma vie n'est qu'un accident ; je sens que je ne devais pas naître : acceptez de cet accident la passion, la rapidité et le malheur. Ecrivez-moi de ces lettres qui réchauffent, comme vous m'en avez tant écrit aux premiers temps de notre amour. Que je me sente encore aimé, j'en ai si grand besoin ! Je vous donnerai plus dans un jour qu'un autre dans de longues années ! » Même pour le bas-bleu frivole de l'Arc-en-ciel et du pont d'Austerlitz, le génie de René trouvait des mots superbes. Ou encore ceci, sa manie, son refrain, sa marque de fabrique, son fantasme récurrent, qui est sublime et triste, qui fait rire et pleurer, qu'il avait déjà dit à tant d'autres et qui n'était pas plus vrai pour Hortense que pour la pauvre Mouche ou la belle Cordélia : « Vous serez ma dernière muse, mon dernier enchantement, mon dernier rayon de soleil. Je mets mon âme à vos pieds. »

Au fur et à mesure que le temps passe, le ton de René se fait plus amer, il renonce, il abandonne : « Puissance et amour, tout m'est indifférent, tout m'importune. Les nains qui barbotent aujourd'hui dans la littérature et la politique ne me font rien du tout... Mettez-moi au rang des morts. » Après avoir mis son nom, son cœur, son âme aux pieds de la jeune Hortense, il se mettait lui-même en réserve de ce monde qu'il avait tant aimé.

Il ne tardait pas beaucoup à rejoindre ces morts auxquels, encore vivant, il aspirait à appartenir. Quelques jours après sa disparition, Hortense, mère d'un second enfant, dont le père est douteux, mais sûrement italien, écrivait à Sainte-Beuve – Sainte-Bave, dira Hugo – qui essayait de la monter rétrospectivement contre René, une longue lettre qui fait honneur à cette femme surprenante, et qui réussirait presque à effacer le début de malaise trop souvent éprouvé devant tant de faiblesse mêlée à tant d'audace : « Nos relations ont duré vingt ans avec des intervalles, mais sans une reprise et aussi tendres le dernier jour où je l'ai vu, près de trois mois avant sa mort, que jamais... C'était un homme que l'amour a charmé presque autant que la gloire, qui a aimé toute sa vie, qui avait une organisation belle et délicieuse et qui était le plus tendre du monde. Il était bon et bienveillant. Il était très fier, surtout avec moi qui étais plus jeune que lui. Il ne croyait pas qu'on pût tant l'aimer quand il était si doux, si beau, si soumis, si tendre... Prenez donc garde à ce que vous allez dire. »

Peut-être jaloux de René comme René l'avait été d'Henry et Henry de René, Sainte-Beuve ne devait suivre que très partiellement ce conseil de tendresse et de générosité : prenant assez peu garde à ce qu'il allait dire, il se préparait déjà à déverser sur Chateaubriand disparu tout le fiel amer de son immense talent, sans pouvoir empêcher l'admiration de percer sous la fureur : « Nous sommes vos fils, ô René, notre gloire est d'être appelés votre race. Ne soyez jamais renié par elle, soyez, dans cette tombe tant souhaitée, à jamais honoré par elle. »

Bien des choses plus importantes que de fragiles amours s'étaient passées entre-temps : le roi était tombé. Pour la troisième et dernière fois, la monarchie légitime était abattue.

Le climat politique avait commencé à se gâter sérieusement vers le début de mars 1830. La Chambre s'était réunie et au discours du trône avait répondu une motion de défiance. « Si de coupables manœuvres, disait le roi, suscitaient à mon gouvernement des obstacles que je ne veux pas prévoir, je trouverais la force de les surmonter. » « La Charte, ripostèrent les députés, consacre comme un droit l'intervention du pays dans les délibérations des intérêts publics... Elle fait du concours permanent des vues politiques de votre gouvernement avec les vœux de votre peuple la condition indispensable de la marche régulière des affaires publiques. Sire, notre loyauté, notre dévouement nous obligent à vous dire que ce concours n'existe pas. » Deux mois plus tard, la Chambre était dissoute.

Les élections se déroulèrent au moment même où, en réponse au coup d'éventail donné par le dey Hussein à notre consul, M. Deval, les troupes françaises s'emparaient d'Alger. Le gouvernement comptait beaucoup sur ce succès extérieur pour gagner la bataille intérieure. En vain : les élections marquèrent la victoire des libéraux. L'opposition passa de deux cent vingt et un à deux cent soixante-quatorze députés. Le 25 juillet, s'appuyant sur l'article 14 de la Charte qui lui donnait le pouvoir de prendre « les ordonnances nécessaires pour l'exécution des lois et la sûreté de l'Etat », le roi signa quatre ordonnances qui s'opposaient aux lois et à la Charte elle-même. La première suspendait la liberté de la presse ; la deuxième modifiait la loi électorale et restreignait le droit de vote aux propriétaires ; la troisième et la quatrième dissolvaient la Chambre à peine élue et préparaient d'autres élections selon les nouvelles modalités. « Les concessions ont perdu Louis XVI, murmurait Charles X ; j'aime mieux monter à cheval qu'en charrette. » Les ordonnances furent publiées dans *le Moniteur* du lundi 26 juillet. Le jour même, les journalistes parisiens se réunissaient dans les bureaux du *National* pour rédiger un manifeste de protestation : « Le régime légal est interrompu... L'obéissance cesse d'être un devoir... Nous résistons pour ce qui nous concerne : c'est à la France de juger jusqu'où doit s'étendre sa propre résistance. » « Il faut des têtes au bas de ces petits papiers-là, s'écria Adolphe Thiers. Voici la mienne ! »

Ce même lundi, à quatre heures du matin, pendant que s'imprimaient sur les presses du *Moniteur* les ordonnances de Charles X, René était parti pour Dieppe rejoindre Juliette Récamier. « J'étais assez gai, tout charmé d'aller revoir la mer, et j'étais suivi, à quelques heures de distance, par un effroyable orage. Je soupai et couchai à Rouen. J'arrivai le lendemain,

27, à Dieppe, vers midi. Je descendis à l'hôtel. Je m'habillai et j'allai chercher Mme Récamier. » Entourée de Ballanche, de Jean-Jacques Ampère, d'un jeune abbé récemment converti qui s'appelait Lacordaire, Juliette était à nouveau installée à Dieppe depuis la fin du mois de juin. Le rideau avait fini par tomber sur toute une partie de sa vie : M. Récamier était mort au printemps. C'est alors qu'Amélie Lenormant avait écrit la phrase mystérieuse : « En le perdant, Mme Récamier crut perdre une seconde fois son père. »

Juliette occupait un appartement dont les fenêtres s'ouvraient sur la grève. René y passa quelques heures à causer et à regarder les flots. Entre deux de ses amours les plus chères et les plus constantes – la mer et Juliette Récamier –, il se sentait heureux, lorsque la porte s'ouvrit brusquement : c'était Hyacinthe Pilorge, plus rouge encore que d'habitude. Il apportait les ordonnances. Quelques instants plus tard, c'était le tour de Ballanche, tout pâle. Il descendait de la diligence et tenait à la main les journaux. René ouvrit *le Moniteur* et lut les pièces officielles : il n'en croyait pas ses yeux. « Encore un gouvernement, dit-il, qui de propos délibéré se jette du haut des tours de Notre-Dame ! » Il demanda aussitôt à Hyacinthe de préparer des chevaux afin de repartir pour Paris. A sept heures du soir, il remontait en voiture, laissant Juliette et Ballanche dans une profonde anxiété. « Charles X avait vécu des illusions du trône : il se forme autour des princes une espèce de mirage qui les abuse en leur faisant voir dans le ciel des paysages chimériques. »

Il faut lire dans les *Mémoires d'outre-tombe* le récit des Trois Glorieuses. Toujours ce même lundi, le roi était parti chasser à Rambouillet. A son retour à Saint-Cloud, flanqué du duc d'Angoulême, il demanda à Marmont, duc de Raguse, des nouvelles de la journée :

– Comment vont les choses à Paris ?

– La rente est tombée, répondit le maréchal.

– De combien ?

– De trois francs.

– Elle remontera.

Et chacun s'en alla.

Par une curieuse rencontre, le roi, jouant d'abord la carte de l'autorité, s'était servi, en sens inverse, de la même image architecturale et religieuse que Chateaubriand : « Il suffira d'un bonnet à poil sur les tours de Notre-Dame pour tout faire rentrer dans l'ordre. » Et puis, devant le désordre, il avait jeté du lest, retiré les ordonnances, fait appel au duc de Mortemart, moins compromis que Polignac. Comme dans les pièces de Shakespeare, le comique ici vient assaisonner le drame. Le duc n'avait pas pu franchir les barrages dressés aux portes de Paris. Pour prendre le pays en main, il avait décidé de traverser le bois de Boulogne à pied. En arrivant chez lui, épuisé, le talon en sang, il s'était jeté dans un bain au lieu de se jeter dans l'histoire. « Le talon de M. de Mortemart fut le point vulnérable où le dernier trait du Destin atteignit la monarchie légitime. »

Des jeunes gens dans la rue reconnaissaient Chateaubriand à ses cheveux en tempête. Ils criaient : « Vive le défenseur de la liberté de la presse ! » et le portèrent en triomphe, toujours suivi fidèlement par Hyacinthe Pilorge, suant et soufflant sous les poignées de main républicaines et les embrassades populaires. Sur son passage s'élevaient des clameurs nouvelles et parfois surprenantes : « Vive le Premier consul ! A bas les chapeaux ! Vive la Charte ! » « Oui, messieurs, répondait Chateaubriand, vive la Charte ! mais vive le roi ! » Accouru à Paris pour défendre la liberté, voilà que les événements, par un retournement imprévisible, le contraignaient à défendre le roi.

A Juliette Récamier, restée à Dieppe, René n'écrivait pas autre chose : « Je ne vous parle pas de moi ; ma position est pénible, mais claire. Le drapeau tricolore est arboré. Je ne puis reconnaître que le drapeau blanc. Je ne trahirai pas plus le roi que la Charte, pas plus le pouvoir légitime que la liberté. Je n'ai donc rien à dire et à faire : attendre et pleurer sur mon pays. Dieu sait maintenant ce qui va arriver. A quoi tiennent les empires ? Une ordonnance et six ministres sans génie suffisent pour faire du pays le plus tranquille et le plus florissant le pays le plus troublé et le plus malheureux. »

Pendant que Charles X s'en allait vers l'exil et trouvait sur son chemin, une gerbe de lis entre les bras, le pauvre Chênedollé, toujours à l'affût de quelque malheur, le duc d'Orléans convoquait Chateaubriand. René se rendit au Palais-Royal. Fils de régicide, futur roi des Français, le duc, flanqué de la duchesse, le reçut avec égards. « Je lus écrit sur son front le désir d'être roi. » Le couple princier jura ses grands dieux qu'il ne voulait pas du pouvoir et proposa, du même souffle et à mots couverts, au héraut de la légitimité de le partager avec lui. Peut-être, l'éclair d'un instant, Chateaubriand fut-il tenté ? Mais tout ce qu'il n'avait cessé de faire, de dire et d'écrire s'opposait à cette forfaiture. Son choix était déjà fait : au lieu d'un médiocre compromis avec le pot-au-feu bâtard d'une monarchie domestique et bourgeoise, le génie de Chateaubriand s'était prononcé pour le triomphe dans l'échec.

Au soir d'un dimanche d'août 1830, deux visiteuses poussaient, avec un peu de timidité, la porte du cabinet de travail de Chateaubriand, rue d'Enfer, et passaient leur tête dans l'entrebâillement : c'était Mme Récamier, accompagnée de Mme de Boigne. En pantoufles et en robe de chambre, la tête entourée d'un foulard rouge et vert, René écrit sur le coin d'une longue table encombrée de livres, de papiers et de reliefs d'un dîner. Il se lève, un peu gêné de sa tenue. Il accueille ses visiteuses avec beaucoup de bonne grâce. Il se met à lire aux deux amies le brouillon d'un discours qu'il se propose de prononcer à la Chambre des pairs. C'est une attaque violente contre le duc d'Orléans. Orléaniste ralliée d'avance au nouveau régime, Mme de Boigne pousse l'audace jusqu'à interrompre le lecteur :

– Pensez-vous qu'un tel discours, dont tous reconnaîtront la supériorité littéraire, soit d'un bon citoyen ?

– Je n'ai pas la prétention, bougonne René, d'être un bon citoyen !

– Croyez-vous que ce soit le bon moyen de ramener Charles X sur le trône des Bourbons ?

– Dieu nous en garde ! Je serais bien fâché de l'y revoir !

C'est qu'il en veut aux Bourbons, qui l'ont si mal traité, tout autant qu'aux Orléans. Il n'y a que l'honneur et la fidélité pour survivre encore à son mépris. Pour un peu, il serait républicain, avec une tendance à l'anarchie ; seule la fidélité au malheur l'attache à la monarchie – comme jadis à Pauline.

– Mais alors, reprend Mme de Boigne avec obstination, ne serait-il pas plus prudent de se rallier à ce qui se présente ?

Juliette Récamier, qui pense encore à Rome, murmure timidement que, le matin même, au Palais-Royal, Mme de Boigne s'était laissé dire qu'on attachait le plus grand prix, en haut lieu, au ralliement d'un écrivain dont...

– Jamais ! coupe Chateaubriand.

– Pourtant, insiste Mme de Boigne, appuyée en silence par Juliette, pensez aux services que vous pourriez rendre, peut-être à Rome, aux côtés de Mme Récamier, non seulement à la France, mais à la religion...

Etait-ce le fantôme de Rome ? Était-ce l'image de Juliette ? René s'adoucissait. Il se mettait à marcher de long en large dans son cabinet. Tout à coup, en passant devant une planche chargée de ses œuvres, il s'arrête, se croise les bras, se retourne vers les deux femmes :

– Et ces trente volumes qui me regardent en face, que leur répondrai-je ? Non... non... Ils me condamnent à attacher mon sort à celui de ces misérables. Qui les connaît, qui les méprise, qui les hait plus que moi ?

Les misérables, c'étaient le roi, le duc d'Angoulême, les Bourbons, Polignac... Scène étonnante où la politique, une fois de plus, suit un chemin parallèle à celui de l'amour : toutes les contradictions de la passion les habitent l'une et l'autre. La même formule qui a servi à tant d'amours évanouies sera lancée au roi – et sans plus de conséquence ni d'engagement décisif : « Mon dernier rêve sera pour vous... ». De même qu'il avait pleuré des femmes mortes qu'il avait rendues malheureuses tant qu'elles étaient en vie, il se jetait au secours d'un trône qu'il avait lui-même ébranlé. Il lui fallait de grands drames pour parvenir à être ému. Et quand enfin il l'était, il lui semblait que ses larmes l'absolvaient de toutes ses fautes. C'était un échange entre le malheur et sa passion. Et l'indifférence ne cessait jamais de flotter sur le tout. Il accablait de son sacrifice les Bourbons tombés qu'il avait contribué à affaiblir et il ne manquait pas une occasion de marquer son éloignement à ceux dont il partageait la chute avec une souveraine hauteur : « Après tout, disait-il, c'est une monarchie tombée et il en tombera bien d'autres. Elle n'a droit qu'à notre fidélité : elle l'a. » Cette fidélité-là claquait comme un soufflet.

Le 7 août, la déclaration appelant au trône Louis-Philippe d'Orléans était discutée à la Chambre des pairs. Chateaubriand alla s'asseoir à sa place, au plus haut rang des fauteuils, en face du président. Selon leur tempérament, les visages des pairs ralliés pâlissaient ou rougissaient sur son passage. « La pairie était devenue le triple réceptacle de la corruption de la vieille monarchie, de la République et de l'Empire. Quant aux républicains de 1793 transformés en sénateurs, quant aux généraux de Bonaparte, je n'attendais d'eux que ce qu'ils ont toujours fait : ils déposèrent l'homme extraordinaire auquel ils devaient tout, ils allaient déposer le roi qui les avait confirmés dans les biens et dans les honneurs dont les avait comblés leur premier maître. Que le vent tourne, et ils déposeraient l'usurpateur auquel ils se préparaient à jeter la couronne. »

Enfin, Chateaubriand monta à la tribune. Un grand silence se fit. Il balaya de son regard l'assemblée de ces hommes qui se préparaient à se renier. Quelques-uns seulement, résolus à se retirer, osaient lever les yeux à la hauteur de la tribune. Les autres semblaient embarrassés, se tournaient de côté sur leur fauteuil et regardaient la terre. Alors, Chateaubriand prononce le discours le plus célèbre de sa vie, un des plus célèbres peut-être de l'histoire parlementaire et – avec ceux de Démosthène, d'Isocrate, de Marc Antoine devant le cadavre de César, de Danton ou de Saint-Just, d'Émile Ollivier au Corps législatif le 15 juillet 1870, de Winston Churchill devant la Chambre des communes en 1940 et du général de Gaulle à la radio de Londres – de toute l'histoire universelle.

– Inutile Cassandre, j'ai assez fatigué le trône et la patrie de mes avertissements dédaignés ; il ne me reste qu'à m'asseoir sur les débris d'un naufrage que j'ai tant de fois prédit. Je reconnais au malheur toutes les sortes de puissance, excepté celle de me délier de mes serments de fidélité. Je dois aussi rendre ma vie uniforme ; après tout ce que j'ai fait, dit et écrit pour les Bourbons, je serais le dernier des misérables si je les reniais au moment où, pour la troisième et dernière fois, ils s'acheminent vers l'exil.

» Je laisse la peur à ces généreux royalistes qui n'ont

jamais sacrifié une obole ou une place à leur loyauté ; à ces champions de l'autel et du trône, qui naguère me traitaient de renégat, d'apostat et de révolutionnaire. Pieux libellistes, le renégat vous appelle ! Venez donc balbutier un mot, un seul mot avec lui pour l'infortuné maître qui vous combla de ses dons et que vous avez perdu !

» Loin de moi surtout la pensée de jeter des semences de division dans la France. Si j'avais la conviction intime qu'un enfant [1] doit être laissé dans les rangs obscurs et heureux de la vie pour assurer le repos de trente-trois millions d'hommes, j'aurais regardé comme un crime toute parole en contradiction avec le besoin des temps : je n'ai pas cette conviction. Si j'avais le droit de disposer d'une couronne, je la mettrais volontiers aux pieds de M. le duc d'Orléans. Mais je ne vois de vacant qu'un tombeau à Saint-Denis, et non un trône.

» Je vote contre le projet de déclaration.

Prononcé d'une voix tantôt faible et émue, tantôt emportée par l'amertume et l'indignation, le discours exerça sur les pairs un effet prodigieux. A plusieurs reprises, la diction de l'orateur avait été embarrassée par les larmes et il avait été obligé de porter son mouchoir à ses yeux pour essuyer des pleurs. L'émotion était contagieuse. Plusieurs pairs pleuraient. La gêne, la honte, le déshonneur se peignaient sur le visage de ceux qui se préparaient à trahir le souverain légitime auquel ils avaient prêté serment. Quelques-uns semblaient anéantis. Ils s'enfonçaient dans leur fauteuil au point que l'orateur ne parvenait plus à les apercevoir derrière leurs collègues assis immobiles devant eux.

Chateaubriand descendit lentement de la tribune, sortit tel un fantôme de la salle de séances, se rendit au vestiaire, retira son épée, son habit de pair et son chapeau à plumet. Il en détacha la cocarde blanche et, sous la redingote noire qu'il venait de revêtir, il la serra contre son cœur.

Quelques jours plus tard, il démissionnait de toutes ses fonctions et renonçait à toutes ses pensions. Comme ces jeunes gens qui meurent pour des femmes qu'ils n'aiment pas, il se ruait dans la pauvreté pour un roi qu'il méprisait. Plus que jamais, son amour et sa fidélité se nourrissaient de désastres. Parce qu'elle était perdue, il confondait sa cause avec celle de Dieu lui-même. L'ironie d'un contemporain cachait mal l'admiration : « C'est toujours Némésis parlant au nom de Jéhovah. »

Déjà, dans les rues de Paris, s'apaisait la rumeur de la foule déchaînée : La Fayette, commandant en chef de la garde nationale, l'avait emporté sur Marmont, duc de Raguse, fidèle pour une fois au régime qu'il servait et à la tête des troupes

---

1. Le duc de Bordeaux.

des Bourbons. Le duc d'Orléans avait écrit jadis : « Je suis lié au roi de France, mon aîné et mon maître, par tous les serments qui peuvent lier un homme, par tous les devoirs qui peuvent lier un prince... Jamais je ne porterai la couronne tant que le droit de naissance et l'ordre de succession ne m'y appelleront pas, jamais je ne me souillerai en m'appropriant ce qui appartient légitimement à un autre prince. » Le roi des Français reçut les insignes de la souveraineté, portés sur des coussins violets, des mains de quatre maréchaux d'Empire qui avaient une certaine expérience de ce genre de cérémonie : ils avaient assisté, quelques années plus tôt, au sacre de Charles X.

Fidèle, vaincu, réconcilié avec lui-même dans l'opposition légitimiste et libérale à une bourgeoise usurpatrice, Chateaubriand restait nu comme un petit saint Jean. Ses broderies, ses dragonnes, franges, torsades, épaulettes, vendues à un brocanteur, et par lui fondues, lui avaient rapporté sept cents francs, produit net de toutes ses grandeurs.

Il sortait de la vie pour entrer dans l'histoire.

Épilogue

CHATEAUBRIAND OU UNE INDIFFÉRENCE PASSIONNÉE

« Républicain par nature, monarchiste par raison et bourbonien par honneur... »

—

A cet homme à cheveux blancs, rentré dans sa patrie, c'était une femme encore...

—

Une des plus jolies pages de la vie de René...

—

Le 12 novembre, à Genève, la foudre, de nouveau...

—

Chateaubriand quitta Paris pour Prague à huit heures et demie du soir...

—

Dans le caveau du Hradschin, gardé par des grenadiers autrichiens...

—

Tout le reste de cette existence si tumultueuse et si divisée...

—

La Vie de Rancé *fut le chant du cygne de René...*

—

Victor Hugo vint le voir. Il raconte, dans Choses vues...

« Républicain par nature, monarchiste par raison et bourbonien par honneur, je me serais beaucoup mieux arrangé d'une démocratie, si je n'avais pu conserver la monarchie légitime, que de la monarchie bâtarde octroyée par je ne sais qui. » Toute la fin de la vie de Chateaubriand va se dérouler dans une sorte d'exil volontaire où il se jette de lui-même par fidélité à une cause avec laquelle pourtant il refuse de se confondre.

En politique comme en amour, il faut toujours se souvenir a propos de René d'une lettre sur les chats adressée à Marcellus : « J'aime dans le chat ce caractère indépendant qui le fait ne s'attacher à personne et cette indifférence avec laquelle il passe des salons à ses gouttières natales. On le caresse, il fait le gros dos, c'est un plaisir physique qu'il éprouve et non, comme le chien, une niaise satisfaction d'aimer et d'être fidèle à son maître qui le remercie à coups de pied. Je trouve, quant à moi, que notre longue familiarité m'a donné quelques-unes de ses allures. » La lettre aurait été utile à beaucoup de « Madames » ; elle aurait pu servir aussi de leçon aux Bourbons. Louis-Philippe et son entourage n'avaient pas mis longtemps à comprendre ces sentiments et ils firent tout leur possible pour en profiter. Mais en vain. « Il est bien ridicule, persifle la duchesse de Broglie. Il veut toujours qu'on le plaigne des malheurs qu'il s'impose. Il se compose une grande infortune, et il nous la raconte. » Le jugement est dur ; il n'est pas tout à fait injuste. La monarchie de Juillet n'aurait été que trop heureuse d'ouvrir ses bras à l'écrivain libéral et royaliste. C'était lui qui se dérobait, pour la beauté du geste et par un sens foudroyant de sa place dans l'histoire.

Il quitte Paris, part pour la Suisse, s'indigne, dans des lettres à Ballanche ou à Juliette, des élections « ventrues et reventrues », de la France « toute en bedaine », qui refuse de

« donner la main à l'héroïque Pologne », à qui « les choses d'honneur commencent à échapper », et de la fière jeunesse « entrée dans cette rotondité ». Le voilà, tout à coup, d'un nationalisme échevelé. Est-ce un hasard si c'est l'époque, précisément, où Hortense Allart oublie un peu la France et se laisse aller, le cœur battant, à ses amours britanniques ?

Dans l'échec à la fois politique et sentimental, dans la nuit du découragement, brille l'image de Juliette ; il lui envoie, de Genève, un poème intitulé *le Naufrage* :

Rebut de l'Aquilon, échoué sur le sable,
Vieux vaisseau fracassé dont finissait le sort,
Et que, dur charpentier, la mort impitoyable
Allait dépecer dans le port !

Sous tes ponts désertés un seul gardien habite ;
Autrefois tu l'as vu sur ton gaillard d'avant,
Impatient d'écueils, de tourmente subite,
Siffler pour ameuter le vent.

Maintenant, retiré dans ta carène usée,
Teint hâlé, front chenu, main goudronnée, yeux pers,
Sablier presque vide et boussole brisée
Annoncent l'ermite des mers.

Ce vaisseau, c'est ma vie, et ce nocher moi-même ;
Je suis sauvé ! Mes jours aux mers sont arrachés :
Un astre m'a montré sa lumière que j'aime
Quand les autres se sont cachés.

Jusqu'à mon dernier port, douce et charmante étoile,
Je suivrai ton rayon toujours pur et nouveau ;
Et quand tu cesseras de luire pour ma voile,
Tu brilleras sur mon tombeau.

Béranger, de son côté – chère Hortense ! – écrit pour « l'illustre émigré » les vers naguère promis, « l'admirable chanson aujourd'hui imprimée » – en vérité, un navet d'une insigne nullité :

Chateaubriand, pourquoi fuir ta patrie,
Fuir notre amour, notre encens et nos soins ?
N'entends-tu pas la France qui s'écrie :
« Mon beau ciel pleure une étoile de moins » ?

Où donc est-il ? se dit la tendre mère.
Battu des vents que Dieu seul fait changer,
Pauvre aujourd'hui comme le vieil Homère,
Il frappe, hélas ! au seuil de l'étranger !...

L'émigration, sous la monarchie de Juillet, n'était pas trop cruelle. Il y avait des accommodements avec le ciel. De passage à Paris pour un court séjour, René dîna très publiquement au Café de Paris avec Arago, Carrel et Béranger, « tous plus ou moins mécontents et déçus par *la meilleure des républiques* ». Entre la poire et le fromage, Béranger chanta sa chanson. Du coup, flatté, l'exilé décida de rentrer dans un pays où l'opposition était si bien traitée.

Il y rentrait pour des motifs divers. D'abord, par attachement à Juliette Récamier. « Si vous demeurez en France, lui avait-il écrit de Genève, comme je ne peux pas vivre sans vous, j'irai présenter à un gouvernement que je n'estime point des mains que vous aurez enchaînées. » Ensuite, parce qu'il s'ennuyait à mourir aux Pâquis, dans la banlieue de Genève, en compagnie de Céleste, et que tous les prétextes lui étaient bons pour regagner Paris. Enfin, parce qu'il pensait que le nouveau régime, inéluctablement condamné, en avait tout de même pour longtemps : « Je suis bien sûr que ceci ne durera pas ; mais j'ai déjà calculé que, depuis la Révolution, les changements de gouvernement arrivent dans un espace moyen de dix à quinze années ; c'est la mesure de la patience française. Le gouvernement actuel pourrait donc bien durer dix ans, et dix ans m'emporteront. Il faut donc absolument que je prenne un parti. » Ce n'était pas si mal vu. La IIIe République mise à part et le délai de grâce élevé à quelque vingt ans, c'est toute l'histoire constitutionnelle française pendant près de deux siècles que racontait d'avance Chateaubriand.

Dans une longue et superbe lettre de Genève à Jean-Jacques Ampère – « Pardonnez à la prolixité de ma réponse ; autrefois, je n'écrivais que des billets ; aujourd'hui, le plus grand papier ne me suffit plus ; c'est une infirmité des perruques » –, Chateaubriand, bien avant Tocqueville, développe largement ses idées sur les rapports difficiles entre liberté et égalité : « Je crains que la liberté ne soit pas un fruit du sol de la France ; hors quelques esprits élevés qui la comprennent, le reste s'en soucie peu. L'égalité, notre passion naturelle, est magnifique dans les grands cœurs, mais, pour les âmes étroites, c'est tout simplement de l'envie ; et, dans la foule, des meurtres et des désordres ; et puis l'égalité, comme le cheval de la fable, se laisse brider et seller pour se défaire de son ennemi : toujours l'égalité s'est perdue dans le despotisme. » La lettre politique se termine par une méditation sur le grand âge : « Cette chute m'a pris si tard qu'il faudrait être bien fou pour déplorer le peu de jours qu'elle enlève à ma vie publique ; elle me rend même un service en mettant dans l'ombre les années où j'allais radoter ; je lui sais gré de m'avoir retranché brusquement du nombre des vivants. L'âge des illusions est passé pour moi ; je sens que mon rôle est fini, ma carrière achevée. Je n'ai jamais fait cas de la vie : ce qui m'en reste me semble ridicule ou pitoyable ; peu m'importe que ce vieux chiffon sèche maintenant au soleil de la patrie ou de l'exil.

» A votre âge, Monsieur, il faut soigner sa vie ; au mien, il faut soigner sa mort. L'avenir au-delà de la tombe est la jeunesse des hommes à cheveux blancs ; je veux user de cette seconde jeunesse un peu mieux que je n'ai fait de la première. »

Dix ans plus tard, le même Jean-Jacques Ampère s'embarquait pour la Grèce et l'Asie Mineure avec Prosper Mérimée. Chateaubriand lui adressera encore une autre lettre admirable, qui sonne comme un testament : « Je ne sais, Monsieur, dans quelle échelle cette lettre vous rencontrera ; si j'avais à choisir le lieu, je désirerais que ma réponse à vos lignes affectueuses de Rome vous atteignît à Athènes : vous auriez changé de ruines, et moi je n'aurais pas changé de pensées. Au-delà d'Athènes, il n'y a plus rien pour moi. Faites bien mes adieux au mont Hymette où j'ai laissé des abeilles ; au cap Sunium où j'ai entendu des grillons ; et au Pirée où la vague venait mourir à mes pieds dans le tombeau de Thémistocle. Il me faudra bientôt renoncer à tout ; j'erre encore dans ma mémoire, au milieu de mes souvenirs, mais ils s'effaceront ; et vous savez, Monsieur, que j'ai chargé mes jeunes amis du soin de prolonger un peu ma vie.

» Nous parlons sans cesse de vous, à l'Abbaye-aux-Bois, avec Mme Récamier, par qui nous existons encore. Nous nous reverrons dans quelques mois ; nous espérons vos beaux récits. Je m'attendrirai en vous écoutant, comme le voyageur qui se retourne, et voit derrière lui le pays qu'il a traversé. Mais vous n'aurez retrouvé ni une feuille des oliviers ni un grain des raisins que j'ai vus dans l'Attique. Je regrette jusqu'à l'herbe de mon temps : je n'ai pas eu la force de faire vivre une bruyère. »

A cet homme à cheveux blancs, rentré dans sa patrie, c'était une femme encore qui allait apporter ses dernières aventures. L'histoire remplaçait l'amour. Mais, en dépit de l'âge, la passion sur fond d'ennui était aussi vive que jamais.

Marie-Caroline des Deux-Siciles était la veuve du duc de Berry et la belle-fille de Charles X chassé du trône par les Trois Glorieuses. Depuis toujours, à la différence de son beau-frère et de sa belle-sœur, le duc et la duchesse d'Angoulême, elle admirait Chateaubriand. Lui la trouvait bizarre et extravagante, mais il était sensible à son originalité d'esprit et à sa capacité d'entraînement. Elle lui offrit de faire partie de son gouvernement secret. Ce n'était pas de chance : chaque fois que la légitimité en difficulté n'avait plus de royaume, on lui proposait le pouvoir. Il refusa. Constatant dans sa réponse l'avènement d'une France nouvelle, assurant qu'il n'entendait rien « aux dévouements secrets », il n'acceptait rien d'autre que de mettre sur sa porte, rédigé en grosses lettres, un écriteau de nostalgie et de fidélité : « Légation de l'ancienne France. »

Vive, aventureuse, familière et italienne, la duchesse se garda bien de suivre les conseils de modération prodigués par le ministre de la monarchie déchue. Venant sur un petit bateau de Massa di Carrara, héroïne de la Fronde sur les traces de l'Empereur, elle débarqua dans le midi de la France. C'était le début d'une tragédie-bouffe aux innombrables rebondissements. Bientôt, le Midi ne s'étant pas soulevé, elle était obligée, sous un déguisement de paysan et sous une fausse identité – le nom d'emprunt de « Petit-Pierre » allait jeter une dernière lueur sur la légende légitimiste – de se réfugier à Nantes et de s'y cacher dans la maison des demoiselles Duguiny, d'où elle espérait faire jaillir l'étincelle d'une nouvelle guerre de Vendée.

Au printemps de 1832, pendant que Marie-Caroline, débarquée en Provence avec un succès médiocre, s'efforce de gagner la Bretagne, se succèdent toute une série d'événements plus ou moins importants : le choléra fait rage et emporte Casimir Périer, président du Conseil ; Evariste Gallois, mathématicien de génie, se fait tuer en duel à l'âge de vingt ans pour une obscure histoire d'amour ; *la Sylphide*, premier ballet romantique, est créée à Paris par Maria Taglioni ; les funérailles du général républicain Lamarque entraînent les combats du cloître Saint-Merry ; Hortense Allart poursuit ses rêves de volupté noble dans un lit britannique et file un amour imparfait, qu'elle s'imagine parfait, avec Henry Bulwer Lytton ; le duc de Reichstadt est en train de mourir dans les fastes sinistres de Vienne ; et à l'aube du 16 juin, jour remarquable entre tous, trois policiers, dont un commissaire, se présentent rue d'Enfer, au grand effroi de Céleste, pour arrêter – à la suite de Berryer et en même temps que Hyde de Neuville et le duc de Fitz-James – le vicomte de Chateaubriand, écumant et ravi d'être impliqué malgré lui dans la royale conspiration qu'il n'a cessé de déconseiller.

C'est encore une scène où le comique se mêle au drame. Il est quatre heures du matin. Le fidèle Baptiste ouvre brusquement la porte et s'approche du lit où son maître est en train de dormir :

– Monsieur, la cour est pleine d'hommes qui se sont placés à toutes les portes. Et voilà trois messieurs qui veulent vous parler.

Les trois messieurs entrent à leur tour.

– Monsieur le vicomte, dit l'un d'eux, qui paraît être leur chef, j'ai ordre de vous arrêter et de vous mener à la préfecture de police.

– Le jour est-il levé ? demande Chateaubriand, ouvrant enfin les yeux et plus pointilleux que jamais, à cette heure inhabituelle, sur la légalité. Et êtes-vous, je vous prie, porteur d'un ordre écrit ?

Il n'y eut pas de réponse sur la situation du soleil. Mais un mandat en due forme fut exhibé au poète.

– Messieurs, dit le commissaire à ses subordonnés, faites votre devoir !

– Vous savez, monsieur, déclara Chateaubriand, que je ne reconnais point votre gouvernement, que je proteste contre la violence que vous me faites ; mais, comme je ne suis point le plus fort, je vais me lever et vous suivre.

Et il s'habilla.

– Monsieur, je suis à vos ordres ; allons-nous à pied ?

– Non, monsieur, j'ai eu soin de vous amener un fiacre.

– Vous avez bien de la bonté ; monsieur, partons ; mais souffrez que j'aille dire adieu à Mme de Chateaubriand. Me permettez-vous d'entrer seul dans la chambre de ma femme ?

– Monsieur, je vous accompagnerai jusqu'à la porte et je vous attendrai.

– Très bien, monsieur.

Réveillée par le bruit, Céleste, très effrayée, était assise dans son lit.

– Ah ! bon Dieu ! êtes-vous malade ? Ah ! bon Dieu ! qu'est-ce qu'il y a ? qu'est-ce qu'il y a ?

– Ce n'est rien, on m'envoie chercher pour un procès de presse. Dans quelques heures tout sera fini et je vais revenir déjeuner avec vous.

En sortant de la pièce, il dit au policier qui était resté à la porte et qui avait vu la scène :

– Vous voyez, monsieur, l'effet de votre visite un peu matinale.

Il traversa la cour et monta dans le fiacre, entouré de ses gardiens.

Malgré toute la rancune de René à l'égard du nouveau régime, mieux valait tout de même être arrêté pour légitimisme sous la monarchie de Juillet que sous la Révolution ou l'Empire. La détention fut douce, et presque délicieuse : après quatre ou cinq heures passées dans une cellule infecte, à quelques pas d'un condamné à mort, le préfet de police en personne venait chercher Chateaubriand. « Vous allez venir chez moi, monsieur le vicomte, et vous choisirez dans mon appartement ce qui vous conviendra le mieux. » Changement de décor : la tragédie, brusquement, se transformait en opérette. René, après quelques manières, se laissa enfermer dans le cabinet de toilette de

Mlle Noémi Gisquet, jeune et jolie musicienne, fille du préfet de police. L'odorante prison donnait sur un jardin anglais. A droite, au fond du jardin, on apercevait des bureaux où travaillaient des jeunes filles. Don Quichotte sentimental sous la Révolution, René crut voir des nymphes ravissantes au milieu des lilas. Le son du piano-forte de Mlle Noémi parvenait jusqu'au prisonnier. Dès le lendemain, il reçut la visite de Céleste apeurée, bientôt suivie de Juliette. Quinze jours plus tard, il était libre : Juliette Récamier était intervenue auprès de Pasquier. Comme son vieil ami Molé, Pasquier avait juré successivement fidélité à tous les pouvoirs présents et futurs et ces serments de rechange lui avaient valu, avant un titre de duc qui ne tardera guère, la présidence des « Judas de la Chambre des pairs » sous la monarchie de Juillet. Amie intime de Mme de Boigne, Juliette n'eut pas trop de peine à approcher Pasquier ni à le convaincre : voilà déjà quelque temps qu'il était devenu l'amant de la chère comtesse.

Chateaubriand, dans ses *Mémoires*, affecte de parler avec décontraction et amusement de son arrestation et de sa détention parfumée. Mais l'épreuve l'avait ulcéré. « Les truands ! écrit-il, ils ont osé porter sur moi leur ignoble main ! Je ne donnerai pas une seconde fois ce tort à ma patrie. » Pour se consoler, sans doute, il alla dîner encore une fois, après une promenade au Jardin des Plantes, à l'Arc-en-ciel avec Hortense. Le lendemain, il lui écrivait : « Vous avez vu votre puissance ; vous avez rendu leur charme à tous ces lieux où je ne passais plus. Que je suis bête et insensé !... J'ai honte de ma faiblesse, mais j'y succombe de trop bonne grâce... Je pars, sinon heureux, du moins portant plus légèrement la vie. Adieu... et mes plus tendres amours à Votre Infidélité. Qui m'aurait dit que j'en viendrais là ? Adieu, magicienne, volage, trompeuse, et toujours aimée. »

Il prit encore le temps d'écrire quelques lignes à Béranger : « Je suis obligé de partir sans avoir le plaisir de vous voir et de vous embrasser. J'ignore mon avenir : y a-t-il aujourd'hui un avenir clair pour personne ? Nous ne sommes pas dans un temps de révolution, mais de transformation sociale : or les transformations s'accomplissent lentement, et les générations qui se trouvent placées dans la période de la métamorphose périssent obscures et misérables. »

Et, fuyant en un second exil cette monarchie bourgeoise qui aurait bien voulu de lui dont il ne voulait pas, il repartit pour la Suisse.

Une des plus jolies pages de la vie de René s'écrit au cours de ce séjour commencé sous le signe de la duplicité amoureuse, mais où sa vie sentimentale finira, à son tour, comme sa vie politique, par trouver son unité. Il était parti seul. Céleste devait le rejoindre un peu plus tard à Lucerne. Du coup, incorrigible, il avait invité Son Infidélité Hortense à venir le rejoindre au milieu des montagnes : « Si vous me mettez à part des autres hommes et me placez hors de la loi vulgaire, vous m'annoncerez votre visite comme une fée ; les tempêtes, les neiges, la solitude, l'inconnu des Alpes iront bien à votre mystère et à votre magie... » Il va jusqu'à parler d'un « sort » qu'elle lui aurait jeté et – Dieu lui pardonne ! – évoquant le cabinet particulier du restaurant de l'Arc-en-ciel, il utilise le mot « cellule » qu'on pouvait croire réservé à l'Abbaye-aux-Bois. Hortense, folle de son Anglais, qui lui préférait les débats du Parlement, ne répondit même pas. Elle courait après son amour. Elle était trop occupée à être déçue par Henry pour ne pas décevoir René. Elle resta sourde à l'appel et aux plaintes de don Juan devenu vieux. René ne trouva que Dumas, que la révolution à Paris n'amusait plus beaucoup.

Ils se lièrent au point que, quelques années plus tard, Alexandre Dumas en train d'épouser Ida Ferrier demandera à René de lui servir de témoin. Les charmes de la jeune mariée étaient abondants et déjà un peu croulants. « Voyez, dit René à mi-voix, c'est une malédiction : tout ce que je bénis tombe. » A Lucerne, avec Dumas qui n'avait pas vingt-cinq ans, René ne faisait pas de mots. Il pensait avec tristesse à tout ce qui disparaissait autour de lui.

Alors, sous l'orage qui fait voler ses cheveux blancs, René se livre tout seul à une navigation mélancolique sur le lac de Lucerne. Et, parce que Hortense l'abandonne, il se laisse aller, comme jadis dans sa Bretagne natale, à une fiévreuse méditation : « Je la peindrais bien encore, la nature ; mais pour qui ? qui se soucierait de mes tableaux ? quels bras, autres que ceux du temps, presseraient en récompense mon *génie* au front dépouillé ? qui répéterait mes chants ? à quelle muse en inspirerai-je ? Sous la voûte de mes années comme sous celle des monts neigeux qui m'environnent, aucun rayon de soleil ne viendra me réchauffer. Quelle pitié de traîner, à travers ces monts, des pas fatigués que personne ne voudrait suivre ! »

Le soir, sa barque aborde au rivage. Il descend. Il entre dans une maison pour attendre les chevaux qui lui feront gravir les pentes du Saint-Gothard. « Rien dans la chambre où je suis enfermé : deux couches pour un voyageur qui veille et qui n'a ni amours à bercer ni songes à faire. Ces montagnes, cet orage, cette nuit sont des trésors perdus pour moi. Que de vie, cependant, je sens au fond de mon âme ! Jamais, quand le sang le plus ardent coulait de mon cœur dans mes veines, je n'ai parlé le langage des passions avec autant d'énergie que je pourrais le faire en ce moment. »

Dans *la Confession délirante*, c'était l'ombre de l'Occitanienne qui apparaissait en filigrane ; ici c'est l'absence d'Hortense qui déchaîne la passion. Le lendemain, René saluait l'Italie du haut du Saint-Gothard comme il l'avait saluée jadis du sommet du Simplon et du Mont-Cenis. « Mais à quoi bon ce dernier regard jeté sur les régions du midi et de l'aurore ! Le pin des glaciers ne peut descendre parmi les orangers qu'il voit au-dessous de lui dans les vallées fleuries. » L'espace répondait au temps et le symbolisait.

De retour à Lucerne, il trouve enfin une lettre d'Hortense. Est-ce l'annonce de sa venue ? Hélas ! non. Hortense se cache toujours derrière les allées et venues de Henry Bulwer Lytton. René lui répond aussitôt par des plaintes et des reproches où il fait jouer toutes les cordes de la littérature et de la jalousie : « J'ai passé seul les montagnes. J'ai revu cette Italie où vous dites que vous vous plairiez à voyager avec moi. Il n'a tenu qu'à vous de voir avec moi ces solitudes du Saint-Gothard qui vous auraient inspirée. Vous m'auriez lu, le soir sur la montagne, loin du monde entier, en attendant la nuit, votre *Anglaise aux Indes*... Oui, vous avez perdu une partie de votre gloire en me quittant... Votre prétexte d'une personne qui devait partir le samedi n'est pas sérieux, vous le savez bien... J'ai peur que les temps de courte liberté dont je jouis si rarement dans ma vie ne viennent à m'échapper de nouveau... »

Hortense était absente. Juliette fut encore présente. Hortense trahissait. Juliette fut la plus fidèle : malgré les conseils de Mme de Boigne, toujours un peu réservée à l'égard de l'Enchanteur, elle rejoignit René à Constance. Il y avait, il est vrai, plusieurs motifs à ce voyage. Le choléra faisait rage à Paris où, en quelques semaines, avaient succombé plus de vingt mille victimes. La reine Hortense, depuis longtemps, suppliait son amie de venir lui rendre visite dans son château d'Arenenberg, en Thurgovie, aux portes de Constance. Puisque René était en Suisse et qu'il y avait avantage à quitter Paris, Juliette, brusquement, cet été-là, accepta l'invitation.

Ainsi se retrouva à Arenenberg un extraordinaire quatuor. Il y avait quelques années à peine, Juliette, à Coppet, par son amitié avec la fille de Necker, tendait la main au XVIIIe siècle. Maintenant, c'est la seconde moitié du XIXe siècle qui s'annonce déjà, de loin, au bord du lac de Constance où d'interminables conversations s'engagent entre Hortense, Juliette, René et Charles-Louis, le fils de la reine. Hortense avait perdu deux fils dont l'un était peut-être – peut-être – le fils de l'empereur Napoléon, et reportait toute son affection sur le cadet, qui avait alors vingt-quatre ans. La mort du duc de Reichstadt venait tout juste de faire de lui l'héritier de la légende napoléonienne. Vingt ans plus tard, il sera Napoléon III.

Il a écrit une lettre habile au légitimiste plein d'amertume : « Que les Bourbons sont heureux d'avoir pour soutien un génie tel que le vôtre !... Tout ce qui est national trouve de l'écho dans votre âme... » « Les Bourbons, murmure René en grognant, m'ont-ils jamais écrit des lettres pareilles ? Se sont-ils jamais doutés que je m'élevais au-dessus de tel faiseur de vers ou de tel politique de feuilleton ? » Secrètement flatté, Chateaubriand répond en des termes ambigus : « Vous savez, prince, que tant que mon jeune roi vivra, il ne peut y avoir pour moi d'autre roi de France que lui. Mais si Dieu, dans ses impénétrables conseils, avait rejeté la race de Saint Louis, si les mœurs de notre patrie ne lui rendaient pas l'état républicain possible, il n'y a pas de nom qui aille mieux à la gloire de la France que le vôtre. » Quel dommage que Chateaubriand n'ait pas pu vivre quatre ans de plus ! Peut-être n'est-il pas impossible de nous faire pourtant une vague idée de ce qu'aurait pu être, en fin de compte, son jugement sur le coup d'Etat du 2 décembre en lisant quelques lignes des *Mémoires d'outre-tombe* à propos d'Arenenberg : « Je ne saurais dire à quel point ce monde impérial me paraît caduc de manières, de physionomie, de ton, de mœurs ; mais d'une vieillesse différente du monde légitimiste : celui-ci jouit d'une décrépitude arrivée avec le temps ; il est aveugle et sourd, il est débile, laid et grognon, mais il a son air naturel et ses béquilles vont bien à son âge. Les impérialistes au contraire ont une fausse apparence de jeunesse ; ils veulent être ingambes, et ils sont aux Invalides ; ils ne sont pas antiques comme les légitimistes, ils ne sont que vieillis comme une mode passée ; ils ont l'air de divinités de l'Opéra descendues de leur char de carton doré ; de fournisseurs en banqueroute par suite d'une mauvaise spéculation ou d'une bataille perdue ; de joueurs ruinés qui conservent encore un reste de magnificence d'emprunt, des breloques, des chaînes, des cachets, des bagues, des velours flétris, des satins fanés et du point d'Angleterre. »

Il y avait plus important, pour René, sur les bords du lac de Constance, que le futur empereur des Français : il y avait Juliette Récamier. Ils se retrouvèrent à Constance le 27 août. Lui arrivait de Lugano et du Saint-Gothard ; elle, venant de Paris, était installée depuis trois jours. La ville leur parut délabrée ; l'auberge où ils étaient descendus, en revanche, trop bruyante : on y préparait une noce. Ce soir-là, en dépit de ses cheveux blancs, René, une fois de plus, évoqua Chantilly dont la forêt jouait le même rôle dans leur code amoureux que le cattleya chez Marcel Proust : René et Juliette « firent Chantilly » à Constance comme nous voyons Odette et Swann « faire cattleya » dans la *Recherche*. « M. de Chateaubriand, écrit Juliette avec pudeur à son neveu Paul David, qui avait, jadis, bien des années plus tôt, été amoureux d'elle, M. de Chateaubriand a été bien parfaitement aimable pendant son court séjour à Constance. »

Dès le lendemain, ils allèrent, tous les deux, la main dans la main, à la recherche d'une barque pour une promenade sur le lac. Il faisait beau. Une sorte de douce allégresse les habitait l'un et l'autre. Juliette, à cinquante-cinq ans, était encore très séduisante ; vieilli et déçu par les infidélités d'Hortense, il la regardait avec tendresse et avec un vague sentiment de honte après tant de gâchis. N'allait-il pas chercher bien loin cette admiration et cette tendresse qui lui étaient si proches ? Il lui prenait la main et la baisait, il lui disait des mots délicieux auxquels, dans les soirées littéraires de l'Abbaye-aux-Bois, elle n'était plus habituée.

Ils s'embarquent, abordent à l'île de Mainau, font quelques pas sur la grève d'un parc, franchissent une haie de saules, tombent sur une allée parmi des bouquets d'arbustes, des groupes d'arbres et des tapis de gazon. Dans l'herbe, des colchiques, que René appelle des veilleuses. Ils se promènent au hasard, tendrement enlacés ; puis ils s'asseyent sur un banc, au bord de l'eau, devant un pavillon qui s'élève avec élégance au milieu des jardins. Soudain, du pavillon et des bocages sortent les sons inattendus d'une harpe et d'un cor. Au bord des flots du lac, sous le soleil de l'été, dans la solitude la plus complète, c'était une scène de conte de fées. Quand la musique se tut, René fit avec Juliette ce qu'il avait fait tant de fois avec Pauline, avec Natalie, avec Cordélia, avec Hortense ; il lui récita quelques pages de son manuscrit qui ne le quittait jamais.

« Nous avons fait une ravissante promenade sur le lac, raconte Mme Récamier ; il me lisait le dernier livre de ses *Mémoires* qu'il a écrit sur les chemins et qui est admirable de talent et de jeunesse d'imagination. » C'était vrai : la tendresse ne troublait pas le jugement de Juliette.

Ce qui la trouble, en revanche, c'est l'exaltation et la tristesse des pages écrites dans la montagne. Elle se demande ce qui se cache derrière ce grondement tumultueux. Elle s'inquiète, tout à coup : à travers ce mélange, qui lui est si propre, d'indifférence et de passion, est-ce que René, par hasard, ne songerait pas au suicide ? On croyait volontiers, à cette époque, que Jean-Jacques Rousseau s'était empoisonné. Mon Dieu ! serait-ce par un terrible pressentiment que Juliette vient d'écrire sur son album, il y a quelques jours à peine, ou peut-être quelques heures, les dernières paroles de Rousseau au moment de mourir : « Ma femme, ouvrez la fenêtre, que je voie encore le soleil... »

La harpe et le cor, à nouveau, se mettaient à jouer dans le pavillon au milieu des colchiques. « L'azur du lac vacillait derrière les feuillages ; à l'horizon du midi s'amoncelaient les sommets de l'Alpe des Grisons ; une brise passant et se retirant à travers les saules s'accordait avec l'aller et le venir de la vague ; nous ne voyions personne, nous ne savions où nous étions. » Juliette posait sa tête sur l'épaule de René. C'était elle maintenant qui lui répétait, pour le consoler et le maintenir en vie, les mots sacrés qu'il lui murmurait à Chantilly ou dans la petite cellule de l'Abbaye-aux-Bois : « Songez qu'il faut que nous achevions nos jours ensemble... »

Alors, ému par tant de tendresse et de fidélité, voyant enfin son destin se dessiner à travers cette foule d'aventures au parfum d'amertume, René se penche à son tour vers celle qui sera en fin de compte la seule femme de sa vie. Il la regarde, il lui prend des mains l'album qu'elle tend timidement, avec ce sourire irrésistible qui avait fait tant de victimes, et, sous les dernières paroles de l'auteur de *la Nouvelle Héloïse*, il trace au crayon ces mots qui constituent comme l'aboutissement de sa vie sentimentale et une renonciation à ses folies passées :

> Ce que je voulais sur le lac de Lucerne, je l'ai trouvé sur le lac de Constance, le charme et l'intelligence de la beauté. Je ne veux point mourir comme Rousseau ; je veux encore voir longtemps le soleil, si c'est avec vous que je dois achever ma vie. Je veux que mes jours expirent à vos pieds, comme ces vagues doucement agitées dont vous aimez le murmure.
>
> Au bord du lac de Constance, le 28 août 1832.

Quelques semaines plus tard, par un jour d'automne, Juliette et René firent encore une autre promenade : ils allèrent ensemble en pèlerinage à Coppet. Les lettres même d'Hortense restaient sans effet sur René. A de nouvelles coquetteries, il avait répondu avec une impavidité d'où de perfides allusions n'étaient pas absentes : « Je soigne mon tombeau comme la couche qui n'est jamais trahie par les infidèles... Vous parlez de puissance et d'amour. Tout cela est passé. Je garde pour moi seul le reste d'une vie dont personne ne voudrait et que je ne veux donner à personne. » Ce n'était pas tout à fait vrai : Juliette voulait bien de la vie de René, et René la lui donnait.

Coppet les ramena à « ces temps toujours pénibles et toujours regrettés où la passion fait le bonheur et le martyre de la jeunesse ». Dans ce qui avait été la cour trépidante de Germaine, ils rêvèrent tous les deux, en silence, à ce soir de mai où, quinze ans plus tôt, rue Neuve-des-Mathurins, à un dîner chez Mme de Staël auquel Mme de Staël n'assistait pas, ils s'étaient rencontrés. C'était ici, à Coppet, qu'Auguste de Prusse avait nourri pour Juliette une passion violente ; c'était ici que Benjamin Constant, c'était ici que tant d'autres... Auguste de Prusse était loin, Benjamin Constant était mort,

Auguste de Staël était mort. Ils étaient entourés de rêves évanouis, de songes fracassés, de fantômes et de morts. Il semblait à René et à Juliette qu'ils restaient seuls dans ce monde. Pendant que Juliette allait s'incliner sur le tombeau de son amie, René, assis sur un banc au bord du lac, en face du mont Blanc, pensait à Voltaire, à Rousseau, et surtout à Byron, dont la gloire le gênait. En voyant revenir Juliette, pâle et belle sous ses larmes, il comprit tout à coup, au-delà de cette gloire qu'il avait tant poursuivie, ce que c'était que d'être aimé. A peine rentré chez lui, il jeta en hâte quelques mots sur un papier :

« Maintenant, en écrivant cette page, à minuit, tandis que tout repose autour de moi et qu'à travers une fenêtre je vois briller quelques étoiles sur les Alpes, il me semble que tout ce que j'ai aimé, je l'ai aimé dans Juliette, qu'elle était la source cachée de toutes mes tendresses, qu'amours véritables ou folies, ce n'était qu'elle que j'aimais. »

A près de soixante-cinq ans, après tant de courses et de naufrages, M. de Chateaubriand, toutes voiles déployées, entrait enfin au port.

Le 12 novembre, à Genève, la foudre, de nouveau, tombe sur Chateaubriand : il apprend par Berryer, l'avocat et député légitimiste, l'arrestation, à Nantes, cinq jours plus tôt, de la duchesse de Berry. Un fils de rabbin, du nom de Simon Deutz, converti au catholicisme et, en apparence au moins, à la cause des Bourbons, avait vendu, pour cent mille francs à Thiers, ministre de l'Intérieur, le secret de sa retraite. La duchesse s'était battue jusqu'au bout. Elle s'était dissimulée derrière la plaque d'une cheminée. Pour lutter contre l'ennui plutôt que contre le froid, les gendarmes en train de perquisitionner allumèrent un feu dans la cheminée. Après avoir essayé en vain de l'éteindre par les moyens les plus naturels – entendez qu'elle pissa dessus –, elle fut contrainte à se livrer.

On la transféra dans la citadelle de Blaye, près de Bordeaux, où elle allait être confiée à la garde d'un geôlier déjà guetté à la fois par une casquette et par la gloire : le général Bugeaud de La Piconnerie, futur maréchal de France et futur duc d'Isly. Mais la prison ne mettait pas fin aux relations entre René et Marie-Caroline : pendant un an, plus peut-être qu'aucune des femmes qu'il avait tant aimées, la royale aventurière allait bouleverser l'existence de Chateaubriand.

L'occasion était trop belle. Il sautait dessus à pieds joints.

Il se précipitait à Paris, écrivait au garde des Sceaux, au maréchal Soult, président du Conseil et ministre de la Guerre, aux rédacteurs en chef de tous les journaux. Il se jetait dans la bataille, entrait avec délices dans le rôle, un peu nouveau pour lui, de « vieux soldat discipliné ». « Nul, écrit avec sa drôlerie coutumière l'impitoyable Mme de Boigne, nul, et je n'en excepte pas M. Thiers, ne ressentit une plus vivre satisfaction de l'arrestation de Madame la duchesse de Berry que M. de Chateaubriand. Privé du tribut de louanges quotidiennes libéralement fournies par le petit cercle où il passe exclusivement sa vie à Paris, il périssait d'ennui et ne savait comment revenir après les adieux si pompeux adressés publiquement à sa patrie. Il avait beau se draper à l'effet dans le manteau d'un exil volontaire, on le remarquait peu. Il accueillit comme l'étoile du salut l'arrestation faite à Nantes. »

A l'Abbaye-aux-Bois, devant Mme Récamier, puis Mme de Boigne accourue en toute hâte, il lut son *Mémoire sur la captivité de Madame la duchesse de Berry*. Apre, brillant, pathétique, rédigé en quelques jours, « admirablement bien écrit » d'après Mme de Boigne elle-même, le pamphlet mettait en scène devant une cour d'assises imaginaire le procès de la princesse et donnait la parole successivement – « Avocat, levez-vous ! » – à la défense et à l'accusation. Il représentait Louis-Philippe comme l'oncle et le tuteur d'un orphelin dont il avait volé le bien, et le faisait comparaître « comme témoin à charge ou à décharge, si mieux n'aime se récuser comme parent ». Il organisait la confrontation entre « l'accusée » et « le descendant du grand traître ». Il exigeait « que l'Iscariote en qui Satan était entré dise combien il a reçu de deniers pour le marché ». Puis, « en présence de l'image du Christ », il déposait sur le bureau, comme pièce à conviction, la robe princière brûlée par le feu de cheminée : « car il faut qu'il y ait toujours une robe jetée au sort dans ces marchés de Judas ». L'ouvrage se terminait par un bouquet de mots lancé à la prisonnière, par une des mélodies les plus célèbres de Chateaubriand, bientôt reprise, dans les salons et dans la rue, par tous les royalistes de France : « Illustre captive de Blaye, Madame ! votre fils est mon roi ! »

Ce fils, né plusieurs mois après le crime de l'Opéra, était : 1° l'enfant du miracle, 2° le duc de Bordeaux, 3° le futur comte de Chambord, 4° le héros malheureux et obstiné du drapeau blanc, 5° le fameux Henri V des légitimistes. Chateaubriand ne se tenait plus de bonheur devant tant de malheur. Les mots jaillissaient tout seuls dans des criconstances si romanesques. Après Mme de Boigne et Chateaubriand lui-même, Victor Hugo, qui ne voyait dans le jeune prince qu'une occasion de style pour le vieil écrivain, ne rata pas non plus le coche de la formule et du trait : « M. de Chateaubriand a un moi qu'il appelle Henri V. »

Parue entre Noël et le 1er janvier, la brochure de Chateaubriand eut un succès foudroyant : elle se vendit en dix jours à trente mille exemplaires. Mais le métier de pamphlétaire et de conspirateur comporte des risques réels : Chateaubriand fut traduit pour délit de presse devant la cour d'assises de la Seine. Elle siégeait dans la salle même où Marie-Antoinette avait comparu devant le tribunal révolutionnaire et où le frère de René avait été condamné. « La révolution de Juillet a fait enlever le crucifix dont la présence, en consolant l'innocence, faisait trembler le juge. » Un vague parfum de 93 se répandait dans les esprits des légitimistes aveuglés par leurs passions et par leurs craintes. Hyde de Neuville avait écrit sans rire à Mme de Boigne pour lui « défendre de rien tenter pour sauver sa tête ». « C'était, écrit la comtesse, un tissu d'extravagances. » Déjà au moment des Trois Glorieuses, les vieux aristocrates recuits répétaient à qui voulaient les entendre que c'en était fini de la France, de la civilisation, de la fameuse douceur de vivre et que ce n'était plus la peine de faire encore des enfants.

Chateaubriand, devant la cour d'assises, n'était pas en trop bonne posture. Il n'avait pas seulement écrit : « Madame, votre fils est mon roi » ; il avait aussi utilisé à l'égard du régime une formule audacieuse que le procureur général Persil devait reprendre avec indignation, en mimant le geste sous les hurlements de rire du public : « Il est difficile d'écraser ce qui s'aplatit sous le pied. » Les rires constituaient déjà un succès pour René. Il gagna la partie par une trouvaille de génie : il s'adressa au jury comme à « la pairie universelle ». Flattés, à peine surpris, ses nouveaux collègues l'acquittèrent. A nouveau, il fut porté en triomphe sur des épaules de jeunes gens.

Mais le rideau n'arrivait pas à tomber sur la tragi-comédie. Tout est extraordinaire dans l'histoire de la duchesse de Berry, où Mme de Boigne voyait déjà un admirable sujet de roman historique. Quelques semaines plus tard, la veuve depuis douze ans accouchait en prison, sous les yeux de ses geôliers mobilisés sur place par un gouvernement ignominieux et habile, d'une fille, baptisée Rosalie, qui, de toute évidence, avait été conçue en Vendée. Fidèle à une tradition gaillarde qui remonte loin dans notre histoire, la duchesse, décidément, n'avait pas froid aux yeux. « Elle n'attachait aucun prix à la chasteté, écrit notre peste de comtesse ; ce n'était pas sa première grossesse clandestine. Elle croyait les princesses en dehors du droit commun. J'ai été bien souvent étonnée que, poussée par la honte d'une position qui conduit fréquemment une servante d'auberge à se noyer dans un puits, Madame la duchesse de Berry, à laquelle on ne peut refuser un courage peu ordinaire et dont les idées religieuses ne lui faisaient certainement pas obstacle, n'ait pas préféré se précipiter du haut de ces remparts de Blaye où elle se promenait chaque jour, léguant ainsi à ses ennemis un malheur irréparable à subir et à son parti une noble victime à venger. » Ah ! comtesse, cruelle comtesse, dure aux duchesses comme aux filles d'auberge, avec quel éclat ne montrez-vous pas que les conseilleuses ne sont pas les payeuses.

Des légitimistes exaltés s'obstinèrent jusqu'au dernier instant à nier l'évidence. Une « légion des chevaliers français » se constitua et beaucoup se battirent en duel pour défendre envers et contre tous la vertu de Marie-Caroline. Quand il fallut s'incliner devant les choses de la vie, adversaires et partisans commencèrent à s'interroger, avec des sentiments opposés d'amusement et de consternation, sur le nom du père de Rosalie. On murmura le nom d'un avocat, Guibourg, un peu trop attaché à la famille royale. On chuchota que M. de Charette, pair de France, colonel de cuirassiers, mari d'une fille que le duc de Berry avait eue en émigration, préférait sa royale belle-mère à sa femme légitime et légitimée. Pour couper court à toutes ces rumeurs, la duchesse révéla qu'elle s'était mariée secrètement à un diplomate italien, non dépourvu, semble-t-il, d'expérience et de charme : une reine d'Espagne, naguère, et plusieurs princesses ou ambassadrices l'avaient déjà remarqué. Il s'appelait le comte Hector Lucchesi-Palli – « des princes de Campo-Franco », précisait la duchesse avec une pointe de snobisme qui suffisait à fournir la preuve de sa dégringolade sociale. L'ennui était qu'il n'avait pas quitté La Haye, où il vivait, depuis près de deux ans. La presse de Paris et de Naples lui décerna aussitôt le surnom de « saint Joseph ».

Le dessein du gouvernement était clair : il s'agissait de déconsidérer la prisonnière en la brouillant avec l'ex-roi Charles X, réfugié à Prague avec ses petits-enfants et avec son fils aîné, le duc d'Angoulême, époux de la fille de Louis XVI. Le plan était en train de réussir quand, un matin du printemps de 1833, René en train d'écrire tranquillement chez lui, rue d'Enfer, vit entrer un émissaire plus ou moins secret de Marie-Caroline. Il apportait une lettre dans laquelle la duchesse demandait au héraut du légitimisme, négligé par beau temps, indispensable sous l'orage, d'aller plaider sa cause auprès de son beau-père.

Chateaubriand n'hésita pas : « Oui : je partirai pour la dernière et la plus glorieuse de mes ambassades ; j'irai de la part de la prisonnière de Blaye trouver la prisonnière du Temple ; j'irai négocier un nouveau pacte de famille, porter les embrassements d'une mère captive à des enfants exilés et présenter les lettres par lesquelles le courage et le malheur m'accréditent auprès de l'innocence et de la vertu. » Mme de Boigne assure, dans ses *Mémoires*, que, trois ans plus tôt, lors de l'exil en Ecosse de la famille royale, le bruit avait couru que Chateaubriand, nommé gouverneur du duc de

Bordeaux, allait se rendre à Edimbourg auprès des deux belles-sœurs, la duchesse d'Angoulême et la duchesse de Berry. Interrogé sur cette rumeur par la comtesse de Boigne, il aurait répondu, avec un accent de dédain inimitable : « Moi ! et qu'irais-je faire, bon Dieu, entre cette mangeuse de reliques d'Edimbourg et cette danseuse de corde d'Italie ? » Transmuées par l'histoire et la littérature en prisonnière du Temple et en prisonnière de Blaye, la mangeuse de reliques et la danseuse de corde étaient hissées maintenant à la dignité du courage et à celle de la vertu. En vérité, il ne les aimait beaucoup ni l'une ni l'autre. Mais le malheur suffisait à les faire grimper l'une et l'autre dans l'estime du cher René. « Monsieur de Chateaubriand, écrit encore Mme de Boigne, était sincère en ce moment aussi bien que dans l'autre ; il possède cette mobilité d'impression dont il est convenu en ce siècle que se fabrique le *génie*. Eminemment artiste, il s'enflamme de son œuvre, et c'est à l'engagement de ses propres paroles qu'il offre l'hommage de ses pleurs. »

Chateaubriand quitta Paris pour Prague à huit heures et demie du soir. Il avait toujours aimé commencer ses voyages par des parcours de nuit où il rêvait sur lui-même. Il lui restait de ses grandeurs passées un coupé dans lequel il brillait jadis à la cour du roi d'Angleterre et une vieille calèche de voyage autrefois construite pour le prince de Talleyrand : « Je fis radouber celle-ci, afin de la rendre capable de marcher contre nature ; car, par son origine et ses habitudes, elle est peu disposée à courir après les rois tombés. » L'accompagnaient l'inévitable Hyacinthe Pilorge, « façonné à toutes mes fortunes, et Baptiste, *valet de chambre* lorsque j'étais *Monseigneur*, et redevenu *valet* tout court à la chute de ma seigneurie : nous montons et nous descendons ensemble ».

Le voyage fut à la fois délicieux et désolé. C'était le printemps. Des écoliers, des voyageurs, des douaniers saluaient l'illustre voyageur. Tout au long de sa route, par les vitres de sa calèche, dans les chœurs des églises, dans les auberges, le soir, il aperçut plusieurs de ces jeunes filles germaniques qui portent des yeux bleus, des joues rouges, des tresses blondes ; elles rescuscitaient les négresses et les Indiennes des forêts d'Amérique ; elles lui firent encore envie. « Matière de songes est partout ; peines et plaisirs sont de tous lieux. » A Moskirch, à Waldmünchen, à Weissenstadt, à Hohlfed, à la frontière bavaroise, il eut à nouveau, comme le jeune Marcel Proust dans le train de Balbec, la vision fugitive et délicieuse de grandes filles roses et dorées par le soleil levant ou couchant, dont il ne connaîtrait jamais rien qu'un sourire, un geste furtif, un visage soudain couvert de deux mains ou d'un fichu, mais avec qui, peut-être, il aurait pu vivre heureux.

A Waldmünchen, dernier village de Bavière avant la frontière autrichienne, il n'était plus qu'à cinquante lieues de Prague. Il fit sa toilette à une fontaine, comme un ambassadeur un peu démuni qui se préparerait à une entrée triomphale, il se plongea dans l'eau glacée et il aborda plein d'assurance la douane autrichienne. Il y avait là « un gros et vieux chef de douaniers allemands : cheveux roux, moustaches rousses, sourcils épais descendant en biais sur deux yeux verdâtres à moitié ouverts, l'air méchant – mélange de l'espion de police de Vienne et du contrebandier de Bohême.

L'homme prend les passeports. Cinq minutes de silence. Puis aboiements autrichiens :

– Vous ne passerez pas.

– Comment, je ne passerai pas ! Et pourquoi ?

– Votre signalement n'est pas sur le passeport.

– Mon passeport est un passeport des Affaires étrangères.

– Votre passeport est vieux.

– Il n'a pas un an de date, il est légalement valide.

– Il n'est pas visé à l'ambassade d'Autriche à Paris.

– Vous vous trompez, il l'est.

– Il n'a pas le timbre sec.

– Oubli de l'ambassade. Je viens de traverser le canton de Bâle, le grand-duché de Bade, le royaume de Wurtemberg, la Bavière entière : on ne m'a pas fait la moindre difficulté. Sur simple déclaration de mon nom, on n'a même pas déployé mon passeport.

– Avez-vous un caractère public ?

– J'ai été ministre en France, ambassadeur de Sa Majesté très chrétienne à Berlin, à Londres et à Rome. Je suis connu personnellement de votre souverain et du prince de Metternich.

– Vous ne passerez pas.

Affreusement vexé de n'avoir pas été reconnu et qu'il existât sur terre un homme qui n'avait jamais entendu parler de lui, René dut envoyer une estafette au « grand bourgrave de Bohême » pour obtenir un laissez-passer. Il fallut, en attendant, patienter quelques jours dans l'auberge de Waldmünchen, entre Bavière et Autriche. Ce fut l'occasion d'une description si minutieuse de l'ameublement de sa chambre – depuis les filets de la corniche jusqu'à la serrure de la porte – qu'elle en devient tout à fait digne de notre *nouveau roman* : « Cette page de mes *Mémoires*, écrit Chateaubriand avec une géniale prescience, fera plaisir à l'école littéraire moderne. » Mais le séjour forcé à Waldmünchen nous vaut surtout quelques lignes qui sont comme un rappel mélancolique des plaisirs de jeunesse d'un homme qui, pour aimer la gloire, mettait encore les femmes bien au-dessus de la gloire : « Si j'avais vingt ans, je chercherais quelques aventures dans Waldmünchen comme moyen d'abréger les heures ; mais à mon âge on n'a plus d'échelle de soie qu'en souvenir, et l'on n'escalade les murs qu'avec les ombres. Jadis j'étais fort lié avec mon corps ; je lui conseillais de vivre sagement, afin de se montrer tout gaillard et tout ravigoté dans une quarantaine d'années. Il se moquait des serments de mon âme et s'obstinait à se divertir. "Au diable !" disait-il, "que gagnerais-je à lésiner sur mon printemps pour goûter les joies de la vie quand personne ne voudra plus les partager avec moi ?" Et il se donnait du bonheur par-dessus la tête. »

Le vieil écrivain dans sa dernière ambassade n'avait plus personne pour partager avec lui les plaisirs de la vie. Il se consolait avec les ombres. Au moment de partir pour Prague, il avait écrit à Juliette : « Que je suis malheureux de vous quitter ! Mais je serai revenu vite... Il ne faut plus vous quitter. A vous pour la vie ! A vous ! à vous ! » Il ne la trompait plus qu'avec la nature. Du fond de sa calèche, il regardait se lever les étoiles. Plus encore que les jeunes filles rencontrées sur le chemin, c'était sa vieille compagne, la lune, qui le faisait toujours rêver. C'était vers elle maintenant que, loin de ce monde décevant et de ses infidélités, montaient ses chants d'amour.

Dans le caveau du Hradschin, gardé par des grenadiers autrichiens, il vit « les larves royales », le roi déchu, le duc d'Angoulême « vieilli et amaigri, vêtu d'un habit bleu râpé, boutonné jusqu'au menton et qui, trop large, semblait acheté à la friperie », l'enfant du miracle qui avait bonne mine à cheval et sa sœur Louise, assez calée en histoire. A leurs côtés, faisant tout, guindé et rigoriste, le duc de Blacas, entrepreneur des pompes funèbres de la monarchie.

– Bonjour, bonjour, monsieur de Chateaubriand, dit Charles X à l'ambassadeur, je suis charmé de vous voir. Je vous attendais. Ne restez pas debout ; asseyons-nous. Comment se porte votre femme ?

« Rien ne brise le cœur, écrit René, comme la simplicité des paroles dans les hautes positions de la société et les grandes catastrophes de la vie. Je me mis à pleurer comme un enfant ; j'avais peine à étouffer avec mon mouchoir le bruit de mes larmes. » C'était un peu exagéré. En poussant à peine la scène, on tomberait dans Abel Hermant ou dans certaines pages caricaturales de Marcel Proust. L'ambassadeur secret et le roi en exil échangèrent des considérations assez plates sur l'éducation des princes, sur les jésuites et sur l'argent. Le miracle est que de ces pauvretés Chateaubriand tire encore des merveilles : impossible de montrer avec plus d'évidence que la littérature est une pure forme qui se moque de la matière. Ainsi de ses amours parfois assez misérables faisait-il un chef-d'œuvre.

Parce qu'ils étaient des enfants, Henri V et la princesse Louise – lui un peu « ébouriffé de s'entendre saluer roi », elle plus vive et bavarde – lui parurent échapper à la malédiction bohémienne. La veille ou l'avant-veille, Charles X avait annoncé à la fille aînée de la duchesse de Berry et à son royal frère l'arrivée d'un hôte illustre. Pour excuser l'accueil un peu emprunté de l'enfant du miracle, la jeune princesse Louise raconta la scène à René :

– Oh ! Henri a été bien bête ce matin : il avait peur. Grand-papa nous avait dit :

» – Devinez qui vous verrez demain : c'est une puissance de la terre !

» Nous avions répondu :

» – Eh bien ! c'est l'empereur ?

» – Non, a dit grand-papa.

» Nous avons cherché ; nous n'avons pas pu deviner. Il a dit :

» – C'est le vicomte de Chateaubriand.

» Je me suis tapé le front pour n'avoir pas deviné.

A son départ, les enfants royaux lui remirent un cachet où étaient gravés deux mots que le duc de Bordeaux avait répondus à voix basse quand René, à leur première rencontre, lui avait recommandé de se souvenir de lui : *Oui, toujours !* Quand le grand infidèle reçut un peu mystérieurement, en cachette des adultes, ce symbole de fidélité, il versa encore quelques larmes. Les princes décidément, quand ils étaient déchus, le faisaient pleurer plus que les femmes.

Les choses se passèrent moins bien avec la tante des jeunes princes. La duchesse d'Angoulême – Madame la dauphine – prenait les eaux à Carlsbad. Il alla lui rendre visite et lui présenter ses hommages avec un peu d'émotion : elle était la fille du roi guillotiné. Du haut des remparts de la ville, des gardiens sonnaient de la trompe dès qu'ils apercevaient un voyageur. « Je suis salué du son joyeux comme un moribond, et chacun de se dire avec transport dans la vallée : "Voici un arthritique, voici un hypocondriaque, voici un myope !" Hélas ! j'étais mieux que tout cela. J'étais un incurable. »

Il trouva la duchesse en train de broder, avec un

mouvement rapide, machinal et convulsif. Elle n'aimait guère sa belle-sœur, elle n'aimait guère Chateaubriand, et Chateaubriand ne l'aimait guère. Il illumina pourtant un instant la morosité naturelle de la fille de Louis XVI et de Marie-Antoinette en l'appelant « Votre Majesté ».

– Oh ! non, non, monsieur de Chateaubriand, dit la princesse en le regardant et en cessant son ouvrage, je ne suis pas reine.

– Vous l'êtes, Madame, lui répondit René, vous l'êtes par les lois du royaume : Monsieur le Dauphin n'a pu abdiquer que parce qu'il a été roi.

Pendant quelques instants, en effet, le duc d'Angoulême était devenu le roi : entre l'abdication de son père et sa propre renonciation en faveur de son neveu.

Ces habiletés ne servirent pas à grand-chose. Prisonnière de ce que Chateaubriand appelle joliment « les préjugés du troupeau d'antichambre au milieu duquel elle vivait », la captive du Temple ne laissa percer pour la captive de Blaye, sa belle-sœur, qu'une pitié méprisante et glacée. La conversation fut plus terne encore et sûrement moins cordiale qu'avec Charles X. « Je me sentais extrêmement contraint, expliqua Chateaubriand avec une courtoisie plus insolente et plus cruelle que toute critique ; la peur de dépasser certain niveau m'ôtait jusqu'à cette faculté des choses communes que j'avais auprès de Charles X. Soit que je n'eusse pas le secret de tirer de l'âme de Madame ce qui s'y trouve de sublime ; soit que le respect que j'éprouvais fermait le chemin à la communication de la pensée, je sentais une stérilité désolante, qui venait de moi. » Impossible d'être à la fois plus respectueux et plus dur.

Le résultat de la mission était à peu près nul. La « puissance de la terre » avait traversé l'Europe pour presque rien. Il ne restait que des mots. Mais ils valaient le voyage. Les pages des *Mémoires d'outre-tombe* où apparaît le Hradschin ont quelque chose d'halluciné et d'hallucinant. A peine rentré à Paris, René écrivit encore une longue lettre à la duchesse d'Angoulême. C'est un texte assez peu connu, et pourtant remarquable : « Si je vous disais que la légitimité a des chances de revenir par l'aristocratie de la noblesse et du clergé avec leurs privilèges, par la cour avec ses distinctions, par la royauté avec ses prestiges, je vous tromperais. Lorsqu'on avance que la légitimité arrivera forcément, qu'on ne saurait se passer d'elle, qu'il suffit d'attendre pour que la France à genoux vienne crier merci, on avance une erreur... Les rois croient qu'en faisant sentinelle autour de leurs trônes, ils arrêteront les mouvements de l'intelligence ; ils s'imaginent qu'en donnant le signalement des principes, ils les feront saisir aux frontières ; ils se persuadent qu'en multipliant les douanes, les gendarmes, les espions de police, les commissions militaires, ils les empêcheront de circuler. Mais ces idées ne cheminent pas à pied, elles sont dans l'air, elles volent, on les respire. Si j'avais répudié les opinions du siècle, je n'aurais aucune prise sur mon temps. Je cherche à rallier auprès du trône antique ces idées modernes qui, d'adverses qu'elles sont, deviennent amies en passant à travers ma fidélité. » Le décevant voyage de Prague n'eût-il produit que ces lignes qu'il n'aurait pas été tout à fait inutile.

Sur le chemin du retour, le voyageur du soir trouva encore ici ou là de quoi rêver et chanter : une grande fille rousse, nu-pieds, tête nue, qui vint lui ouvrir, « comme l'Autriche en personne », la barrière de la frontière bavaroise ; une plaisante courtisane, coiffée en cheveux, qu'il eut tout juste le temps de voir disparaître en voiture au moment où lui-même pénétrait dans un village ; une demoiselle allemande, « jeune et jolie nécessairement », en train d'apprendre le français sous la dictée d'un maître ; une ravissante petite fille qui portait une hotte sur son dos : « Elle avait les jambes et les pieds nus ; sa jupe était courte, son corset déchiré ; elle marchait courbée et les bras croisés. Nous montions ensemble un chemin escarpé ; elle tournait un peu de mon côté son visage hâlé ; sa jolie tête échevelée se collait contre la hotte. Ses yeux étaient noirs ; sa bouche s'entrouvrait pour respirer. Elle donnait envie de lui dire des roses. »

Parce que la jeune hotteuse éveille d'un coup en lui tant de songes assoupis, l'imagination de l'Enchanteur se met aussitôt à broder sur l'avenir de la jeune fille. Il la voit en train de vieillir au pressoir, mère de famille obscure et heureuse ; ou peut-être emmenée dans les camps par un caporal de passage ? Mais non : elle deviendra plutôt la proie de quelque don Juan : « La villageoise enlevée aime son ravisseur autant d'étonnement que d'amour, il la transporte dans un palais de marbre sur le détroit de Messine, sous un palmier au bord d'une source, en face de la mer qui déploie ses flots d'azur et de l'Etna qui jette des flammes. » Comment était donc la formule que nous avions cueillie jadis sous la plume de Mme de Boigne ?... Ah ! oui : « Hormis qu'il bouleversait votre vie, il était tout disposé à la rendre fort douce. » Ne pouvant plus le faire dans la réalité, il le faisait dans ses rêves

« J'en étais là de mon histoire, lorsque ma compagne, tournant à gauche sur une grande place, s'est dirigée vers quelques habitations isolées. Au moment de disparaître, elle s'est arrêtée ; elle a jeté un dernier regard sur l'étranger ; puis inclinant la tête pour passer avec sa hotte sous une porte baissée, elle est entrée dans une chaumière comme un petit chat sauvage se glisse dans une grange parmi des herbes. »

René resta longtemps immobile, perdu dans ses songes et

dans ses souvenirs. Ils avaient remplacé ses espérances d'autrefois. Mais étaient aussi vifs et aussi puissants qu'elles. Derrière la petite hotteuse de Hohlfeld se pressaient les ombres de Charlotte et de Pauline, de Delphine et de Cordélia. Enfin, il sortit de son illumination. Il s'arracha à ce qu'il appelait, avec son vieux et cher Montaigne, ses « tentations cassées et mortifiées ». Il se rappela avec un sourire, car il se souvenait de tout, la formule un peu comique dont s'était servi un critique dans un article récent de la *Revue des Deux-Mondes* : « Vieillard harmonieux, repose-toi. » Eh bien ! il allait suivre ce conseil en continuant à courir, sur toutes les routes de l'Europe, derrière la duchesse de Berry : c'était encore la moins éprouvante de toutes ses aventures. Deux vers des *Stances* de Voltaire à Mme du Châtelet lui revenaient soudain à l'esprit. Elles jettent une vive lumière sur la place de la duchesse de Berry dans la carrière de René.

Je la suivis, mais je pleurai
De ne pouvoir plus suivre qu'elle.

Moins de trois mois plus tard, Chateaubriand, rentré à Paris, recevait rue d'Enfer une nouvelle lettre de la duchesse de Berry. Le gouvernement de Louis-Philippe avait expulsé la princesse en Italie, moins déshonorée que lui-même. Elle demandait à son chevalier servant de franchir les Alpes et le Simplon et de venir la rejoindre à Venise. Il lui en coûtait, cette fois, de recommencer un long voyage. D'autant plus qu'une nouvelle absence ne tombait pas très bien. Céleste, comme d'habitude, avait attrapé une bronchite. Juliette, surtout, venait de se blesser à la jambe et de se faire une entorse à la cheville. René allait la voir chaque jour, après le déjeuner, aux environs de Paris : elle s'était installée dans une maison de repos de Beauséjour. Vous la trouverez facilement, indiquait à un ami le toujours fidèle Ballanche, « c'est en sortant de Passy, à l'entrée du Bois ». René aimait à passer tranquillement ses après-midi dans ce charmant village de campagne. Mais quoi ! par fidélité, il lui fallait repartir. De Dieppe où il passait l'été, Jean-Jacques Ampère écrivait à Juliette, avec un rien de perfidie où perce encore la jalousie : « Quelle fatalité que cet accident ! Vous voilà étendue sur une chaise longue et M. de Chateaubriand fait une petite absence, me dit laconiquement M. Ballanche ; j'espère qu'elle n'a rien de diplomatique ? Ce serait encore de nouvelles agitations pour vous... » Bien sûr que si ! c'était un voyage diplomatique : mais au sens propre du mot. Le 3 septembre, toujours dans la voiture de M. de Talleyrand, René, à nouveau, prenait la route du Jura, des Alpes et du Simplon. Malgré ses hésitations et son regret de partir, il se répétait avec délices : « Le rendez-vous est à

Venise... » et il se laissait bercer par le rythme de la voiture, non sans accorder de temps en temps une pensée ironique et furieuse à son dernier propriétaire qui lui avait succédé en Angleterre comme ambassadeur de France : « Or, pendant que je pérégrinais derechef dans la calèche du prince de Bénévent, il mangeait à Londres au râtelier de son cinquième maître, en expectative de l'accident qui l'enverra peut-être dormir à Westminster, parmi les saints, les rois et les sages ; sépulture justement acquise à sa religion, sa fidélité et ses vertus. »

On passa par Pontarlier, par Lausanne, par Sion, par Brigue et par le Simplon. A un des relais de chevaux, « l'hôtesse, une jeune sorcière extrêmement jolie, prêta son secours en riant. Elle avait soin de coller son lumignon, abrité dans un tube de verre, auprès de son visage, afin d'être vue ». C'était la fin de l'été, ce coup-ci. Dans la brise du matin, où les jeux de la lumière et de l'ombre avaient quelque chose de magique, la descente du Simplon sur Domodossola parut au voyageur plus merveilleuse que jamais. Au bord du lac Majeur, « un Paganini aveugle » jouait du violon.

En arrivant sur Vérone, l'ancien plénipotentiaire au Congrès se livra à un des exercices les plus classiques de la littérature universelle : l'appel des morts. Au catalogue des conquêtes chanté par Leporello succédait la litanie des ombres qui ne sont plus. Avec bien des différences entre leurs deux génies, d'un côté le mémorialiste lyrique, politique et chrétien, de l'autre l'analyste impitoyable et subtil sous des dehors mondains, Proust devait se souvenir de cette page dans sa description du baron de Charlus vieilli dans *le Temps retrouvé* :

CHATEAUBRIAND	PROUST
Combien s'agitaient d'ambitions parmi les acteurs de Vérone ! Que de destinées de peuples examinées, discutées et pesées ! Faisons l'appel de ces poursuivants de songes. Monarques, princes, ministres ! Voici votre ambassadeur, voici votre collègue revenu à son poste ; où êtes-vous ? répondez :	Il ne cessait d'énumérer tous les gens de sa famille qui n'étaient plus, moins, semblait-il, avec la tristesse qu'ils ne fussent plus en vie qu'avec la satisfaction de leur survivre. C'est avec une dureté presque triomphale qu'il répétait sur un ton uniforme, légèrement bégayant et aux sourdes résonances sépulcrales :
L'empereur de Russie Alexandre ? – Mort.	Hannibal de Bréauté, mort !
L'empereur d'Autriche François II ? – Mort.	Antoine de Mouchy, mort !
Le roi de France Louis XVIII ? – Mort.	Charles Swann, mort !
Le roi d'Angleterre George IV ? – Mort.	Adalbert de Montmorency, mort !

Le pape Pie VII ?
– Mort.

Le duc de Montmorency, ministre des Affaires étrangères de France ?
– Mort.

Si tant d'hommes couchés avec moi sur le registre du Congrès se sont fait inscrire à l'obituaire ; si des peuples et des dynasties royales ont péri, qu'est-ce donc que les choses de la terre ?

Boson de Talleyrand,
mort !

Sosthène de Doudeauville,
mort !

Et à chaque fois, ce mot « mort » semblait tomber sur ces défunts comme une poignée de terre plus lourde, lancée par un fossoyeur qui tenait à les river plus profondément à la tombe.

L'ambassadeur clandestin et itinérant mit exactement une semaine de Paris à Venise. C'était presque un record. Il était devenu l'homme pressé de la légitimité expirante. Après cette course éclair, il aspirait à un peu de repos, pour se souvenir et rêver. Il n'y avait aucune nouvelle, à Venise, de la duchesse de Berry. Rajeuni de vingt ans par la présence de Venise et l'absence de la princesse, René s'installa à l'hôtel de l'Europe, juste à l'entrée du Grand Canal, en face de la Douane de mer, de la Salute, de la Giudecca et de San Giorgio Maggiore. Il ne disposera pas des quinze jours dont il avait besoin : une semaine plus tard, Marie-Caroline le convoquait à Ferrare. Il lui manquera huit jours pour cette revue générale de Venise qu'il avait tant espérée. Mais le séjour écourté n'en sera pas moins décisif. Même en l'absence de Juliette, peut-être précisément parce qu'il est séparé de Juliette, « cette semaine de rêve vénitien, écrit Maurice Levaillant, fait époque dans l'histoire de la tendresse qui va désormais l'unir plus étroitement à Mme Récamier ».

Ce n'était pas la première fois que René voyait Venise. Vous vous souvenez peut-être qu'il y était passé avec Céleste, à la veille de ce pèlerinage profane vers la Grèce et la Terre sainte qui devait finir en Espagne. Il était alors descendu à l'auberge du Lion d'or. L'impatience le rongeait. Il trépignait à l'idée de la gloire et de l'amour en train de se faire la courte échelle. Il n'avait qu'une idée en tête : plaquer Céleste au plus vite pour pouvoir, comme convenu, après les détours nécessaires et sacrés, rejoindre Natalie à l'Alhambra de Grenade. En 1806, fou de Natalie qui n'était pas encore folle, ce n'étaient pas les scrupules qui lui firent détester la reine éclatante des mers : c'était le temps qu'il perdait aux côtés de Céleste avant d'aller chercher sur le tombeau du Christ la gloire indispensable pour se faire aimer en Espagne.

Vingt-sept ans plus tard, tout est changé. Il y a d'abord Juliette. La veille de son départ, le lundi 2 septembre au soir, avant de monter à nouveau dans la calèche de Talleyrand, il lui avait encore écrit quelques lignes : « Ne pouvant vous voir demain matin, je vous écris ce soir pour vous dire adieu. Je pars bien moins ferme que dans le premier voyage, bien qu'allant sous un plus beau ciel. Je vous laisse souffrante, isolée, et je n'ai pas de courage contre cela. Enfin je suis troublé. Je me rassure en pensant qu'avant un mois je serai revenu auprès de vous. Je vous écrirai, je vous rapporterai des notes ; mais c'est un grand malheur de vivre ainsi toujours dans l'avenir quand il reste si peu de présent. Aimez-moi un peu, pensez à moi. Vous savez que c'est toute ma vie et toute ma protection. »

Juliette Récamier, à l'inverse de René, avait beaucoup aimé Venise. Elle y avait séjourné une semaine, huit ans plus tôt, au retour de l'exil auquel l'avaient contrainte les amours tumultueuses de René et de Cordélia. Et elle avait souvent parlé à René de son amour pour Venise. « Partout je pense à vous, lui écrira René à la fin de son séjour. Peut-être trouverai-je quelques lignes de vous à Venise avant de quitter cette ville où je voudrais qu'on m'exilât avec vous. »

Juliette n'était pas la seule ombre à hanter de son absence, et pourtant de sa présence, les palais, les places, les canaux, les églises de la cité toujours mourante et toujours ressuscitée. Il n'y avait pas d'autres femmes : le temps des rivales était révolu pour Juliette Récamier. Mais il y avait Rousseau, et surtout Byron.

Chateaubriand, à Venise, évoque avec une sorte de sensualité mêlée d'envie les amours de ceux qui peuvent passer à juste titre, en matière de romantisme, pour son maître et pour son disciple. Il se souvient d'un passage des *Confessions* où Rousseau, non content d'élever à frais communs avec un de ses amis une petite fille de onze ans dont ils entendaient bientôt se partager les faveurs, raconte une de ses aventures du temps où il était secrétaire de M. de Montaigu, ambassadeur de France auprès de la Sérénissime. Une jeune Vénitienne de vingt ans à peine, du nom de Zulietta, « éblouissante, fort coquettement mise et fort leste », s'était prise de passion pour Jean-Jacques. « Elle ne parlait qu'italien ; son accent seul eût suffi pour me tourner la tête. » Sur sa table de nuit étaient posés deux pistolets.

– Ah ! ah ! dit Jean-Jacques, en en prenant un, voilà une boîte à mouches de nouvelle fabrique ; pourrait-on savoir quel en est l'usage ?

– Quand j'ai des bontés pour des gens que je n'aime point, expliqua Zulietta, je leur fais payer l'ennui qu'ils me donnent ; rien n'est plus juste. Mais, en endurant leurs caresses, je ne veux pas endurer leurs insultes, et je ne manquerai pas le premier qui me manquera.

Malheureusement pour lui, Jean-Jacques, moins brillant sur le terrain que don Juan ou Casanova, se montra inférieur à ce qu'on attendait de lui. Il échappa aux coups de pistolet, mais Zulietta le renvoya avec le conseil fameux : « *Lascia le donne e studia la matematica* - Renonce aux femmes et étudie les mathématiques ! »

« Lord Byron, soupire René, livrait aussi sa vie à des Vénus payées ». Sa Zulietta à lui était la femme d'un boulanger. Elle était brune et grande, avec des yeux admirables. Elle avait vingt-deux ans. Elle s'appelait Margherita Cogni. A cause du métier de son mari, on la surnommait *la Fornarina* – la boulangère. Quand Byron affrontait la tempête pour aller se promener au Lido, elle l'attendait au bord du Grand Canal, ses yeux noirs étincelant à travers ses larmes, ses longs cheveux de jais trempés de pluie : « *Ah ! can della Madonna !* lui lançait-elle du plus loin qu'elle le voyait, *dunque sta il tempo per andar al Lido !* - Ah ! chien de la Vierge, est-ce là un temps pour aller au Lido ? »

Plus encore que leurs aventures, c'était la gloire de Jean-Jacques et de Childe Harold qui tourmentait René. Dans le décor éminemment romantique de la ville menacée par les flots et la mort, feu René ressuscité sentait en lui l'ambition de l'emporter sur les visiteurs romantiques qui l'avaient précédé. Pour entendre parler de l'illustre poète anglais, de son pied bot, de son génie, il alla rendre visite à deux hôtesses qui, jadis, avaient reçu lord Byron : Mme Albrizzi et Mme Benzoni.

Il faut faire la part des contradictions naturelles à René, mais, sans aller jusqu'à se vanter, comme André Gide, de préférer les bordels aux salons, il n'aimait pas beaucoup les mondanités ni les sorties du soir : « Si l'on savait ce que je souffre dans un salon, les âmes charitables ne me feraient jamais l'honneur de m'inviter à quoi que ce soit. Un des plus cruels supplices de mes grandeurs passées était de recevoir et de rendre des visites, d'aller à la cour, de donner des bals, des fêtes, de parler, de sourire en crevant d'ennui, d'être poli et amusé à la sueur de mon front : c'était là les vrais, les seuls soucis de mon ambition. Toutes les fois que je suis tombé du sommet de ma fortune, j'ai ressenti une joie inexprimable à rentrer dans ma pauvreté et ma solitude, à jeter bas mes broderies, mes plaques, mes cordons, à reprendre ma vieille redingote, à recommencer les promenades du poète par le vent et la pluie. » Il ne regretta pas trop, pourtant, de s'être couché, un soir, plus tard que d'habitude et d'avoir percé la nuit jusqu'à onze heures : Vénitienne d'origine grecque, Mme Teodochi Albrizzi ne lui parla pas seulement longuement de Byron, elle le présenta à une jeune Vénitienne très belle qui n'avait jamais eu la curiosité de pousser jusqu'à Naples, ni même jusqu'à Rome.

– Mais, vous savez, lui dit-elle avec un sourire timide et comme pour s'excuser, nous autres, Italiennes, nous restons où nous sommes.

– Moi aussi, madame, lui répondit René en la regardant dans les yeux, je resterais bien où vous êtes.

« Ayant passé une soirée chez Mme Albrizzi, je ne pus éviter une autre soirée chez la comtesse Benzoni. A dix heures, je descendis de ma gondole, comme un mort que l'on porte à Saint-Christophe [1] ». Il ressuscita assez vite. Mme Benzoni était une beauté célèbre. Elle avait servi de modèle à Canova, comme Juliette, et elle était l'héroïne d'une *canzonetta* vénitienne au titre un peu niais, aussi fameuse à Venise en ce temps-là que *Sole mio* à Naples ou *Bambino* aujourd'hui : *Biondina in gondoletta.* Mme Albrizzi était la Staël de Venise, Mme Benzoni en était la coqueluche, la vedette, la *prima ballerina.* C'était chez elle que lord Byron avait rencontré Mme Guiccioli. « Exposé comme un Saint-Sacrement au milieu des regards qui fixaient ses rayons », René souffrait un doux martyre. Les hommes lui disaient, pour le flatter, et ils y réussissaient, qu'ils l'imaginaient plus âgé ; il était entouré, à sa droite, d'une dame noire et, à sa gauche, d'une dame blonde. La dame noire avait des « yeux de serpent à demi endormi » et semblait vouloir le fasciner. La dame blonde faisait le bruit d'une fleur ; elle avançait et penchait vers lui son visage d'une fraîcheur éblouissante ; « elle était toute curiosité, tout mystère : on eût dit d'une rose inclinée sous le poids de ses parfums et de ses secrets ».

René, pour dire quelque chose, raconta l'histoire du Napolitain épris d'une jeune chevrière. « Ne pouvant toucher le cœur de la dame, il a recours à un philtre ; malheureusement, il se trompe dans le mélange des ingrédients et des paroles » et, à son grand effroi, il voit « accourir une chèvre cabriolante et bondissante qui lui saute au cou et lui fait un million de caresses : le charme était tombé sur la pauvre bique affolée ». L'histoire fit un vrai malheur. On se demande un peu pourquoi. Peut-être simplement parce qu'elle était racontée par l'auteur du *Génie du christianisme.* La dame noire prêtait l'oreille avec un air suppliant ; la dame rose écoutait avec les yeux. « Je cours partout, *je vais dans le monde*, écrit René à Juliette. Qu'en dites-vous ? Je passe *des nuits* dans des cercles de belles dames ; qu'en dites-vous ? Je veux tout voir, tout savoir. On me traite à merveilles ; on me dit que je suis *tout jeune* et l'on s'ébahit de mes mensonges sur mes cheveux gris. Jugez si je suis tout fier et si je crois à ces compliments : l'amour-propre est si bête ! Mon secret est que je n'ai pas voulu garder ici ma sauvagerie quand j'ai appris celle de lord Byron. Je n'ai pas voulu passer pour la copie de l'homme dont je suis l'original : je me suis refait *ambassadeur*. »

Même pour l'emporter sur Byron, René ne passait pas tout son temps dans les salons vénitiens. Il se promenait dans la ville. Il admirait et plaignait les courtisanes « assez belles et

1. Cimetière de Venise.

demi-nues », restes plutôt misérables des superbes créatures qui émerveillaient Montaigne : à l'auteur des *Essais* il semblait, en son temps, « autant admirable que nulle autre chose d'en voir un tel nombre comme de cent cinquante ou environ, faisant une dépense en meubles et vêtements de princesse, n'ayant d'autre fonds à se maintenir que de cette traficque ». Ce que voyait René n'était qu'un pâle reflet de ces splendeurs : les Français avaient interdit aux courtisanes de placer une lanterne à leurs fenêtres et les Autrichiens avaient supprimé leur puissante corporation.

Il allait aussi rendre visite à une fille de geôlier dont Silvio Pellico avait parlé dans *Mes prisons.* Juliette avait un faible pour ce livre récemment paru et René l'avait emporté parmi « la douzaine de volumes éparpillés » autour de lui dans la calèche de Talleyrand. L'enfant s'appelait Zanze ; elle avait douze ou treize ans du temps de Silvio Pellico et le prisonnier laissait entendre que, malgré ce jeune âge, une sorte de roman d'amour s'était ébauché entre eux. René vit paraître une femme très petite, enceinte de sept ou huit mois, cheveux noirs nattés, chaîne dorée au cou, les dents gâtées, le teint pâle, la peau brouillée : elle nia farouchement l'inclination et l'aventure que lui prêtait le poète piémontais emprisonné à Venise. Sans doute parce qu'il se réjouissait d'avance d'en parler avec Juliette, ce petit mystère littéraire et sentimental enchantait l'Enchanteur.

Il allait surtout se promener au Lido le matin, de très bonne heure, sur les traces de Byron. Le long de la grève désolée et sinistre où avait galopé Childe Harold, il interrogeait les pêcheurs en train de préparer leurs filets avant de partir sur la mer. Certains se souvenaient encore de l'Anglais au pied bot qui semblait fuir à cheval ses fureurs et ses dégoûts.

– Pêcheur de Malamocco, as-tu entendu parler de lord Byron ?

– Il chevauchait presque tous les jours ici.

– Sais-tu où il est allé ?

Le pêcheur haussait les épaules, regardait la mer et se taisait comme elle.

René poursuivait son chemin. C'était l'aurore. Les vagues mouraient à ses pieds. Le soleil se levait. Des mouettes se posaient sur le sable où elles laissaient leurs traces mouillées. D'autres volaient pesamment au-dessus de la houle du large. Il rêvait sur l'histoire – et sur lui, comme d'habitude. Venise lui apparaissait comme une image de sa propre vie. « Venise ! nos destins ont été pareils ! Mes songes s'évanouissent à mesure que vos palais s'écroulent. »

Le voilà qui s'arrête, le poète devenu vieux, sur le sable, au bord des flots. Il plonge ses mains dans la mer. Il porte l'eau à sa bouche. Il regarde ces vagues qu'il avait tant aimées et il leur parle, comme à des jeunes filles qui, se tenant par la main dans une ronde, l'auraient entouré à sa naissance. Il pense au temps qui passe et qui n'en finit pas de l'ensevelir sous un amas de jours. De ces plages solitaires parcourues par Byron, il s'était embarqué, il y a un quart de siècle, vers la Grèce et la Syrie. L'image de Natalie lui revient à l'esprit : elle est en train de dessiner dans la cour des Lions de l'Alhambra. Derrière elle s'engouffrent tous ces êtres de chair et de sang qui ont peuplé sa vie. De Charlotte à Pauline, de Delphine à Cordélia, elles défilent et se bousculent à travers l'espace et le temps. Une sorte de vertige le prend. Comme il avait choisi jadis la légitimité déchue pour donner un sens à sa vie politique, il pense soudain avec force à l'image visible où se confondent tous ses souvenirs et où convergent tous ses songes. Il rêve. Une houle de tendresse le submerge. La question que chacun, un jour, finit par se poser le transperce comme une flèche : Qu'ai-je donc fait de ma vie ? quelle image laisserai-je de moi à ceux qui viendront après moi ? Alors, il se penche vers le sol et, d'un doigt un peu tremblant, ou du bout de sa canne, il trace des signes sur le sable.

« Que fais-je maintenant au steppe de l'Adriatique ? des folies de l'âge voisin du berceau : j'ai écrit un nom tout près du réseau d'écume, où la dernière onde vient de mourir ; les lames successives ont attaqué lentement le nom consolateur ; ce n'est qu'au seizième déroulement qu'elles l'ont emporté lettre à lettre et comme à regret : je sentais qu'elles effaçaient ma vie. »

Quel pouvait bien être ce nom de seize lettres, effacées une à une qui, si nous le devinions, nous fournirait, après tant d'aventures misérables et enchanteresses, la clé du cœur tourmenté et de la vie pleine de tempêtes du vicomte de Chateaubriand ? Ni Céleste Buisson de La Vigne, ni la duchesse de Berry, ni, évidemment, Napoléon Bonaparte ; ni Pauline de Beaumont, ni Delphine de Custine, ni Natalie de Noailles : grâce à Dieu pour l'historien dont l'existence, à jamais, aurait été empoisonnée par le doute, une lettre de trop pour chacune ; ni Hortense Allart : il manque deux lettres ; ni Cordélia de Castellane ; ni Charlotte Ives ; ni Claire de Duras ; ni le duc de Bordeaux, ni Charles X, ni lord Byron, ni le Saint-Père, ni la petite hotteuse de Hohlfeld, ni même Lucile, la sœur bien-aimée, la Sylphide de Combourg.

Le seul nom de seize lettres que Chateaubriand, attendant à Venise les ordres de la duchesse de Berry et rêvant sur Byron, pouvait avoir écrit, à l'âge de soixante-cinq ans, sur le sable de l'Adriatique était celui de Juliette Récamier.

Tout le reste de cette existence si tumultueuse et si divisée trouve enfin, autour de Juliette, sa grandeur et son unité. Voici que le dernier amour résume à lui seul toutes les tempêtes de René et qu'il se confond avec elles. Le génie de Chateaubriand est peut-être d'avoir su organiser sa vie et édifier sa propre statue : peut-on le lui reprocher ? A travers les échecs les plus sanglants, à travers les erreurs et les folies, il a fini par rendre cohérente son œuvre politique. Toujours il avait su, avec un art consommé, s'occuper de ses livres ; sa place dans les lettres françaises et dans la littérature universelle n'aurait pourtant guère été assurée par les œuvres de sa jeunesse ni même de son âge mûr : *Atala, le Génie du christianisme, les Martyrs*, la tragédie de *Moïse*, qui avaient commencé, à l'ombre des Pauline et des Natalie, à forger sa réputation, sont aujourd'hui illisibles. Mais, conçues ou achevées à l'ombre de Juliette, les deux œuvres du soir et de la fin de la vie – les *Mémoires d'outre-tombe* et la *Vie de Rancé* – sont aussi jeunes qu'au premier jour : elles n'ont pas pris une ride. Après tant d'aventures chaotiques et contradictoires, aussi ferme, aussi pur luit son amour pour Juliette. Dans les quinze dernières années de sa vie, il donne un sens à ses amours comme il en a donné un à sa carrière politique et à son œuvre littéraire.

Pour René vieillissant, à travers le déclin et parfois les souffrances inséparables de l'âge, le sens de l'existence se dégage presque trop bien. Dans sa vie sentimentale comme dans sa vie politique, il a su saisir, avec une espèce de génie, l'instant exact où l'échec se transforme en succès et où les aventures basculent dans la légende. De même que la double et contradictoire fidélité à la monarchie légitime et à la liberté convergent vers le fameux discours du 7 août – « Inutile Cassandre, j'ai assez fatigué le trône et la patrie... » – et vers le sacrifice solennel de ses richesses et de ses dignités, de même toutes les amours passées se reportent sur Juliette et se fondent dans son image. « Combien est-il de personnes, écrit-il après une promenade avec Juliette, que l'on puisse ennuyer de ce que l'on a été et mener avec soi en arrière sur la trace de ses jours ? Une des grandes séductions de Mme Récamier, c'est de s'associer à votre existence, d'entrer dans vos idées, de s'intéresser à ce qui vous touche... » Ainsi Juliette finit-elle par occuper tout l'immense espace sentimental qui s'étend, chez René, entre la vie et les songes. Sa seule présence suffit à unifier des rêves qui avaient pris tant de formes différentes et opposées. On a beaucoup reproché à René cette multiplicité. On ne s'est pas privé non plus de lui faire grief de l'unité retrouvée. « L'ingrat ! écrit Sainte-Beuve avec son fiel de toujours, il supprime d'un trait tant de femmes tendres, dévouées, qui lui ont donné les plus chers et les plus irrécusables gages. O vous toutes qui l'avez aimé et dont plusieurs sont mortes en le nommant, ombres adorables, levez-vous, ombres d'élite, et venez dire à l'ingrat qu'en vous rayant toutes d'un trait de plume, il ment à ses propres souvenirs et à son cœur ! »

Mais non ! Il ne mentait plus. Il avait cessé de mentir, le prodigieux menteur. L'indifférence s'évanouit ; la passion, en même temps, se calme et s'approfondit. Don Juan s'efface en lui au profit de don Diègue ou de ce don Ruy Gomez dont il admirait dans l'*Hernani* de Victor Hugo – nous le savons par une lettre de Sainte-Beuve à Hugo – le personnage aux cheveux blancs. Il n'oublie aucune des ombres évoquées par Sainte-Beuve avec indignation : ni Pauline, ni Delphine, ni Claire, la pauvre sœur, ni Natalie, la folle, ni Cordélia, ni Hortense. « Mêlées et confondues », elles sont « venues se fondre, comme il le dit lui-même, dans la forme vivante de Juliette ». Par la force des choses, l'homme des songes et du désir, l'homme des contradictions a fini par devenir, en amour comme en politique, l'homme de la fidélité.

En une espèce de symbole, il se rapproche de Juliette : il quitte la rue d'Enfer et s'installe rue du Bac, à quelques minutes à pied de l'Abbaye-aux-Bois. Depuis quelque temps déjà, l'archevêque de Paris, Mgr de Quélen, proposait de racheter l'Infirmerie Marie-Thérèse, à condition que Céleste renonçât à l'administration de l'œuvre. René poussait de toutes ses forces à cette solution qui faisait rentrer de l'argent, libérait Céleste d'une charge très lourde et le mettait lui-même à quelques centaines de mètres de Mme Récamier. En été 1838, il entre au 112 de la rue du Bac – aujourd'hui 120 – dans le vaste rez-de-chaussée qui donne sur le jardin des Missions étrangères et où il va mourir dix ans plus tard. Il est fou de bonheur.

Il avait beau écrire que « l'homme n'a pas besoin de voyager pour s'agrandir », il y avait encore des voyages pour le nomade invétéré. Tout de suite après Venise, au lieu de le laisser rentrer directement à Paris, la duchesse de Berry, interdite de séjour en Autriche, l'avait, presque malgré lui, renvoyé à Prague, pour la seconde fois. Charles X lui parla du *gouvernement* qu'il était en train de constituer. Avec le duc d'Angoulême un dialogue aberrant s'établit :

– Comment Monseigneur se trouve-t-il ?
– Veillottant.
– C'est comme tout le monde, Monseigneur.
– Et votre femme ?
– Monseigneur, elle a mal aux dents.
– Fluxion ?
– Non, Monseigneur : temps.
– Vous dînez chez le roi ? Nous nous reverrons.
« Et nous nous quittâmes. »

La deuxième mission eut le même succès que la première ; de conversations insipides en illusions évanouies et en déceptions, elle s'acheva en échec. Au moins marqua-t-elle la fin définitive de la carrière politique de Chateaubriand. « Ce voyage a fixé mes incertitudes ; je ne puis rien pour ces gens-là. Prague proscrit Blaye et invoque la puissance autrichienne ; et moi, pauvre serviteur, je suis obligé d'employer ma petite autorité pour faire lever des ordres odieux. Tout est mensonge... Je ne servirai plus. » La bénéficiaire de ces résolutions est Juliette Récamier : « Qu'on est heureux à l'écart de tout cela, et de vous aimer ! »

Un voyage, un peu plus tard, l'entraîne encore à travers la France, de Clermont-Ferrand à Rodez et d'Albi à Cannes et à Golfe-Juan où le potier et aubergiste Jacquemin, qui avait servi de guide à l'empereur débarquant de l'île d'Elbe, fait revivre pour lui, de nuit, car il est pressé, ces heures d'exaltation. A Toulouse, déjà, un autre rendez-vous, qui était peut-être le but du voyage, l'avait ému plus encore : il avait, pour la première fois depuis Cauterets, revu l'Occitanienne, devenue Mme de Castelbajac. De part et d'autre, la passion était éteinte. Il pensait encore avec émotion et regrets aux jours lumineux du passé, « mais, ajoutait-il drôlement, ces regrets se mêlent à tant d'autres que je ne sais plus auquel entendre ». Elle, de son côté, avait mis sans doute les choses au point puisqu'il lui écrivait un peu plus tard : « Vous m'avez appris à Toulouse que vous n'êtes plus la voyageuse des Pyrénées... » Il faudra qu'ils se revoient tout à fait à la fin de la vie de René pour qu'il se laisse aller de nouveau à la faiblesse d'un aveu. Quelques jours avant la rencontre de Toulouse, c'est toujours à Juliette, au contraire, que René, sur le point de quitter Paris, pense avec tendresse : « Puisque je dois vous quitter, je voudrais déjà avoir fait cent lieues et vous revenir ; désormais, il n'y a plus pour moi de voyage ; je n'ai plus qu'un sentiment et qu'une joie, achever ma vie auprès de vous. Je meurs de joie de nos arrangements futurs et de n'être plus qu'à dix minutes de votre porte ; habitant du passé dans mes souvenirs, du présent et de l'avenir avec vous, je suis déterminé à faire du bonheur de tout, même de vos injustices. Il y aura un grand charme à m'en aller protégé par vos regards, vos paroles et votre attachement. Et puis Dieu, le ciel et vous par-delà la vie. »

S'il se déplace encore, c'est jusqu'à Fontainebleau, à Chantilly, à Maintenon, chez le duc de Noailles, aux eaux de Néris ou de Bourbonne-les-Bains. Deux fois seulement, il se laissera encore convoquer, pour des réunions de pure forme, par le duc de Bordeaux : à Londres en 1843 et à Venise en 1845. Il en profitait pour dire adieu coup sur coup à la capitale où il avait promené successivement sa misère et sa gloire, puis à « la merveilleuse cité mourante » – mais « en ruine seulement dans la littérature » – où Mme Albrizzi et Mme Benzoni étaient mortes toutes les deux et où la pauvre Zanze, trois ans après sa visite, avait été emportée par plus cruel encore que ce fieffé menteur de Silvio Pellico : le choléra.

Chaque fois qu'un déplacement les sépare pour quelques jours, que ce soit elle qui s'absente ou que ce soit lui qui voyage, René envoie à Juliette des billets, souvent courts, mais toujours déchirants, qui se terminent le plus souvent par « Quel malheur de vous quitter toujours ! à bientôt ! à bientôt ! » ou par « A vous ! à vous ! » : « Ne parlez jamais de ce que je deviendrais sans vous. Si vous me le demandiez, je ne le saurais pas. » Ou : « Moi, je pense toujours à vous ; il le faut bien puisque je n'ai pas autre chose dans la tête. » Ou encore : « Vous êtes partie : je ne sais plus que faire ; Paris est le désert, moins sa beauté. Où vous manquez, tout manque. Je rentre en moi, mon écriture diminue, mes idées s'effacent ; il ne m'en reste plus qu'une : c'est vous. »

De Londres ou de Venise, ce sont des lettres merveilleuses où Juliette ne cesse jamais de tenir la première place ; de Venise : « Que vous écrire de Venise ? Quand je regarde la mer si triste, je pense à vous et à tout ce que ces lieux ont vu de plus charmant dans la vie. Comme tout change ! Hélas ! Nous-mêmes, ne changeons-nous pas ? Suis-je ce que j'étais lorsque je vous ai connue ? Il faut bien qu'il en soit ainsi, car la vie serait trop triste s'il restait un point qui n'eût pas changé. Adieu Venise que je ne reverrai plus sans doute. Il n'y a que vous, Juliette, que je ne puis consentir à quitter. J'ai baisé respectueusement votre lettre dans la ville des souvenirs. » Et de Londres : « Je suis allé promener ma tristesse dans Kensington où vous vous êtes promenée comme la plus belle des Françaises. J'ai revu ces arbres sous lesquels René m'était apparu : c'était une chose étrange que cette résurrection de mes songes au milieu des tristes réalités de ma vie. Quand je rêvais alors, ma jeunesse était devant moi, je pouvais marcher vers cette chose inconnue que je cherchais. Maintenant je ne puis plus faire une enjambée sans toucher à la borne. Oh ! que je me trouverai bien couché, mon dernier rêve étant pour vous ! » A plusieurs autres déjà il avait été sur le bord de murmurer les mêmes mots. C'était à Juliette qu'il les disait : « Mon dernier rêve sera pour vous. »

Personne n'était plus digne que Juliette Récamier de cette adoration. Du moment où elle rencontre René au fameux dîner de Mme de Staël mourante, elle consacre, pendant trente ans, son existence à celle du grand homme. René parle quelque part de ses années de vieillesse « dont personne ne voulait plus ». Juliette les voulait bien. Les lectures reprennent à l'Abbaye-aux-Bois. Chateaubriand apporte toujours son manuscrit dans le mouchoir de soie que nous avons déjà vu. C'est la suite et la fin des *Mémoires d'outre-tombe* qu'il s'agit maintenant de faire connaître à un petit cercle d'initiés, Jean-Jacques Ampère et M. Lenormant, le mari d'Amélie, lisent alternativement. Sainte-Beuve prend des notes et s'agace plus d'une fois de l'atmosphère recueillie d'une assistance trop choisie. Il y avait les vieux fidèles autour de Ballanche et d'Ampère. Il y avait aussi des nouveaux : Ozanam, Tocqueville, Lacordaire, un certain Forbin-Janson, qu'il ne faut pas confondre avec le comte de Forbin, peintre et amant de Pauline Borghèse, puis de Cordélia de Castellane, et qui faisait la cour à Juliette du temps de Benjamin Constant. Sainte-Beuve nous a laissé de ce Forbin-Janson un portrait amusant : « On le rencontrait dans l'escalier, porté par un domestique, à l'état de ruine, d'ombre, de mort. La porte ouverte, à la vue de la femme de chambre, crac : ainsi qu'un ressort, un sourire se mettait à jouer sur sa figure. Et il entrait avec un grand air, et il saluait galamment, et, de temps en temps, éternellement souriant, lançait un assez joli trait d'esprit, que Mme Récamier relevait, faisait valoir. Alors, le vieillard se laissait aller à dire : *Ça, c'est du bon Forbin* !... »

Des amis mouraient. En 1837, ce fut le tour du duc de Laval. Ambassadeur à Madrid, à Rome, à Vienne, à Londres, il avait eu une carrière éclatante avant de rentrer dans la vie privée en 1830. Ce grand seigneur raffiné et timide était un curieux mélange d'intelligence et de légèreté. Esprit profondément original en même temps que conservateur, il vivait avec une petite gazelle boiteuse à laquelle il trouvait le charme de Mlle de La Vallière, achetait « des orangers et citronniers à tête ronde » pour embellir sa maison, édifiait une terrasse –« c'est élégant d'élever des colonnes » –, s'occupait de jardins et envoyait des madrigaux à Juliette Récamier : « Parmi mes innombrables roses de toute espèce et de toute origine, je n'en vois pas une aussi jolie, aussi fraîche que celle que j'ai vue, admirée dans tout son éclat et son parfum, il y a bien des années, à la Chaussée d'Antin. » Ses vues politiques étaient évidemment marquées par un goût du passé plutôt que de l'avenir : « Nous avons eu, écrivait-il à Ballanche, les temps monarchiques, les temps révolutionnaires, les temps difficiles ; nous entrons dans les temps impossibles. Plus de moyens de gouvernement, parce qu'il n'y a plus de moyen de justice. Punir ce qui est coupable est hors de la portée du gouvernement. Le mal est trop étendu. Et remarquez-le bien, mon cher Monsieur, sans cette puissance de se faire craindre et de punir, il n'y a ni générosité ni clémence à exercer, ni respects à imposer, ni popularité à acquérir, ni autorité à faire chérir. »

De temps en temps, de jeunes femmes apparaissaient encore parmi tant d'hommes dits distingués et de femmes de lettres et d'esprit. Dans l'hiver de 1840-41, le Rhône et la Saône ayant inondé Lyon, Juliette organisa une soirée au profit de ses compatriotes. Lady Byron envoya cent francs ; le duc de

Noailles s'occupa du buffet ; Chateaubriand recevait : il était venu en voisin et il était comme chez lui. La vedette, ce soir-là, c'est la tragédienne de dix-huit ans qui triomphe au Théâtre-Français dans le rôle d'Hermione ou celui de Camille : c'est Rachel, au sommet de sa beauté, de son talent et déjà de sa gloire. Après une scène de *Polyeucte*, elle récite la prière d'*Esther*. A peine les derniers vers se sont-ils envolés que, se déplaçant avec peine sur ses jambes mal assurées, l'illustre écrivain s'approche de la jeune actrice :

– Quel chagrin, lui dit-il d'une voix affaiblie, de voir naître une si belle chose quand on va mourir !

– Mais, monsieur le vicomte, lui répond vivement Rachel sur le ton de la prière qu'elle vient de terminer, avec les mêmes intonations pénétrantes et animées, il y a des hommes qui ne meurent pas.

Il mourait. Il était en train de mourir. Il mourait un peu plus chaque jour – *quotidie morior*. Perclus de rhumatismes, cloué à son fauteuil, un bras paralysé, il souffrait d'être obligé, à l'Abbaye-aux-Bois, de se faire porter de siège en siège. Il n'allait plus guère à l'Académie que pour voter pour de vieux amis – tels que Ballanche, saisi presque en même temps par l'immortalité et par la mort : il ne voulait pas, disait-il, qu'on le vît « ramper à son banc ». Le jour vint où il lui fut impossible de faire les quelques pas qui séparaient la rue du Bac de l'Abbaye-aux-Bois. Alors ce fut Juliette qui se rendit chez lui.

Longtemps, Céleste et Juliette s'étaient observées d'un peu loin avec une méfiance réciproque. Mme Récamier avait désarmé assez vite et avec habileté l'hostilité de Mme de Chateaubriand. Elle lui envoyait régulièrement des cotisations à ses œuvres, et la femme légitime en était toute retournée. Céleste avait fini par prendre son parti des liens entre René et Juliette. Il lui arrivait bien quelquefois de se plaindre de Mme Récamier, mais c'était parce qu'elle ne la voyait pas assez souvent. Alors, René intervenait et demandait à Juliette, en des termes où l'ironie se mêlait à la tendresse, de rendre visite à Céleste : « Que voulez-vous ? Puisque vous êtes associée à ma vie, il faut la partager tout entière. » Elle la partageait si bien qu'il arrivait à Céleste de demander à Juliette des nouvelles de son mari, « si, par hasard, vous avez l'occasion de le voir ».

La vie et le grand âge n'étaient pas plus indulgents pour Juliette que pour René : après des inquiétudes pour sa gorge et sa voix, c'étaient ses yeux qui faiblissaient. Elle devenait aveugle. C'était un spectacle poignant de voir l'aveugle et le paralytique se rechercher et s'aimer. En face de Juliette qui le devinait plus qu'elle ne l'apercevait, René ne pouvait même plus tendre les bras vers elle. « Cela était touchant et triste, écrit Victor Hugo. La femme qui ne voyait plus cherchait l'homme qui ne sentait plus. Leurs deux mains se rencontraient. Que Dieu soit béni ! L'on va cesser de vivre, on s'aime encore. »

Juliette et Céleste se retrouvaient dans une sorte de front commun contre les intruses qui s'obstinaient. Charlotte était loin, Natalie avait fini par mourir dans sa maison de santé de la rue du Rocher, Cordélia s'était transformée en une boulotte que tout le monde était habitué à voir avec Molé. Restaient Hortense et quelques autres. De temps en temps, René, quand ses jambes le portaient, allait encore se promener en voiture avec elle ou la recevait rue du Bac : « Il m'a charmée et touchée. Il ne peut marcher, il est mélancolique, il a ses anciennes grâces, cette distinction, cette élévation qui en font un homme si attrayant. L'âge, au lieu de changer la beauté de son visage, la rend plus remarquable. » Quand il ne la voyait pas, il arrivait encore à René de lui écrire quelques lignes où subsistait comme un reste des sentiments qu'à Paris et à Rome elle lui avait inspirés : « Aimez-moi toujours un peu de souvenir. Je ne devrais pas me fier beaucoup au temps qui m'a toujours trompé ; mais je lui pardonne comme à vous. Je suis si heureux que vous me portiez encore un peu d'intérêt qu'il faut que je vous en remercie à genoux. Laissez-moi appuyer, ne fût-ce qu'en rêve, ma vie contre la vôtre... » Le souvenir de la tendresse, pourtant, ne lui monte pas à la tête. Quelques jours plus tôt, il écartait les projets que faisait encore miroiter à ses yeux l'insatiable Hortense Allart : « Il est trop cruel de me parler de voyage. Je ferai bientôt le dernier. »

Il y avait d'autres revenantes et, parmi elles, Mme Hamelin, la jolie laide, la créole, la muscadine qui avait introduit Hortense auprès de René, ambassadeur à Rome. Il se débarrassait d'elle avec grâce, et avec une pointe d'insolence : « Je suis maintenant tout ratatiné. Si vous me voyiez par hasard, vous ne me reconnaîtriez pas. Adieu, ou bonjour, comme vous voudrez... Aimez-moi toujours comme quand vous veniez me chercher aux Affaires étrangères. Je suis au moment d'aller retrouver, dans quelque coin isolé, la grande affaire de tous les hommes. »

Toute sa vie, cette « grande affaire » avait été, avec l'amour, son occupation principale. Il aimait les femmes, ou les femmes l'aimaient – et il croyait. « Dieu de grandeur et de miséricorde ! écrit-il dans ses *Mémoires,* vous ne nous avez point jetés sur la terre pour des chagrins peu dignes et pour un misérable bonheur ! Notre désenchantement inévitable nous avertit que nos destinées sont plus sublimes. Quelles qu'aient été nos erreurs, si nous avons pensé à vous au milieu de nos faiblesses, nous serons transportés, quand votre bonté nous délivrera, dans cette région où les attachements sont éternels ! » La religion de Chateaubriand, comme sa vie politique ou son œuvre littéraire, exigerait de longs travaux qui déborderaient le cadre de cette biographie sentimentale. Il n'y a aucune raison de ne pas accepter ce qu'il a passé son temps, après les tourbillons de l'adolescence, à répéter sur tous les tons : « Je crois en Dieu aussi fermement qu'en ma propre existence. Je crois au christianisme comme grande vérité toujours, comme religion tant que je puis. J'y crois vingt-quatre heures, mais le diable revient, qui me plonge dans un grand doute, que je suis tout occupé à débrouiller à l'approche de la mort. » Plusieurs ont cru déceler de la comédie et une hypocrisie grandiose dans cette foi affichée. Effet de style ! assurait, parmi beaucoup d'autres, le baron de Vitrolles, militant d'extrême droite. « Ce n'est pas, répondait Chateaubriand, quand on va bientôt quitter la terre qu'on s'amuserait à mentir ; si j'avais le malheur de ne plus croire, je ne me ferais aucun scrupule à le déclarer. » Ce n'est pas en vain que les *Mémoires d'outre-tombe* s'achèvent sur la phrase fameuse : « En traçant ces derniers mots, ce 16 novembre 1841, ma fenêtre qui donne à l'ouest sur les jardins des Missions étrangères est ouverte : il est six heures du matin ; j'aperçois la lune pâle et élargie ; elle s'abaisse sur la flèche des Invalides à peine révélée par le premier rayon doré de l'orient : on dirait que l'ancien monde finit et que le nouveau commence. Je vois les reflets d'une aurore dont je ne verrai pas se lever le soleil. Il ne me reste qu'à m'asseoir au bord de ma fosse ; après quoi je descendrai hardiment, le crucifix à la main, dans l'éternité. »

C'est ce même souci de la religion qui allait donner à René l'occasion de son dernier ouvrage qui est aussi l'un des plus forts et où il allait encore dissimuler, sous une piété sincère, beaucoup de souvenirs de ses amours. Une belle figure de prêtre, que nous avons déjà vue passer dans ces pages, est à l'origine de l'entreprise : c'est le directeur de conscience de Chateaubriand. Installé rue Servandoni entre un chat jaune qui dort sur une chaise dans son antichambre nue et le grand crucifix de bois noir qui orne son cabinet, il s'appelle l'abbé Séguin. Sa calotte sur la tête, la soutane retroussée dans ses poches pour marcher plus commodément à la rencontre de la misère, l'abbé Séguin était la proie des pauvres. Il répétait volontiers une recommandation de sa mère : « Rappelez-vous que la robe des prêtres ne doit jamais être brodée d'avarice. » La sienne était brodée de pauvreté. Il suggéra, ou plutôt imposa, à René d'écrire une *Vie de Rancé*.

Vers la fin de Richelieu et les débuts de Mazarin, Armand-Jean Le Bouthillier de Rancé était un abbé mondain, riche, ambitieux, brillant, érudit et charmant. A douze ans, il publiait en grec une édition et un commentaire des poésies d'Anacréon. Rival de Bossuet, il avait autant de goût pour la chasse que pour l'étude. A un ami rencontré dans la rue, qui lui demandait : « Où vas-tu, l'abbé ? Que fais-tu aujourd'hui ? » il répondait : « Prêcher comme un ange et chasser comme un diable. » Il aimait surtout les femmes, et il leur plaisait. Il était l'amant d'une dame que sa beauté avait rendue célèbre. Elle était, nous assure Tallemant des Réaux, qui s'y connaissait, une des plus belles personnes qu'on pût voir ; et il ajoute qu'à trente-cinq ans « elle défaisait toutes les autres au bal ».

D'une beauté vigoureuse et épanouie, maîtresse non seulement de Rancé, mais du duc d'Orléans, du prince de Condé, du comte de Soissons, du duc de Longueville, du duc de Guise, du duc de Beaufort et de plusieurs autres, la duchesse de Montbazon est au centre de la vie et des conversations de l'époque, elle figure dans tous les souvenirs du temps et dans les ouvrages sur son siècle, elle apparaît même, comble de la gloire, dans des chansons populaires qu'il nous arrive encore de fredonner. Rancé en était fou. Un jour, un pont se rompit sous elle et elle faillit se noyer. Quelques mois plus tard, la rougeole l'emportait brutalement.

Rancé, prévenu trop tard, ne revit que morte cette femme qui avait tout pour elle et qui était tout pour lui. Le cercueil, déjà préparé, était trop petit pour le corps. On avait été obligé de détacher la tête du tronc. Rancé regarda une dernière fois ce visage incomparable, ce corps qu'il avait serré dans ses bras, et il se jeta dans un couvent. Il partit s'enfermer à Notre-Dame-de-la-Trappe qu'il réforma profondément, et presque avec brutalité. Il fut le premier des trappistes. On l'appella « l'abbé Tempête ». Plusieurs prétendent qu'il avait apporté avec lui, et jusque dans son couvent, la tête de la décapitée, qu'il avait tant aimée. Aragon, à son tour, évoque encore ce souvenir et

Cette tête coupée au bord d'un plat d'argent

dans des vers très classiques :

Au cloître que Rancé maintenant disparaisse.
Il n'a de prix pour nous que dans ce seul moment,
Et dans ce seul regard qu'il jette à sa maîtresse,
Qui contient toutes les détresses,
Le feu du ciel volé brûle éternellement.

Cette histoire romantique en plein âge classique, où la passion et la mort basculaient dans l'amour de Dieu, était un sujet de rêve pour Chateaubriand, affolé toute sa vie par la religion et les femmes. Chaotique, rugueux, imprévisible, plein d'audaces et de raccourcis, le livre n'eut qu'un demi-succès. Sainte-Beuve, mi-figue, mi-raisin, en rendit compte, avec des réserves où la jalousie et l'irritation se mêlaient à l'admiration, dans la *Revue des Deux-Mondes* : « Le critique, quand il s'agit de M. de Chateaubriand, n'en est plus un ; il se borne à rassembler les fleurs du chemin et à en remplir sa corbeille ; c'était l'office, dans les fêtes antiques, de ce qu'on appelait le canéphore, et même en cette histoire de cloître, si l'on nous passe l'image, c'est ainsi que nous ferons. » En réalité, Sainte-Beuve, qui avait beaucoup étudié Rancé lui-même pour son *Port-Royal*, avait trouvé l'ouvrage très faible. Tandis que Chateaubriand le remerciait par une lettre, il envoyait à la *Revue suisse* un autre article, celui-ci très dur, qu'il ne signa pas et que René, par bonheur, ignora : « Nous disons franchement que ce livre, que l'on concevait si simple et si austère, est devenu, par manque de sérieux et par négligence, un véritable bric-à-brac ; l'auteur jette tout, brouille tout, et vide toutes ses armoires. »

Jamais pourtant Chateaubriand n'avait été aussi fort et aussi rapide. Trop fort, peut-être, et sans doute trop rapide. La *Vie de Rancé* crépite d'images ramassées et de formules qui font mouche. On y tombe, à chaque page, sur des bonheurs assez rares ; sur Retz : « Lovelace tortu et batailleur, vieil acrobate mîtré » ; sur Corneille déjà âgé : « Il ne lui reste que cette tête chauve qui plane au-dessus de tout » ; sur Mabillon encore jeune : « Dans l'ombre des cloîtres, on entendit un bruit de papiers et de poussière : c'était Mabillon qui s'élevait » ; sur Saint-Simon : « Il écrivait à la diable pour l'immortalité » ; sur une définition très célèbre de l'amour : « L'amour ? Il est trompé, fugitif ou coupable » ; sur des phrases mélodieuses : « Il invoquait la nuit et la lune. Il eut toutes les angoisses et toutes les palpitations de l'attente : Mme de Montbazon était allée à l'infidélité éternelle » ; sur des passages ravissants tels que cette page consacrée, tendre éclair parmi beaucoup d'autres, à la victoire du temps sur les lettres d'amour :

« D'abord les lettres sont longues, vives, multipliées ; le jour n'y suffit pas : on écrit au coucher du soleil ; on trace quelques mots au clair de lune. On s'est quitté à l'aube ; à l'aube on épie la première clarté pour écrire ce que l'on croit avoir oublié de dire dans des heures de délices. Pas une idée, une image, une rêverie, un accident, une inquiétude qui n'ait sa lettre.

» Voici qu'un matin quelque chose de presque insensible se glisse sur la beauté de cette passion comme une première ride sur le front d'une femme adorée. Les lettres s'abrègent, diminuent en nombre, se remplissent de nouvelles, de descriptions, de choses étrangères ; sûr d'aimer et d'être aimé, on est devenu raisonnable ; on se soumet à l'absence. Les serments vont toujours leur train ; ce sont toujours les mêmes mots, mais ils sont morts ; l'âme y manque : *je vous aime* n'est plus qu'une expression d'habitude, un protocole obligé, le *j'ai l'honneur* d'être de toute lettre d'amour. »

A chaque ligne, à chaque instant, la vie de l'écrivain perce derrière la vie du saint. Et les amours de René derrière les amours de Rancé. Nous avons déjà vu la belle, l'éblouissante

Cordélia derrière le teint pâle et les yeux bleus de Marcelle de Castellane, aimée par le duc de Guise au temps de Henri IV. Pauline et Natalie ne sont jamais bien loin. Céleste elle-même passe le bout de son museau de belette spirituelle et pointue dans le trait de Rancé contre le mariage : « Je n'imagine point de Trappe comparable à celle-là. » Mais c'est surtout l'image radieuse de Juliette Récamier qui fait tout à coup irruption, pour l'illuminer avec évidence, dans la *Vie de Rancé* : « On est obligé de reconnaître que les sentiments de l'homme sont exposés à l'effet d'un travail caché : fièvre du temps qui produit la lassitude, dissipe l'illusion, mène nos passions et change nos cœurs comme elle change nos cheveux et nos années. Cependant il est une exception à cette infirmité des choses humaines : il arrive quelquefois que dans une âme forte un amour dure assez pour se transformer en amitié passionnée, pour devenir un devoir, pour prendre les qualités de la vertu ; alors il perd sa défaillance de nature et vit de ses principes immortels. »

La *Vie de Rancé* fut le chant du cygne de René. Elle constituait à la fois une sorte de cinquième partie ajoutée aux *Mémoires* et une autobiographie déguisée sous une hagiographie mi-profane, mi-sacrée. « Nous sommes persuadés que les grands écrivains ont mis leur histoire dans leurs ouvrages, écrivait déjà Chateaubriand dans le *Génie du christianisme.* On ne peint bien que son propre cœur, en l'attribuant à un autre, et la meilleure partie du génie se compose de souvenirs. » *Rancé*, à la fin d'une vie, était porteur d'autant de rêves que René à ses débuts ; la mémoire, simplement, y remplaçait l'impatience.

La *Vie de Rancé* à peine achevée, René se jette à nouveau sur ses *Mémoires.* De sa main à peine valide qui tremble et qui l'exaspère, il corrige, il rature, il resserre, il ajoute. Au début de 1847, d'une écriture presque illisible – « De mes grands jambages d'autrefois, écrit-il à Juliette, me voilà arrivé à ces pieds de mouches » –, il trace deux mots sur la première page du manuscrit des *Mémoires d'outre-tombe :* « Revu, Chateaubriand. » Un des cinq ou six monuments les plus importants de la littérature est enfin terminé. René est prêt à mourir. La mort frappe aussitôt. Mais d'abord autour de lui.

La première à partir et à rejoindre Fontanes, Joubert, M. Le Moine, les deux cousins Montmorency, le cher Clausel de Coussergues, et plusieurs de ces « Madames » qui l'avaient tant fait souffrir, fut Céleste de Chateaubriand. Victor Hugo raconte dans *Choses vues* que, faiblesse croissante d'esprit ou lucidité, le vieil écrivain rentra des obsèques en riant aux éclats. Céleste... Pauvre Céleste ! De la toute petite jeune fille à la pelisse rose et aux cheveux blonds que Lucile lui avait montrée un beau jour sur la chaussée du Sillon, à Saint-Malo, et à qui il avait lié sa vie à jamais en murmurant : « Faites donc », d'un ton indifférent pour qu'on le laisse en paix, qu'avaient donc fait le temps qui passe et l'égoïsme du génie ? Avons-nous, ici même, rendu justice à son esprit, à son originalité si rare, à sa tendresse pour le grand homme ? On pouvait, bien sûr, être très dur pour elle. Mme de Boigne ne s'en prive pas : « Elle a beaucoup d'esprit, mais elle l'emploie à extraire de tout de l'aigre et de l'amer. » Et Victor Hugo non plus : « Mme de Chateaubriand était fort bonne, ce qui ne l'empêchait pas d'être fort méchante. Elle avait la bonté officielle, ce qui ne fait aucun tort à la méchanceté domestique. Elle visitait les pauvres, surveillait les crèches, présidait les bureaux de charité, secourait les malades, donnait et priait et, en même temps, elle rudoyait son mari, ses parents, ses amis, ses gens, était aigrie, dure, prude, médisante, amère. Le bon Dieu pèsera tout cela là-haut. » Oui. C'est lui, et lui seul, qui pourra peser tout cela. Est-ce qu'il est seulement permis à cette vieille catin de psychologie de prêter à qui que ce soit le moindre trait de caractère ? Est-ce que Céleste aurait été Céleste si elle n'avait pas épousé, pour sa gloire et son malheur, le vicomte de Chateaubriand ? Est-ce qu'il y a quelque chose qui ressemble à des défauts, à des qualités, à une façon d'être et à un caractère en dehors d'une situation ? On peut finir par se demander si les mesquineries et les vertus de Mme de Chateaubriand lui appartiennent en propre ou si elles ne sont pas plutôt à mettre, par contrecoup, au compte de son irrésistible et infernal mari. Elle était pointue : n'avait-elle pas à se défendre ? Elle était amère : n'y avait-il pas de quoi ? Chacun d'entre nous n'apporte qu'une matière brute, une espèce de terre glaise, un bloc de possibilités qui sont sculptées par les autres.

Et puis il y avait entre Céleste et Hugo une sombre histoire de chocolat. Il fallait bien faire vivre l'Infirmerie de la rue d'Enfer et, entourée de ses bonnes sœurs, Céleste avait inventé un certain nombre de trucs. A des femmes du monde exaltées, venues à l'Infirmerie dans le fol espoir d'apercevoir le grand homme, elles vendaient à prix d'or, tels des morceaux de la Sainte Croix, des plumes inépuisables tirées par les « saintes pipeuses » de l'encrier de Céleste pour être découpées en trognons de plus en plus minuscules dont chacun était censé avoir tracé les mots sacrés : « Illustre captive de Blaye, Madame ! votre fils est mon roi ! » Les sœurs fabriquaient aussi du chocolat qu'elles vendaient au profit de leurs œuvres. Victor Hugo encore très jeune, et encore assez pauvre, fut pris au piège ou, pour parler comme René, au « trébuchet ».

Céleste ne recevait pas toujours ses visiteurs avec beaucoup d'aménité. Un jour, avec sa mine de lycéen épouvanté, roulant son chapeau entre ses mains, le jeune Hugo fut tout surpris d'être accueilli par un grand sourire et par des paroles aimables. « C'était le matin et c'était l'été. Il y avait un rayon de soleil sur le parquet et, ce qui m'éblouit et m'émerveilla bien plus que le rayon de soleil, un sourire sur le visage de Mme de Chateaubriand. "C'est vous, monsieur Victor Hugo ?" me dit-elle. Je me crus en plein rêve des *Mille et Une Nuits* ; Mme de Chateaubriand souriait ! Mme de Chateaubriand sachant mon nom ! prononçant mon nom ! C'était la première fois qu'elle daignait paraître s'apercevoir que j'existais. Je saluai jusqu'à terre. Elle reprit : "Je suis charmée de vous voir." Je n'en croyais pas mes oreilles. Elle continua : "Je vous attendais ; il y avait longtemps que vous n'étiez venu." Pour le coup, je pensais sérieusement qu'il devait y avoir quelque chose de dérangé soit en moi, soit en elle. Cependant elle me montrait du doigt une pile quelconque assez haute qu'elle avait sur une petite table, puis elle ajouta : "Je vous ai réservé ceci. J'ai pensé que cela vous ferait plaisir. Vous savez ce que c'est ?" C'était un chocolat religieux qu'elle protégeait et dont la vente était destinée à de bonnes œuvres. Je pris et je payai. C'était l'époque où je vivais quinze mois avec huit cents francs. Le chocolat catholique et le sourire de Mme de Chateaubriand me coûtèrent quinze francs, c'est-à-dire vingt jours de nourriture. C'est le sourire de femme le plus cher qui m'ait jamais été vendu. »

Nous savons déjà que Céleste avait beaucoup d'esprit. A la demande de René et pour lui apporter une aide dans la rédaction de ses *Mémoires*, elle tenait des *Cahiers – Cahier rouge, Cahier vert* – où Chateaubriand a bien souvent puisé. Originale jusqu'à la bizzarerie, elle vivait parmi les sirops et les tisanes, les chapelets, les livres de prières et une foule d'ouvrages qui laissaient René éberlué : « Elle a, disait-il, des arsenaux que nous ne connaissons pas et des lectures spéciales. » Sa propre production n'était pas si mauvaise puisque René s'en servait et quelques-uns de ses aphorismes sont parvenus jusqu'à nous pour nous permettre de la juger et de l'estimer : « J'entends toujours parler de l'insolence du peuple, mais je ne suis frappée que de sa patience. » Ou ceci, d'où toute allusion à René n'est sans doute pas exclue : « Nous n'aimons que l'encens qui nous est refusé. » Ou encore ceci qui la concerne plutôt elle-même et où l'ironie ne manque pas : « Après les dames sans bonnes œuvres, je ne connais rien de pire que les dames à bonnes œuvres. »

Il y avait eu un drame intime et mystérieux dans le ménage

Chateaubriand : Pilorge, le fidèle Pilorge avait été renvoyé. De quoi s'était donc rendu coupable pour encourir une telle disgrâce le rouquin de Fougères ? Nous ne le savons pas. C'est un des mystères les mieux gardés de cet univers de Chateaubriand, parcouru et ratissé en tous sens par des admirateurs fanatiques. Certains avancent que Céleste n'avait pas été étrangère à cette catastrophe domestique. Hyacinthe, en tout cas, fut remplacé par le deuxième Julien de la suite de René : le premier s'appelait Potelin et il reste lié à l'*Itinéraire de Paris à Jérusalem ;* le second s'appelle Danielo. Julien Danielo n'est pas entièrement sympathique. Il a le sentiment de déchoir en apportant son aide au poète devenu vieux ; il ne manque pas d'un petit talent ; il manque encore moins de vanité. Ses rapports avec Céleste n'étaient pas excellents. Il la juge pourtant avec moins de sévérité que Hugo et il paraît même ébloui de sa conversation : « Impossible, quand elle le voulait bien, d'entendre rien de plus piquant, de plus gracieux. C'était de la gaze, c'était un petit carillon, c'était un prisme. » Et il dépeint assez bien ce que devait être le climat du ménage Chateaubriand, elle lançant des pointes contre son grand homme de mari et le grand homme bâillant sans répondre ou répondant n'importe quoi – « Certainement, mon amie, certainement » – pour qu'on le laisse en paix. « Il eût tout donné, sa renommée même, je crois, pour éviter le bruit. »

Faut-il porter au débit ou au crédit de la vie conjugale dont Céleste lui avait donné l'image la réaction de René au lendemain de sa mort ? Il proposa à Juliette de l'épouser. Elle ne dit pas non. Après tant d'années de vie commune, comment n'aurait-elle pas été tentée par cet ultime hommage de tendresse et de fidélité ? Elle caressa l'idée, qui lui plaisait beaucoup, d'installer René à l'Abbaye-aux-Bois. Et puis elle refusa. Des imbéciles ont supposé qu'elle ne pouvait se résigner à inscrire son âge sur un acte d'état civil. Elle avait bien plutôt compris que ni René ni elle n'étaient plus tout à fait maîtres de leur vie et que la légende s'en était emparée : il était trop tard pour y changer quoi que ce fût. Le monde entier savait que Juliette avait consacré sa vie à René. Ils n'avaient plus besoin de rien ni de personne pour vivre et mourir ensemble.

La mort. Toujours la mort. Après Auguste de Prusse, c'était au tour de Ballanche. Les deux amoureux de Juliette en Italie, le plus jeune et le plus vieux, continuaient à suivre, autant que le permettait la différence de leur âge, une carrière parallèle : Ampère était élu à l'Académie française et Ballanche choisissait de mourir. Il se couchait avec bonheur dans la tombe où Juliette avait promis de le rejoindre, un peu tard, mais pour toujours. Juliette était aveugle. Craignant ce qu'il pourrait dire et ses propres faiblesses, Chateaubriand se taisait. « Chateaubriand, écrit Sainte-Beuve, est plus muet que jamais : il est dans les songes. Sa bouche fine sourit encore, ses yeux pleurent, son large front au repos a toute sa majesté. Mais qu'y a-t-il là-dedans et là-dessous ? Et y a-t-il quelque chose ? » Il y avait tout son passé. « Rompre avec les choses réelles, ce n'est rien ; mais avec les souvenirs ! Le cœur se brise à la séparation des songes. »

Il se revoyait à Grenade, à Bungay, dans les forêts d'Amérique, à son bureau de ministre, à la tribune de la Chambre des pairs, dans sa vieille calèche sous la lune, sur les routes de Bohême. Il se revoyait à Rome ou à Venise, où il aurait tant voulu retourner, avec l'une ou avec l'autre – c'est-à-dire avec Juliette. Il se revoyait sur la mer qu'il avait tant aimée. Il se revoyait dans toute sa gloire et dans toute sa misère, qu'il n'avait jamais su ni voulu séparer l'une de l'autre, recherchant plus que tout « une cellule sur un théâtre ». Il se revoyait lui-même, serré dans sa vieille redingote usée, « écourtée et gracieuse », bleu de roi, noire ou marron, en train de se diriger, pour arriver à l'heure sacrée, vers la petite cellule de l'Abbaye-aux-Bois. Sous ses cheveux en tempête, avec ses gants, ses guêtres, ses dents toujours éclatantes, sa fleur à la boutonnière, sa badine à la main, il a son regard de feu sous ses sourcils épais. Il entre. Juliette est seule. Et, pour une heure ou deux, s'engage, une fois de plus, entre Chateaubriand et Juliette Récamier, le tête-à-tête éternel du génie et de la beauté.

Il se revoyait chez lui, quelques mois, quelques semaines avant la mort de Ballanche, quand l'Abbaye aveugle venait rendre visite à la rue du Bac paralysée. Juliette Récamier arrivait, hésitante dans sa marche, « les bras un peu étendus en avant ». « M. de Chateaubriand, recommence Sainte-Beuve, plus exact, plus déplaisant, plus subtil que jamais, ne dit plus une parole ; on ne peut plus lui arracher un son. Béranger prétend qu'il trouve encore moyen, quand il y va, de le faire causer un quart d'heure ou vingt minutes. Mais, comme Thiers le remarque très bien, quand Béranger a parlé à quelqu'un, il s'imagine que ce quelqu'un lui a parlé. »

Peut-être revoyait-il le petit accident de voiture qui, il y a un an ou deux, au Champ-de-mars – au Champ-de-Mars, ô Hortense !... – lui avait cassé la clavicule. Il descendait de voiture. A peine a-t-il mis pied à terre que les chevaux avancent. Pour éviter la roue, il saisit d'une main la poignée de la portière. Mais, incapable de suivre le mouvement de la voiture, il est aussitôt renversé. Il tombe heureusement entre les bras de son valet, remonte en voiture, rentre chez lui, prétend que ce n'est rien. Les douleurs augmentent, on fait venir le médecin : la clavicule est cassée. « Me voilà arrêté, écrivait-il à Juliette ; j'étais descendu hier au Champ-de-Mars quand mes deux rosses, faisant les fringantes, se sont emportées et m'ont un peu traîné. Adieu donc jusqu'à demain. Un mot de vous seulement me guérirait.

Plaignez-moi, aimez-moi toujours un peu, je reprendrai à la vie dont pourtant je suis bien las. A vous ! à vous ! » Pour oublier ces malheurs qui ne frappaient que lui, il revoyait ce monde qu'il avait observé avec tant de passion et pourtant d'intelligence. « Je ne crois plus à rien, je n'estime plus rien, je me contente d'avoir été la dupe, sans m'en repentir, de deux ou trois nobles idées : la liberté, la fidélité, l'honneur... Je ne crois plus qu'à l'avenir chrétien, c'est-à-dire à l'avenir du ciel. » A la fin de son existence, il retrouvait, sur un mode bien différent, l'indifférence et le scepticisme de ses premières années. Et il s'accrochait « à la robe du Christ ».

Muré dans son silence, il entendait tout à coup une sorte de grande rumeur : c'était la révolution de 1848. Il sortit de son rêve.

– Que se passe-t-il ? demanda-t-il.

– C'est le peuple de Paris, répondit Tocqueville qui se trouvait auprès de lui. Il vient de renverser la monarchie de Louis-Philippe.

– C'est bien fait, dit René.

On annonça à Chateaubriand que la France, à nouveau, entrait en République. Il sourit sans répondre.

Béranger vint le voir.

– Eh bien ! lui dit-il, vous l'avez, votre République.

– Oui, je l'ai, dit Béranger ; et, après un silence : Mais j'aimais encore mieux la rêver que la voir.

En juin, le fracas de l'émeute pénétra dans sa chambre. Il demanda :

– Quel est ce bruit ?

– C'est le canon, lui dit-on. On se bat dans Paris.

– Je veux y aller, dit-il.

Et il se tut pour toujours, car il mourut le lendemain.

Il souffrait beaucoup, et de partout. Juliette ne le quittait pas. Elle était dans un état aussi triste que lui-même. Une seconde opération de la cataracte avait échoué comme la première : il ne pouvait plus parler ; elle ne pouvait plus voir.

Le mardi 4 juillet 1848, de bonne heure le matin, Juliette Récamier était au chevet de René en train de mourir. Peut-être le grand rêveur rêvait-il obscurément à ce matin du début du siècle, il y avait près de cinquante ans, où il avait aperçu pour la première fois, chez Germaine de Staël dans tout l'éclat de sa gloire, une créature éblouissante, toute vêtue de soie blanche. Il avait alors prié le ciel de vieillir cet ange de candeur et de volupté pour diminuer la distance que sa beauté sans égale semblait mettre à jamais entre Juliette et René. Le ciel l'avait écouté. La virginale beauté était devenue une vieille aveugle. Et, toute vêtue de noir, elle se tenait en pleurant au chevet de l'Enchanteur qui avait aimé tant de femmes – et peut-être pourtant une seule.

Il y avait là un prêtre, l'abbé Deguerry, et une sœur de charité, la supérieure de l'Infirmerie Marie-Thérèse. Chaque fois que Juliette Récamier, étouffée de sanglots, sortait de la pièce pour pleurer, René, sans la rappeler, la suivait des yeux avec un visage d'épouvante où se peignait l'angoisse de ne plus la revoir.

Le prêtre s'approcha et lui donna l'extrême-onction. Peut-être, l'espace d'un instant, l'image de Pauline et de l'abbé de Bonnevie passa-t-elle sous ses yeux clos. A peine eut-il reçu les derniers sacrements qu'il ne dit plus un seul mot. Il ne bougeait plus. Il ne faisait aucun signe. Tous ses souvenirs d'amours le cédaient à l'amour : il ne rêvait plus qu'à Dieu. La fièvre le brûlait. Il était redevenu très beau. Juliette ne le voyait pas, mais, penchée sur son amour, elle l'écoutait respirer.

Un vague murmure s'élevait. Le prêtre récitait la prière des agonisants. Les larmes coulaient silencieusement des yeux aveugles de Juliette. Soudain, à huit heures et quart, la prière s'interrompit sur les lèvres du prêtre et de la religieuse. Juliette, qui ne voyait rien, entendit ce silence. Elle comprit aussitôt que tout était fini de ce long bonheur, de ces angoisses sans fin, de cet amour coupable et sacré, et elle éclata en sanglots.

Diplomate, écrivain, voyageur, ambassadeur, pair de France, ministre des Affaires étrangères, légitimiste et libéral, grand amateur de femmes, catholique et romain, le vicomte de Chateaubriand avait fini de souffrir.

Victor Hugo vint le voir. Il raconte, dans *Choses vues*, sa dernière visite à l'écrivain monarchiste et chrétien qu'il avait tant admiré. Il le trouva couché sur un petit lit de fer à rideaux blancs. Le visage avait une expression de noblesse. La chambre mortuaire était simple et modeste comme une cellule. Au-dessus du lit, sur le mur, il y avait un crucifix. En face du lit, deux fenêtres, dominant le parc des Missions étrangères, donnaient sur un petit jardin ombragé et silencieux. Les volets étaient fermés. Aux pieds de Chateaubriand, il y avait une grande caisse de bois blanc dont la serrure était cassée : elle contenait le manuscrit des *Mémoires d'outre-tombe*.

Au milieu des élèves de l'École polytechnique et de l'École normale qui assuraient une garde d'honneur, une très vieille dame, bouleversée, tout en noir, pleurait sur un prie-Dieu : c'était la jeune femme éblouissante, enveloppée de sa robe blanche comme d'une vapeur légère, c'était Juliette Récamier.

La mort d'un des plus grands écrivains de la littérature française ne fit pas beaucoup de bruit : Paris sous la mitraille avait d'autres soucis. « Ce pauvre Chateaubriand, dit Pasquier, le navigateur de tous les régimes, le viel ami de Molé et de Pauline de Beaumont, l'amant de Mme de Boigne, ce pauvre Chateaubriand, quel tour lui est joué en le faisant mourir à une époque où il n'y a guère place dans les *Débats* pour quelques lignes sur lui. » Les obsèques se déroulèrent le 8 juillet à l'église des Missions. « Paris, écrit Hugo, qui, lui, ne ratera pas sa sortie, était encore comme abruti par les journées de Juin et tout ce bruit de fusillade, de canon et de tocsin, qu'il avait encore dans les oreilles, l'empêcha d'entendre, à la mort de M. de Chateaubriand, cette espèce de silence qui se fait autour des grands hommes disparus. Il y eut peu de foule et une émotion médiocre. Molé était là, en redingote, presque tout l'Institut, des soldats commandés par un capitaine. Telle fut cette cérémonie qui eut, tout ensemble, je ne sais quoi de pompeux qui excluait la simplicité et je ne sais quoi de bourgeois qui excluait la grandeur. C'était trop et trop peu. J'eusse voulu pour M. de Chateaubriand des funérailles royales, Notre-Dame, le manteau de pair, l'habit de l'Institut, l'épée du gentilhomme émigré, le collier de l'ordre de la Toison d'or, tous les corps présents, la moitié de la garnison sur pied, les tambours drapés, le canon de cinq en cinq minutes – ou le corbillard du pauvre dans une église de campagne. »

Sainte-Beuve assistait au service, non loin de Hugo, et en désaccord avec lui sur le nombre des assistants. Il entendit le bavardage de la gauche et de la droite, le dialogue entre un légitimiste et un républicain : « Il y avait foule. Béranger y était ; il n'a cessé durant l'office de causer avec son voisin, M. de Vitrolles. Ils étaient tous les deux en coquetterie. Voilà donc la fin de tout. O néant ! Soyez Chateaubriand, c'est-à-dire royaliste et catholique, pour qu'à vos funérailles, toutes convictions étant usées comme l'ont été les vôtres, Béranger et M. de Vitrolles se rencontrent et ne se quittent plus ! »

Heureusement, quelques jours plus tard, sous un vent de tempête, au son du canon, parmi des prêtres et des marins, le corps de Chateaubriand fut déposé sous une croix, dans une tombe de granit sans inscription, sur l'îlot du Grand-Bé, au large de Saint-Malo. Le grand âge et la mort rejoignaient la naissance, l'enfance, l'adolescence. Les remparts et les récifs étaient noirs de fidèles agenouillés qui priaient pour le repos d'une âme tourmentée et ardente. La Bretagne entière était venue chanter d'un seul cœur le refrain de l'*Abencerage* :

Combien j'ai douce souvenance
Du joli lieu de ma naissance !
Ma sœur, qu'ils étaient beaux les jours
De France !
O mon pays, sois mes amours
Toujours !

Ainsi, obscurément, dissimulées sous les mots dont il était le maître, Natalie et Lucile accompagnèrent leur amour dans son dernier voyage. Surgies de la démence et de la fidélité, elles étaient les messagères auprès de René mort de toutes ces ombres tremblantes qui, d'un bout à l'autre de ses songes et de ses passions, l'avaient aimé vivant.

On assure que Juliette ne sourit plus jamais. Ses yeux qui avaient cessé de voir ne lui servaient plus qu'à pleurer. Elle fut emportée par le choléra moins d'un an après le départ du grand homme qui ne lui avait donné ni son nom, ni sa vie, ni un enfant, mais un amour pour l'éternité. Ses traits, sur son lit de mort, avaient repris toute leur pureté et elle était plus belle que jamais. Jusqu'à son dernier souffle, elle avait gardé auprès d'elle son bien le plus précieux : quelques boucles de cheveux coupés au front de l'Enchanteur en échange d'un bouquet de verveine que ses mains hésitantes avaient déposé sur ce cœur qui avait tant battu.

CHRONOLOGIE SOMMAIRE

Année		*Vie de Chateaubriand*		*Événements politiques et littéraires*
1768	4 septembre.	Naissance de Chateaubriand à Saint-Malo.		
1769			15 août.	Naissance de Napoléon à Ajaccio.
1774				Mort de Louis XV. Avènement de Louis XVI. Gœthe : *Les Souffrances du jeune Werther*.
1778-1783		Études à Dol, à Rennes et à Brest.		Mort de Voltaire et de Rousseau. Guerre d'Amérique. Indépendance des États-Unis. Naissance de Stendhal.
1786	6 septembre.	Mort du père de Chateaubriand à Combourg.		
1787	Novembre.	Mariage de Jean-Baptiste avec la petite-fille de Malesherbes.		
1789			Mai. 14 juillet.	Réunion des états généraux. Prise de la Bastille.

1791

8 avril.	Embarquement à Saint-Malo pour l'Amérique.		
		21 juin.	Arrestation du roi à Varennes.
10 juillet.	Débarquement à Baltimore.		
10 décembre.	Embarquement à Philadelphie pour la France.		

1792

2 janvier.	Débarquement au Havre.		
21 février.	Mariage avec Céleste Buisson de La Vigne.-		
		20 avril.	Déclaration de guerre à l'Autriche.
Juin.	Pèlerinage à l'Ermitage de Jean-Jacques Rousseau.		
Juillet.	Départ en émigration.		
Septembre.	Blessure à la cuisse au siège de Thionville.		
		21 septembre.	La première République.

1793

		21 janvier.	Exécution de Louis XVI.
30 janvier.	Arrivée à Jersey.		
17 mai.	Arrivée à Londres. Installation dans le grenier de La Bouëtardais.		
		Juin.	La Terreur.

1794

Janvier.	Départ pour Beccles.		
22 avril.	Exécution de Malesherbes et de Jean-Baptiste.		
		27 juillet (9 thermidor).	Chute de Robespierre.

1796

Printemps.	Chute de cheval. Idylle à Bungay.		
Juin.	Retour à Londres.		Bonaparte en Italie.
2 août.	Mariage de Lucile.		

1797

Mars.	Publication de l'*Essai sur les révolutions.*		
			Gœthe : *Hermann et Dorothée* Naissance de Michelet.

1798

31 mai.	Mort de la mère de Chateaubriand.		Expédition d'Égypte.

1799

	Liaison, à Londres, avec Mme de Belloy.		Mort de Beaumarchais. Naissance de Balzac.
26 juillet.	Mort de Julie de Chateaubriand, comtesse de Farcy.		
		9 novembre (11 brumaire).	Coup d'État de Bonaparte contre le Directoire. Le Consulat.

1800

		9 février.	Discours de Fontanes sur Washington.

6 mai.	Débarquement à Calais de Jean-David de Lassagne, de Neuchâtel.		
		14 juin.	Bataille de Marengo.

1801

		9 février.	Traité de Lunéville avec l'Autriche.
2 avril.	Publication d'*Atala*.		
Printemps.	Chateaubriand rencontre Juliette Récamier chez Mme de Staël.		
Mai.	Installation de Chateaubriand et de Pauline de Beaumont à Savigny-sur-Orge.		
		15 juillet.	Signature du Concordat avec le Saint-Siège.

1802

		25 mars.	Traité d'Amiens avec l'Angleterre.
14 avril.	Publication du *Génie du christianisme*.		
		18 avril.	*Te Deum* à Notre-Dame de Paris.
Printemps.	Rencontre de Lucile et de Chênedollé.		Naissance de Victor Hugo. Mme de Staël : *Delphine*

1803

Printemps.	Chateaubriand s'éprend de Delphine de Custine.		
4 mai.	Nommé secrétaire de légation à Rome.		
26 mai.	Départ pour Rome.		Naissance de Mérimée.
27 juin.	Arrivée à Rome.		
Août.	Pauline de Beaumont au Mont-Dore.		
7 octobre.	Rencontre de Chateaubriand et de Pauline de Beaumont à Florence.		
4 novembre.	Mort de Pauline de Beaumont à Rome.		
5 novembre.	Funérailles à Saint-Louis-des-Français.		
29 novembre.	Chateaubriand nommé chargé d'affaires au Valais.		

1804

Janvier.	Voyage à Naples.		
21 janvier.	Départ pour Paris.		
		Février.	Arrestation de Moreau et de Pichegru.
3 mars.	Publication dans le *Mercure de France* de la *Lettre à M. de Fontanes sur la campagne romaine*.		
		9 mars.	Arrestation de Cadoudal.
		21 mars.	Exécution du duc d'Enghien.
27 mars.	Démission de Chateaubriand.		
		18 mai.	Proclamation de l'Empire. Senancour : *Obermann*.
10 novembre.	Mort de Lucile.		
		2 décembre.	Sacre de Napoléon.

1805

Août.	Voyage en Suisse. Visite à Coppet.		
		2 décembre.	Bataille d'Austerlitz.

1806

13 juillet.	Départ pour Venise et l'Orient.		
14 juillet.	Accident de voiture sur la Loire.		
28 juillet.	Venise.		
31 juillet.	Embarquement à Trieste avec Julien Potelin.		
26 août.	Athènes.		
18 septembre.	Constantinople.		
12 octobre.	Jérusalem.		
		14 octobre.	Batailles d'Iéna et d'Auerstaedt.
Octobre-Novembre.	Egypte.		
Décembre.	Tempête en Méditerranée.		

1807

		8 février.	Bataille d'Eylau.
30 mars.	Débarquement à Algésiras.		
6 avril.	Rencontre à Cadix avec Hyde de Neuville.		
10 avril.	Cordoue.		
12-14 avril.	Séjour à Grenade avec Natalie de Noailles.		
			Mme de Staël : *Corinne*.
21-24 avril.	Madrid.		
3-4 juin.	Arrêt à Angerville.		
5 juin.	Retour à Paris.		
4 juillet.	L'article du *Mercure*.		
		9 juillet.	Traité de Tilsit.
22 juillet.	Achat de la Vallée-aux-Loups.		

1808

		17 mars.	Fontanes grand maître de l'Université.
Hiver.	Chateaubriand fait la connaissance de Mme de Duras.		

1809

27 mars.	Publication des *Martyrs*.		
		6 juillet.	Bataille de Wagram.

1811

20 février.	Election à l'Académie française au siège de Marie-Joseph Chénier. Publication de l'*Itinéraire de Paris à Jérusalem*.		
			Naissance du roi de Rome.
			Naissance de Théophile Gautier.
Octobre.	Reprise de la rédaction des *Mémoires*.		

1812

Janvier.	Rupture avec Natalie de Noailles.		
		Eté.	Campagne de Russie.
		Automne.	Retraite de Russie.
			Byron : *Childe Harold*.

1814

		Hiver.	Campagne de France.
		31 mars.	Entrée des Alliés à Paris.

		3 avril.	Proclamation par le Sénat de la déchéance de Napoléon.
5 avril.	Publication de *De Buonaparte et des Bourbons.*		
		6 avril.	Abdication de Napoléon à Fontainebleau.
		3 mai.	Entrée de Louis XVIII à Paris.
		30 mai.	Traité de Paris.
		4 juin.	Octroi de la Charte.
Juin-juillet.	Lecture des *Aventures du dernier Abencerage* chez Mme Récamier.		
		26 septembre.	Ouverture du Congrès de Vienne.

1815

		1er mars.	Débarquement de Napoléon à Golfe-Juan.
		19 mars.	Départ du roi pour Gand.
20 mars.	Départ de Chateaubriand pour Gand.		
		Mars-juin.	Les Cent-Jours.
9 juin.	Nommé ministre de l'Intérieur.		
		18 juin.	Bataille de Waterloo.
		22 juin.	Seconde Abdication de Napoléon. Le roi quitte Gand.
		8 juillet.	Retour du roi à Paris. « Le bourbeux ministère » Talleyrand-Fouché-Pasquier-Louis. « La Chambre introuvable ».
9 juillet.	Nommé ministre d'État.		
17 août.	Pair de France.		
		Septembre.	Ministère Richelieu.
		20 novembre.	Second traité de Paris.
		7 décembre.	La Chambre des pairs condamne le maréchal Ney à la peine de mort.

1816

		5 septembre.	Dissolution de la Chambre introuvable.
17 septembre.	Publication de *la Monarchie selon la Charte.*		
20 septembre.	Destitution du ministère d'État. Perte de la pension de 24 000 francs.		Benjamin Constant : *Adolphe.*

1817

Printemps.	Mise en loterie de la Vallée-aux-Loups.		
28 mai.	Dîner avec Mme Récamier chez Mme de Staël.		
		14 juillet	Mort de Mme de Staël.
Septembre.	Natalie de Noailles devient folle.		

1818

21 juillet.	Vente de la Vallée-aux-Loups à Mathieu de Montmorency.		
		29 décembre.	Decazes ministre de l'Intérieur.

1819

Octobre.	Fondation de l'Infirmerie Marie-Thérèse.		

25 octobre.	Séjour à Versailles avec Juliette Récamier.		
		19 novembre.	Decazes président du Conseil. Pasquier ministre des Affaires étrangères.
	1820		
		13 février.	Assassinat du duc de Berry à la sortie de l'Opéra.
		20 février.	Démission de Decazes. Second ministère Richelieu.
28 février.	Article de Chateaubriand sur Decazes dans *le Conservateur*.		
			Lamartine : *Méditations poétiques*.
		22 décembre.	Villèle et Corbière ministres d'État.
	1821		
1er janvier.	Départ pour Berlin.		
Janvier-avril.	Ministre de France à Berlin.		
			Naissance de Flaubert. Naissance de Baudelaire.
		17 mars.	Mort de Fontanes.
27 juillet.	Démission de Chateaubriand.		
		Décembre.	Ministère Villèle.
	1822		
10 janvier.	Nommé ambassadeur à Londres.		
			Complots de la Charbonnerie.
Avril.	Traversée de la Manche. Arrivée à Londres.	Avril.	Massacres de Chio.
Septembre.	Départ pour Paris et Vérone.		
		20 octobre.	Ouverture du congrès de Vérone.
28 décembre.	Nommé ministre des Affaires étrangères.		
	1823		
25 février.	Discours de Chateaubriand à la Chambre.		
		7 avril.	Traversée de la Bidassoa par les Français.
	Chateaubriand s'éprend de Cordélia de Castellane.	24 mai.	Entrée des Français à Madrid.
		31 août.	Prise du Trocadero.
		30 octobre.	Capitulation de Cadix.
		Décembre.	Dissolution de la Chambre.
	1824		
			La « Chambre retrouvée ».
		19 avril.	Mort de Byron à Missolonghi.
6 juin.	Destitution de Chateaubriand.		
Septembre-octobre.	Voyage à Neuchâtel.		
		16 septembre.	Mort de Louis XVIII. Avènement de Charles X.
	1825		
29 mai.	Reims. Retour à Paris pour retrouver Juliette Récamier.	29 mai.	Sacre de Charles X à Reims.
	1826		
Mai.	Lausanne.		Vigny : *Poèmes antiques et modernes*.
13 juillet.	Mort de Delphine de Custine à Bex.		

1827

	Lutte contre la censure.		Projet de « loi de justice et d'amour » sur la presse.
		20 octobre.	Bataille de Navarin.

1828

		3 janvier.	Chute de Villèle.
16 janvier.	Mort de Claire de Duras à Nice.		Ministère Martignac.
Septembre.	Nommé ambassadeur à Rome. Départ pour Rome.		

1829

		10 février.	Mort de Léon XII.
		31 mars.	Le cardinal Castiglioni pape sous le nom de Pie VIII.
15 avril.	Office des Ténèbres à la chapelle Sixtine.		
18 avril.	Visite d'Hortense Allart au palais Simonetti.		
29 avril.	Fête à la Villa Médicis.		Musset : *Poésies*.
Mai.	Retour à Paris.		
Juin.	Lecture de *Moïse* à l'Abbaye-aux-Bois.		
Août.	Cauterets.		Chute du ministère Martignac.
		9 août.	Ministère Polignac.
30 août.	Démission de Chateaubriand.		

1830

		19 mars.	Vote par la Chambre d'une adresse hostile au ministère.
19 avril.	Mort de M. Récamier.		
		16 mai.	Dissolution de la Chambre.
		5 juillet.	Prise d'Alger.
		25 juillet.	Les ordonnances.
		27-28-29 juillet.	Les Trois Glorieuses.
28 juillet.	Dieppe. Retour à Paris.		
30 juillet.	Chateaubriand porté en triomphe.		
		30 juillet.	Le duc d'Orléans lieutenant général.
		2 août.	Abdication de Charles X et du duc d'Angoulême.
7 août.	Discours de Chateaubriand à la Chambre des pairs.	7 août.	Louis-Philippe roi des Français.
10 août.	Renonciation de Chateaubriand à sa pension de pair (12 000 francs).		Victor Hugo : *Hernani*.

1831

Mai.	Genève		
		13 mars.	Ministère Casimir Périer. Alexandre Dumas : *Antony*. Hugo. *Notre-Dame de Paris*. Stendhal : *Le Rouge et le Noir*.

1832

		Mars.	Choléra à Paris.
		28 avril.	Débarquement de la duchesse de Berry dans le Midi.
16 juin.	Arrestation de Chateaubriand.		
30 juin.	Libération de Chateaubriand.		
Août.	Voyage en Suisse. Saint-Gothard.		
29 août.	Arenenberg.		

Septembre.	Genève Coppet.		
		11 octobre.	Ministère Thiers-Guizot-Broglie.
		7 novembre.	Arrestation de la duchesse de Berry à Nantes.
17 novembre.	Retour à Paris.		Silvio Pellico : *Mes prisons.*
29 décembre.	*Mémoire sur la captivité de Mme la duchesse de Berry*		
	1833		
27 février.	Acquittement de Chateaubriand.		
14 mai.	Départ pour Prague.		Balzac : *Eugénie Grandet.*
6 juin.	Retour à Paris.		
3 septembre.	Départ pour Venise.		
6 octobre.	Retour à Paris.		
	1834		
			Musset : *On ne badine pas avec l'amour, Lorenzaccio.*
2 octobre.	Première représentation de *Moïse.*		Balzac : *Le Père Goriot* .
	1835		
			Hugo : *Les Chants du crépuscule.*
			Balzac : *Le Lys dans la vallée*
23 décembre.	Mort de Natalie de Noailles		
	1836		
			Lamartine : *Jocelyn.*
			Musset : *La Confession d'un enfant du siècle.*
	1838		
			Victor Hugo : *Ruy Blas.*
Juillet.	Clermont-Ferrand, Toulouse, Cannes, Lyon. Installation rue du Bac.		
	1839		
			Stendhal : *La Chartreuse de Parme.*
	1840		
		15 décembre.	Retour des cendres de Napoléon.
	1842		
			Mort de Stendhal.
	1843		
		16 mai.	Prise de la smala d'Abd-el-Kader.
Novembre.	Londres.		
	1844		
Mai.	Publication de la Vie de Rancé.		Naissance de Verlaine.
	1845		
			Mérimée : *Carmen.*
Juin.	Venise.		
	1846		
			George Sand : *La Mare au diable.*

16 août.	Accident du Champ-de-Mars.		

1847

9 février.	Mort de Céleste de Chateaubriand.		
	Mort de Ballanche.		
Octobre.	Visite de l'Occitanienne rue du Bac.		

1848

		22 février.	Insurrection à Paris.
		23 février.	Démission de Guizot.
		24 février.	Abdication de Louis-Philippe.
		25 février.	Proclamation de la deuxième République.
		23-25 juin.	Insurrection populaire.
		28 juin.	Cavaignac chef du pouvoir exécutif.
4 juillet.	Mort de Chateaubriand.		
21 octobre.	Publication dans *la Presse* du premier feuilleton des *Mémoires d'outre-tombe*.		
		10 décembre.	Election de Louis-Napoléon Bonaparte à la présidence de la République.

1849

11 mai.	Mort de Juliette Récamier.		

ÉLÉMENTS DE BIBLIOGRAPHIE

Cette biographie sentimentale n'est pas un travail d'érudition. Elle doit tout aux ouvrages classiques sur Chateaubriand ou ses proches de l'abbé G. Pailhès, du docteur H. Le Savoureux, de Victor Giraud, de Pierre Moreau, de Marcel Duchemin, de Jules Lemaitre, d'Emmanuel Beau de Loménie, de Louis Martin-Chauffier, de Fernand Baldensperger, d'André Billy, d'Henri Guillemin, de Marie-Louise Pailleron, de Marie-Jeanne Durry, d'Agénor Bardoux, de la comtesse Jean de Pange, de Marcel Rouff, du duc de Castries, de George D. Painter et de beaucoup d'autres encore qui voudront bien me pardonner de ne pouvoir tous les citer ici, tant est innombrable la troupe des admirateurs de l'Enchanteur.

Une mention particulière doit être faite de plusieurs ouvrages à l'égard desquels j'ai contracté des dettes que je suis heureux de reconnaître – notamment :

Sainte-Beuve : *Chateaubriand et son groupe littéraire sous l'Empire* (Calmann-Lévy, 1868)
Édouard Herriot : *Madame Récamier et ses amis* (Plon, 1904)
Léon Séché : *Hortense Allart de Méritens* (Mercure de France, 1908)
André Beaunier : *Trois amies de Chateaubriand* (Fasquelle, 1910)
Maurice Levaillant : *Splendeurs, misères et chimères de M. de Chateaubriand* (Albin Michel, 1948)
Raymond Lebègue : *Aspects de Chateaubriand* (Nizet, 1979)
et surtout, naturellement :

André Maurois : *René ou la Vie de Chateaubriand* (Grasset, 1938).

Les Lettres de Chateaubriand à Madame Récamier, publiées chez Flammarion en 1951 par Maurice Levaillant et Emmanuel Beau de Loménie, et la *Correspondance générale* de Chateaubriand en cours de publication chez Gallimard par Pierre Riberette (trois tomes parus à ce jour) ont fourni une bonne partie de la matière de ce livre.

Différents témoignages de l'époque ont été consultés. Au premier rang, irremplaçables :

Victor Hugo : *Choses vues* (Folio).

Comtesse de Boigne : *Récits d'une tante* (Mercure de France).

On lira avec intérêt, de

Mme Charles Lenormant, née Amélie Cyvoct : *Souvenirs et Correspondance tirés des papiers de Madame Récamier* (Michel Levy, 1859)

et, avec un amusement mêlé d'un peu de méfiance, les Mémoires romancés d'Hortense Allart :

Mme P. de Saman : *Les Enchantements de Prudence* (Michel Levy, 1873).

Je dois beaucoup à plusieurs amis que je n'ai pas besoin de citer car ils savent mon affectueuse gratitude : leur aide, leurs encouragements, leurs conseils m'ont été, à différents titres, beaucoup plus que précieux. Qu'ils soient ici de tout cœur remerciés.

Enfin, l'essentiel de ce livre vient de Chateaubriand lui-même. Négligeant pas mal d'œuvres pourtant parfois majeures, le lecteur curieux d'en savoir plus – et mieux – se reportera avec enthousiasme à trois ouvrages essentiels de Chateaubriand :

– l'*Itinéraire de Paris à Jérusalem*

– la *Vie de Rancé*

et surtout, dans l'une ou l'autre des éditions disponibles (par exemple dans la Pléiade, édition établie par Maurice Levaillant et Georges Moulinier, ou dans le Livre de Poche, préface et notes de Pierre Clarac), le chef-d'œuvre le plus achevé non seulement de Chateaubriand, mais peut-être de toute notre littérature :

– les *Mémoires d'outre-tombe.*

INDEX DES NOMS PROPRES

Les noms de lieux sont en italique

Achevé d'imprimer sur les presses
de Maury-Imprimeur S.A., 45330 Malesherbes
en juillet 1983

N° d'édition : 83106
N° d'impression : F83/13369
Dépôt légal : juillet 1983

Imprimé en France